동영상과 함께 "큐브수학 심화"로 상위 1% 되자!

무료 문제 풀이 동영상 강의로 사고력을 키워 상위권 공략

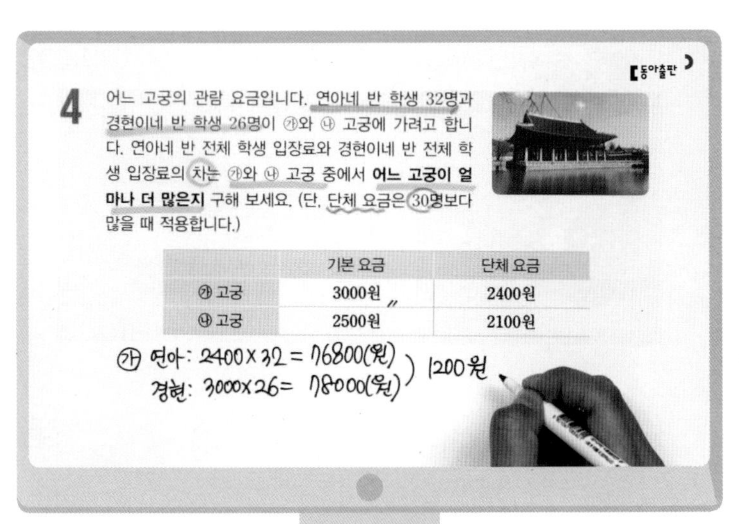

수학 상위권이 되려면 어떻게 해야 할까요?

상위권 도전 심화서인 큐브수학 심화가 있습니다.

혼자 공부하기 어렵지 않을까요?

무료 스마트러닝에 접속하면 <최상위 도전하기> 문제 풀이 동영상 강의가 있어 혼자서도 공부할 수 있습니다.

무료 스마트러닝 접속 방법

방법 1

동아출판 홈페이지 www.bookdonga.com에 접속하면 큐브수학 심화 무료 스마트러닝을 이용할 수 있습니다.

방법 2

핸드폰이나 태블릿으로 **교재 표지에 있는 QR코드**를 찍으면 무료 스마트러닝에서 큐브수학 심화의 문제 풀이 동영상 강의를 이용할 수 있습니다.

동영상과 함께 수학 1등 되는 큐브수학 시리즈

큐브수학 개념 개념 강의

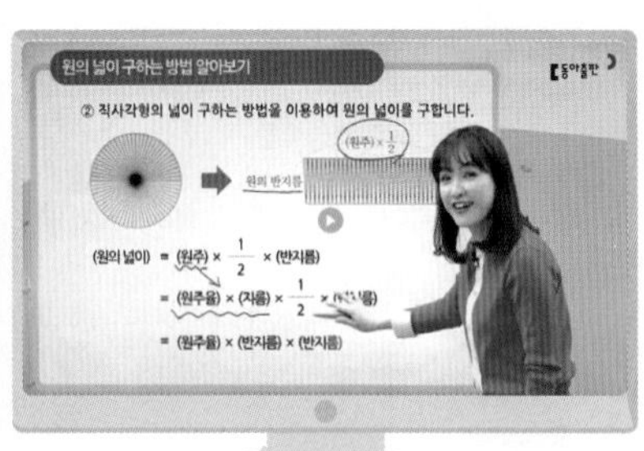

- 개념 문제를 한 번 더 풀어 개념 잡기
- 익힘책 문제로 탄탄한 기본 잡기
- 기초력 향상 학습지+ 미리 보는 수학 익힘책 제공

큐브수학 개념응용 개념, 응용 문제 강의

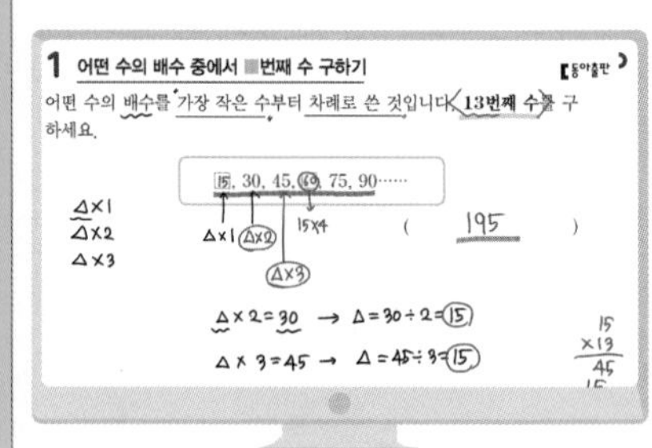

- 개념을 세분화하여 쉽고 빠르게 이해
- 수준별 문제 구성으로 문제 적용력 UP
- 응용 문제를 복습할 수 있는 응용 강화북 제공

큐브수학 실력 서술형 해결하기 강의

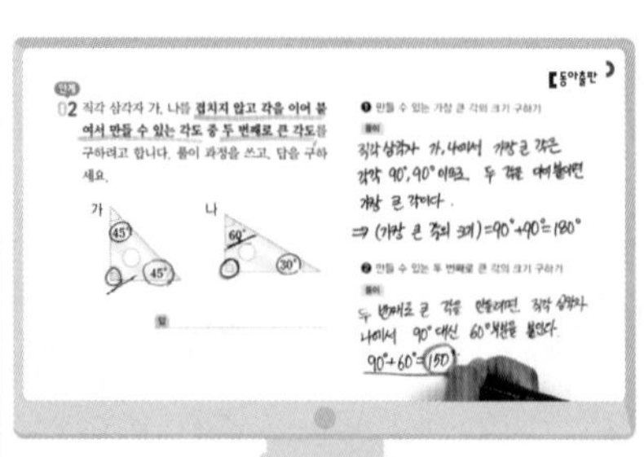

- 유형 ▶ 확인 ▶ 강화의 3단계로 문제 유형 마스터
- 연습 ▶ 단계 ▶ 실전의 3단계로 서술형 완벽 대비
- 매칭북으로 진도북 문제를 한 번 더 복습

큐브수학 심화 최상위 도전하기 강의

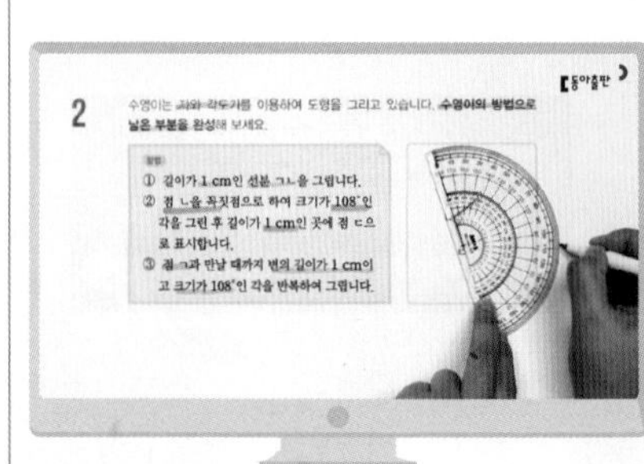

- 심화부터 경시까지 고난도 문제 정복
- 레벨UP공략법으로 문제 해결 능력 향상
- 경시대비북 제공

큐브 수학 심화

4·2

|진도북|

구성과 특징

진도북

개념 넓히기

핵심 개념, 응용 개념, 선행 개념으로 개념을 넓혀 문제 적용력을 키웁니다.

응용 개념 문제에 직접 적용되는 개념입니다.

선행 개념 학습 흐름에서 다음에 배울 개념입니다.

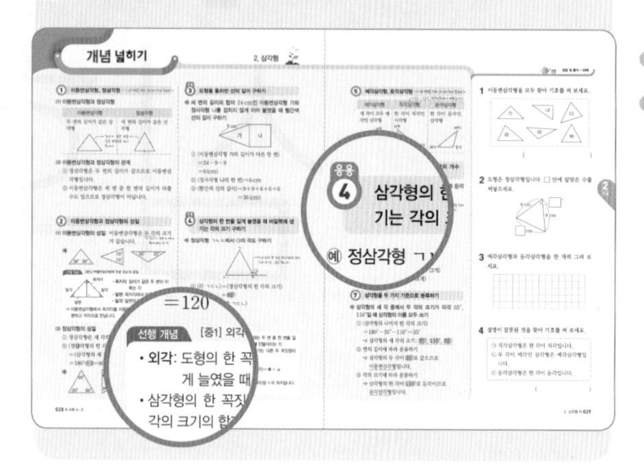

STEP 1 응용 공략하기

교과 응용 문제부터 심화 문제까지 다양한 대표 응용 유형에 **레벨UP공략법**을 적용하여 문제 해결 능력을 키웁니다.

레벨UP 공략 유형별 문제 해결 전략입니다.

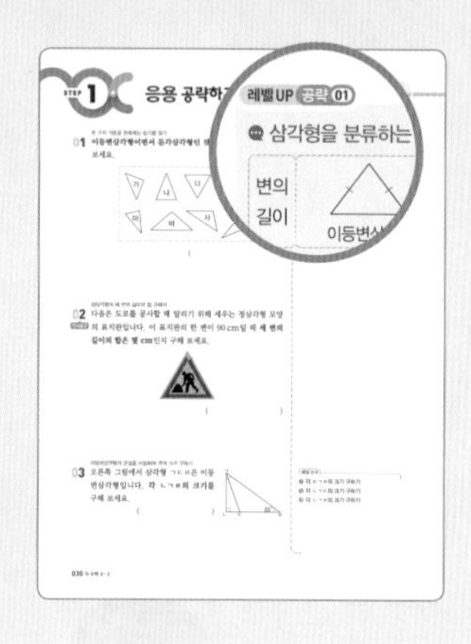

STEP 3 최상위 도전하기

경시 수준의 최상위 문제에 도전하여 수학적 사고력을 키우고, **1%** 도전 문제를 통해 상위권을 정복합니다.

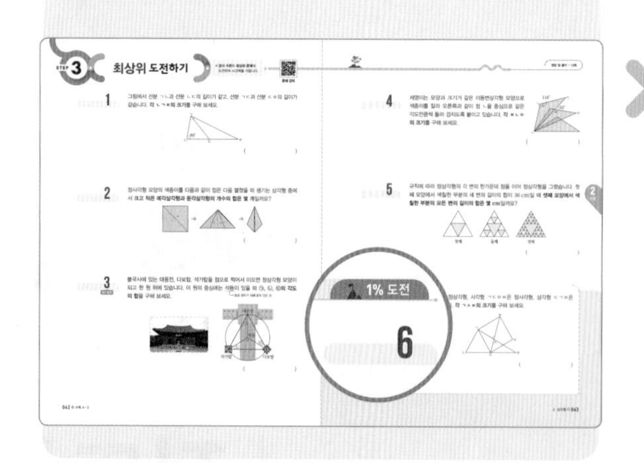

상위권 TEST

자신의 실력을 최종 **점검**하여 최고수준을 완성합니다.

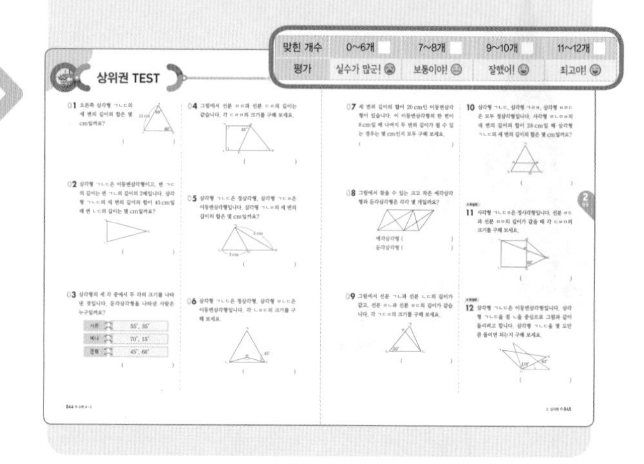

큐브수학S 심화의 특징

1. **레벨UP공략법**을 통해 **상위권에 도전하는 3단계 학습**
2. 교과 응용 문제부터 최상위 문제까지 **다양한 고난도 문제 유형을 통해 사고력 UP!**
3. 수학경시대회에 완벽하게 대비할 수 있는 **경시대비북 제공**

STEP 2 심화 해결하기

레벨UP공략법을 활용한 난이도 높은 문제를 스스로 해결하여 실력을 레벨UP합니다.

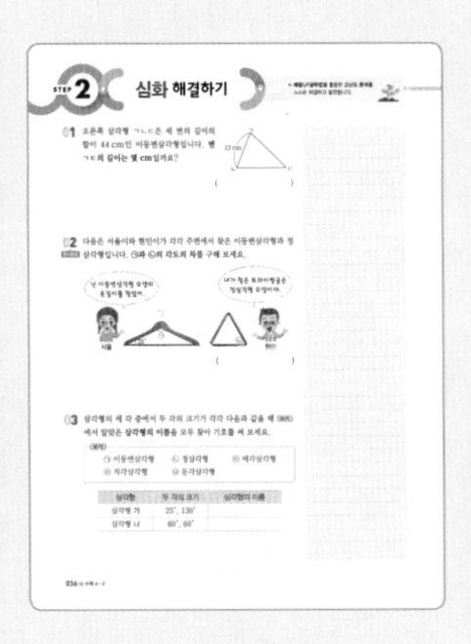

경시대비북

경시대회 예상 문제

수학경시대회에서 자주 출제되는 문제들을 단원별로 2회씩 풀어 보고, 수학경시대회를 대비합니다.

실전! 경시대회 모의고사

수학경시대회에서 출제될 수 있는 신유형 문제, 사고력 문제들을 통해 실전에 더욱 강해집니다.

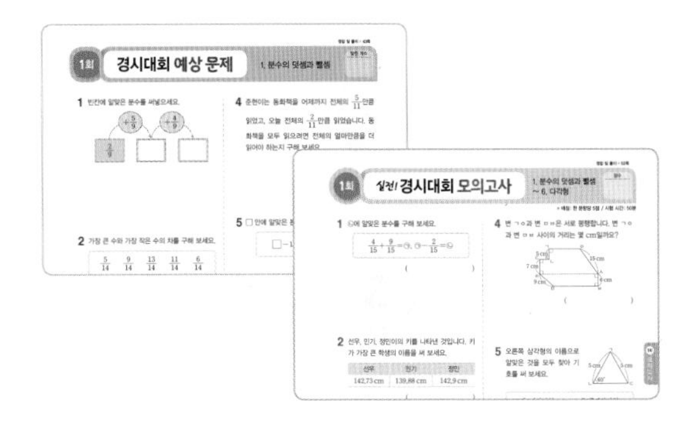

정답 및 풀이

- 친절하고 자세하게 모든 문항의 풀이를 제공
- 해결 순서, 레벨UP공략법, 선행 개념을 이용한 풀이, 문제 분석과 친절한 보충 설명을 통해 고난도 문제를 쉽게 해결
- 모바일 빠른 정답 서비스 제공

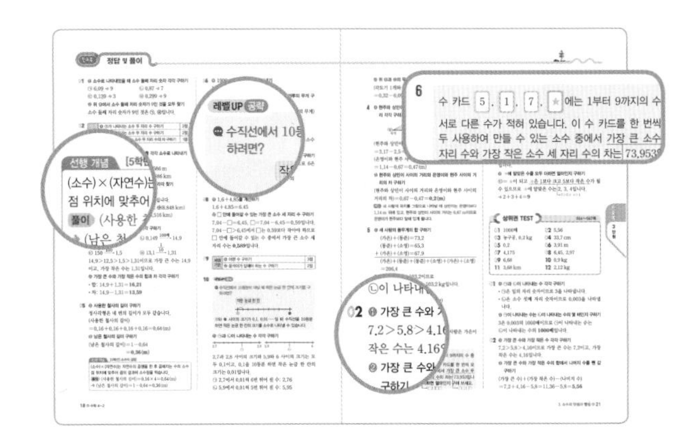

"**큐브수학S** 심화의
레벨UP공략법 48개로
상위 1%에 도전하세요."

차례

1 분수의 덧셈과 뺄셈

- 01 두 분수의 합과 차 구하기
- 02 가장 큰 분수와 가장 작은 분수의 합 구하기
- 03 처음 수 구하기
- 04 계산 결과 비교하기
- 05 뺄셈식에서 □의 값 구하기
- 06 세 분수의 합 구하기
- 07 계산 결과가 주어진 수에 가장 가까운 수 구하기
- 08 뺄셈식에서 조건에 알맞은 수 구하기
- 09 전체를 이용하여 부분의 수 구하기
- 10 자연수를 분모가 같은 두 분수의 합으로 나타내기
- 11 분수의 뺄셈을 이용하여 문제 해결하기
- 12 합과 차가 주어진 두 분수 구하기
- 13 남은 일의 양은 전체의 얼마인지 구하기
- 14 도형의 변의 길이의 합 구하기
- 15 수 카드로 만든 두 분수의 합과 차 구하기
- 16 두 지점 사이의 거리 구하기
- 17 계산 결과가 가장 큰 식 만들기
- 18 어떤 수를 구하여 바르게 계산하기
- 19 분수의 덧셈을 이용하여 거리 비교하기
- 20 시계가 가리키는 시각 구하기
- 21 빈 상자의 무게 구하기

1 진분수의 덧셈

① 분모는 그대로 두고 분자끼리 더합니다.
② 계산 결과가 가분수이면 대분수로 바꿉니다.

예 $\frac{5}{6}+\frac{3}{6}=\frac{5+3}{6}=\frac{8}{6}=1\frac{2}{6}$ (가분수를 대분수로 바꾸기)

2 진분수의 뺄셈, 1−(진분수)

(1) **(진분수)−(진분수)**: 분모는 그대로 두고 분자끼리 뺍니다.

예 $\frac{5}{8}-\frac{1}{8}=\frac{5-1}{8}=\frac{4}{8}$

(2) **1−(진분수)**: 1을 $\frac{■}{■}$로 바꾸어 분자끼리 뺍니다.

예 $1-\frac{1}{5}=\frac{5}{5}-\frac{1}{5}=\frac{5-1}{5}=\frac{4}{5}$

선행 개념 [5학년] 분모가 다른 진분수의 덧셈과 뺄셈

분모가 다른 진분수의 덧셈과 뺄셈은 분모를 통분(분수의 분모를 같게 하는 것)하여 분자끼리 더하거나 뺍니다.

- $\frac{1}{2}+\frac{1}{4}=\frac{1\times2}{2\times2}+\frac{1}{4}=\frac{2}{4}+\frac{1}{4}=\frac{3}{4}$
- $\frac{5}{9}-\frac{1}{3}=\frac{5}{9}-\frac{1\times3}{3\times3}=\frac{5}{9}-\frac{3}{9}=\frac{2}{9}$

(분모와 분자에 같은 수를 곱하여도 크기가 같습니다.)

응용 3 조건에 알맞은 수 구하기

예 $\frac{□}{9}+\frac{5}{9}>\frac{8}{9}$에서 □ 안에 들어갈 수 있는 가장 작은 자연수 구하기

① >를 =로 생각하여 =가 있는 식으로 바꾸기
→ $\frac{□}{9}+\frac{5}{9}=\frac{8}{9}$

② 덧셈과 뺄셈의 관계를 이용하여 □의 값 구하기
→ $\frac{□}{9}=\frac{8}{9}-\frac{5}{9}$, $\frac{□}{9}=\frac{3}{9}$, □=3

③ =를 다시 >로 바꾸어 □ 안에 들어갈 수 있는 가장 작은 자연수 구하기
→ □>3, □=4

4 대분수의 덧셈

예 $1\frac{4}{7}+2\frac{5}{7}$의 계산 → 받아올림이 있는 경우

방법 ❶ 자연수 부분끼리, 진분수 부분끼리 더하기

$1\frac{4}{7}+2\frac{5}{7}=(1+2)+(\frac{4}{7}+\frac{5}{7})$
$=3+\frac{9}{7}=3+1\frac{2}{7}=4\frac{2}{7}$ (가분수를 대분수로 바꾸기)

방법 ❷ 대분수를 가분수로 고쳐서 계산하기

$1\frac{4}{7}+2\frac{5}{7}=\frac{11}{7}+\frac{19}{7}=\frac{30}{7}=4\frac{2}{7}$ (가분수를 대분수로 바꾸기)

참고 세 분수의 합 구하기
앞에서부터 차례로 두 분수씩 또는 세 분수를 한꺼번에 계산합니다.

- $1\frac{5}{8}+2\frac{1}{8}+3\frac{1}{8}=3\frac{6}{8}+3\frac{1}{8}=6\frac{7}{8}$
- $1\frac{5}{8}+2\frac{1}{8}+3\frac{1}{8}=(1+2+3)+(\frac{5}{8}+\frac{1}{8}+\frac{1}{8})=6\frac{7}{8}$

5 대분수의 뺄셈

예 $3\frac{1}{4}-1\frac{2}{4}$의 계산 → 받아내림이 있는 경우

방법 ❶ 빼어지는 수에서 1만큼을 분수로 바꾸어 자연수 부분끼리, 분수 부분끼리 빼기

$3\frac{1}{4}-1\frac{2}{4}=2\frac{5}{4}-1\frac{2}{4}=(2-1)+(\frac{5}{4}-\frac{2}{4})$ (1만큼을 $\frac{4}{4}$로 바꾸기)
$=1+\frac{3}{4}=1\frac{3}{4}$

방법 ❷ 대분수를 가분수로 고쳐서 계산하기

$3\frac{1}{4}-1\frac{2}{4}=\frac{13}{4}-\frac{6}{4}=\frac{7}{4}=1\frac{3}{4}$ (가분수를 대분수로 바꾸기)

선행 개념 [5학년] 분모가 다른 대분수의 뺄셈

분모가 다른 대분수의 뺄셈은 분모를 통분(분수의 분모를 같게 하는 것)하여 계산합니다.

방법 ❶ $3\frac{1}{2}-1\frac{3}{4}=3\frac{2}{4}-1\frac{3}{4}=2\frac{6}{4}-1\frac{3}{4}=1\frac{3}{4}$ (×2)

방법 ❷ $3\frac{1}{2}-1\frac{3}{4}=\frac{7}{2}-\frac{7}{4}=\frac{14}{4}-\frac{7}{4}=\frac{7}{4}=1\frac{3}{4}$ (×2)

6 (자연수)−(대분수)

예 $3-1\frac{2}{3}$의 계산

방법 ❶ 자연수에서 1만큼을 분수로 바꾸어 계산하기

$3-1\frac{2}{3}=2\frac{3}{3}-1\frac{2}{3}=(2-1)+(\frac{3}{3}-\frac{2}{3})$

1만큼을 $\frac{3}{3}$으로 바꾸기 $=1+\frac{1}{3}=1\frac{1}{3}$

방법 ❷ 자연수와 대분수를 가분수로 고쳐서 계산하기

$3-1\frac{2}{3}=\frac{9}{3}-\frac{5}{3}=\frac{4}{3}=1\frac{1}{3}$

가분수를 대분수로 바꾸기

응용 7 어떤 수 구하기

예 어떤 수에 $1\frac{3}{5}$을 더했더니 $5\frac{2}{5}$가 되었을 때 어떤 수 구하기

① 어떤 수를 □라 하여 식 세우기

➜ $\square+1\frac{3}{5}=5\frac{2}{5}$

② 덧셈과 뺄셈의 관계를 이용하기

➜ $\square=5\frac{2}{5}-1\frac{3}{5}$

③ 어떤 수 구하기

➜ $\square=5\frac{2}{5}-1\frac{3}{5}=4\frac{7}{5}-1\frac{3}{5}=3\frac{4}{5}$

응용 8 수 카드로 만든 두 분수의 합과 차 구하기

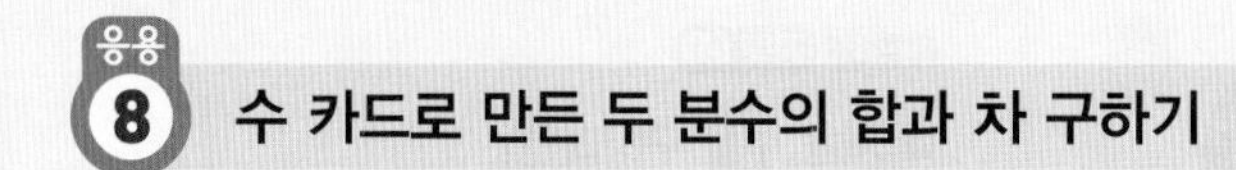

예 1, 3, 7 3장의 수 카드를 한 번씩만 사용하여 만든 분모가 7인 대분수 중 가장 큰 수와 가장 작은 수의 합과 차 각각 구하기

① 가장 큰 수: $\square\frac{\square}{7}$ ➜ $3\frac{1}{7}$ (분모를 제외한 가장 큰 수)

② 가장 작은 수: $\square\frac{\square}{7}$ ➜ $1\frac{3}{7}$ (분모를 제외한 가장 작은 수)

③ 합: $3\frac{1}{7}+1\frac{3}{7}=4\frac{4}{7}$

차: $3\frac{1}{7}-1\frac{3}{7}=2\frac{8}{7}-1\frac{3}{7}=1\frac{5}{7}$

1 빈칸에 알맞은 분수를 써넣으세요.

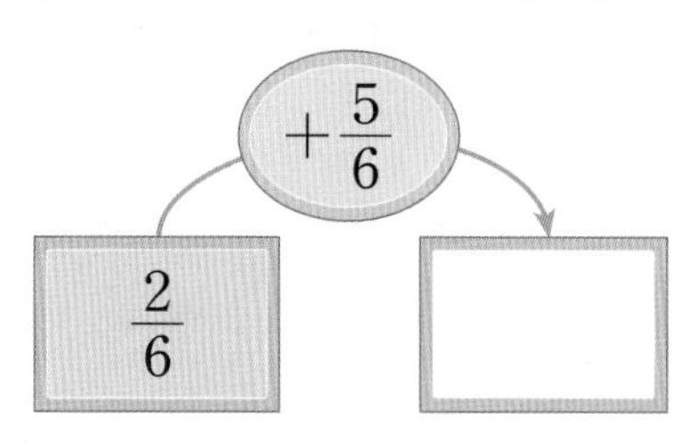

2 □ 안에 알맞은 분수를 써넣으세요.

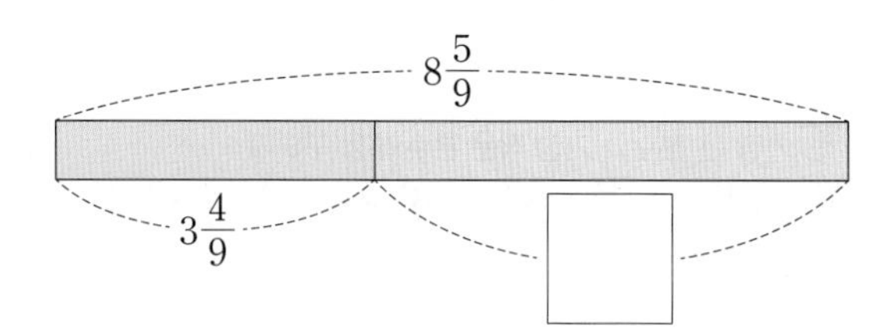

3 크기를 비교하여 ○ 안에 >, =, <를 알맞게 써넣으세요.

$8-5\frac{7}{10}$ ○ 2

4 큰 그릇에는 물이 $3\frac{2}{5}$ L 들어 있고, 작은 그릇에는 물이 $2\frac{4}{5}$ L 들어 있습니다. 두 그릇에 들어 있는 물의 양은 모두 몇 L일까요?

(　　　　　　　)

응용 공략하기

■ **응용·심화 문제**와 **레벨UP공략법**으로 문제 해결 능력을 키웁니다.

두 분수의 합과 차 구하기

01 수직선에서 ㉠과 ㉡이 **나타내는 분수의 합과 차**를 각각 구해 보세요.

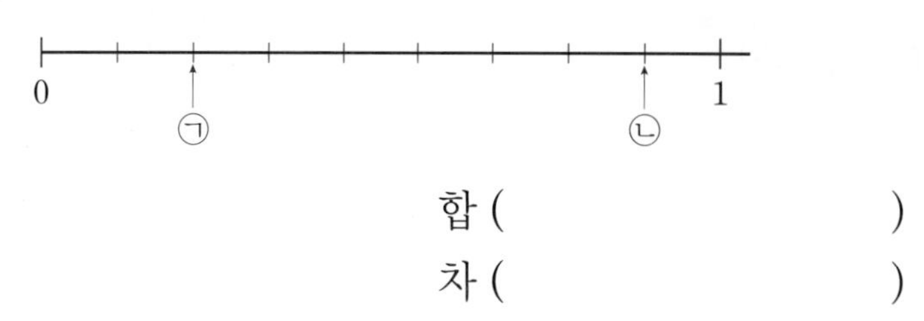

합 (　　　　　　　)

차 (　　　　　　　)

가장 큰 분수와 가장 작은 분수의 합 구하기

02 **가장 큰 분수와 가장 작은 분수의 합**을 구해 보세요.

$1\frac{1}{4}$　　$3\frac{1}{4}$　　$1\frac{3}{4}$　　$2\frac{2}{4}$

(　　　　　　　)

해결 순서

❶ 가장 큰 분수와 가장 작은 분수를 각각 구하기

❷ 위 ❶에서 구한 두 분수의 합 구하기

처음 수 구하기

03 진태는 공룡을 만들기 위해 가지고 있던 철사 중 $\frac{5}{12}$ m를 사용하여 뼈대를 만들고 남은 철사의 길이를 재어 보았더니 $\frac{8}{12}$ m였습니다. **처음 철사의 길이는 몇 m**일까요?

(　　　　　　　)

레벨UP 공략 01

처음 수를 구하려면?

뒤에서부터 거꾸로 생각하여 계산합니다.

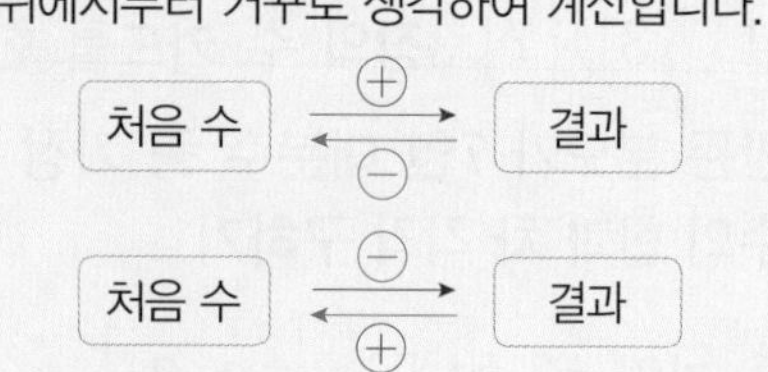

계산 결과 비교하기

04 **계산 결과가 가장 큰 것과 두 번째로 작은 것의 차**를 구해 보세요.

㉠ $2\frac{4}{9}+3\frac{2}{9}$　　㉡ $6\frac{5}{9}-1\frac{4}{9}$

㉢ $1\frac{3}{9}+4\frac{8}{9}$　　㉣ $6\frac{1}{9}-\frac{5}{9}$

(　　　　　　　　)

해결 순서
1. 분수의 덧셈과 뺄셈을 각각 하기
2. 계산 결과가 가장 큰 것과 두 번째로 작은 것을 각각 구하기
3. 위 ❷에서 구한 두 수의 차 구하기

뺄셈식에서 □의 값 구하기　　서술형

05 **□ 안에 알맞은 분수**를 구하려고 합니다. 풀이 과정을 쓰고, 답을 구해 보세요.

$$2\frac{1}{7}-1\frac{3}{7}=\frac{6}{7}-\square$$

풀이

답

세 분수의 합 구하기

06 창의융합 논이나 들판에서 자주 볼 수 있는 메뚜기의 전체 길이는 머리, 가슴, 배로 나눌 수 있습니다. 다음과 같은 **메뚜기의 전체 길이는 몇 cm**일까요?

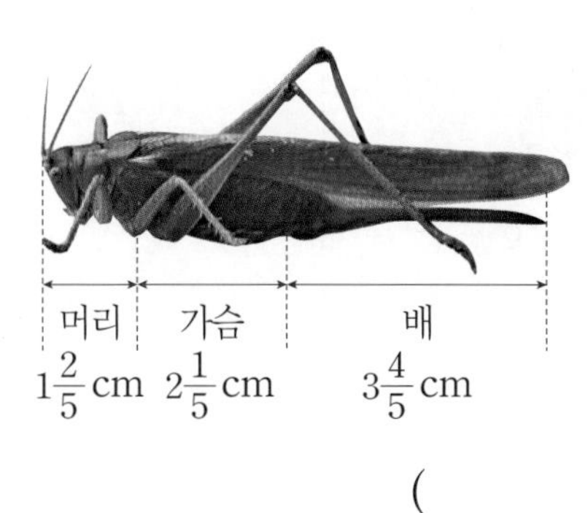

(　　　　　　　　)

레벨 UP 공략 02

세 분수의 합을 구하려면?

방법 ❶ 앞에서부터 차례로 두 분수씩 계산합니다.

방법 ❷ 세 분수를 한꺼번에 계산합니다.

응용 공략하기

계산 결과가 주어진 수에 가장 가까운 수 구하기

07 **계산 결과가 5에 가장 가까운 것**을 찾아 기호를 써 보세요.

㉠ $9-4\frac{7}{11}$　　㉡ $7-1\frac{5}{11}$　　㉢ $6-\frac{6}{11}$

(　　　　　　　　)

레벨UP 공략 03

어떤 수에 가장 가까운 수를 구하려면?

●에 가장 가까운 수	=	●와의 차가 가장 작은 수

빼셈식에서 조건에 알맞은 수 구하기

서술형

08 **□ 안에 들어갈 수 있는 자연수 중에서 가장 큰 수**를 구하려고 합니다. 풀이 과정을 쓰고, 답을 구해 보세요.

$$5\frac{2}{9}-3\frac{\square}{9}>1\frac{4}{9}$$

풀이

답

전체를 이용하여 부분의 수 구하기

09 신유형 윤정이네 집에서 일주일 동안 나온 재활용 쓰레기의 무게입니다. 일주일 동안 나온 재활용 쓰레기의 무게가 6 kg일 때 **유리류는 몇 kg**인지 구해 보세요.

종이	유리	플라스틱
$4\frac{3}{7}$ kg	?	$1\frac{1}{7}$ kg

(　　　　　　　　)

해결 순서

❶ 종이류와 플라스틱류의 무게의 합 구하기
❷ 유리류의 무게 구하기

자연수를 분모가 같은 두 분수의 합으로 나타내기

10 분수 카드를 2장씩 짝지어 **합이 8이 되도록 빈칸에 알맞은 수**를 써넣으세요.

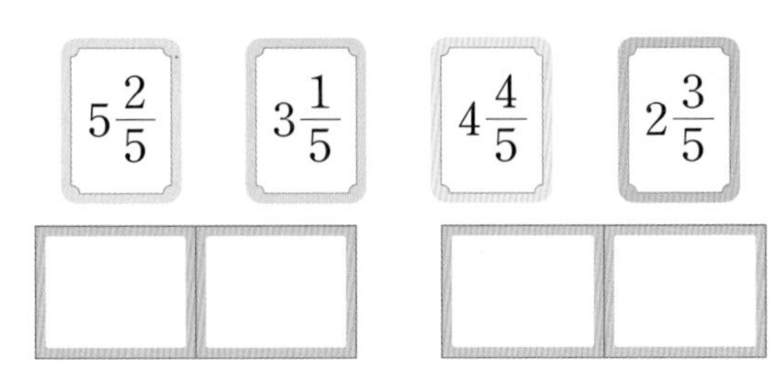

레벨UP 공략 04

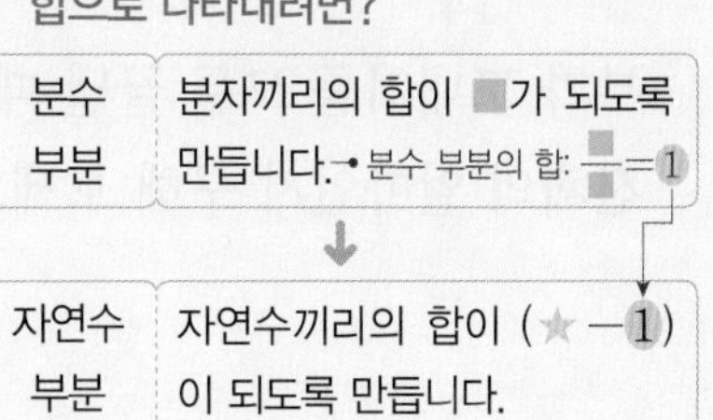

분수의 뺄셈을 이용하여 문제 해결하기

11 점토가 $10\frac{3}{8}$ kg 있습니다. 도자기 한 개를 만드는 데 점토가 $2\frac{5}{8}$ kg 필요하다면 **도자기를 가장 많이 만들고 남는 점토는 몇 kg**일까요?

( )

합과 차가 주어진 두 분수 구하기

12 분모가 9인 진분수가 2개 있습니다. **합이 $1\frac{3}{9}$이고, 차가 $\frac{2}{9}$인 두 진분수**를 구해 보세요.

(,)

레벨UP 공략 05

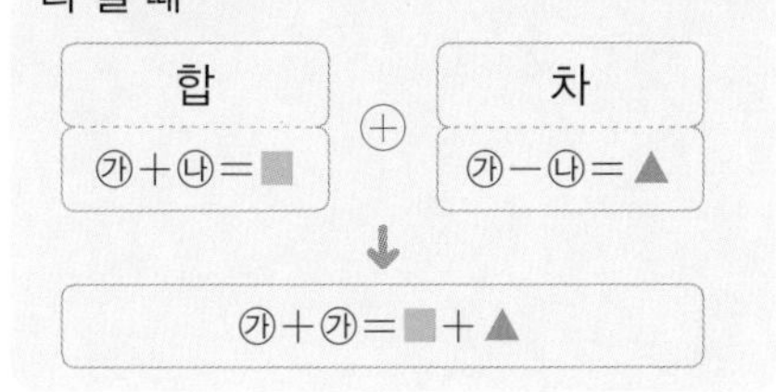

응용 공략하기

남은 일의 양은 전체의 얼마인지 구하기

13 어느 농부가 모내기를 합니다. 하루에 모내기를 하는 양은 전체의 $\frac{3}{14}$만큼씩이고, 지금까지 3일 동안 하였습니다. 이 농부가 모내기를 모두 끝낼 때까지 **더 해야 하는 모내기의 양은 전체의 얼마**인지 구해 보세요.

(　　　　　　　　　　)

레벨UP 공략 06

전체 일의 양을 1이라 할 때 남은 일의 양을 구하려면?

(남은 일의 양)
=(전체 일의 양)−(지금까지 한 일의 양)
=1−(지금까지 한 일의 양)

도형의 변의 길이의 합 구하기

14 창의융합 배구 경기장과 배드민턴 경기장은 다음과 같은 직사각형 모양입니다. **배구 경기장의 가로와 세로의 합은 배드민턴 경기장의 가로와 세로의 합보다 몇 m 더 긴지** 구해 보세요.

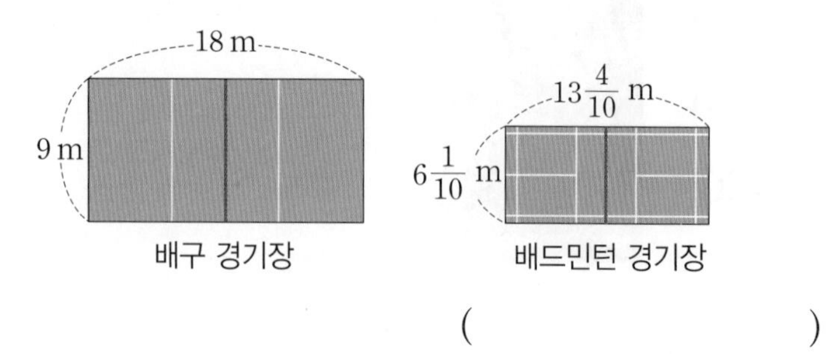

(　　　　　　　　　　)

해결 순서

❶ 배구 경기장의 가로와 세로의 합 구하기
❷ 배드민턴 경기장의 가로와 세로의 합 구하기
❸ 위 ❶과 ❷의 길이의 차 구하기

수 카드로 만든 두 분수의 합과 차 구하기

15 5장의 수 카드 중에서 3장을 골라 한 번씩만 사용하여 분모가 8인 대분수를 만들려고 합니다. 만들 수 있는 **가장 큰 대분수와 가장 작은 대분수의 합**은 얼마일까요?

3　7　4　8　2

(　　　　　　　　　　)

레벨UP 공략 07

분모가 ■인 가장 큰 대분수와 가장 작은 대분수를 만들려면?

분모를 제외한 수 중에서 수의 크기가 ①>②>③>④일 때

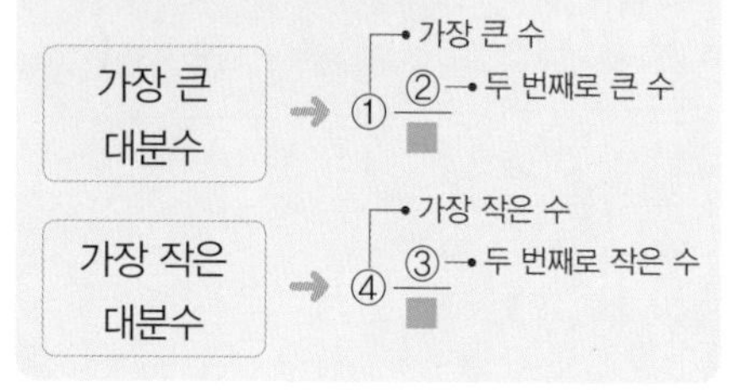

두 지점 사이의 거리 구하기

16 **㉮에서 ㉲까지의 거리는 몇 km**인지 구해 보세요.

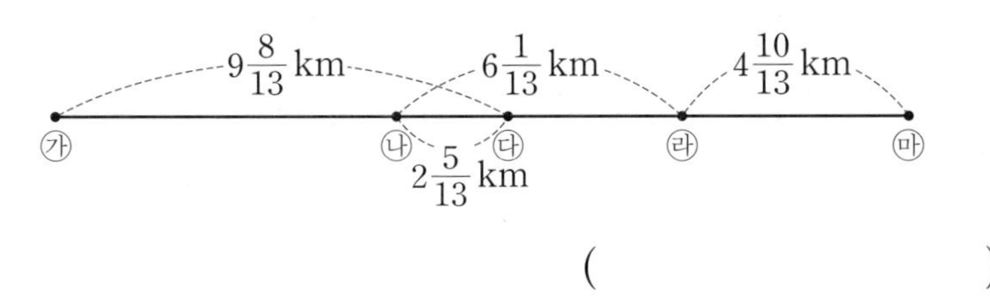

(　　　　　　　　)

계산 결과가 가장 큰 식 만들기

17 1부터 10까지의 수 중에서 5개의 수를 골라 다음과 같은 대분수의 덧셈식을 만들었습니다. **계산 결과가 가장 큰 덧셈식의 값**은 얼마일까요? (단, 같은 모양은 같은 수를 나타냅니다.)

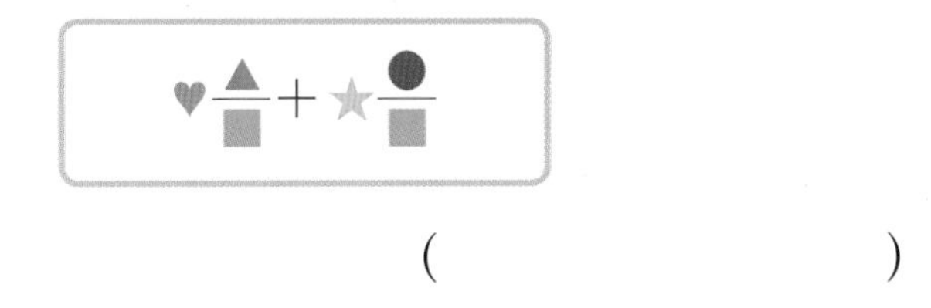

(　　　　　　　　)

어떤 수를 구하여 바르게 계산하기　　서술형

18 다음을 읽고 **바르게 계산하면 얼마**인지 풀이 과정을 쓰고, 답을 구해 보세요.

> 어떤 수에서 $\frac{11}{18}$을 빼야 할 것을 잘못하여 더했더니 $2\frac{7}{18}$이 되었습니다.

풀이

답

레벨UP 공략 08

겹쳐진 거리가 주어졌을 때 양끝의 두 지점 사이의 거리를 구하려면?

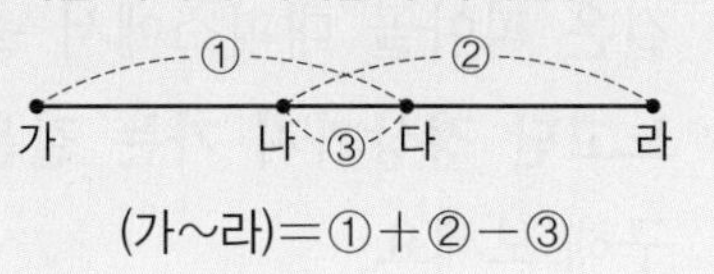

(가~라)=①+②−③

해결 순서

❶ ㉮에서 ㉱까지의 거리 구하기
❷ ㉮에서 ㉲까지의 거리 구하기

1 단원

레벨UP 공략 09

합이 가장 큰 덧셈식 또는 차가 가장 큰 뺄셈식을 만들려면?

- 합이 가장 큰 덧셈식
  → (가장 큰 수)+(두 번째로 큰 수)
- 차가 가장 큰 뺄셈식
  → (가장 큰 수)−(가장 작은 수)

분수의 덧셈을 이용하여 거리 비교하기

19 창의융합 다음은 지리산 국립공원 탐방로의 일부를 나타낸 것입니다. 노고단 정상까지 가는 데 ㉮ 길은 화엄사에서 출발하고, ㉯ 길은 피아골 대피소에서 출발합니다. ㉮ 길과 ㉯ 길 중에서 **노고단 정상까지 가는 길은 어느 길이 몇 km 더 가까운지** 구해 보세요.

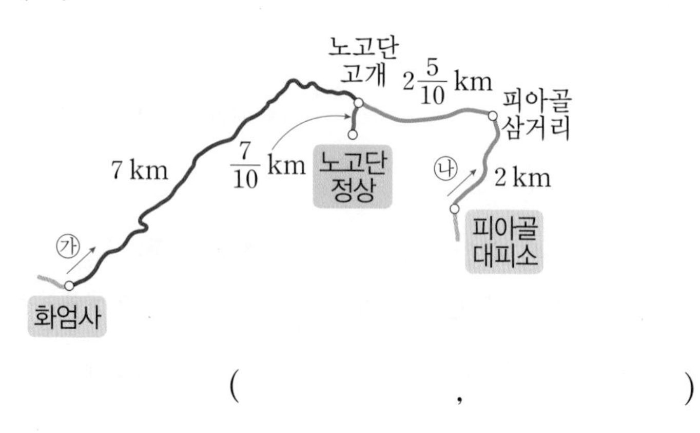

(,)

해결 순서
❶ ㉮ 길의 거리 구하기
❷ ㉯ 길의 거리 구하기
❸ 어느 길이 몇 km 더 가까운지 구하기

시계가 가리키는 시각 구하기

20 하루에 $1\frac{1}{4}$분씩 빨라지는 시계가 있습니다. 이 시계를 이달 1일 오전 7시에 정확하게 맞추어 놓았습니다. 같은 달 **5일 오전 7시에 이 시계가 가리키는 시각은 오전 몇 시 몇 분**일까요?

( )

레벨UP 공략 10

일정하게 빨라지는 시계의 시각을 구하려면?

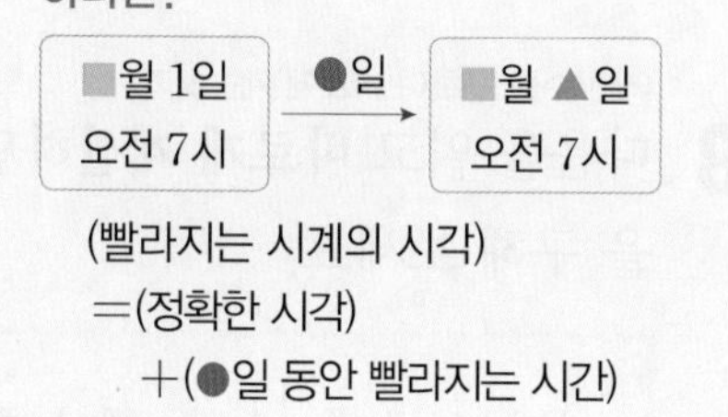

(빨라지는 시계의 시각)
=(정확한 시각)
+(●일 동안 빨라지는 시간)

빈 상자의 무게 구하기

21 똑같은 밀가루 4봉지가 들어 있는 상자의 무게를 재었더니 $11\frac{3}{5}$ kg이었습니다. 밀가루 한 봉지를 빼고 다시 상자의 무게를 재었더니 $8\frac{4}{5}$ kg이었습니다. **빈 상자의 무게는 몇 kg**인지 구해 보세요.

( )

레벨UP 공략 11

한 개의 무게를 구하려면?

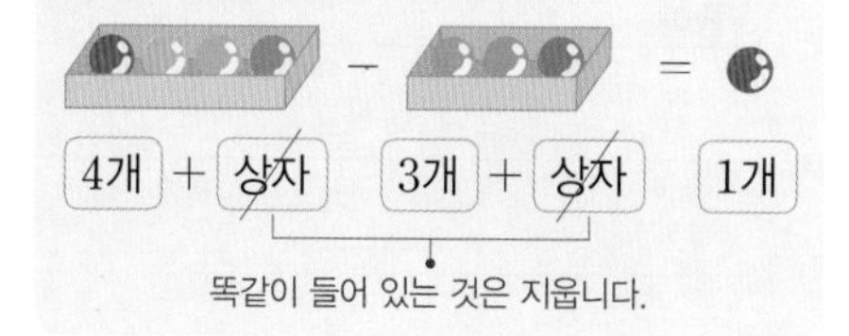

심화 해결하기

■ **레벨UP공략법**을 활용한 **고난도 문제**를 스스로 해결하고 발전합니다.

정답 및 풀이 ▸ 03쪽

01 **동주와 현아가 말한 두 분수의 합과 차**를 각각 구해 보세요.

합 (　　　　　　　　)

차 (　　　　　　　　)

서술형

02 **㉡에 알맞은 수**를 구하려고 합니다. 풀이 과정을 쓰고, 답을 구해 보세요.

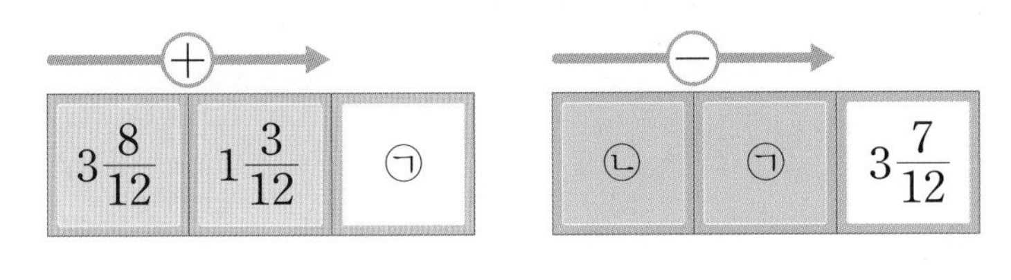

풀이

답

03 다음은 우리나라에 있는 등대의 높이입니다. **높이가 가장 높은 것과 가장 낮은 것의 높이의 차는 몇 m**일까요?

창의융합

독도 등대	거문도 등대	우도 등대
15 m	$6\frac{2}{5}$ m	16 m

(　　　　　　　　)

1 단원

심화 해결하기

04 (보기)는 1을 두 진분수의 합으로 나타낸 것입니다. **1을 분모가 6인 두 진분수의 합으로 나타내는 식**을 2가지 써 보세요.

(보기)

$$1=\frac{1}{5}+\frac{4}{5},\quad 1=\frac{2}{5}+\frac{3}{5}$$

식 ________________ , ________________

05 다음 덧셈의 계산 결과는 진분수입니다. □ **안에 들어갈 수 있는 자연수**를 모두 구해 보세요.

$$\frac{4}{10}+\frac{\square}{10}$$

( )

서술형

06 오른쪽은 세 변의 길이의 합이 $9\frac{5}{8}$ m인 삼각형 모양의 공원입니다. **나머지 한 변은 몇 m**인지 풀이 과정을 쓰고, 답을 구해 보세요.

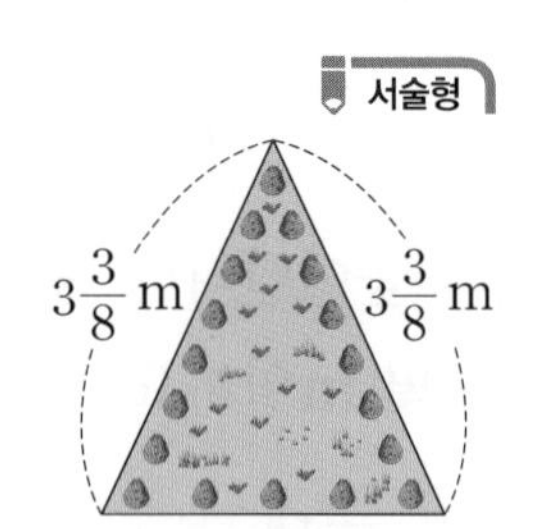

풀이

답

07 신유형 지석이는 저울을 사용하여 나무토막 ㉮와 ㉯의 무게를 재었더니 다음과 같이 수평을 이루었습니다. **나무토막 ㉯의 무게는 몇 kg일까요?**

수평 → 기울지 않고 평평한 상태

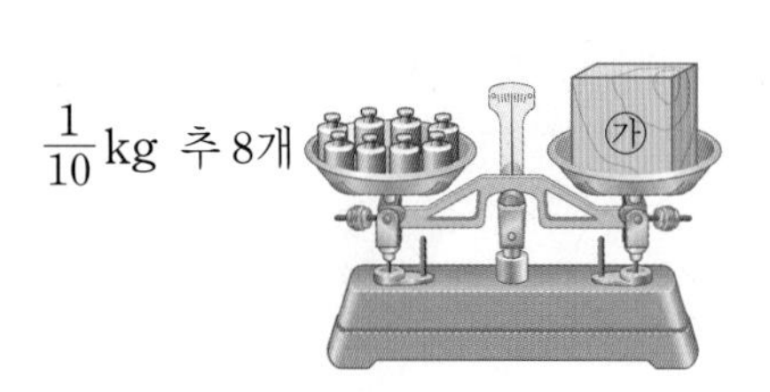

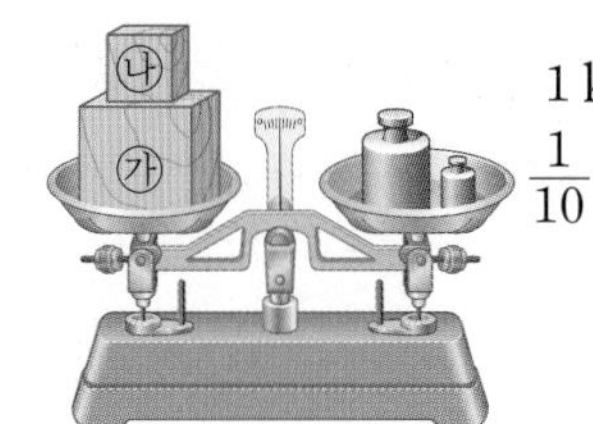

(   )

08 **□ 안에 공통으로 들어갈 수 있는 자연수는 모두 몇 개**인지 구해 보세요. (단, □는 9보다 작은 수입니다.)

$\frac{7}{9}-\frac{5}{9}<\frac{\square}{9}$	$6\frac{\square}{9}<1\frac{8}{9}+4\frac{8}{9}$

(   )

배양토 → 식물을 기르는 데 쓰기 위해 거름을 섞어 만든 흙

09 지민이와 상준이는 화분에 꽃을 심으려고 배양토가 들어 있는 자루에서 다음과 같이 각각 덜어 내었더니 $1\frac{3}{15}$ kg이 남았습니다. **처음 자루에 들어 있던 배양토는 몇 kg**일까요?

지민	상준
$\frac{4}{15}$ kg	$\frac{2}{15}$ kg

(   )

1 단원

10 기호 ◆과 ★을 다음과 같이 약속할 때 $\frac{5}{11}$◆$\frac{7}{11}$★**30의 값을 구해 보세요.** (단, 앞에서부터 차례로 계산합니다.)

㉠◆㉡=㉠+㉠−㉡

㉠★㉡=㉡−㉠+$3\frac{2}{11}$

(　　　　　　　)

11 창의융합 고려청자는 만드는 과정에서 흙과 잿물이 만나 푸른빛이 나는 도자기입니다. 오른쪽 고려청자에서 ㉠과 ㉡의 길이의 합은 $35\frac{1}{5}$ cm이고, 차는 $17\frac{3}{5}$ cm입니다. **㉠과 ㉡의 길이는 각각 몇 cm인지 대분수로 나타내어 보세요.**

잿물: 짚이나 나무를 태운 재를 우려낸 물

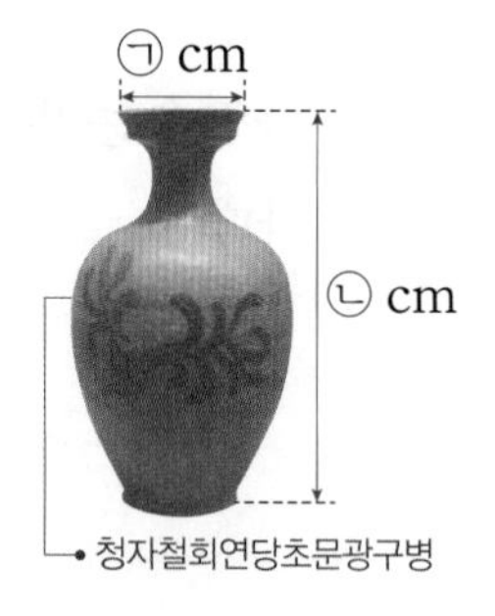

청자철회연당초문광구병

㉠ (　　　　　　　), ㉡ (　　　　　　　)

12 영석이는 동화책을 한 권 사서 어제는 전체의 $\frac{4}{12}$만큼 읽었고, 오늘은 전체의 $\frac{5}{12}$만큼 읽었습니다. 어제와 오늘 읽은 동화책의 쪽수의 합이 90쪽이라면 영석이가 읽고 있는 **동화책의 전체 쪽수는 몇 쪽**일까요?

(　　　　　　　)

13 길이가 5 cm인 색 테이프 3장을 $1\frac{3}{8}$ cm씩 겹치도록 한 줄로 길게 이어 붙였습니다. **이어 붙인 색 테이프의 전체 길이는 몇 cm일까요?**

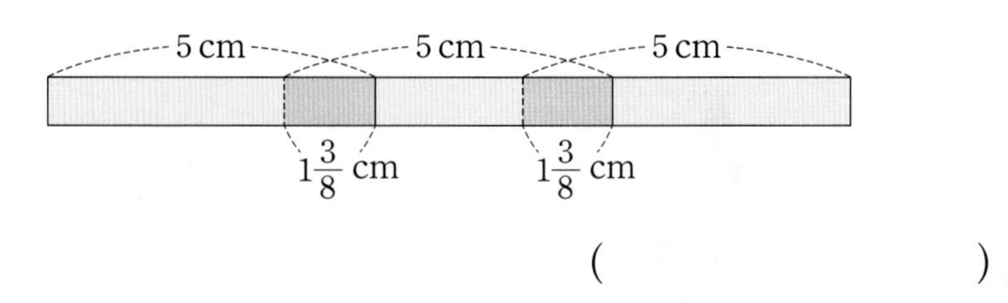

(　　　　　　　)

14 어떤 수에서 $1\frac{4}{7}$를 빼야 할 것을 잘못하여 $1\frac{4}{7}$의 자연수 부분과 분자를 바꾸어 뺐더니 $5\frac{1}{7}$이 되었습니다. **바르게 계산하면 얼마일까요?**

(　　　　　　　)

서술형

15 ㉮, ㉯ 두 수도꼭지를 사용하여 물통에 물을 받으려고 합니다. 물이 ㉮ 수도꼭지에서는 $\frac{1}{2}$시간에 $28\frac{1}{2}$ L씩 나오고, ㉯ 수도꼭지에서는 $\frac{1}{3}$시간에 $20\frac{1}{2}$ L씩 나옵니다. 두 수도꼭지를 동시에 틀어서 **1시간 동안 받을 수 있는 물의 양은 모두 몇 L**인지 풀이 과정을 쓰고, 답을 구해 보세요.

풀이

답

1 단원

16 창의융합 조선 시대에는 직각삼각형 모양의 땅을 구고전(勾股田), 두 변의 길이가 같은 삼각형 모양의 땅을 규전(圭田)이라고 하였습니다. 다음과 같은 **구고전과 규전 중에서 어느 것의 세 변의 길이의 합이 몇 m 더 긴지** 구해 보세요.

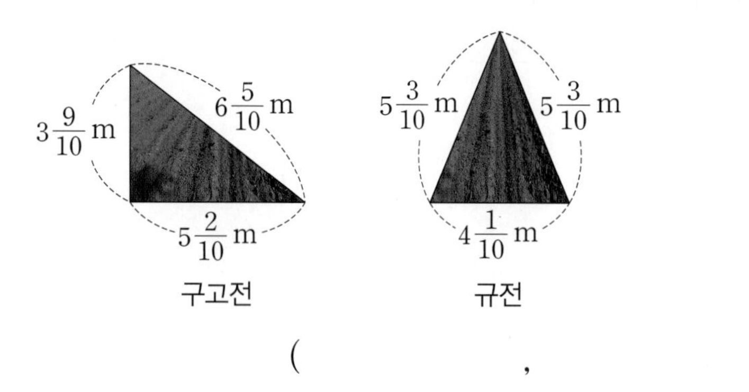

구고전 규전

(,)

17 세 수 ㉮, ㉯, ㉰가 있습니다. ㉮와 ㉯의 합은 $5\frac{2}{9}$, ㉯와 ㉰의 합은 $7\frac{7}{9}$, ㉮와 ㉰의 합은 9입니다. 세 수 **㉮, ㉯, ㉰의 합**을 구해 보세요.

( )

18 수경이는 주사위를 6번 던져 나온 눈의 수를 한 번씩 모두 사용하여 분모가 같은 두 대분수를 만들었습니다. **차가 가장 크게 되는 두 대분수를 만들었을 때 만든 두 대분수의 차**를 구해 보세요.

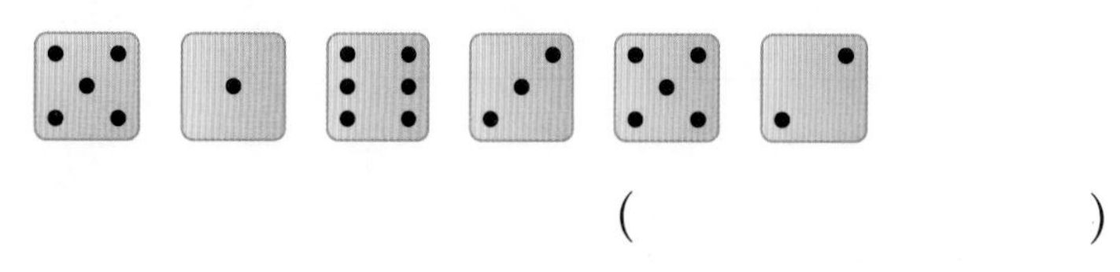

( )

19 오른쪽 그림과 같이 길이가 20 cm인 나무 막대를 수조의 바닥과 만나서 이루는 각이 직각이 되도록 넣었다가 꺼낸 후 다시 거꾸로 수조에 넣었다가 꺼냈습니다. 나무 막대의 물에 젖지 않은 부분이 $9\frac{7}{15}$ cm였다면 **나무 막대를 넣었을 때의 물의 높이는 몇 cm**일까요?

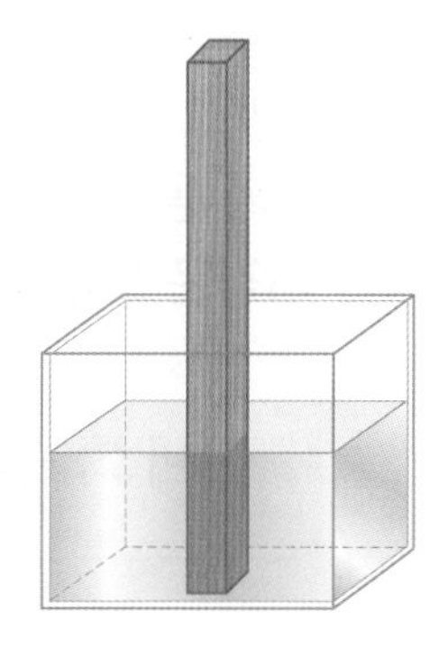

(　　　　　　　　　　)

서술형

20 길이가 26 cm인 양초에 불을 붙이고 15분이 지난 후에 양초의 길이를 재어 보니 $20\frac{5}{9}$ cm였습니다. 길이가 같은 새 양초에 불을 붙이고 나서 **1시간 후 남은 양초의 길이는 몇 cm**인지 풀이 과정을 쓰고, 답을 구해 보세요. (단, 양초는 일정한 빠르기로 탑니다.)

풀이

답

21 하루에 $1\frac{1}{60}$분씩 늦어지는 시계가 있습니다. 이 시계를 3월 20일 오후 5시에 정확한 시각보다 10분 빠르게 맞추어 놓았습니다. 같은 달 **25일 오후 5시에 이 시계가 가리키는 시각은 오후 몇 시 몇 분 몇 초**인지 구해 보세요.

(　　　　　　　　　　)

최상위 도전하기

■ **경시 수준**의 **최상위 문제**에
도전하여 사고력을 키웁니다.

문제 강의

1

다음은 진경이가 집에서 동물원까지 가는 데 이용한 방법과 시간을 나타낸 것입니다. 진경이가 동물원에 가려고 오전 11시 40분에 집에서 출발하였다면 **동물원에 도착한 시각은 오후 몇 시 몇 분**일까요?

버스: $\frac{3}{4}$ 시간, 지하철: $1\frac{3}{4}$ 시간, 걷기: $\frac{1}{4}$ 시간

( )

2

규칙에 따라 분수를 늘어놓은 것입니다. **9째에 놓이는 분수와 10째에 놓이는 분수의 합과 차**를 각각 구해 보세요.

$2\frac{1}{14}$, $4\frac{2}{14}$, $6\frac{3}{14}$, $8\frac{4}{14}$ ......

합 ( ), 차 ( )

3 창의융합

음표: 음악에 쓰이는 음의 높이와 음의 길이를 나타내는 기호

다음은 음표의 박자 길이를 분수로 나타낸 것입니다. 동요 '아기 염소' 악보의 일부분에서 □로 표시한 부분의 박자 길이의 합은 4박자입니다. **㉠에 알맞은 음표의 박자 길이는 몇 박**인지 구해 보세요.

음표	이름	박자 길이	음표	이름	박자 길이
♩.	점4분음표	$1\frac{2}{4}$박	♪	8분음표	$\frac{2}{4}$박
♩	4분음표	1박	𝅘𝅥𝅯	16분음표	$\frac{1}{4}$박

아기 염소

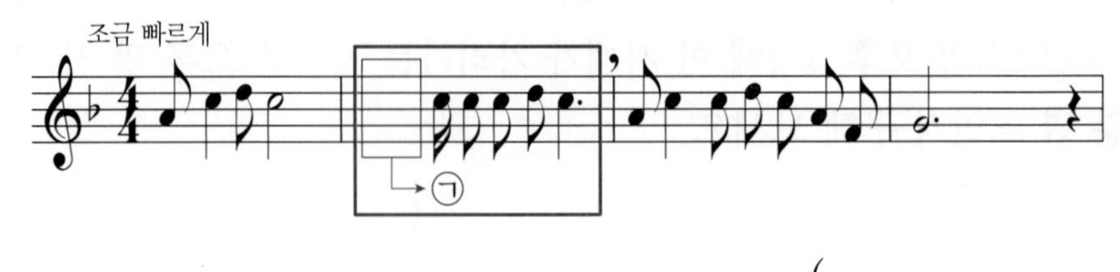

( )

정답 및 풀이 > 06쪽

4

감자와 고구마를 담은 바구니의 무게는 $4\frac{10}{14}$ kg입니다. 감자를 모두 꺼내고 고구마만 담긴 바구니의 무게를 재었더니 $2\frac{13}{14}$ kg이었고, 고구마를 모두 꺼내고 감자만 담긴 바구니의 무게를 재었더니 $2\frac{2}{14}$ kg이었습니다. **빈 바구니의 무게는 몇 kg일까요?**

( )

1 단원

5

현규와 진서는 어떤 일을 함께 하려고 합니다. 하루에 현규는 전체의 $\frac{1}{13}$만큼씩, 진서는 전체의 $\frac{2}{13}$만큼씩 일을 합니다. 현규와 진서가 함께 3일 동안 일을 한 후 나머지는 진서가 혼자서 한다면 두 사람이 **일을 시작한 지 며칠 만에 끝낼 수 있는지** 구해 보세요. (단, 쉬는 날 없이 일을 합니다.)

( )

1% 도전

6

윤석이네 가족은 $26\frac{1}{9}$ L의 휘발유가 들어 있는 자동차를 타고 전체 휘발유의 $\frac{4}{5}$를 사용한 후 주유소에 들러 휘발유 $40\frac{7}{9}$ L를 더 넣었습니다. **지금 자동차에 들어 있는 휘발유는 몇 L인지** 구해 보세요.

( )

상위권 TEST

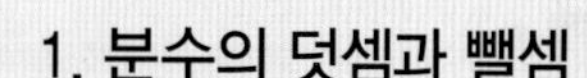

01 가장 큰 수와 가장 작은 수의 합과 차를 각각 구해 보세요.

$2\frac{2}{10}$　$1\frac{5}{10}$　$3\frac{8}{10}$

합 (　　　　　　　　)

차 (　　　　　　　　)

02 ★에 알맞은 수를 구해 보세요.

$♥-\frac{2}{7}=\frac{3}{7}$　　★ + ♥ = 1

(　　　　　　　　)

03 어머니께서 오늘 밥을 지으시는 데 사용한 곡물의 무게입니다. 오늘 사용한 곡물의 무게는 모두 몇 g일까요?

현미	조	수수
$25\frac{4}{6}$ g	$11\frac{2}{6}$ g	$19\frac{5}{6}$ g

(　　　　　　　　)

04 분모가 11인 진분수가 2개 있습니다. 합이 $1\frac{1}{11}$이고, 차가 $\frac{6}{11}$인 두 진분수를 구해 보세요.

(　　　　　　,　　　　　　)

05 다음 식의 계산 결과가 0이 아닌 가장 작은 값이 될 때 자연수 ㉠과 ㉡의 합을 구해 보세요.

$5\frac{9}{14}-$ ㉠ $\frac{㉡}{14}$

(　　　　　　　　)

06 길이가 $2\frac{7}{12}$ m인 끈과 $1\frac{9}{12}$ m인 끈이 있습니다. 두 끈을 한 번 묶은 후 길이를 재었더니 $3\frac{6}{12}$ m였습니다. 두 끈을 묶은 후의 길이는 묶기 전의 길이의 합보다 몇 m 줄었는지 구해 보세요.

(　　　　　　　　)

정답 및 풀이 > 07쪽

07 □ 안에 알맞은 분수를 구해 보세요.

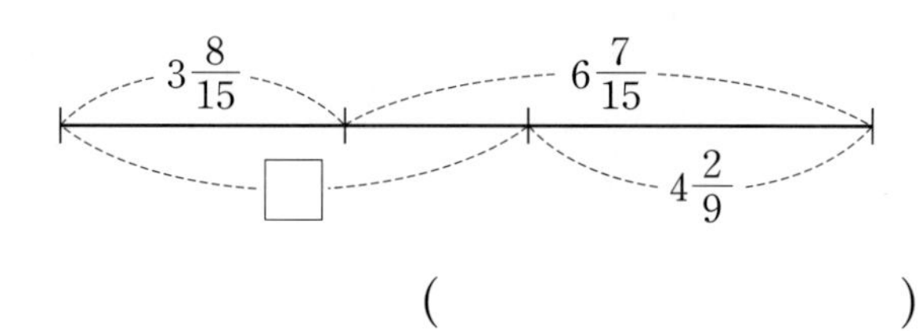

( )

08 5장의 수 카드 중에서 3장을 골라 한 번씩만 사용하여 분모가 9인 대분수를 만들려고 합니다. 만들 수 있는 가장 큰 대분수와 가장 작은 대분수의 차는 얼마일까요?

6 3 9 7 5

( )

09 어느 날 낮의 길이는 $12\frac{38}{60}$시간입니다. 이 날 낮의 길이는 밤의 길이보다 몇 시간 몇 분 더 긴지 구해 보세요.

( )

10 어떤 수에 $5\frac{3}{8}$을 더해야 할 것을 잘못하여 뺐더니 $1\frac{7}{8}$이 되었습니다. 바르게 계산한 값과 잘못 계산한 값의 차는 얼마일까요?

( )

★ 최상위

11 세 수 ㉮, ㉯, ㉰가 있습니다. ㉮와 ㉯의 합은 $3\frac{7}{13}$, ㉯와 ㉰의 합은 $4\frac{2}{13}$, ㉮와 ㉰의 합은 $6\frac{4}{13}$입니다. ㉰의 값을 구해 보세요.

( )

★ 최상위

12 주스가 가득 들어 있는 병의 무게를 재어 보았더니 $3\frac{4}{5}$ kg이었습니다. 주스를 전체의 $\frac{2}{5}$만큼 마시고 다시 주스의 무게를 재어 보았더니 $2\frac{3}{5}$ kg이었습니다. 빈 병의 무게는 몇 kg인지 구해 보세요.

( )

1 단원

쉬어가기

사자성어

괄목상대

刮 目 相 對

비빌 괄 눈 목 서로 상 대할 대

바로 뜻 눈을 비비고 다시 보며 상대를 대한다는 뜻.

깊은 뜻 다른 사람의 학식이 갑자기 몰라볼 정도로 나아졌음을 이르는 말이에요.

이럴 때 쓰는 말이야!

유정이는 줄넘기 시간에 2단 뛰기를 하나도 못해서 친구들에게 놀림을 받았어요.
너무 속상한 유정이는 매일 2단 뛰기를 30분씩 하기로 결심했어요.
첫째 날에는 역시 하나도 넘지 못하고 계속 줄에 걸려 넘어지기만 했어요.
둘째 날, 셋째 날, 넷째 날 …….
조금씩 2단 뛰기 횟수가 늘어갔어요.
그리고 한 달 뒤! 유정이는 친구들 앞에서 두근거리는 마음으로 2단 뛰기를 시작했어요.
하나, 둘, 셋, 넷 …….
자신 있게 2단 뛰기를 하는 유정이의 모습을 본 친구들은 매우 놀랐어요.
"유정아, 줄넘기 솜씨가 정말 □□□□했구나!"

잠깐! Quiz

Q □□□□에 들어갈 말은?

A 왼쪽 한자와 오른쪽 음을 알맞은 것끼리 선으로 이어 봅니다.

한자	음
刮 •	• 상
目 •	• 괄
相 •	• 목
對 •	• 대

2 삼각형

응용 대표 유형

01 두 가지 기준을 만족하는 삼각형 찾기
02 정삼각형의 세 변의 길이의 합 구하기
03 이등변삼각형의 성질을 이용하여 각의 크기 구하기
04 삼각형의 나머지 한 각의 크기를 구하여 예각삼각형 찾기
05 삼각형의 한 변을 길게 늘였을 때 바깥쪽에 생기는 각의 크기 구하기
06 겹쳐 놓은 정삼각형에서 변의 길이 구하기
07 삼각형의 이름 알아보기
08 도형을 둘러싼 선의 길이 구하기
09 도형에서 모르는 변의 길이 구하기
10 이등변삼각형이 될 수 있는 변의 길이 구하기
11 도형에서 모르는 각의 크기 구하기
12 종이를 접었을 때 생기는 각도 구하기
13 크고 작은 둔각삼각형의 개수 구하기
14 조건을 이용하여 모르는 각의 크기 구하기
15 겹쳐 놓은 정삼각형에서 각의 크기 구하기
16 원 안에 있는 삼각형의 각의 크기 구하기
17 도형의 변을 따라 움직인 거리 구하기
18 정사각형 안에 있는 삼각형의 각의 크기 구하기

1 이등변삼각형, 정삼각형 — 삼각형을 변의 길이에 따라 분류하기

(1) 이등변삼각형과 정삼각형

이등변삼각형	정삼각형
두 변의 길이가 같은 삼각형	세 변의 길이가 같은 삼각형

길이가 같은 변을 같은 모양으로 표시합니다.

(2) 이등변삼각형과 정삼각형의 관계

① 정삼각형은 두 변의 길이가 같으므로 이등변삼각형입니다.

② 이등변삼각형은 세 변 중 한 변의 길이가 다를 수도 있으므로 정삼각형이 아닙니다.

2 이등변삼각형과 정삼각형의 성질

(1) 이등변삼각형의 성질: 이등변삼각형은 두 각의 크기가 같습니다. (두 각: 길이가 같은 두 변과 함께 하는 두 각)

예

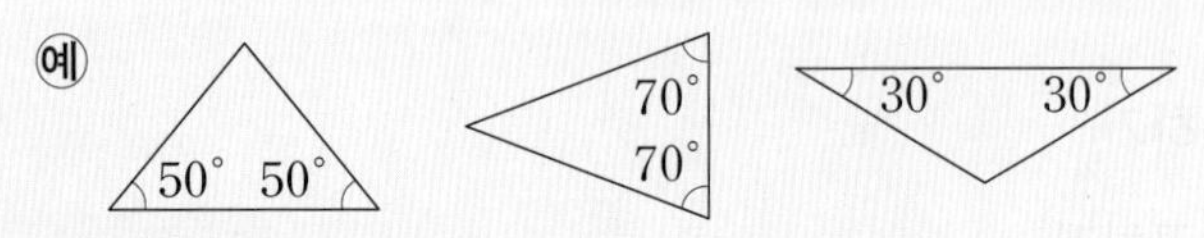

선행 개념 [중2] 이등변삼각형의 구성 요소와 성질

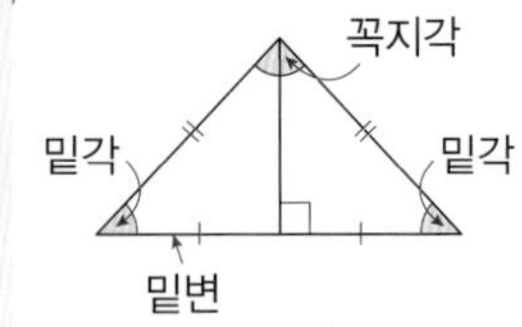

- **꼭지각**: 길이가 같은 두 변이 이루는 각
- **밑변**: 꼭지각에서 마주 보는 변
- **밑각**: 밑변의 양 끝각

➜ 이등변삼각형에서 꼭지각을 이등분하는 선은 밑변을 이등분하고 직각으로 만납니다.

(2) 정삼각형의 성질

① 정삼각형은 세 각의 크기가 모두 같습니다.

② (정삼각형의 한 각의 크기)
=(삼각형의 세 각의 크기의 합)÷3
$=180^\circ \div 3=60^\circ$

예

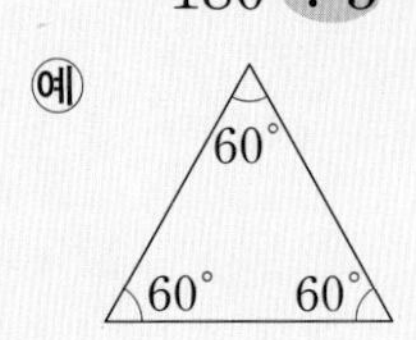

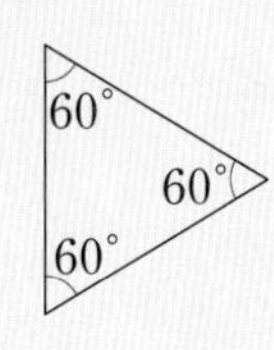

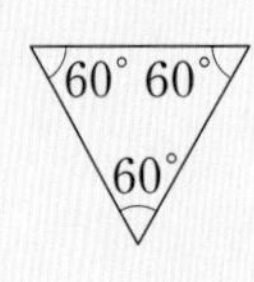

응용 3 도형을 둘러싼 선의 길이 구하기

예 세 변의 길이의 합이 24 cm인 이등변삼각형 가와 정사각형 나를 겹치지 않게 이어 붙였을 때 빨간색 선의 길이 구하기

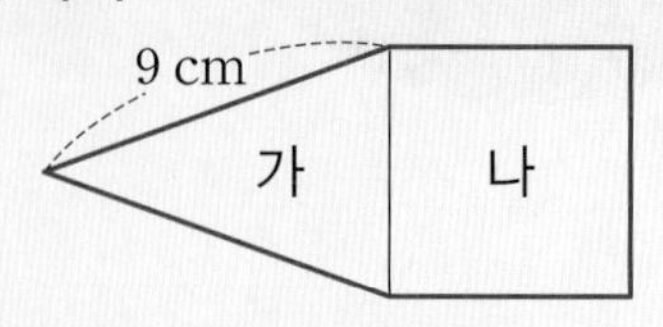

① (이등변삼각형 가의 길이가 다른 한 변)
$=24-9-9$
$=6$(cm)

② (정사각형 나의 한 변)=6 cm

③ (빨간색 선의 길이)$=9+9+6+6+6$
$=36$(cm)

응용 4 삼각형의 한 변을 길게 늘였을 때 바깥쪽에 생기는 각의 크기 구하기

예 정삼각형 ㄱㄴㄷ에서 ㉠의 각도 구하기

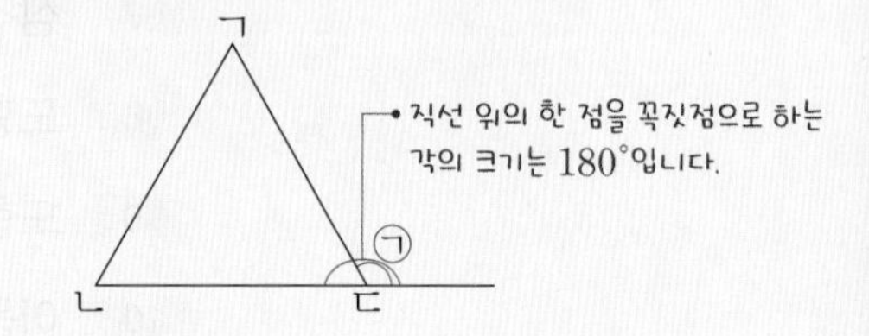

① (각 ㄱㄷㄴ)=(정삼각형의 한 각의 크기)
$=60^\circ$

② ㉠$=180^\circ-$(각 ㄱㄷㄴ)
$=180^\circ-60^\circ$
$=120^\circ$

선행 개념 [중1] 외각

- **외각**: 도형의 한 꼭짓점에서 이웃하는 두 변 중 한 변을 길게 늘였을 때 도형의 바깥쪽에 만들어지는 각
- 삼각형의 한 꼭짓점에서 외각의 크기는 다른 두 꼭짓점의 각의 크기의 합과 같습니다.

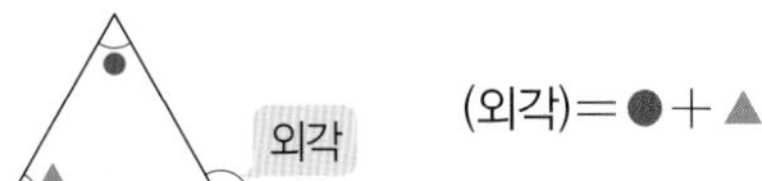

참고 위의 정삼각형 ㄱㄴㄷ에서 ㉠은 꼭짓점 ㄷ의 외각입니다.
➜ ㉠$=60^\circ+60^\circ=120^\circ$

5 예각삼각형, 둔각삼각형

• 삼각형을 각의 크기에 따라 분류하기

• [3-1] 2. 평면도형에서 배웠습니다.

예각삼각형	직각삼각형	둔각삼각형
세 각이 모두 예각인 삼각형	한 각이 직각인 사각형	한 각이 둔각인 삼각형
예각, 예각, 예각	예각, 직각, 예각	예각, 예각, 둔각

응용 6 크고 작은 예각삼각형과 둔각삼각형의 개수 구하기

예 그림에서 찾을 수 있는 크고 작은 예각삼각형과 둔각삼각형의 개수 각각 구하기

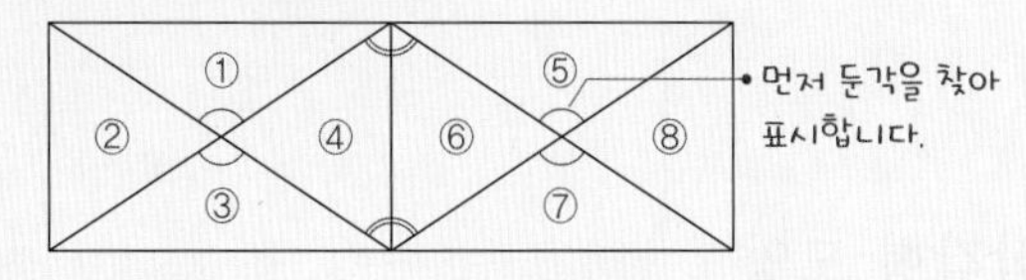

(1) 예각삼각형

삼각형 1개짜리: ②, ④, ⑥, ⑧ ➜ 4개

(2) 둔각삼각형

삼각형 1개짜리: ①, ③, ⑤, ⑦ (4개)

삼각형 4개짜리: ①+④+⑥+⑤,

③+④+⑥+⑦ (2개)

➜ 4+2=6(개)

7 삼각형을 두 가지 기준으로 분류하기

예 삼각형의 세 각 중에서 두 각의 크기가 각각 35°, 110°일 때 삼각형의 이름 모두 쓰기

① (삼각형의 나머지 한 각의 크기)

=180°−35°−110°=35°

➜ 삼각형의 세 각의 크기: 35°, 110°, 35°

② 변의 길이에 따라 분류하기

➜ 삼각형의 두 각이 35°로 같으므로 이등변삼각형입니다.

③ 각의 크기에 따라 분류하기

➜ 삼각형의 한 각이 110°로 둔각이므로 둔각삼각형입니다.

1 이등변삼각형을 모두 찾아 기호를 써 보세요.

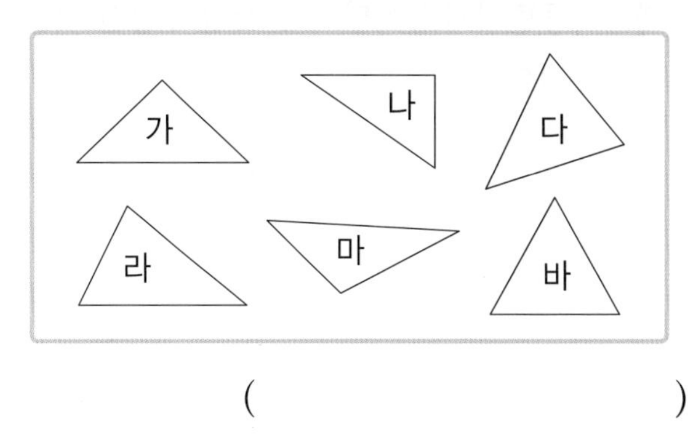

(　　　　　　　　)

2 도형은 정삼각형입니다. □ 안에 알맞은 수를 써넣으세요.

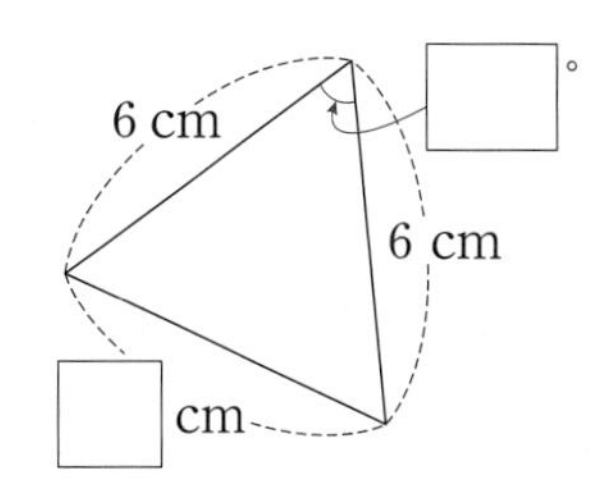

3 예각삼각형과 둔각삼각형을 한 개씩 그려 보세요.

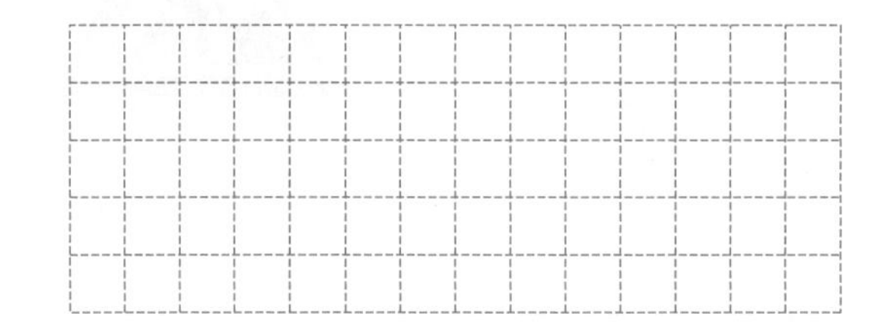

4 설명이 잘못된 것을 찾아 기호를 써 보세요.

㉠ 직각삼각형은 한 각이 직각입니다.

㉡ 두 각이 예각인 삼각형은 예각삼각형입니다.

㉢ 둔각삼각형은 한 각이 둔각입니다.

(　　　　　　　　)

2 단원

응용 공략하기

■ 응용·심화 문제와 레벨UP공략법으로 문제 해결 능력을 키웁니다.

두 가지 기준을 만족하는 삼각형 찾기

01 **이등변삼각형이면서 둔각삼각형인 것**을 모두 찾아 기호를 써 보세요.

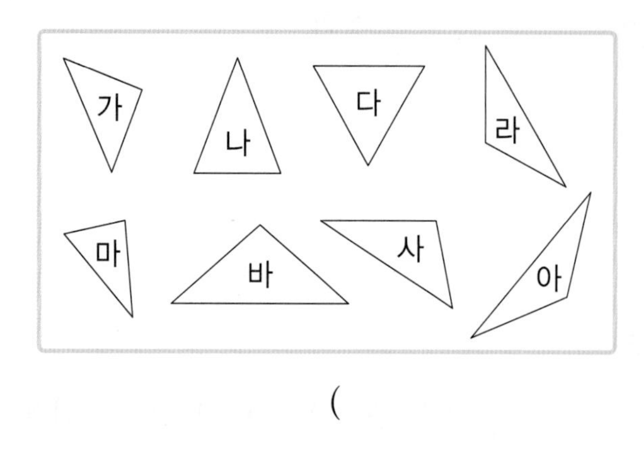

( )

레벨UP 공략 01

삼각형을 분류하는 기준은?

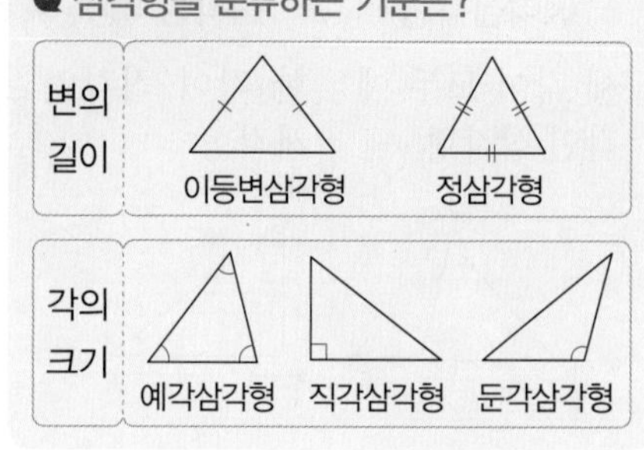

정삼각형의 세 변의 길이의 합 구하기

02 창의융합 다음은 도로를 공사할 때 알리기 위해 세우는 정삼각형 모양의 표지판입니다. 이 표지판의 한 변이 90 cm일 때 **세 변의 길이의 합은 몇 cm**인지 구해 보세요.

( )

이등변삼각형의 성질을 이용하여 각의 크기 구하기

03 오른쪽 그림에서 삼각형 ㄱㄷㄹ은 이등변삼각형입니다. **각 ㄴㄱㄹ의 크기**를 구해 보세요.

( )

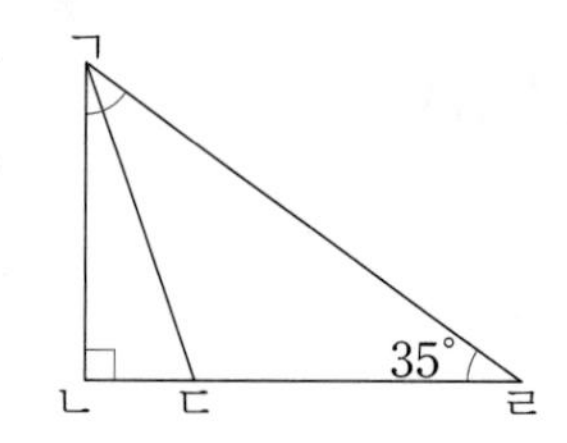

해결 순서

❶ 각 ㄷㄱㄹ의 크기 구하기
❷ 각 ㄴㄱㄷ의 크기 구하기
❸ 각 ㄴㄱㄹ의 크기 구하기

정답 및 풀이 > 09쪽

삼각형의 나머지 한 각의 크기를 구하여 예각삼각형 찾기

04 삼각형의 세 각 중에서 두 각의 크기를 나타낸 것입니다. 세 사람 중에서 **예각삼각형을 나타낸 사람은 누구**일까요?

( )

해결 순서

❶ 나머지 한 각의 크기 각각 구하기

❷ 예각삼각형을 나타낸 사람 구하기

삼각형의 한 변을 길게 늘였을 때 바깥쪽에 생기는 각의 크기 구하기

05 삼각형 ㄱㄴㄷ은 이등변삼각형입니다. **㉠과 ㉡의 각도의 차**를 구해 보세요.

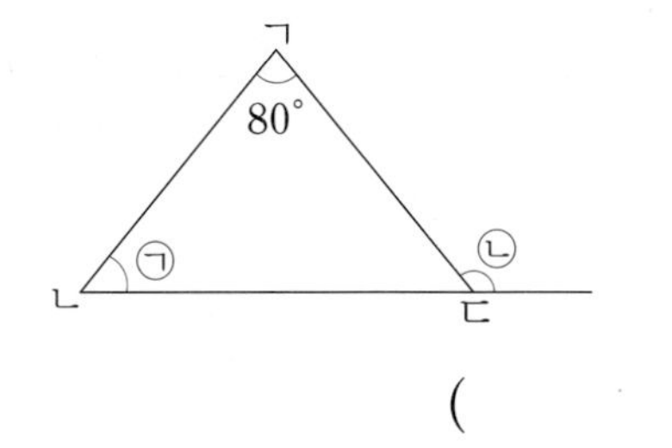

( )

레벨UP 공략 02

삼각형의 한 변을 길게 늘였을 때 바깥쪽에 생기는 각의 크기를 구하려면?

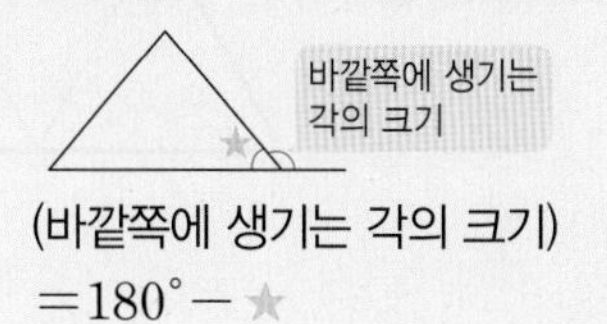

(바깥쪽에 생기는 각의 크기)
$=180°-$ ★

겹쳐 놓은 정삼각형에서 변의 길이 구하기

서술형

06 오른쪽 그림에서 삼각형 ㄱㄴㄷ과 삼각형 ㄹㅁㄷ은 정삼각형입니다. **사각형 ㄱㄴㅁㄹ의 네 변의 길이의 합은 몇 cm**인지 풀이 과정을 쓰고, 답을 구해 보세요.

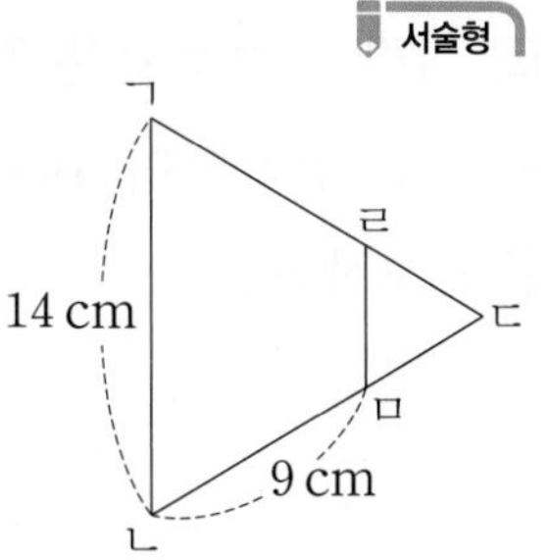
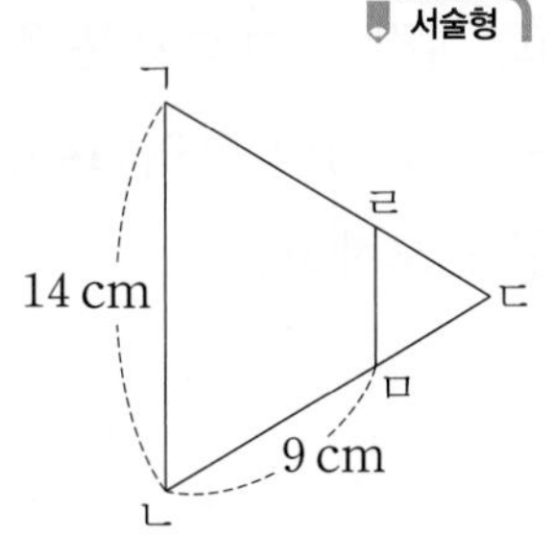

풀이

답

레벨UP 공략 03

크고 작은 정삼각형 2개를 겹쳐 놓았을 때 생기는 사각형의 각 변의 길이는?

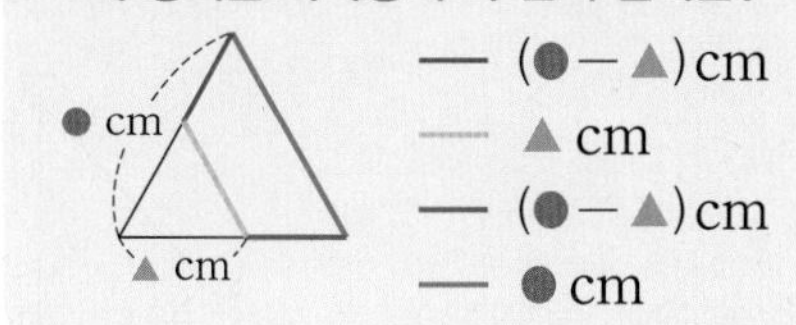

2 단원

삼각형의 이름 알아보기

07 오른쪽 **삼각형의 이름으로 알맞은 것**을 모두 찾아 기호를 써 보세요.

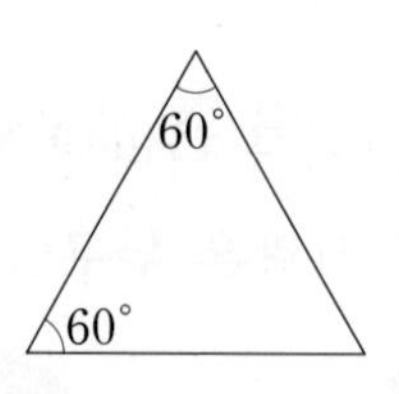

㉠ 정삼각형 ㉡ 이등변삼각형
㉢ 둔각삼각형 ㉣ 예각삼각형

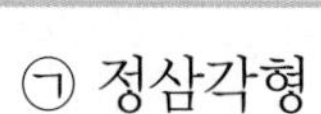

(　　　　　　　　　　　　)

도형을 둘러싼 선의 길이 구하기

08 세 변의 길이의 합이 36 cm인 정삼각형 6개를 겹치지 않게 이어 붙인 도형입니다. **빨간색 선의 길이는 몇 cm**일까요?

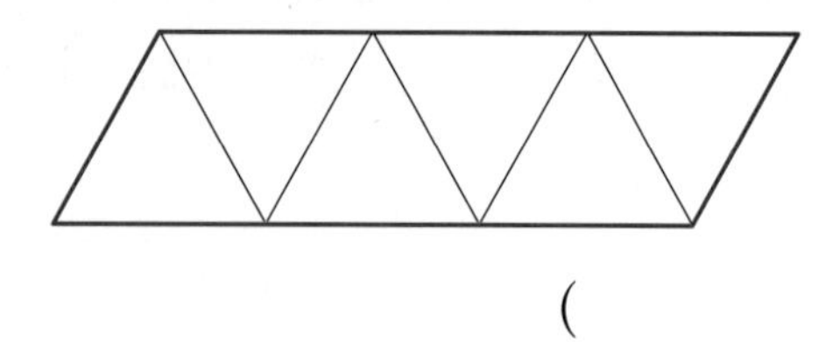

(　　　　　　　　　　　　)

레벨UP 공략 04

정삼각형의 한 변의 길이를 구하려면?
정삼각형은 세 변의 길이가 같은 삼각형입니다.

(정삼각형의 한 변)
=(정삼각형의 세 변의 길이의 합)÷3

해결 순서
❶ 정삼각형의 한 변의 길이 구하기
❷ 빨간색 선의 길이 구하기

도형에서 모르는 변의 길이 구하기

09 삼각형 ㄱㄴㄷ은 이등변삼각형이고, 삼각형 ㄱㄷㄹ은 정삼각형입니다. 사각형 ㄱㄴㄷㄹ의 네 변의 길이의 합이 44 cm일 때 **변 ㄱㄴ의 길이는 몇 cm**인지 구해 보세요.

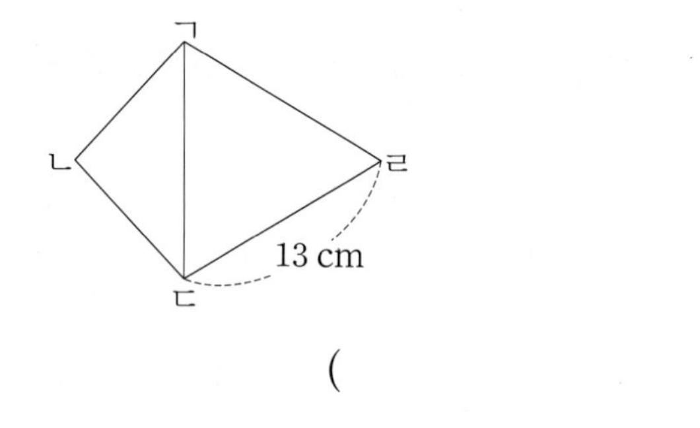

(　　　　　　　　　　　　)

해결 순서
❶ 변 ㄱㄹ의 길이 구하기
❷ 변 ㄱㄴ의 길이 구하기

이등변삼각형이 될 수 있는 변의 길이 구하기

10 세 변의 길이의 합이 29 cm인 이등변삼각형이 있습니다. 이 이등변삼각형의 한 변이 11 cm일 때 **나머지 두 변의 길이가 될 수 있는 경우는 몇 cm**인지 모두 구해 보세요.

( )

레벨 UP 공략 05

이등변삼각형의 한 변이 ● cm일 때 나머지 두 변의 길이를 구하려면?

길이가 같은 두 변을 다음과 같이 나누어 생각합니다.

길이가 같은 두 변이 ● cm인 경우	길이가 같은 두 변이 ● cm가 아닌 경우
● cm, ● cm, ■ cm	▲ cm, ▲ cm, ● cm

도형에서 모르는 각의 크기 구하기 서술형

11 삼각형 ㄱㄴㄷ은 이등변삼각형이고, 삼각형 ㄱㄷㄹ은 정삼각형입니다. **각 ㄱㄴㄷ의 크기**를 구하려고 합니다. 풀이 과정을 쓰고, 답을 구해 보세요.

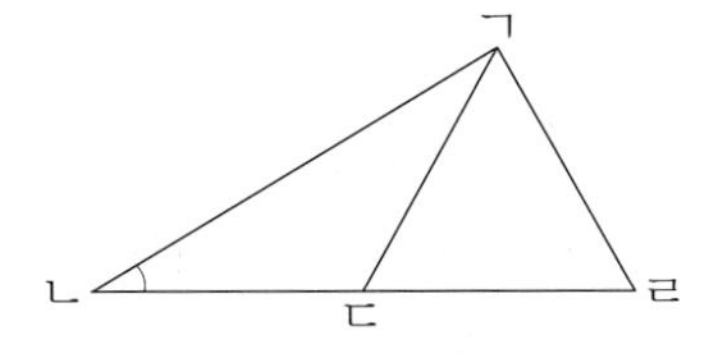

풀이

답

종이를 접었을 때 생기는 각도 구하기

12 정삼각형 모양의 종이를 오른쪽 그림과 같이 접었습니다. ㉠**의 각도**를 구해 보세요.

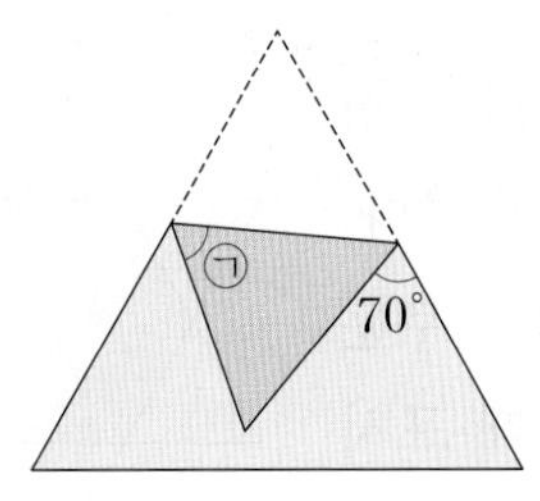

( )

레벨 UP 공략 06

삼각형 모양의 종이를 접었을 때 접힌 모양에서 알 수 있는 각도는?

접힌 부분과 접히기 전 부분은 모양과 크기가 같습니다.

접힌 부분의 각도 = 접히기 전 부분의 각도

2 단원

크고 작은 둔각삼각형의 개수 구하기

13 그림에서 찾을 수 있는 **크고 작은 둔각삼각형은 모두 몇 개**인지 구해 보세요.

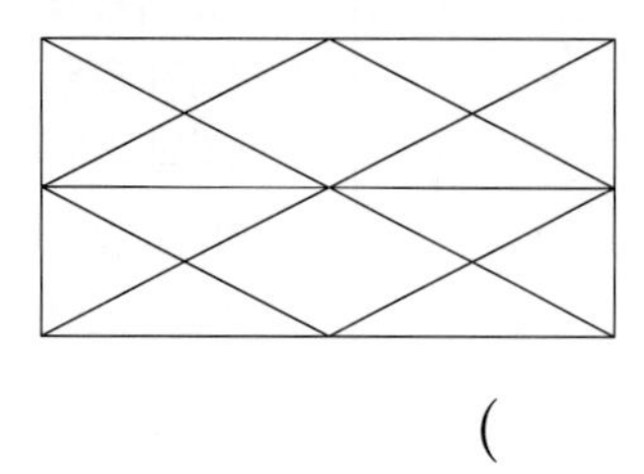

(　　　　　　　　)

레벨UP 공략 07

크고 작은 예각삼각형과 둔각삼각형을 찾으려면?

둔각을 찾아 표시합니다.

예각삼각형	둔각삼각형
삼각형의 세 각 중 표시한 둔각을 포함하지 않는 크고 작은 삼각형	삼각형의 세 각 중 표시한 둔각을 포함하는 크고 작은 삼각형

조건을 이용하여 모르는 각의 크기 구하기 서술형

14 그림에서 선분 ㄱㄴ과 선분 ㄴㄷ의 길이가 같고, 선분 ㅁㄷ과 선분 ㅁㄹ의 길이가 같습니다. **각 ㄱㄷㅁ의 크기**를 구하려고 합니다. 풀이 과정을 쓰고, 답을 구해 보세요.

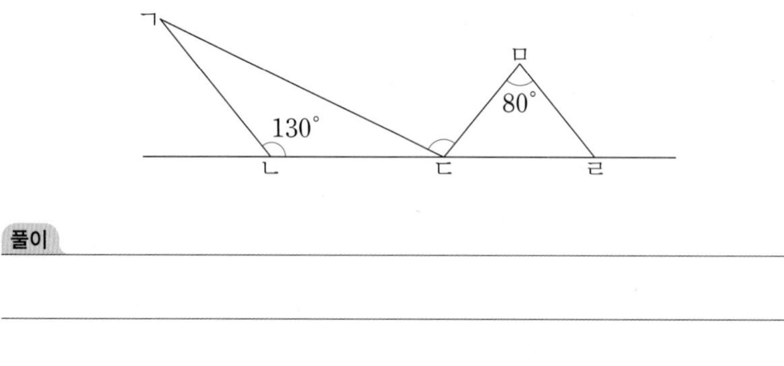

풀이

답

겹쳐 놓은 정삼각형에서 각의 크기 구하기

15 신유형

다비드의 별은 오른쪽과 같이 정삼각형 2개를 겹쳐지게 그려서 만든 모양입니다. 오른쪽 그림에서 노란색으로 색칠한 부분의 6개의 각의 크기는 모두 같을 때 표시한 **12개의 각의 크기의 합**을 구해 보세요.

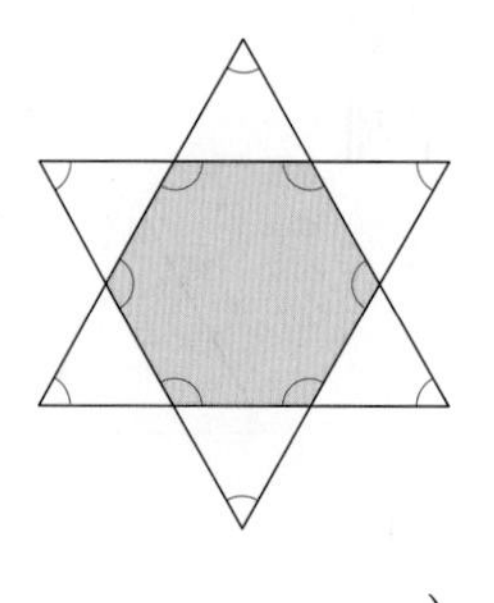

(　　　　　　　　)

해결 순서

❶ 정삼각형 2개에 표시한 6개의 각의 크기의 합 구하기

❷ 노란색으로 색칠한 부분의 6개의 각의 크기의 합 구하기

❸ 위 ❶과 ❷의 각의 크기의 합 구하기

원 안에 있는 삼각형의 각의 크기 구하기

16 오른쪽 그림에서 점 ㅇ은 원의 중심입니다. **각 ㄱㄴㄷ의 크기**를 구해 보세요.

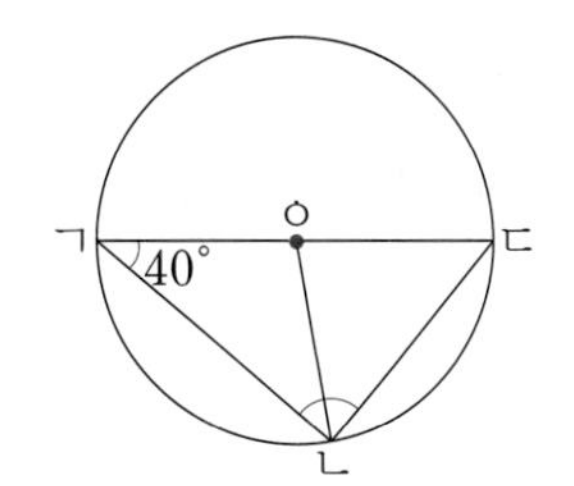

( )

레벨UP 공략 08

삼각형의 한 꼭짓점이 원의 중심일 때

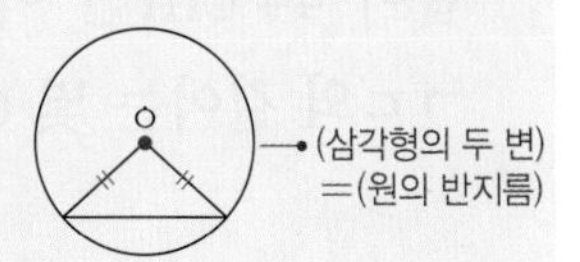

① 원의 반지름의 길이는 모두 같습니다.
② 삼각형의 두 변의 길이는 같습니다.
➔ 이등변삼각형입니다.

도형의 변을 따라 움직인 거리 구하기

17 창의융합 거울에 빛을 비추었을 때 입사각과 반사각의 크기는 같습니다. 다음과 같이 같은 간격으로 나란하게 놓인 두 거울 사이로 빛을 비추었더니 선분 ㄱㄴ의 길이는 40 cm였습니다. **점 ㄱ에서 점 ㄴ까지 빛이 움직인 거리는 몇 cm**일까요?

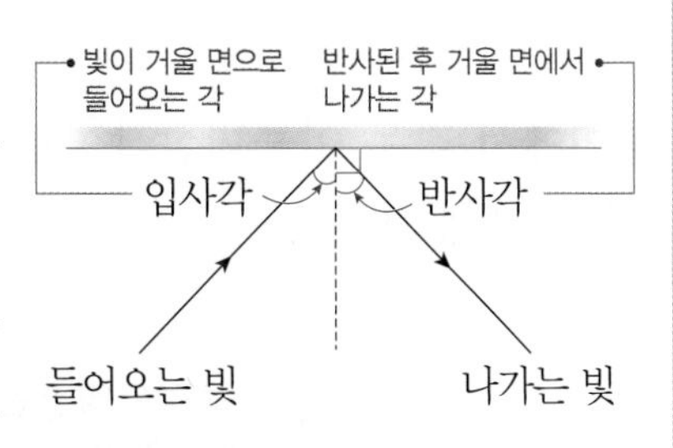

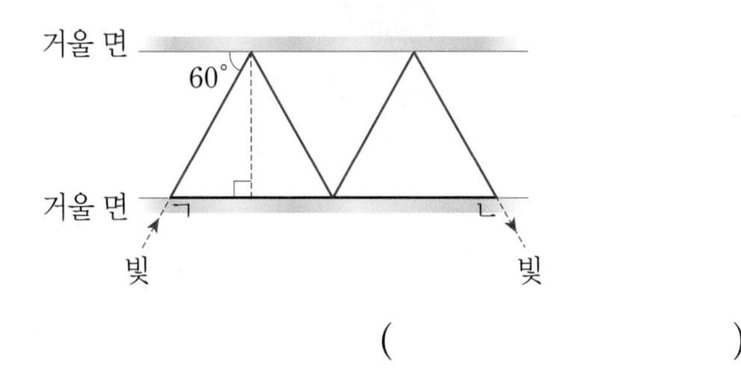

( )

정사각형 안에 있는 삼각형의 각의 크기 구하기

18 오른쪽 그림에서 사각형 ㄱㄴㄷㄹ은 정사각형이고, 삼각형 ㄱㄴㅇ은 정삼각형입니다. **각 ㄹㅇㄷ의 크기**를 구해 보세요.

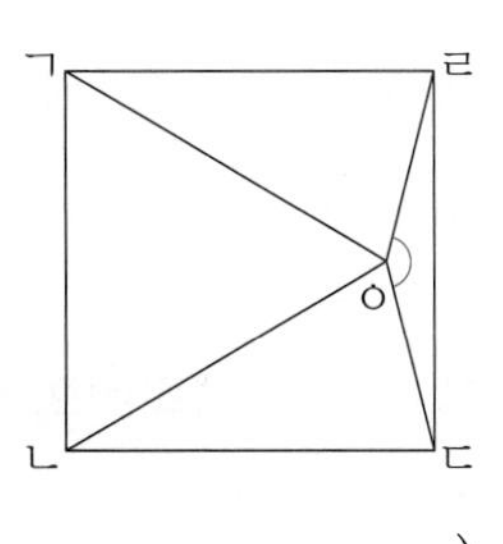

( )

해결 순서

❶ 각 ㄱㅇㄹ의 크기 구하기
❷ 각 ㄴㅇㄷ의 크기 구하기
❸ 각 ㄹㅇㄷ의 크기 구하기

2 단원

심화 해결하기

■ **레벨UP공략법**을 활용한 **고난도 문제**를 스스로 해결하고 발전합니다.

01 오른쪽 삼각형 ㄱㄴㄷ은 세 변의 길이의 합이 44 cm인 이등변삼각형입니다. **변 ㄱㄷ의 길이는 몇 cm**일까요?

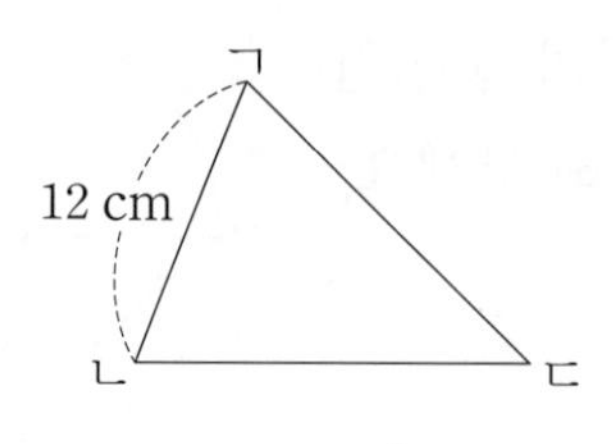

(　　　　　　　　　)

02 다음은 서율이와 현민이가 각각 주변에서 찾은 이등변삼각형과 정삼각형입니다. **㉠과 ㉡의 각도의 차**를 구해 보세요.

창의융합

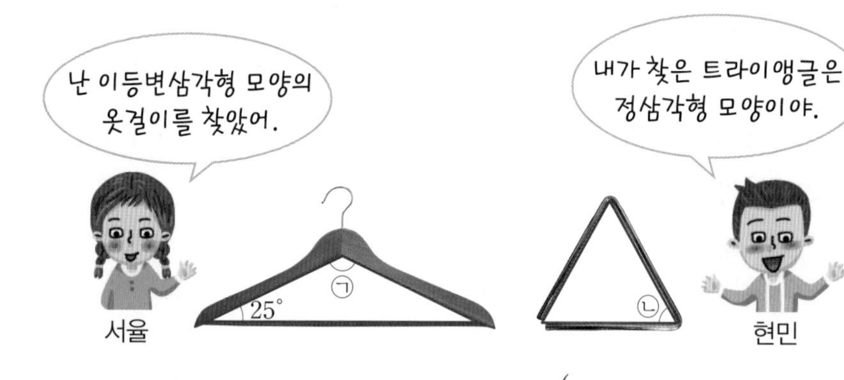

(　　　　　　　　　)

03 삼각형의 세 각 중에서 두 각의 크기가 각각 다음과 같을 때 보기 에서 알맞은 **삼각형의 이름**을 모두 찾아 기호를 써 보세요.

보기

㉠ 이등변삼각형　㉡ 정삼각형　㉢ 예각삼각형
㉣ 직각삼각형　㉤ 둔각삼각형

삼각형	두 각의 크기	삼각형의 이름
삼각형 가	25°, 130°	
삼각형 나	60°, 60°	

04 이등변삼각형 가와 정삼각형 나의 세 변의 길이의 합은 같습니다. **정삼각형** 나**의 한 변은 몇 cm**일까요?

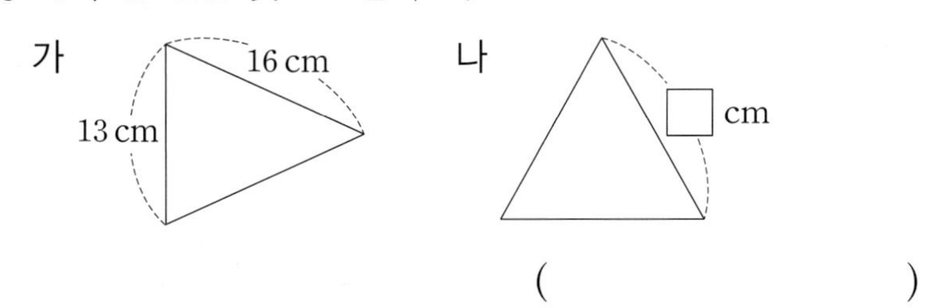

( )

05 오른쪽 그림에서 삼각형 ㄱㄴㄷ은 정삼각형이고, 삼각형 ㄹㄴㄷ은 이등변삼각형입니다. **㉠의 각도**를 구해 보세요.

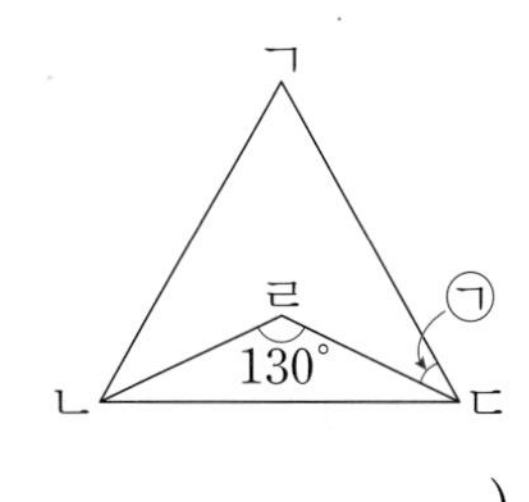

( )

서술형

06 정삼각형 4개와 정사각형 한 개를 겹치지 않게 이어 붙여 만든 도형입니다. 도형을 둘러싼 굵은 선의 길이가 96 cm일 때 **정삼각형 한 개의 세 변의 길이의 합은 몇 cm**인지 풀이 과정을 쓰고, 답을 구해 보세요.

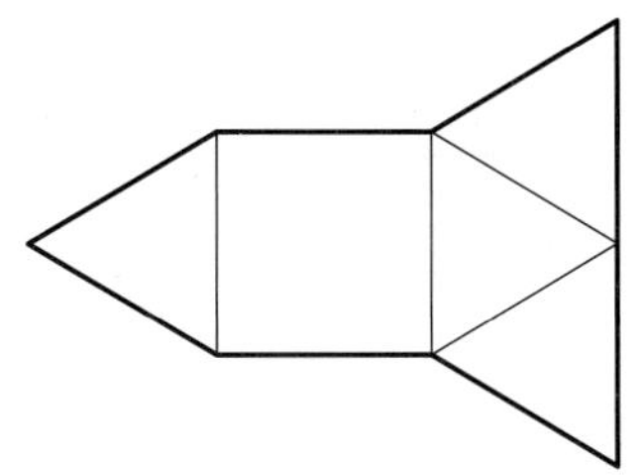

풀이

답

2 단원

심화 해결하기

07 오른쪽 그림에서 삼각형 ㄱㄴㄷ과 삼각형 ㄱㄹㅁ은 정삼각형입니다. 선분 ㄹㄴ의 길이는 선분 ㄱㄹ의 길이의 2배일 때 **사각형 ㄹㄴㄷㅁ의 네 변의 길이의 합은 몇 cm**일까요?

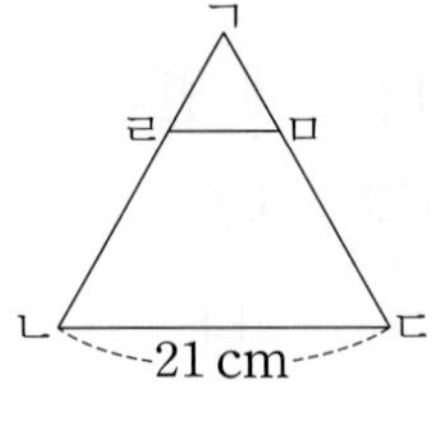

(　　　　　　　　　　)

08 세 변의 길이의 합이 23 cm인 이등변삼각형이 있습니다. 이 이등변삼각형의 긴 변과 짧은 변의 길이의 차가 4 cm일 때 **긴 변은 몇 cm**인지 구해 보세요. (단, 이등변삼각형의 세 변의 길이는 모두 자연수입니다.)

(　　　　　　　　　　)

09 오른쪽 그림은 정삼각형의 각 변의 한가운데 점을 이어 가면서 크고 작은 정삼각형을 만든 것입니다. 가장 큰 정삼각형의 한 변이 32 cm일 때 색칠한 **가장 작은 정삼각형의 세 변의 길이의 합은 몇 cm**인지 구해 보세요.

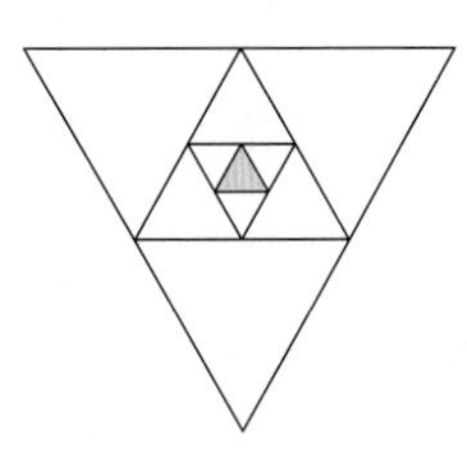

(　　　　　　　　　　)

10 오른쪽 그림과 같이 원 위에 일정한 간격으로 8개의 점을 찍었습니다. 3개의 점을 이어 **그릴 수 있는 이등변삼각형은 모두 몇 개**일까요? (단, 같은 크기여도 위치가 다르면 다른 것으로 생각합니다.)

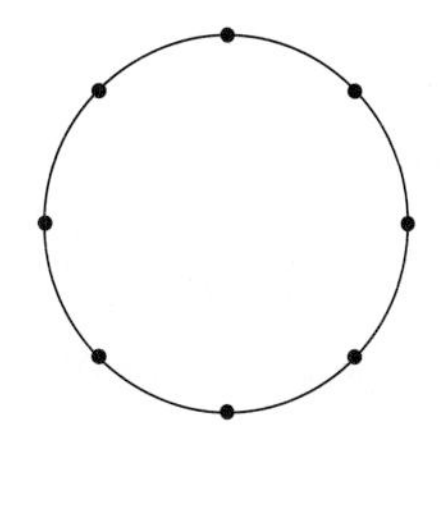

(　　　　　　　　)

서술형

11 그림에서 선분 ㄱㄴ과 선분 ㄴㄷ의 길이가 같을 때 **각 ㄱㄴㄷ의 크기**를 구하려고 합니다. 풀이 과정을 쓰고, 답을 구해 보세요.

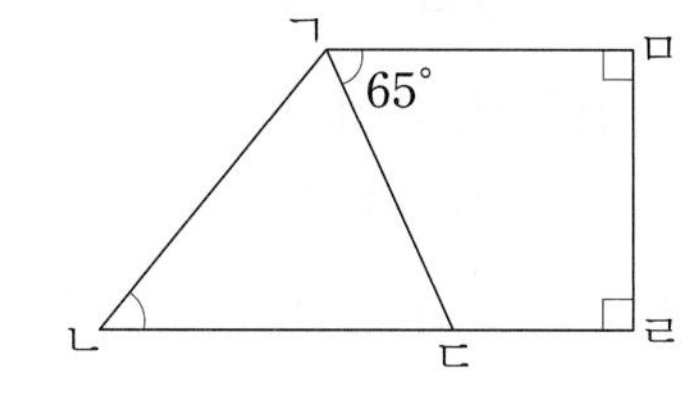

풀이

답

12 창의융합 눈은 공기 중의 수증기가 찬 기운을 만나 생기는 얼음의 형태입니다. 왼쪽은 가장 대표적인 눈의 모양이고, 오른쪽은 다은이가 그린 눈의 모양입니다. 다은이가 그린 모양에서 찾을 수 있는 **크고 작은 정삼각형은 모두 몇 개**일까요?

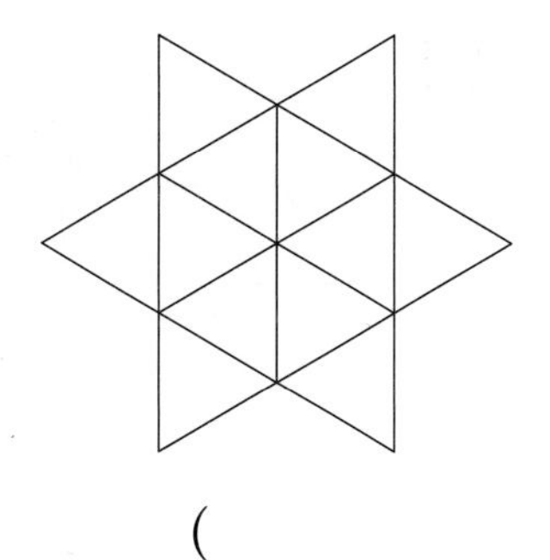

(　　　　　　　　)

2 단원

13 오른쪽 그림에서 삼각형 ㄱㄴㄷ, 삼각형 ㄹㄴㅁ, 삼각형 ㅂㅁㄷ은 모두 정삼각형입니다. 삼각형 ㄱㄴㄷ의 세 변의 길이의 합이 48 cm일 때 **사각형 ㄱㄹㅁㅂ의 네 변의 길이의 합은 몇 cm**일까요?

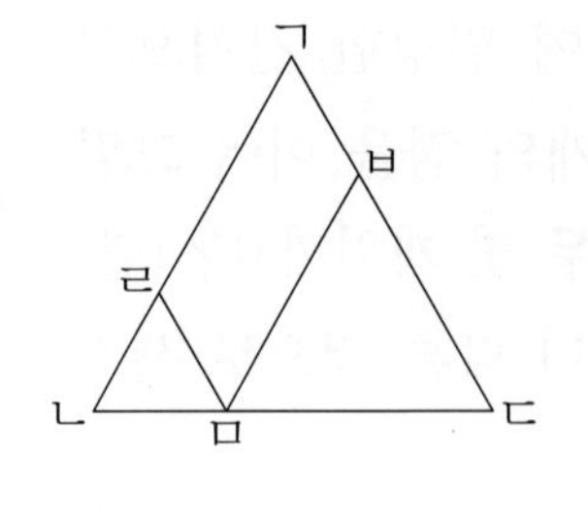

( )

14 신유형 동티모르 국기는 직사각형 안에 이등변삼각형 2개가 겹쳐져 그려져 있습니다. 수호는 동티모르 국기를 보고 이등변삼각형 2개가 겹쳐진 부분을 다음과 같이 그렸습니다. 삼각형 ㄱㄴㄷ의 세 변의 길이의 합은 20 cm이고, 삼각형 ㄱㄴㄹ의 세 변의 길이의 합은 16 cm입니다. **노란색 부분의 모든 변의 길이의 합은 몇 cm**일까요?

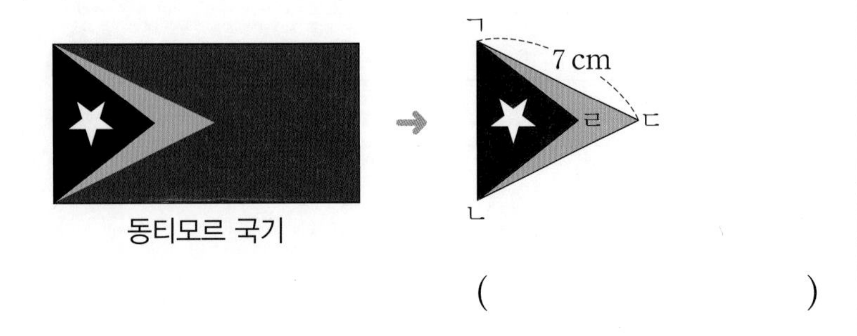

동티모르 국기

( )

15 오른쪽 그림에서 찾을 수 있는 **크고 작은 예각삼각형과 둔각삼각형 중에서 어느 것이 몇 개 더 많은지** 구해 보세요.

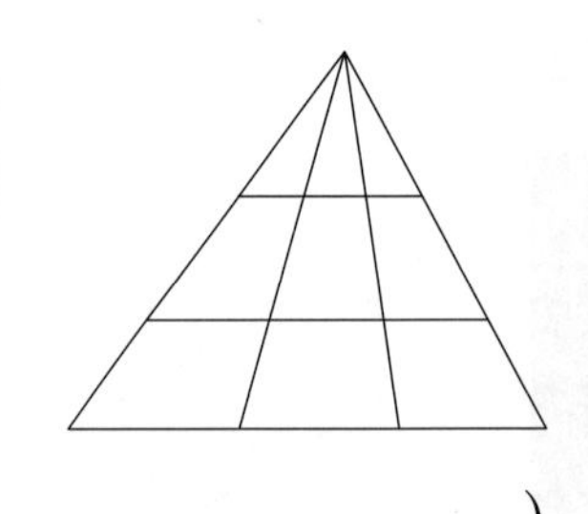

(,)

16 직사각형 모양의 종이를 오른쪽 그림과 같이 접었습니다. **㉠과 ㉡의 각도의 합**을 구해 보세요.

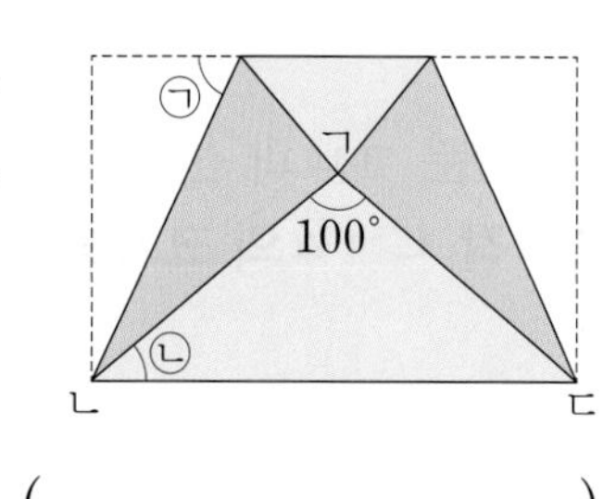

( )

서술형

17 그림에서 선분 ㄱㄴ, 선분 ㄴㄷ, 선분 ㄷㄹ, 선분 ㄹㅁ의 길이는 모두 같습니다. **각 ㄷㄹㅁ의 크기**를 구하려고 합니다. 풀이 과정을 쓰고, 답을 구해 보세요.

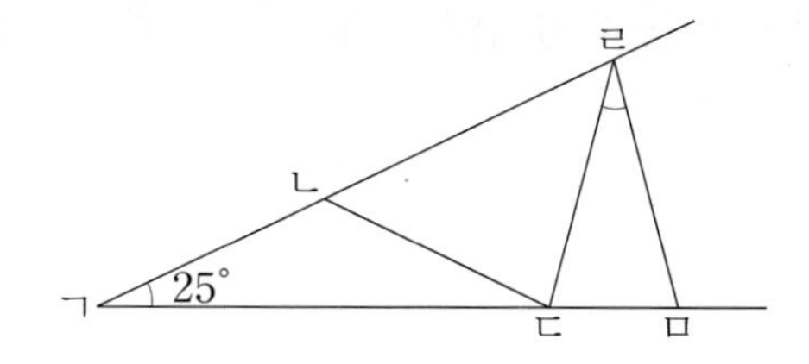

풀이

답

18 오른쪽 그림에서 사각형 ㄱㄴㄷㄹ은 정사각형입니다. 선분 ㄱㄹ과 선분 ㅁㄹ의 길이가 같을 때 **각 ㅁㅂㄹ의 크기**를 구해 보세요.

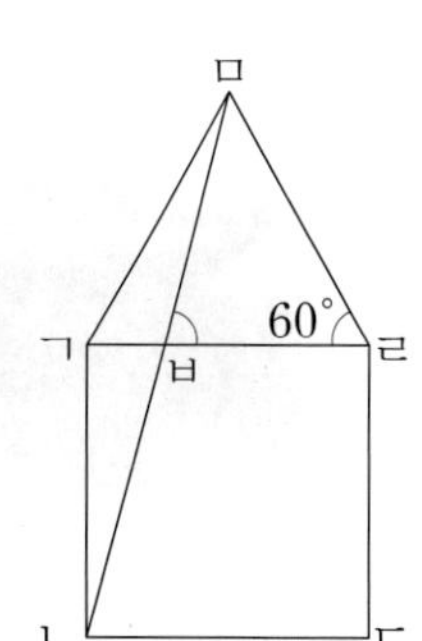

( )

2 단원

최상위 도전하기

■ **경시 수준**의 **최상위 문제**에 도전하여 사고력을 키웁니다.

문제 강의

1

그림에서 선분 ㄱㄴ과 선분 ㄴㄷ의 길이가 같고, 선분 ㄱㄷ과 선분 ㄷㄹ의 길이가 같습니다. **각 ㄴㄱㄹ의 크기**를 구해 보세요.

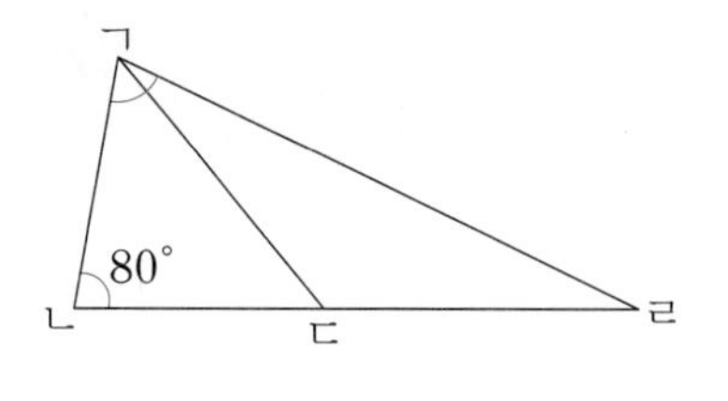

( )

2

정사각형 모양의 색종이를 다음과 같이 접은 다음 펼쳤을 때 생기는 삼각형 중에서 **크고 작은 예각삼각형과 둔각삼각형의 개수의 합은 몇 개**일까요?

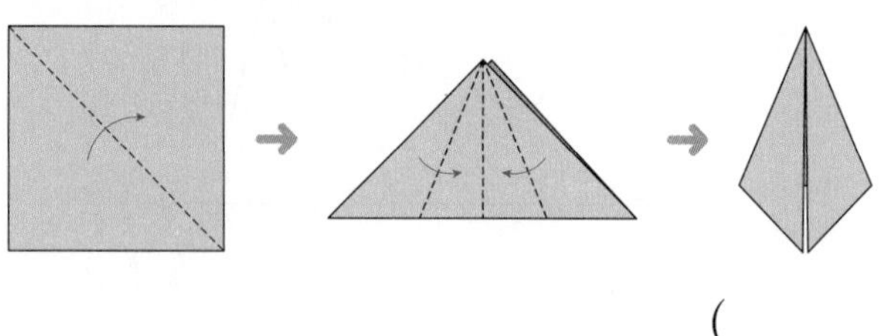

( )

3

창의융합

불국사에 있는 대웅전, 다보탑, 석가탑을 점으로 찍어서 이으면 정삼각형 모양이 되고 한 원 위에 있습니다. 이 원의 중심에는 석등이 있을 때 **㉠, ㉡, ㉢의 각도의 합**을 구해 보세요.

석등: 불을 밝히기 위해 돌로 만든 등

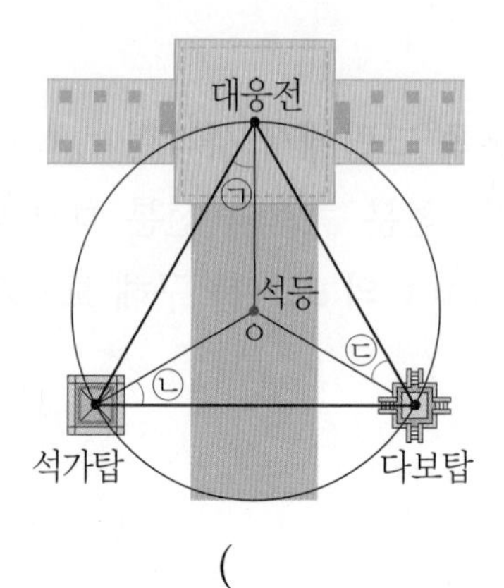

( )

정답 및 풀이 > 13쪽

4

세영이는 모양과 크기가 같은 이등변삼각형 모양으로 색종이를 잘라 오른쪽과 같이 점 ㄴ을 중심으로 같은 각도만큼씩 돌려 겹치도록 붙이고 있습니다. **각 ㄹㄴㅁ의 크기**를 구해 보세요.

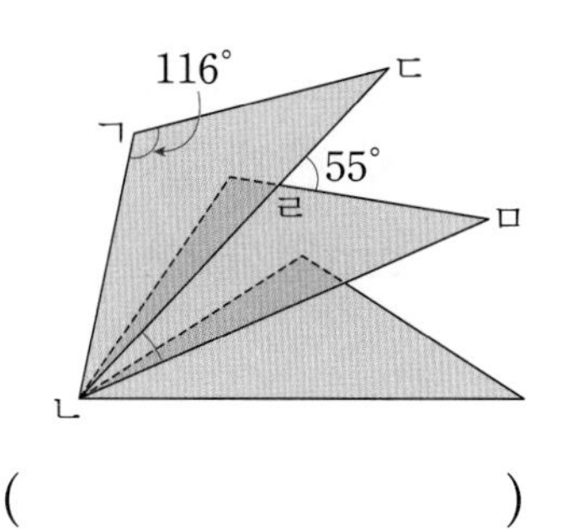

( )

5

규칙에 따라 정삼각형의 각 변의 한가운데 점을 이어 정삼각형을 그렸습니다. 첫째 모양에서 색칠한 부분의 세 변의 길이의 합이 36 cm일 때 **셋째 모양에서 색칠한 부분의 모든 변의 길이의 합은 몇 cm**일까요?

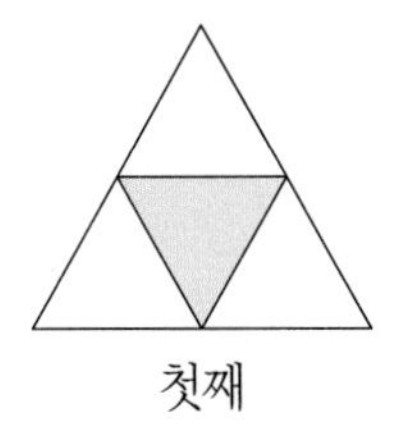
첫째

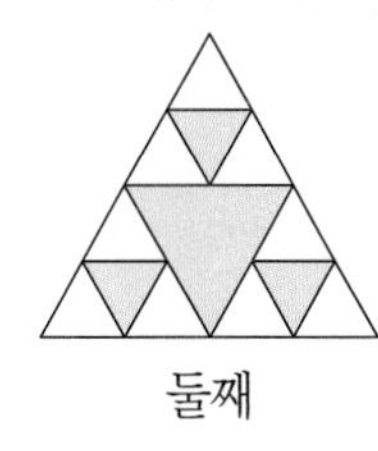
둘째

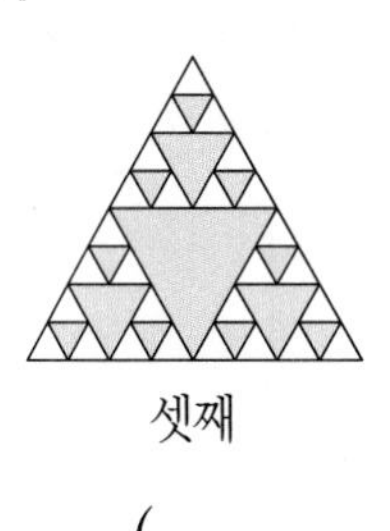
셋째

( )

2 단원

1% 도전

6

삼각형 ㄱㄴㄷ은 정삼각형, 사각형 ㄱㄷㅁㅂ은 정사각형, 삼각형 ㄷㄱㄹ은 이등변삼각형입니다. **각 ㄱㅅㅂ의 크기**를 구해 보세요.

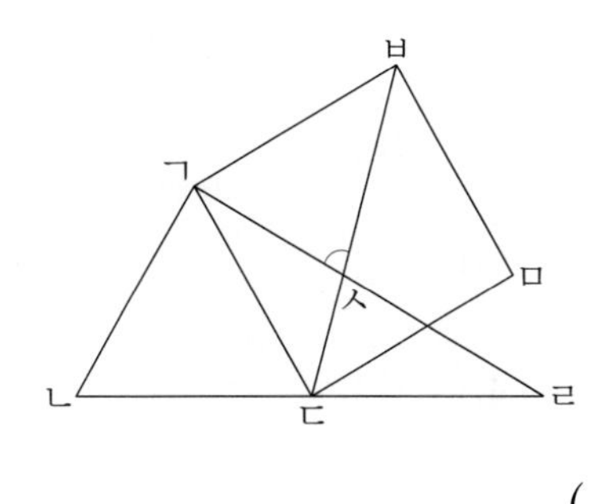

( )

상위권 TEST

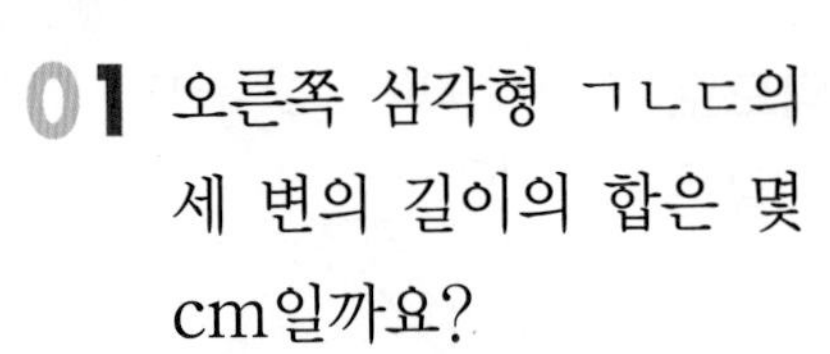

01 오른쪽 삼각형 ㄱㄴㄷ의 세 변의 길이의 합은 몇 cm일까요?

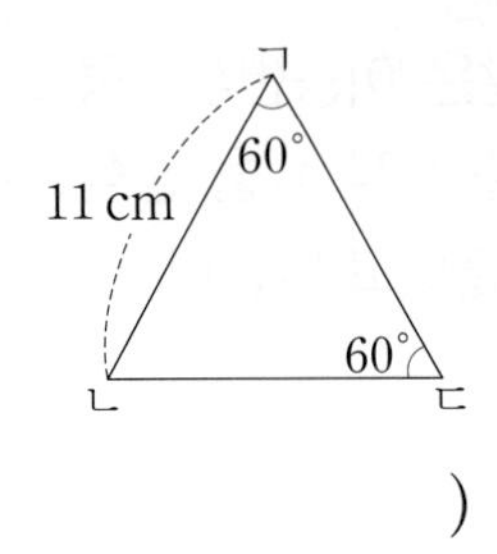

(　　　　　　　　　　)

02 삼각형 ㄱㄴㄷ은 이등변삼각형이고, 변 ㄱㄷ의 길이는 변 ㄱㄴ의 길이의 2배입니다. 삼각형 ㄱㄴㄷ의 세 변의 길이의 합이 45 cm일 때 변 ㄴㄷ의 길이는 몇 cm일까요?

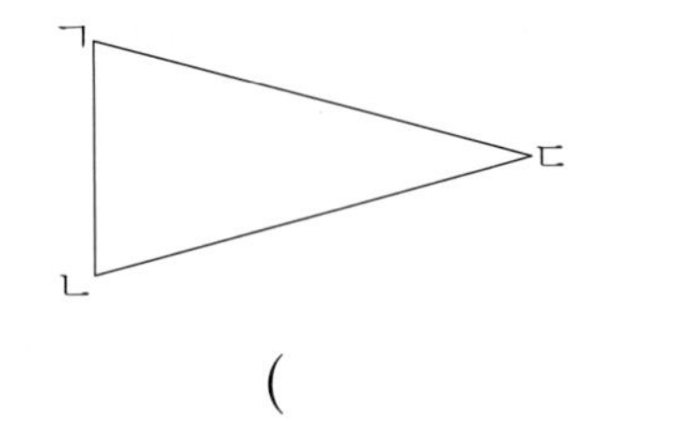

(　　　　　　　　　　)

03 삼각형의 세 각 중에서 두 각의 크기를 나타낸 것입니다. 둔각삼각형을 나타낸 사람은 누구일까요?

이름	두 각의 크기
서은	55°, 35°
예나	70°, 15°
준형	45°, 60°

(　　　　　　　　　　)

04 그림에서 선분 ㅁㄹ과 선분 ㄷㄹ의 길이는 같습니다. 각 ㄷㄹㅁ의 크기를 구해 보세요.

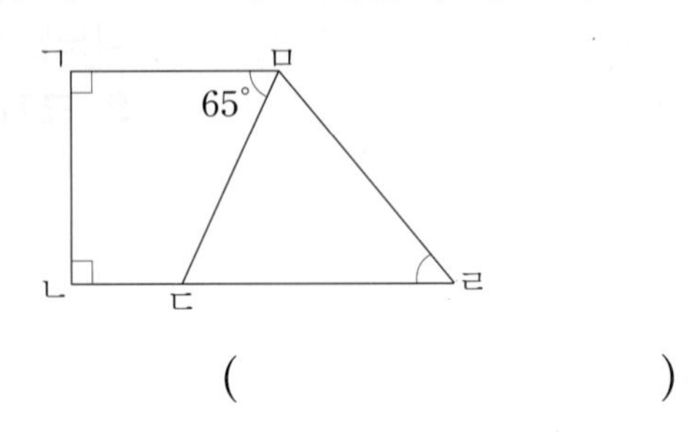

(　　　　　　　　　　)

05 삼각형 ㄱㄴㄷ은 정삼각형, 삼각형 ㄱㄷㄹ은 이등변삼각형입니다. 삼각형 ㄱㄴㄹ의 세 변의 길이의 합은 몇 cm일까요?

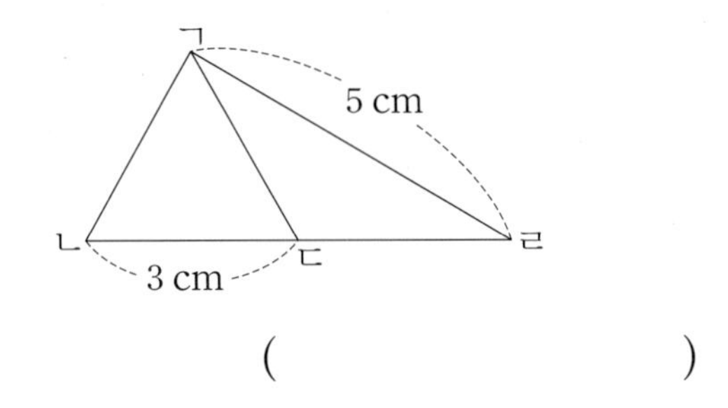

(　　　　　　　　　　)

06 삼각형 ㄱㄴㄷ은 정삼각형, 삼각형 ㄹㄴㄷ은 이등변삼각형입니다. 각 ㄴㄹㄷ의 크기를 구해 보세요.

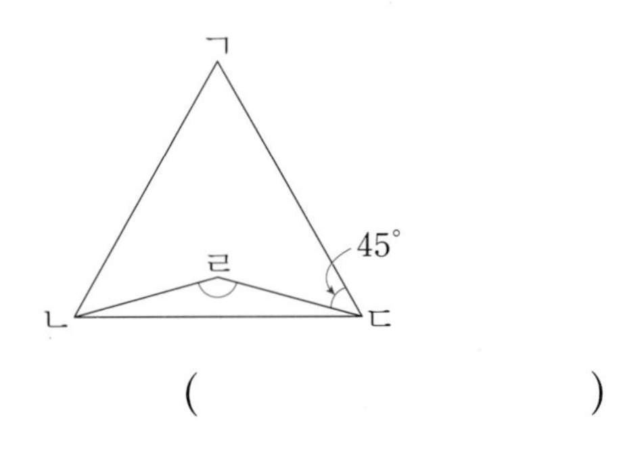

(　　　　　　　　　　)

정답 및 풀이 > 14쪽

07 세 변의 길이의 합이 20 cm인 이등변삼각형이 있습니다. 이 이등변삼각형의 한 변이 8 cm일 때 나머지 두 변의 길이가 될 수 있는 경우는 몇 cm인지 모두 구해 보세요.

( )

08 그림에서 찾을 수 있는 크고 작은 예각삼각형과 둔각삼각형은 각각 몇 개일까요?

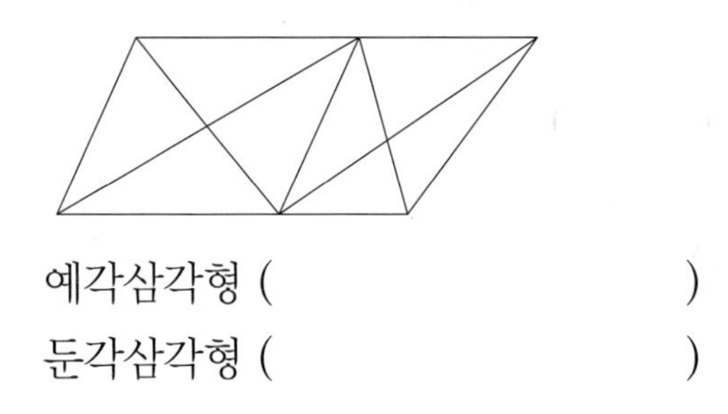

예각삼각형 ( )
둔각삼각형 ( )

09 그림에서 선분 ㄱㄴ과 선분 ㄴㄷ의 길이가 같고, 선분 ㄹㄴ과 선분 ㄹㄷ의 길이가 같습니다. 각 ㄱㄷㄹ의 크기를 구해 보세요.

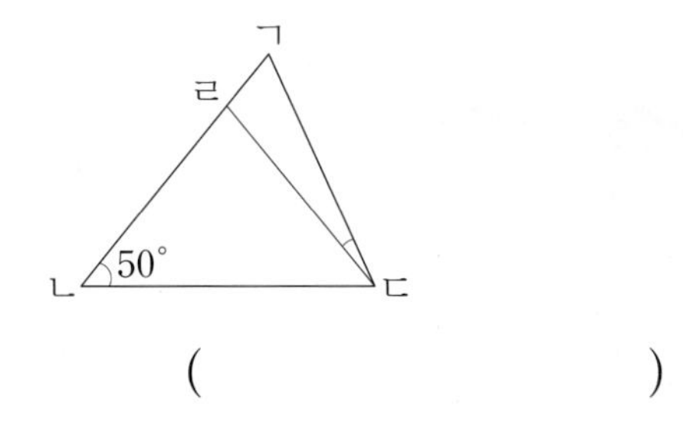

( )

10 삼각형 ㄱㄴㄷ, 삼각형 ㄱㄹㅂ, 삼각형 ㅂㅁㄷ은 모두 정삼각형입니다. 사각형 ㄹㄴㅁㅂ의 네 변의 길이의 합이 28 cm일 때 삼각형 ㄱㄴㄷ의 세 변의 길이의 합은 몇 cm일까요?

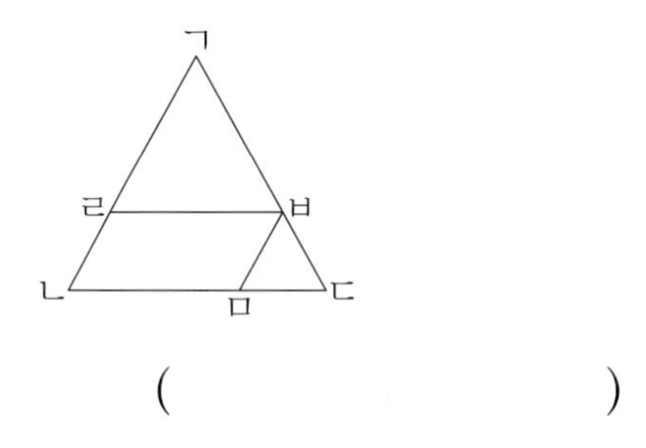

( )

★ 최상위

11 사각형 ㄱㄴㄷㄹ은 정사각형입니다. 선분 ㄹㄷ과 선분 ㄹㅁ의 길이가 같을 때 각 ㄷㅂㅁ의 크기를 구해 보세요.

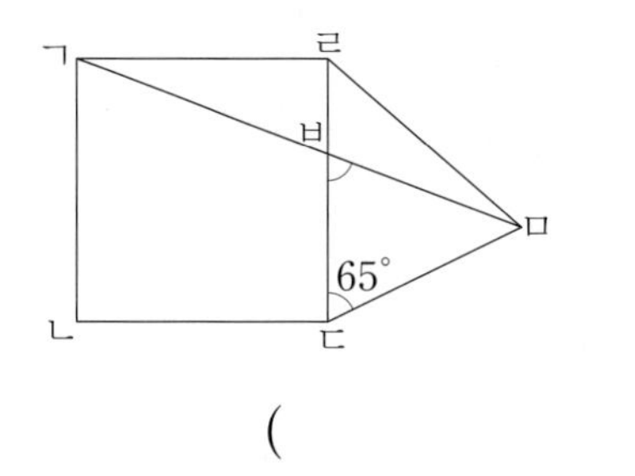

( )

★ 최상위

12 삼각형 ㄱㄴㄷ은 이등변삼각형입니다. 삼각형 ㄱㄴㄷ을 점 ㄴ을 중심으로 그림과 같이 돌리려고 합니다. 삼각형 ㄱㄴㄷ을 몇 도만큼 돌리면 되는지 구해 보세요.

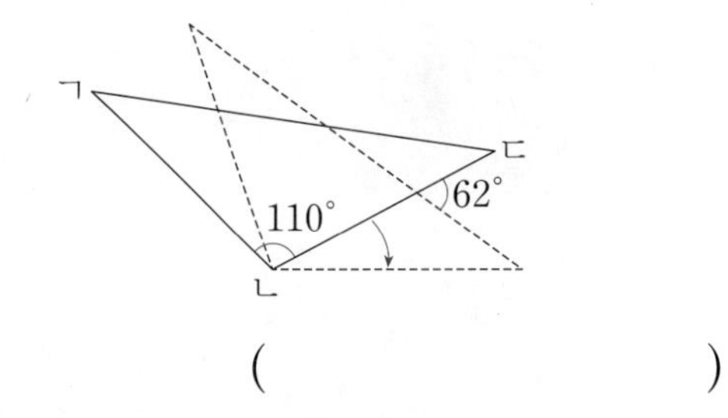

( )

2 단원

쉬어가기

사자성어

이심전심

以 心 傳 心

써 이　마음 심　전할 전　마음 심

바로 뜻 마음에서 마음으로 전한다는 뜻.

깊은 뜻 마음과 마음이 통해, 말을 하지 않아도 서로 뜻이 통한다는 말이에요.

이럴 때 쓰는 말이야!

어느 날 **석가모니**가 제자들에게 **불법**을 전하던 중 하늘에서 연꽃 비가 내렸어요.
석가모니는 **연꽃** 한 송이를 집어 들고 아무 말도 하지 않은 채 꽃을 비틀었어요.
제자들은 석가모니가 왜 그런 행동을 하는지 알지 못한 채 어리둥절했어요.
하지만 제자 중 한 명인 **가섭**은 그 뜻을 깨닫고 빙긋이 **미소**를 지었어요.
"내 뜻을 알겠느냐?"
가섭은 가만히 **고개**를 끄덕였어요.
"너와 내가 □□□□이구나! 내 **진리**를 너에게 주마."
석가모니는 진리란 말이나 책에서 나오는 것이 아니라
마음에서 마음으로 통하는 점이 있어야 한다고 생각했어요.

잠깐! Quiz

Q □□□□에 들어갈 말은?

A 위의 글을 읽고 파란색 글자들을 아래에서 모두 찾아 /표로 지웁니다.

제	자				진
	석	가	모	니	리
불	마	음	이		
법		미	심	가	연
	고	소	전	섭	꽃
	개		심		

소수의 덧셈과 뺄셈

응용 대표 유형

01 소수로 나타내기
02 소수의 자릿값 구하기
03 단위가 다른 소수의 크기 비교하기
04 계산 결과 비교하기
05 소수 사이의 관계의 활용
06 단위가 다른 소수의 계산
07 소수의 계산식에서 조건에 알맞은 수 구하기
08 겹쳐진 부분의 길이 구하기
09 두 소수의 계산을 이용하여 문제 해결하기
10 수직선에서 나타내는 소수 구하기
11 세 소수의 계산을 이용하여 문제 해결하기
12 소수의 계산식에서 모르는 소수 구하기
13 세 소수의 크기 비교하기
14 소수 사이의 관계를 이용하여 어떤 수 구하기
15 도형의 변의 길이 구하기
16 조건을 만족하는 소수 구하기
17 카드로 만든 두 소수의 합과 차 구하기
18 어떤 수를 구하여 바르게 계산하기
19 일정한 간격으로 놓인 물건 사이의 거리 구하기
20 빈 병의 무게 구하기
21 일정한 빠르기로 걷는 두 사람 사이의 거리 구하기

① 소수 두 자리 수, 소수 세 자리 수

(1) 소수를 쓰고 읽기

분수	소수	읽기
$\frac{1}{100}$	0.01	영 점 영일
$\frac{1}{1000}$	0.001	영 점 영영일

(2) 소수의 자릿값

예 2.746의 자릿값 알아보기

일의 자리		소수 첫째 자리	소수 둘째 자리	소수 셋째 자리
2	.			
0	.	7		
0	.	0	4	
0	.	0	0	6

→ 2.746은 1이 2개, 0.1이 7개, 0.01이 4개, 0.001이 6개입니다.

② 소수의 크기 비교하기

(1) 자연수 부분이 다를 때: 자연수 부분을 비교합니다.

(2) 자연수 부분이 같을 때: 소수 첫째 자리 수 → 소수 둘째 자리 수 → 소수 셋째 자리 수의 크기를 비교합니다.

예 $1.4<8.72$ ($1<8$)　　$0.93>0.2$ ($9>2$)　　$1.524<1.526$ ($4<6$)

참고 소수는 필요한 경우 오른쪽 끝자리에 0을 붙여서 나타낼 수 있습니다. 예 $0.5=0.50$, $0.79=0.790$

응용 ③ 소수의 크기 비교에서 모르는 수 구하기

예 0부터 9까지의 수 중에서 ㉠과 ㉡에 알맞은 수 각각 구하기

자연수 부분이 같습니다.

0.0㉠3 > 0.㉡87

① 소수 첫째 자리 수를 비교하면 ㉡은 0보다 큰 수가 될 수 없으므로 ㉡=0입니다.

② 소수 셋째 자리 수를 비교하면 $3<7$이므로 소수 둘째 자리 수는 ㉠>8, ㉠=9입니다.

④ 소수 사이의 관계

예 소수 사이의 관계를 이용하여 빈칸에 알맞은 수 써넣기

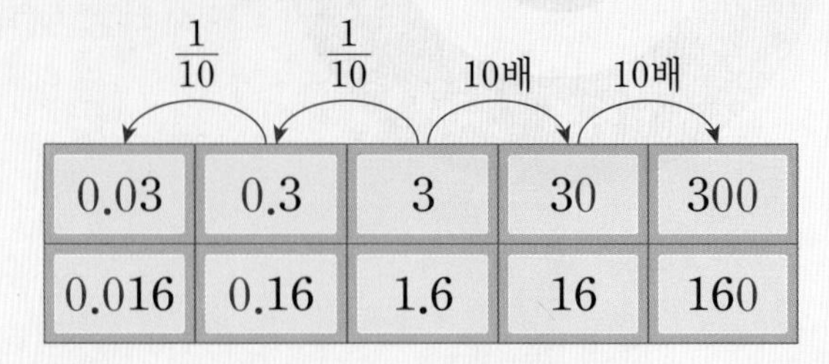

① 소수를 10배 하면 수가 점점 커지고, 소수점을 기준으로 수가 왼쪽으로 한 자리씩 이동합니다.

② 소수의 $\frac{1}{10}$을 하면 수가 점점 작아지고, 소수점을 기준으로 수가 오른쪽으로 한 자리씩 이동합니다.

응용 ⑤ 소수 사이의 관계를 이용하여 어떤 수 구하기

예 어떤 수의 10배는 1이 6개, 0.1이 2개, 0.01이 5개인 수와 같을 때 어떤 수 구하기

① 1이 6개, 0.1이 2개, 0.01이 5개인 수 구하기

→ 6.25

② 소수 사이의 관계를 거꾸로 생각하기

→ 어떤 수 = 6.25의 $\frac{1}{10}$ = 0.625

⑥ 소수의 덧셈

예 1.64+8.27의 계산

$$\begin{array}{r} \overset{1}{1}.6\,4 \\ +\,8.2\,7 \\ \hline 1 \end{array} \rightarrow \begin{array}{r} \overset{1}{1}.6\,4 \\ +\,8.2\,7 \\ \hline 9\,1 \end{array} \rightarrow \begin{array}{r} \overset{1}{1}.6\,4 \\ +\,8.2\,7 \\ \hline 9.9\,1 \end{array}$$

$4+7=11$　　$1+6+2=9$　　$1+8=9$

선행 개념 [5학년] (소수)×(자연수)

자연수의 곱셈과 같은 방법으로 계산한 후 곱해지는 수의 소수점 위치에 맞추어 곱의 결과에 소수점을 찍습니다.

$3\times4=12$ → ($\frac{1}{10}$), ($\frac{1}{10}$) → $0.3\times4=1.2$

$$\begin{array}{r} 3 \\ \times\ 4 \\ \hline 1\,2 \end{array} \rightarrow \begin{array}{r} 0.3 \\ \times\ \ 4 \\ \hline 1.2 \end{array}$$

7 소수의 뺄셈

(1) 자릿수가 같은 경우

예 0.59−0.21의 계산

$$\begin{array}{r} 0.5\,9 \\ -\,0.2\,1 \\ \hline 8 \end{array} \rightarrow \begin{array}{r} 0.5\,9 \\ -\,0.2\,1 \\ \hline 3\,8 \end{array} \rightarrow \begin{array}{r} 0.5\,9 \\ -\,0.2\,1 \\ \hline 0.3\,8 \end{array}$$

9−1=8 　 5−2=3

(2) 자릿수가 다른 경우

예 4.67−1.8의 계산

$$\begin{array}{r} 4.6\,7 \\ -\,1.8 \\ \hline 7 \end{array} \rightarrow \begin{array}{r} \overset{3\ \ 10}{\not{4}.6\,7} \\ -\,1.8 \\ \hline 8\,7 \end{array} \rightarrow \begin{array}{r} \overset{3\ \ 10}{\not{4}.6\,7} \\ -\,1.8 \\ \hline 2.8\,7 \end{array}$$

7−0=7 　 10+6−8=8 　 3−1=2

참고 세 소수의 덧셈과 뺄셈이 섞여 있는 식은 앞에서부터 차례로 계산합니다.

1.78+0.4−0.36=1.82

(1.78+0.4 → 2.18, 2.18−0.36 → 1.82)

선행 개념 [6학년] (소수)÷(자연수)

자연수의 나눗셈과 같은 방법으로 계산한 후 나누어지는 수의 소수점 위치에 맞추어 몫에 소수점을 찍습니다.

32÷2=16
↓ $\frac{1}{10}$ 　 ↓ $\frac{1}{10}$
3.2÷2=1.6

$$\begin{array}{r} 1\,6 \\ 2\,\overline{)\,3\,2} \\ 2 \\ \hline 1\,2 \\ 1\,2 \\ \hline 0 \end{array} \rightarrow \begin{array}{r} 1.6 \\ 2\,\overline{)\,3.2} \\ 2 \\ \hline 1\,2 \\ 1\,2 \\ \hline 0 \end{array}$$

응용 8 카드로 만든 두 소수의 합과 차 구하기

예 4장의 카드 [1], [4], [8], [.]을 한 번씩 모두 사용하여 만든 소수 두 자리 수 중 가장 큰 수와 가장 작은 수의 합과 차 각각 구하기

① 가장 큰 수: [8]>[4]>[1] → 8.41

② 가장 작은 수: [1]<[4]<[8] → 1.48

③ 합: 8.41+1.48=9.89
　 차: 8.41−1.48=6.93

1 다음이 나타내는 소수 두 자리 수를 쓰고 읽어 보세요.

0.1이 3개, 0.01이 5개인 수

쓰기 (　　　　　　　　)
읽기 (　　　　　　　　)

2 두 수의 크기를 비교하여 ○ 안에 $>$, $=$, $<$를 알맞게 써넣으세요.

(1) 1.764 ○ 1.746

(2) 5.39 ○ 5.8

3 그림을 보고 □ 안에 알맞은 소수를 써넣으세요.

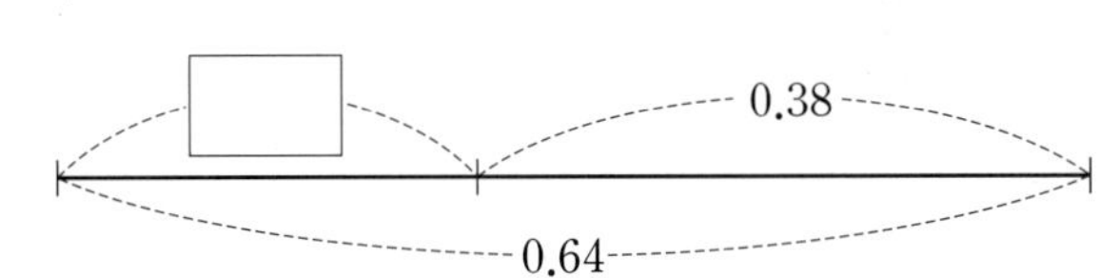

4 KTX를 이용할 때 서울역에서 수원역까지의 거리와 수원역에서 대전역까지의 거리를 나타낸 것입니다. 서울역에서 수원역을 지나 대전역까지의 거리는 몇 km일까요?

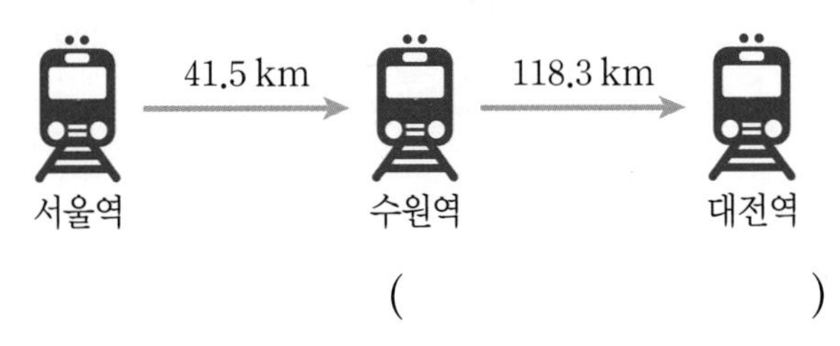

(　　　　　　　　)

3 단원

응용 공략하기

■ **응용·심화 문제**와 **레벨UP공략법**으로 문제 해결 능력을 키웁니다.

소수로 나타내기

01 민국, 승훈, 연아 중에서 **나타내는 소수가 다른 사람의 이름**을 써 보세요.

(　　　　　　　　　　)

소수의 자릿값 구하기

02 **3이 0.03을 나타내는 수는 모두 몇 개**일까요?

0.31	6.437	32.045
17.563	3.69	14.93

(　　　　　　　　　　)

해결 순서
❶ 각각의 수에서 3이 나타내는 수 구하기
❷ 3이 0.03을 나타내는 수의 개수 구하기

단위가 다른 소수의 크기 비교하기

03 준우네 집에서 놀이터, 수영장, 도서관까지의 거리를 나타낸 것입니다. **준우네 집에서 가장 가까운 곳은 어디**일까요?

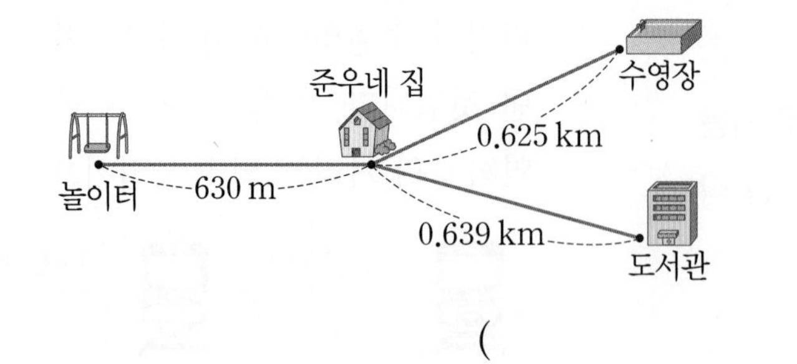

(　　　　　　　　　　)

레벨UP 공략 01

단위 사이의 관계를 이용하여 같은 단위로 나타내려면?

• 길이
1 cm=10 mm ➔ 1 mm=0.1 cm
1 m=100 cm ➔ 1 cm=0.01 m
1 km=1000 m ➔ 1 m=0.001 km

• 들이
1 L=1000 mL ➔ 1 mL=0.001 L

• 무게
1 kg=1000 g ➔ 1 g=0.001 kg
1 t=1000 kg ➔ 1 kg=0.001 t

정답 및 풀이 > 16쪽

계산 결과 비교하기

04 **계산 결과가 4.38**인 것을 모두 찾아 기호를 써 보세요.

㉠ 1.59+2.69	㉡ 6.87−2.49
㉢ 3.04+1.34	㉣ 9.52−5.04

( )

해결 순서
❶ 소수의 덧셈과 뺄셈을 각각 하기
❷ 계산 결과가 4.38인 것을 모두 찾기

소수 사이의 관계의 활용

05 창의융합 폴란드 돈의 단위는 즈워티이고, 덴마크 돈의 단위는 크로네입니다. 강은이는 두 나라를 여행하고 남은 돈을 세어 보니 폴란드 돈이 10즈워티, 덴마크 돈이 100크로네였습니다. 오늘 두 나라의 돈이 각각 우리나라 돈으로 다음과 같을 때 **각각의 돈은 우리나라 돈으로 얼마**일까요?

10즈워티 ( )
100크로네 ( )

레벨 UP 공략 02

소수 사이의 관계에서 소수의 크기는?

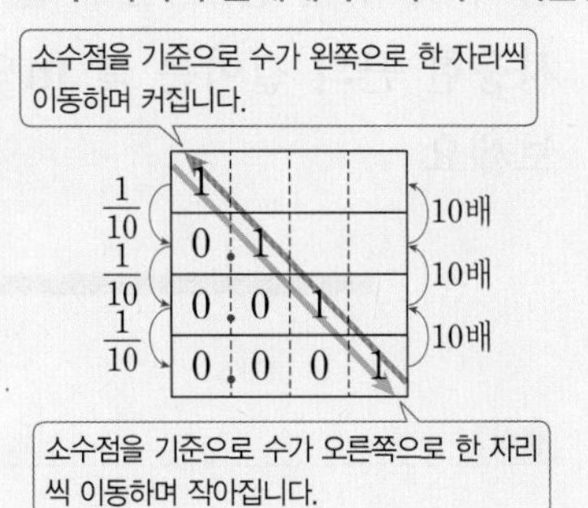

단위가 다른 소수의 계산 서술형

06 냉장고에 들어 있는 우유 2 L 중에서 은호는 370 mL를 마셨고, 동생은 0.15 L를 마셨습니다. **남은 우유는 몇 L**인지 풀이 과정을 쓰고, 답을 구해 보세요.

풀이

답

3 단원

소수의 계산식에서 조건에 알맞은 수 구하기

07 0부터 9까지의 수 중에서 □ **안에 들어갈 수 있는 가장 작은 수**를 구해 보세요.

$3.74-1.25<2.\square 6-0.1$

(　　　　　　　　)

레벨 UP 공략 03

> 또는 <가 있는 식에서 모르는 수를 구하려면?

> 또는 <를 =로 생각하여 계산합니다.

↓

소수의 크기를 비교합니다.

겹쳐진 부분의 길이 구하기 　서술형

08 길이가 각각 5.78 m, 4.5 m인 끈 2개를 그림과 같이 묶었습니다. 묶은 끈의 전체 길이가 9.92 m일 때 **매듭을 짓는 데 사용한 끈의 길이는 몇 m**인지 풀이 과정을 쓰고, 답을 구해 보세요.

풀이

답

레벨 UP 공략 04

겹쳐진 부분의 길이를 구하려면?

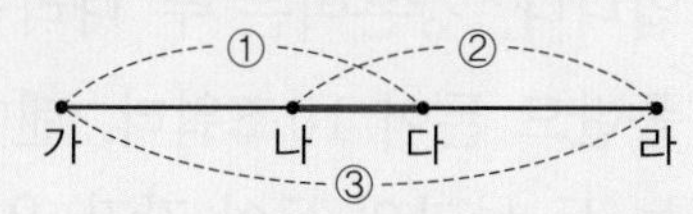

(겹쳐진 부분의 길이)
=(각각의 길이의 합)−(전체 길이)
=①+②−③

두 소수의 계산을 이용하여 문제 해결하기

09 창의융합 다음은 만 원짜리 지폐와 오만 원짜리 지폐의 가로와 세로를 비교한 것입니다. 오만 원짜리 지폐의 가로는 만 원짜리 지폐의 가로보다 0.6 cm 더 깁니다. **오만 원짜리 지폐의 세로는 가로보다 몇 cm 짧은지** 구해 보세요.

가로: 14.8 cm
세로: 6.8 cm

(　　　　　　　　)

해결 순서

❶ 오만 원짜리 지폐의 가로와 세로 각각 구하기

❷ 오만 원짜리 지폐의 세로는 가로보다 몇 cm 짧은지 구하기

수직선에서 나타내는 소수 구하기

10 수직선에서 ㉠**이 나타내는 소수**를 구해 보세요.

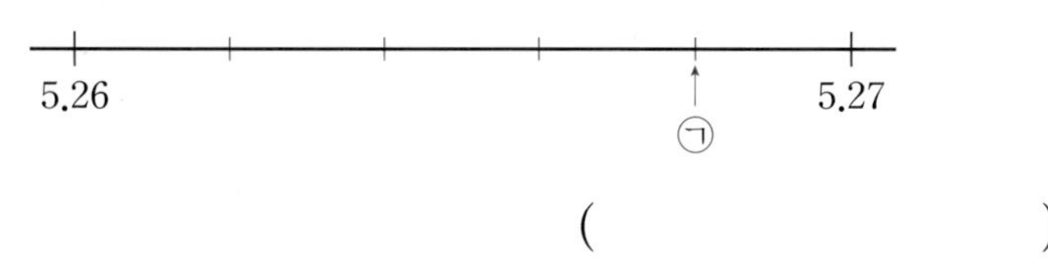

( )

레벨UP 공략 05

수직선에서 10등분이 아닐 때 작은 눈금 한 칸의 크기를 소수로 나타내려면?

작은 눈금 한 칸

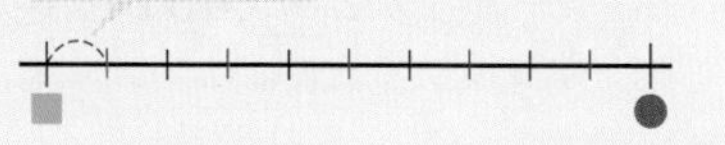

■와 ● 사이의 크기가 0.1, 0.01……일 때 수직선을 10등분 하면 작은 눈금 한 칸의 크기를 소수로 나타낼 수 있습니다.

세 소수의 계산을 이용하여 문제 해결하기

11 창의융합

철인 3종 경기는 수영, 사이클, 마라톤의 세 종목을 차례로 하는 경기로 종목별 거리는 다음과 같습니다. 철인 3종 경기에 참가한 어떤 선수가 마라톤을 하고 있습니다. 마라톤 구간 중에서 남은 거리가 3.8 km라면 이 선수가 **경기 시작부터 지금까지 경기한 거리는 모두 몇 km**일까요?

수영	사이클	마라톤
1.5 km	40 km	10 km

( )

소수의 계산식에서 모르는 수 구하기

12 소수 두 자리 수의 덧셈식에 물감이 묻어 일부분이 보이지 않습니다. **덧셈을 한 두 소수**를 각각 구해 보세요.

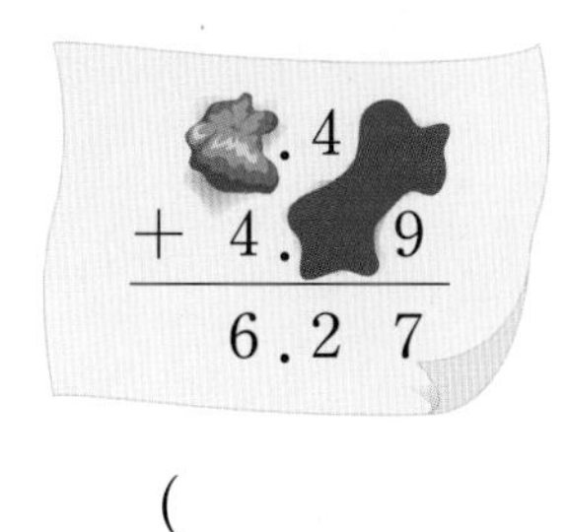

(,)

해결 순서

❶ 소수 둘째 자리, 소수 첫째 자리, 일의 자리 계산에서 보이지 않는 수 각각 구하기

❷ 덧셈을 한 두 소수 각각 구하기

3 단원

세 소수의 크기 비교하기

13 □ 안에 0부터 9까지의 어느 수를 넣어도 됩니다. 세 소수의 크기를 비교하여 **큰 수부터 차례로 기호**를 써 보세요.

㉠ 2□.451　㉡ 20.0□8　㉢ 29.76□

(　　　　　　　　　　)

소수 사이의 관계를 이용하여 어떤 수 구하기

14 다음을 읽고 **어떤 수**를 구해 보세요.

어떤 수의 $\frac{1}{100}$은 10이 6개, 1이 2개, 0.1이 14개, 0.01이 19개인 수와 같습니다.

(　　　　　　　　　　)

레벨UP 공략 06

소수 사이의 관계를 이용하여 어떤 수를 구하려면?

소수 사이의 관계를 거꾸로 생각합니다.

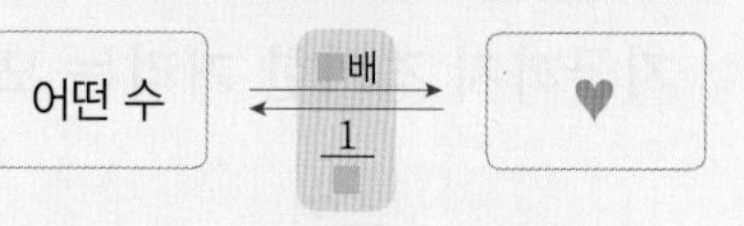

도형의 변의 길이 구하기

15 신유형

평면도는 건물을 위에서 내려다본 모습을 그린 것입니다. 다음은 가로가 48.13 m이고 세로가 35.8 m인 어느 박물관의 평면도입니다. **제3전시실의 가로와 세로의 차는 몇 m**일까요? (단, 평면도는 직사각형 모양이고, 벽면의 두께는 생각하지 않습니다.)

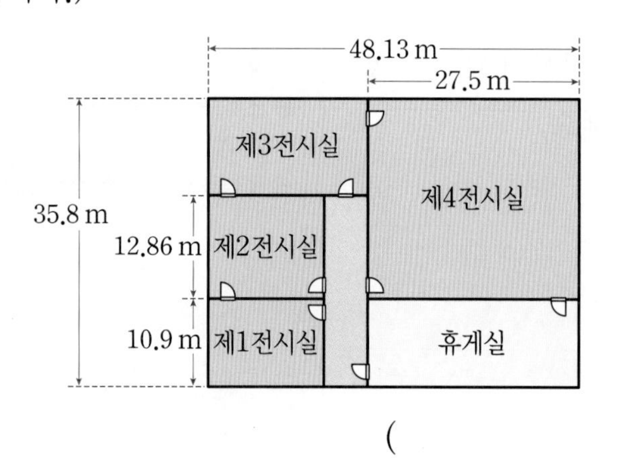

(　　　　　　　　　　)

해결 순서

❶ 제3전시실의 가로 구하기

❷ 제3전시실의 세로 구하기

❸ 위 ❶과 ❷의 길이의 차 구하기

조건을 만족하는 소수 구하기

16 주어진 **조건을 모두 만족하는 소수 두 자리 수**를 구해 보세요.

- 2보다 크고 3보다 작습니다.
- 소수 첫째 자리 숫자는 4입니다.
- 소수 둘째 자리 숫자는 소수 첫째 자리 숫자의 2배입니다.

( )

레벨UP 공략 07

■보다 크고 ▲보다 작은 소수를 구하려면?

범위에 속하는 소수의 자연수 부분은 ■, ■+1 …… ▲−1입니다.

해결 순서

❶ 알 수 있는 숫자부터 차례로 구하기

❷ 조건을 모두 만족하는 소수 두 자리 수 구하기

카드로 만든 두 소수의 합과 차 구하기

17 5장의 카드를 한 번씩 모두 사용하여 소수 두 자리 수를 만들려고 합니다. 만들 수 있는 **가장 큰 수와 가장 작은 수의 합과 차**를 각각 구해 보세요.

3 7 4 1 .

합 ( )

차 ( )

레벨UP 공략 08

4개의 수로 가장 큰 소수 두 자리 수와 가장 작은 소수 두 자리 수를 만들려면?

수의 크기가 ①>②>③>④일 때

가장 큰 소수 두 자리 수	가장 작은 소수 두 자리 수
①②.③④	④③.②①

어떤 수를 구하여 바르게 계산하기 서술형

18 어떤 수에 0.49를 더해야 할 것을 잘못하여 뺐더니 1.36이 되었습니다. **바르게 계산하면 얼마**인지 풀이 과정을 쓰고, 답을 구해 보세요.

풀이

답

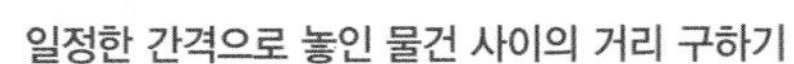

정답 및 풀이 > 16쪽

일정한 간격으로 놓인 물건 사이의 거리 구하기

19 길이가 1 km인 도로의 한쪽에 처음부터 끝까지 같은 간격으로 가로등 101개를 세웠습니다. **첫째 가로등부터 41째 가로등까지의 거리는 몇 km**일까요? (단, 가로등의 두께는 생각하지 않습니다.)

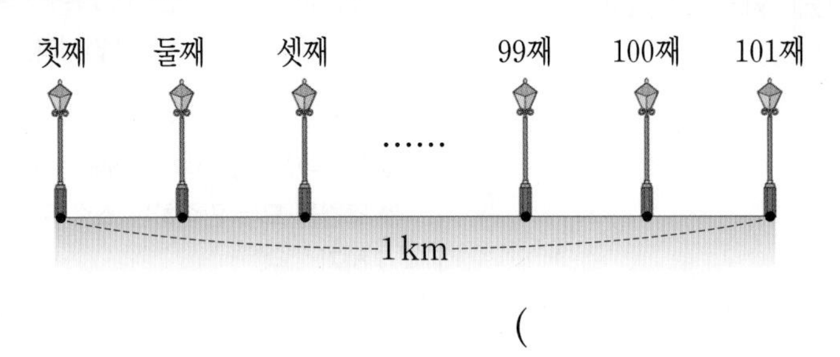

( )

해결 순서
❶ 가로등 사이의 간격 구하기
❷ 첫째 가로등부터 41째 가로등까지의 거리 구하기

빈 병의 무게 구하기

20 우유가 가득 들어 있는 병의 무게를 재었더니 2.18 kg이었습니다. 병에 들어 있는 우유의 $\frac{1}{4}$을 마신 후 다시 병의 무게를 재었더니 1.78 kg이었습니다. **빈 병의 무게는 몇 kg**일까요?

( )

해결 순서
❶ 우유 $\frac{1}{4}$의 무게 구하기
❷ 우유 전체의 무게 구하기
❸ 빈 병의 무게 구하기

일정한 빠르기로 걷는 두 사람 사이의 거리 구하기

21 일정한 빠르기로 현수는 20분 동안 2.14 km를 걷고, 민준이는 30분 동안 3.16 km를 걷습니다. 두 사람이 같은 곳에서 동시에 출발하여 서로 반대 방향으로 쉬지 않고 걸었을 때 **1시간 후 두 사람 사이의 거리는 몇 km**인지 구해 보세요.

( )

레벨 UP 공략 09

1시간에 ■ km를 걷는 사람과 ▲ km를 걷는 사람 사이의 거리를 구하려면? (■ > ▲인 경우)

반대 방향	같은 방향
→■ km ▲ km← (■+▲) km	→■ km →▲ km (■−▲) km

STEP 2 심화 해결하기

■ **레벨UP공략법**을 활용한 **고난도 문제**를 스스로 해결하고 발전합니다.

정답 및 풀이 > 17쪽

01 소수로 나타내었을 때 **소수 둘째 자리 숫자가 9인 것**을 모두 찾아 기호를 써 보세요.

㉠ $\frac{609}{100}$ ㉡ 0.86보다 0.01 큰 수

㉢ $\frac{139}{1000}$ ㉣ 0.309보다 0.01 작은 수

( )

서술형

02 **㉮와 ㉯가 나타내는 소수 두 자리 수의 차**를 구하려고 합니다. 풀이 과정을 쓰고, 답을 구해 보세요.

㉮ 1이 3개, 0.1이 5개, 0.01이 6개인 수

㉯ 1이 8개, 0.1이 2개, 0.01이 14개인 수

풀이

답

03 창의융합 히말라야 산맥은 세계에서 가장 높은 산맥입니다. 다음은 히말라야에 있는 산의 높이를 나타낸 것입니다. 4개의 산 중에서 **높이가 가장 높은 산과 가장 낮은 산의 이름**을 각각 써 보세요.

K2	로체 산	에베레스트 산	칸첸중가 산
8.611 km	8516 m	8.848 km	8 km 586 m

가장 높은 산 ( )

가장 낮은 산 ( )

3 단원

04 소수로 나타내었을 때 **가장 큰 수와 가장 작은 수의 합과 차**를 각각 구해 보세요.

㉠ 1.25의 10배	㉡ 0.149의 100배
㉢ 150의 $\frac{1}{100}$	㉣ 13.1의 $\frac{1}{10}$

합 (　　　　　　　　)
차 (　　　　　　　　)

05 수정이는 길이가 1 m인 철사를 사용하여 한 변이 0.16 m인 정사각형 모양을 한 개 만들었습니다. 수정이가 정사각형 모양을 만들고 **남은 철사의 길이는 몇 m**일까요?

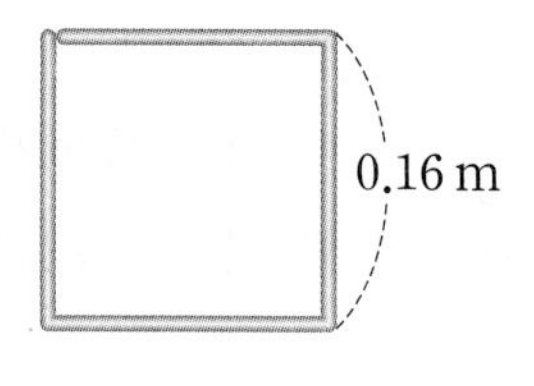

(　　　　　　　　)

06 창의융합 어미 캥거루의 배에는 주머니가 있어 주머니 속에 아기 캥거루를 넣고 다닙니다. 어미 캥거루와 아기 캥거루의 무게가 다음과 같을 때 **아기 캥거루를 주머니 속에 넣은 어미 캥거루의 무게는 몇 kg**일까요?

어미 캥거루	아기 캥거루
78.6 kg	1900 g

(　　　　　　　　)

07 ㉠이 나타내는 수는 ㉡이 나타내는 수의 몇 배일까요?

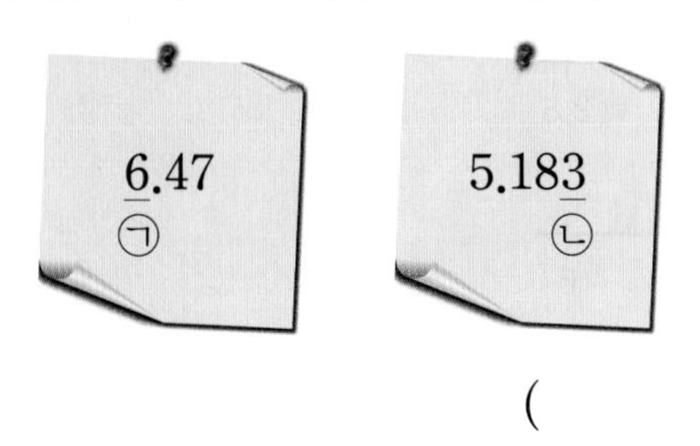

( )

08 □ 안에 들어갈 수 있는 수 중에서 가장 큰 소수 세 자리 수를 구해 보세요.

$7.04-\square>1.6+4.85$

( )

서술형

09 선생님께서 윤석이에게 오늘 내 주신 숙제입니다. **윤석이가 답해야 하는 수**를 구하려고 합니다. 풀이 과정을 쓰고, 답을 구해 보세요.

어떤 수에서 2.6을 뺐더니 3.59가 되었습니다.
어떤 수에 2.6을 더하면 얼마일까요?

풀이

답

3 단원

10 수직선에서 ㉠과 ㉡이 나타내는 소수의 합을 구해 보세요.

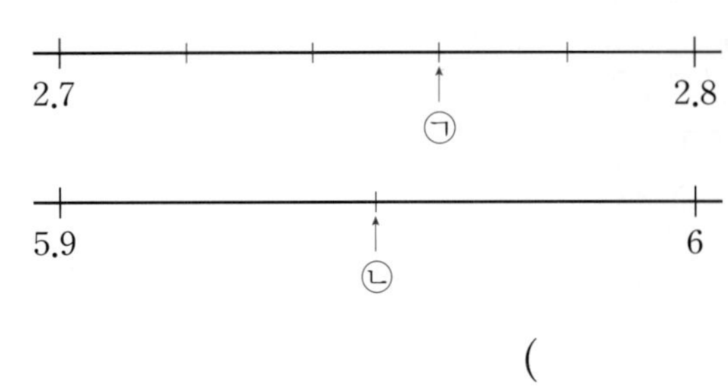

( )

서술형

11 5장의 카드를 한 번씩 모두 사용하여 소수 세 자리 수를 만들려고 합니다. 만들 수 있는 소수 중에서 **2.79보다 작은 소수는 모두 몇 개**인지 풀이 과정을 쓰고, 답을 구해 보세요.

0 2 7 9 .

풀이

답

12 창의융합 피겨 스케이팅 싱글 종목의 프로그램은 쇼트와 프리로 나뉘고, 각 프로그램의 점수는 기술 점수와 예술 점수를 더한 것입니다. 다음은 김연아 선수가 2014년 소치 동계 올림픽에서 받은 점수입니다. 김연아 선수가 **두 프로그램에서 받은 점수의 합은 몇 점**일까요?

	기술 점수	예술 점수
쇼트 프로그램	39.03점	35.89점
프리 프로그램	69.69점	74.5점

( )

13 □ 안에 1, 3, 5, 7, 9를 한 번씩 모두 써넣어 다음 뺄셈식을 만들려고 합니다. **계산 결과가 가장 클 때와 가장 작을 때의 값**을 각각 구해 보세요.

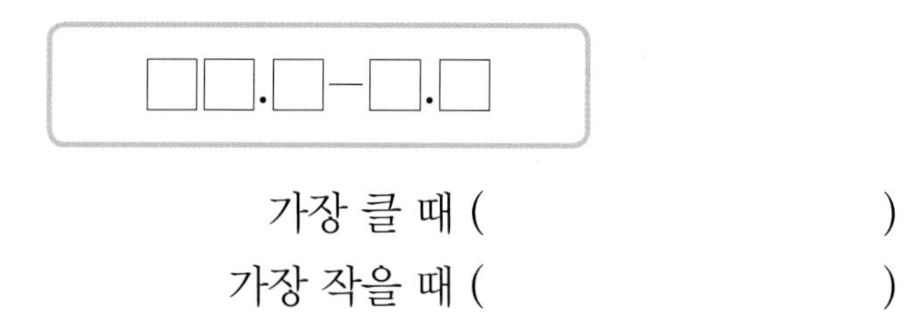

가장 클 때 (　　　　　　　　)

가장 작을 때 (　　　　　　　　)

14 소수 세 자리 수를 크기가 작은 것부터 차례로 쓴 것입니다. 0부터 9까지의 수 중에서 ㉠, ㉡, ㉢, ㉣, ㉤**에 알맞은 수들의 합**은 얼마일까요?

28.1㉠8, 28.10㉡, 2㉢.083, 2㉣.0㉤1

(　　　　　　　　)

15 떨어뜨린 높이의 $\frac{1}{10}$만큼씩 튀어 오르는 공이 있습니다. 이 공을 35 m 높이에서 떨어뜨렸을 때 **세 번째로 튀어 오르는 공의 높이는 몇 m**인지 소수로 나타내어 보세요.

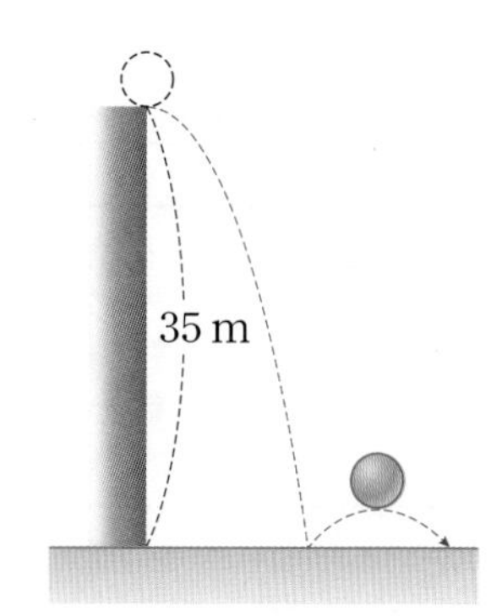

(　　　　　　　　)

16 어떤 세 자리 수 ㉮가 있습니다. ㉮의 $\frac{1}{10}$인 수와 ㉮의 $\frac{1}{100}$인 수의 합은 65.12입니다. **어떤 세 자리 수 ㉮**를 구해 보세요.

(　　　　　　　)

17 승훈이네 집에서 학교까지 가려고 합니다. ㉮ 길과 ㉯ 길 중에서 **어느 길로 가는 것이 몇 km 더 가까운지** 구해 보세요.

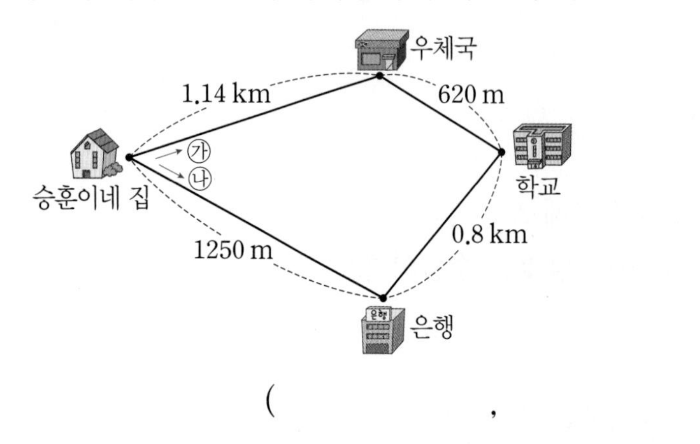

(　　　　　,　　　　　)

서술형

18 길이가 각각 8.6 cm인 색 테이프 4장을 겹치는 부분의 길이를 같게 하여 한 줄로 길게 이어 붙였습니다. 이어 붙인 색 테이프의 전체 길이가 32 cm라면 **몇 cm씩 겹치게 이어 붙인 것인지** 풀이 과정을 쓰고, 답을 구해 보세요.

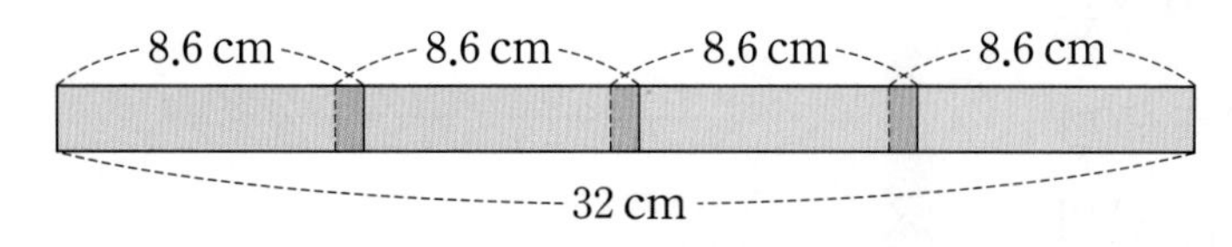

풀이

답

19 신유형 규칙에 따라 수를 늘어놓았습니다. **첫째 수부터 아홉째 수까지의 합**을 구해 보세요.

9.99, 8.88, 7.77, 6.66……

(　　　　　　　　)

20 7개의 공에 쓰여진 수 중에서 3개를 뽑아 한 번씩 모두 사용하여 소수 두 자리 수를 만들려고 합니다. 만들 수 있는 소수 두 자리 수 중에서 **1에 가장 가까운 수**를 구해 보세요.

0　1　3　5　6　8　9

(　　　　　　　　)

21 일정한 빠르기로 15분 동안 16.28 km를 달리는 버스와 10분 동안 12.35 km를 달리는 택시가 있습니다. 거리가 140 km인 도로의 양쪽 끝에서 버스와 택시가 동시에 출발하여 서로 마주 보며 달릴 때 **1시간 후 버스와 택시 사이의 거리는 몇 km**인지 구해 보세요.

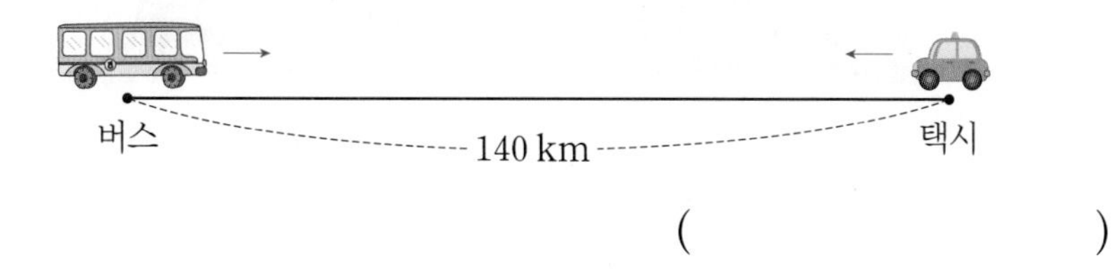

(　　　　　　　　)

3 단원

최상위 도전하기

■ **경시 수준**의 **최상위 문제**에 도전하여 사고력을 키웁니다.

1 규칙에 따라 수를 뛰어 센 것입니다. ㉠**에 알맞은 수**는 얼마인지 구해 보세요.

21.83			25.43		㉠

( )

2 1.4보다 크고 1.6보다 작은 소수 세 자리 수 중에서 **소수 셋째 자리 숫자가 소수 둘째 자리 숫자보다 큰 수는 모두 몇 개**일까요?

( )

3 창의융합

저울을 사용하여 컴퍼스, 각도기, 주사위의 무게를 재었더니 다음과 같이 수평이 되었습니다. 컴퍼스 1개의 무게가 0.64 kg일 때 **각도기 1개와 주사위 1개의 무게의 차는 몇 kg**인지 구해 보세요. (단, 각각은 종류별로 1개의 무게가 같습니다.)

수평: 기울지 않고 평평한 상태

컴퍼스 1개 각도기 2개

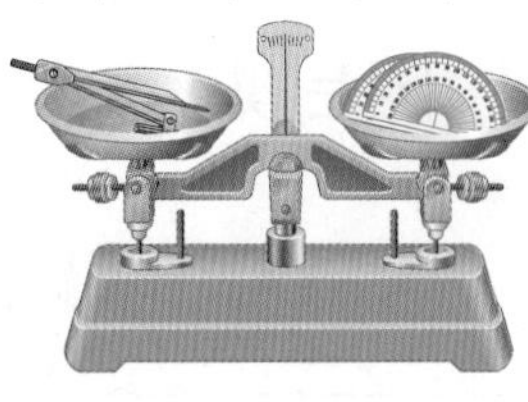

각도기 3개 주사위 10개

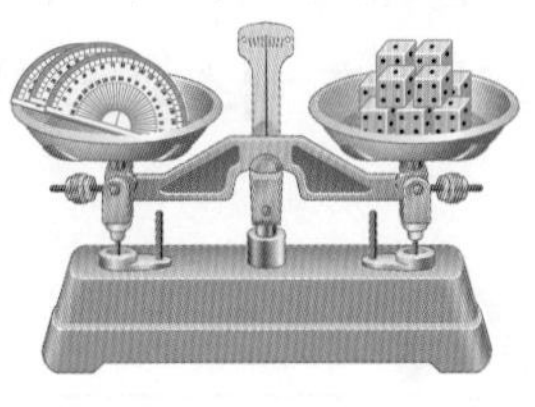

( )

정답 및 풀이 > 20쪽

4

지석, 은영, 현주, 상민이가 줄을 서 있습니다. 지석이는 현주보다 2.5 m 앞에 있고 상민이보다 3.17 m 앞에 있습니다. 상민이는 은영이보다 1.14 m 뒤에 있습니다. **현주와 상민이 사이의 거리와 은영이와 현주 사이의 거리의 차는 몇 m**일까요?

( )

5

가은, 동준, 소영이의 몸무게를 재었더니 다음과 같았습니다. **가장 무거운 사람의 몸무게는 몇 kg**인지 구해 보세요.

- 가은이와 동준이의 몸무게의 합은 73.2 kg입니다.
- 동준이와 소영이의 몸무게의 합은 65.3 kg입니다.
- 가은이와 소영이의 몸무게의 합은 67.9 kg입니다.

( )

3 단원

1% 도전

6

수 카드 [5], [1], [7], [★]에는 1부터 9까지의 수 중 서로 다른 수가 적혀 있습니다. 이 수 카드를 한 번씩 모두 사용하여 만들 수 있는 소수 중에서 가장 큰 소수 두 자리 수와 가장 작은 소수 세 자리 수의 차는 73.953입니다. **★에 알맞은 수를 모두 더하면 얼마**인지 구해 보세요.

( )

상위권 TEST

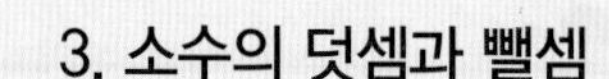

01 ㉠이 나타내는 수는 ㉡이 나타내는 수의 몇 배일까요?

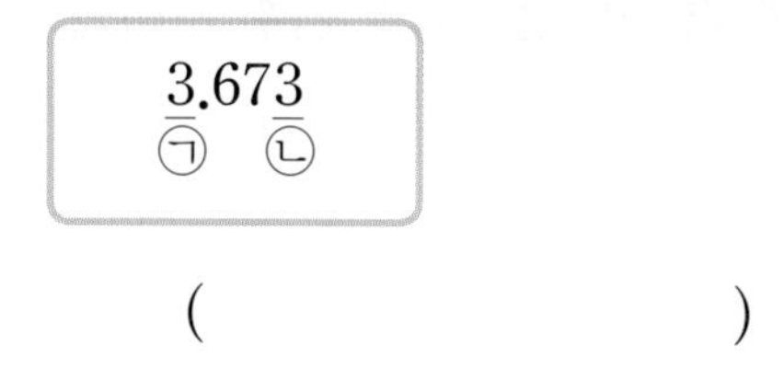

( )

02 가장 큰 수와 가장 작은 수의 합에서 나머지 수를 뺀 값은 얼마일까요?

5.8	4.16	7.2

( )

03 축구공과 농구공의 무게를 나타낸 것입니다. 어느 공이 몇 kg 더 무거운지 구해 보세요.

축구공: 0.45 kg

농구공: 650 g

(,)

04 삼각형 ㄱㄴㄷ에서 변 ㄴㄷ은 변 ㄱㄴ보다 4.8 cm 더 길고, 변 ㄱㄷ은 변 ㄴㄷ보다 1.6 cm 더 깁니다. 삼각형 ㄱㄴㄷ의 세 변의 길이의 합은 몇 cm일까요?

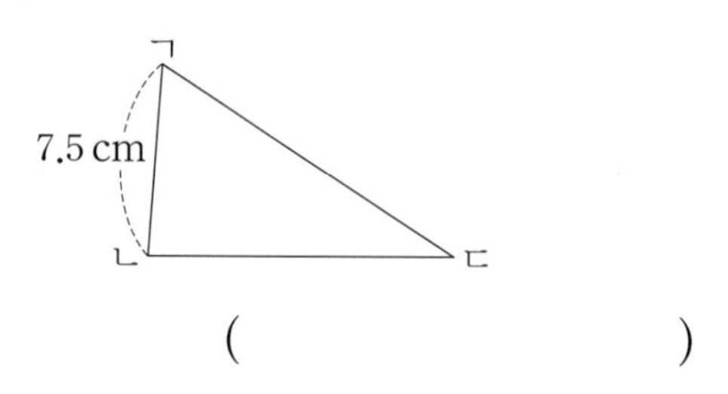

( )

05 어떤 수의 10배인 수는 63.85보다 1.68 작은 수입니다. 어떤 수의 소수 첫째 자리 숫자가 나타내는 수를 구해 보세요.

( )

06 길이가 1.57 m인 색 테이프 3장을 0.4 m씩 겹치도록 한 줄로 길게 이어 붙였습니다. 이어 붙인 색 테이프의 전체 길이는 몇 m인지 구해 보세요.

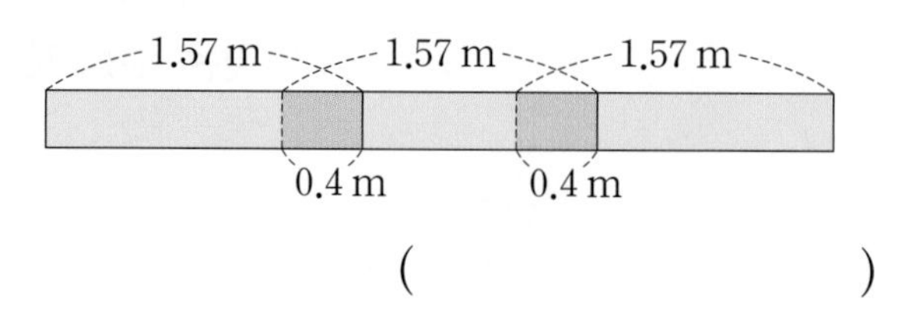

( )

정답 및 풀이 > 21쪽

07 주어진 조건을 모두 만족하는 소수 세 자리 수를 구해 보세요.

- 4보다 크고 5보다 작습니다.
- 소수 둘째 자리 숫자는 7이고, 소수 셋째 자리 숫자는 5입니다.
- 각 자리 숫자의 합은 17입니다.

(　　　　　　　　)

08 4장의 카드를 한 번씩 모두 사용하여 5보다 작은 소수 두 자리 수를 만들려고 합니다. 만들 수 있는 가장 큰 수와 두 번째로 작은 수의 합과 차를 각각 구해 보세요.

1	4	7	.

합 (　　　　　　　　)
차 (　　　　　　　　)

09 어떤 수에서 1.49를 빼야 할 것을 잘못하여 더했더니 4.83이 되었습니다. 바르게 계산한 값과 잘못 계산한 값의 합은 얼마일까요?

(　　　　　　　　)

10 똑같은 양초 9개가 들어 있는 상자의 무게를 재어 보니 6.3 kg이었습니다. 이 상자에서 양초 3개를 뺀 후 무게를 재어 보니 4.5 kg이었습니다. 빈 상자의 무게는 몇 kg일까요?

(　　　　　　　　)

★ 최상위

11 자전거를 타고 일정한 빠르기로 정미는 15분 동안 5.2 km를 달리고, 승현이는 30분 동안 8.56 km를 달립니다. 두 사람이 같은 곳에서 동시에 출발하여 서로 같은 방향으로 쉬지 않고 달릴 때 1시간 후 두 사람 사이의 거리는 몇 km인지 구해 보세요.

(　　　　　　　　)

★ 최상위

12 멜론, 수박, 참외의 무게를 재었더니 멜론과 수박의 무게의 합은 3.96 kg, 수박과 참외의 무게의 합은 3.2 kg, 참외와 멜론의 무게의 합은 1.84 kg이었습니다. 수박의 무게는 참외의 무게보다 몇 kg 더 무거운지 구해 보세요.

(　　　　　　　　)

쉬어가기

사자성어

반포지효

反哺之孝

돌이킬 반　먹일 포　갈 지　효도 효

바로 뜻 어미에게 먹이를 물어다 주는 까마귀의 효성이라는 뜻.

깊은 뜻 어버이의 은혜에 대한 자식의 지극한 효도를 이르는 말이에요.

이럴 때 쓰는 말이야!

옛날옛날에 심청이라는 소녀는 눈이 먼 아버지를 지극 정성으로 보살피며 살고 있었어요.
어느 날 심청이는 공약미 삼백 석을 바치면 아버지의 눈을 뜰 수 있다는 말을 들었어요.
심청이는 바다에 바칠 제물을 찾으러 온 뱃사람들을 만났어요.
"제가 제물이 될테니 저희 아버지께 쌀 삼백 석을 주세요."
뱃사람들은 공양미 삼백 석을 아버지에게 주었고, 심청이는 바다로 풍덩 뛰어들었어요.
바닷속 용궁에서 살게 된 심청이는 늘 아버지를 그리워 했어요.
용왕은 심청이의 예쁜 마음씨를 갸륵히 여겼어요.
"너의 □□□□가 나를 감동시켰구나.
이 연꽃을 타고 아버지에게 가거라!"
그 뒤로 심청이와 아버지는 행복하게 살았답니다.

잠깐! Quiz

Q □□□□에 들어갈 말은?

A 왼쪽 한자와 오른쪽 음을 알맞은 것끼리 선으로 이어 봅니다.

反 •	• 효
哺 •	• 반
之 •	• 지
孝 •	• 포

4 사각형

응용 대표 유형

개념 넓히기

1 수직과 수선

(1) **수직**: 두 직선이 만나서 이루는 각이 직각일 때, 두 직선은 서로 수직이라고 합니다.

(2) **수선**: 두 직선이 서로 수직으로 만나면 한 직선을 다른 직선에 대한 수선이라고 합니다.

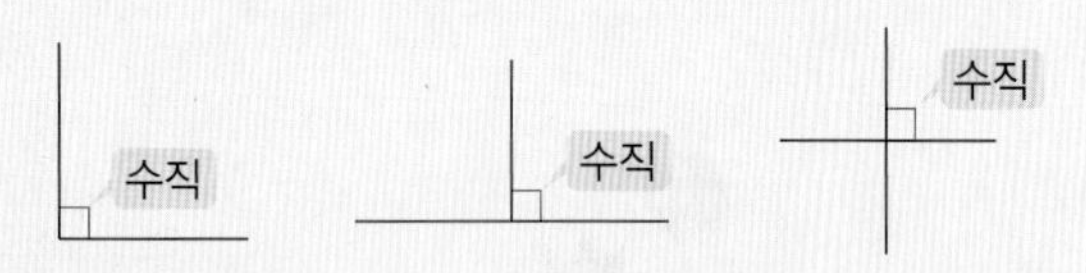

(3) **수선 긋기**

방법 ❶ 삼각자를 사용하여 수선 긋기

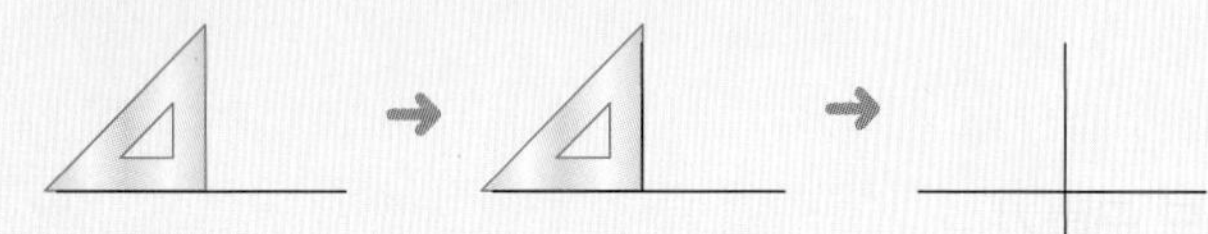

방법 ❷ 각도기를 사용하여 수선 긋기

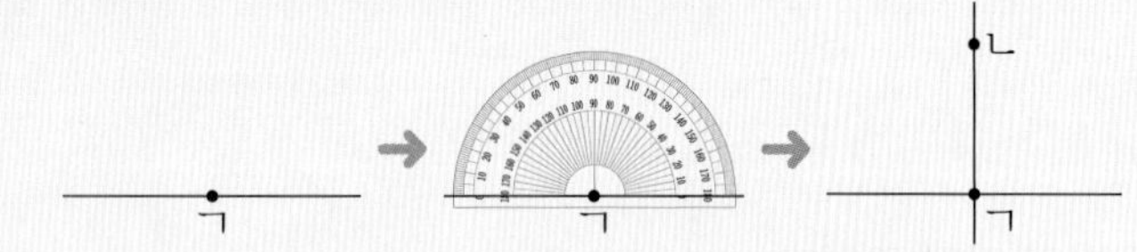

2 평행과 평행선

(1) **평행**: 서로 만나지 않는 두 직선

(2) **평행선**: 평행한 두 직선

한 직선에 수직인 두 직선을 그었을 때, 그 두 직선은 서로 만나지 않습니다.

평행

(3) **평행선 긋기**

① 삼각자를 사용하여 주어진 직선과 평행한 직선 긋기

② 삼각자를 사용하여 점 ㄱ을 지나고 주어진 직선과 평행한 직선 긋기

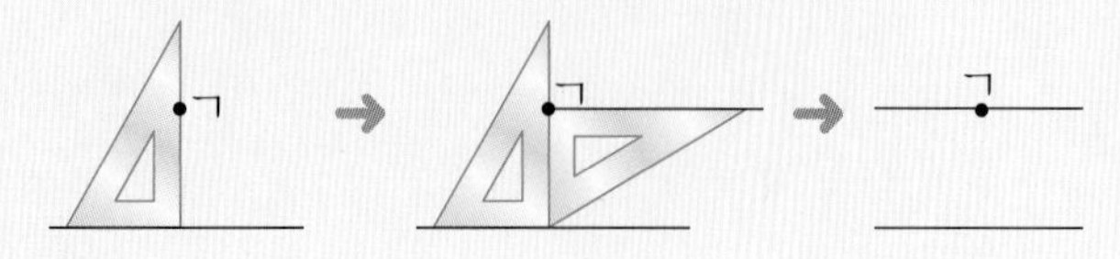

3 평행선 사이의 거리

평행선의 한 직선에서 다른 직선에 수선을 긋습니다. 이때 이 수선의 길이를 **평행선 사이의 거리**라고 합니다.

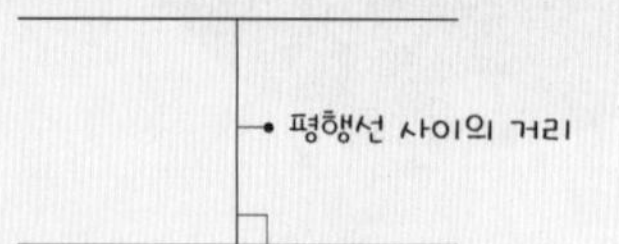

참고 평행선 위의 두 점을 잇는 선분 중에서 수직인 선분의 길이가 가장 짧습니다.

응용 4 평행선의 성질

- 평행선과 한 직선이 만날 때 생기는 각 중에서 같은 위치에 있는 각의 크기는 같습니다.
- 평행선과 한 직선이 만날 때 생기는 각 중에서 반대 위치에 있는 각의 크기는 같습니다.

예 직선 가와 직선 나가 서로 평행할 때 ㉠과 ㉡의 각도 각각 구하기

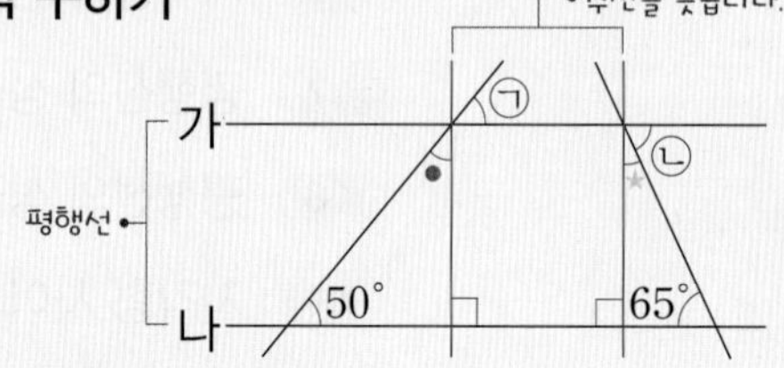

(1) **같은 위치에 있는 각**

● $=180^\circ-50^\circ-90^\circ=40^\circ$

→ ㉠ $=180^\circ-$ ● -90°

$=180^\circ-40^\circ-90^\circ=50^\circ$

삼각형의 세 각의 크기의 합은 180°입니다.

(2) **반대 위치에 있는 각**

★ $=180^\circ-90^\circ-65^\circ=25^\circ$

→ ㉡ $=180^\circ-90^\circ-$ ★

$=180^\circ-90^\circ-25^\circ=65^\circ$

직선 위의 한 점을 꼭짓점으로 하는 각의 크기는 180°입니다.

선행 개념 [중1] 동위각과 엇각

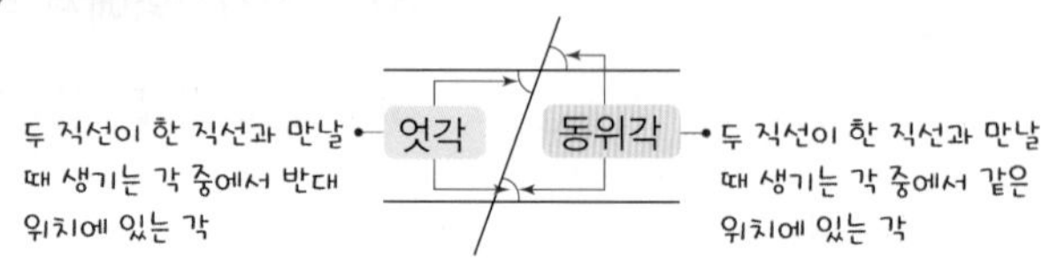

→ 평행선과 한 직선이 만날 때 생기는 각 중에서 동위각과 엇각의 크기는 각각 같습니다.

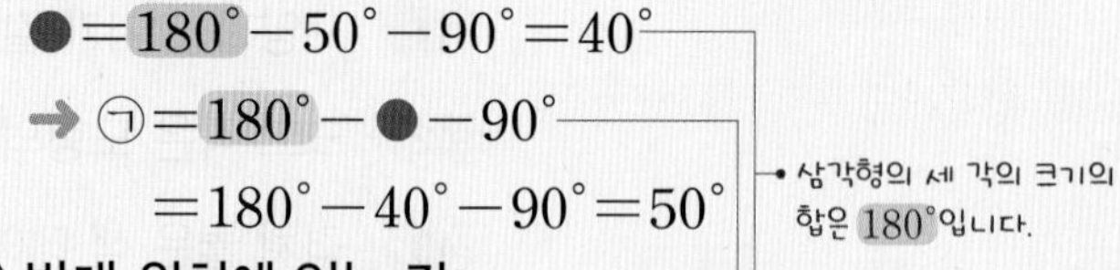

5 사다리꼴, 평행사변형, 마름모

사다리꼴	평행한 변이 한 쌍이라도 있는 사각형	평행
평행사변형	마주 보는 두 쌍의 변이 서로 평행한 사각형	평행
마름모	네 변의 길이가 모두 같은 사각형	

길이가 같은 변을 같은 모양으로 표시합니다.

6 여러 가지 사각형의 성질

(1) 평행사변형의 성질

① 마주 보는 두 변의 길이가 같습니다.

② 마주 보는 두 각의 크기가 같습니다.

③ 이웃한 두 각의 크기의 합이 180°입니다.

(2) 마름모의 성질

① 마주 보는 두 각의 크기가 같습니다.

② 이웃한 두 각의 크기의 합이 180°입니다.

③ 마주 보는 꼭짓점끼리 이은 선분이 서로 수직으로 만나고 이등분합니다.

(3) 직사각형의 성질

① 마주 보는 두 변의 길이가 같습니다.

② 네 각이 모두 직각입니다.

참고 정사각형은 사다리꼴, 평행사변형, 마름모, 직사각형입니다.

응용 7 종이를 접었을 때 생기는 각도 구하기

예 평행사변형 모양의 종이를 오른쪽 그림과 같이 접었을 때 각 ㅁㄱㅂ의 크기 구하기

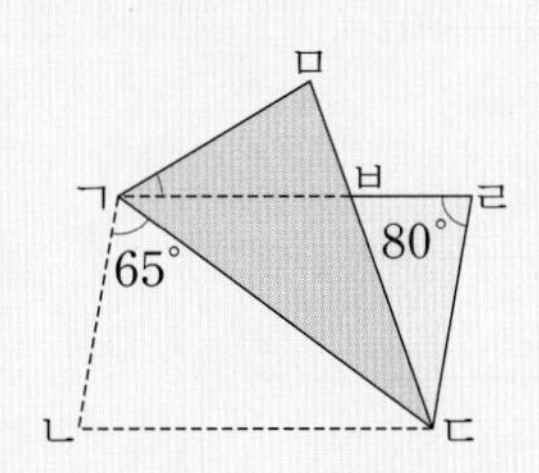

평행사변형에서 이웃한 두 각의 크기의 합은 180°입니다.

① (각 ㄹㄱㄴ)=180°−80°=100°

→ (각 ㄹㄱㄷ)=100°−65°=35°

② (각 ㅁㄱㄷ)=(각 ㄴㄱㄷ)=65°

접힌 부분과 접히기 전 부분의 각도는 같습니다.

→ (각 ㅁㄱㅂ)=65°−35°=30°

1 직선 나와 수직인 직선을 모두 찾아 써 보세요.

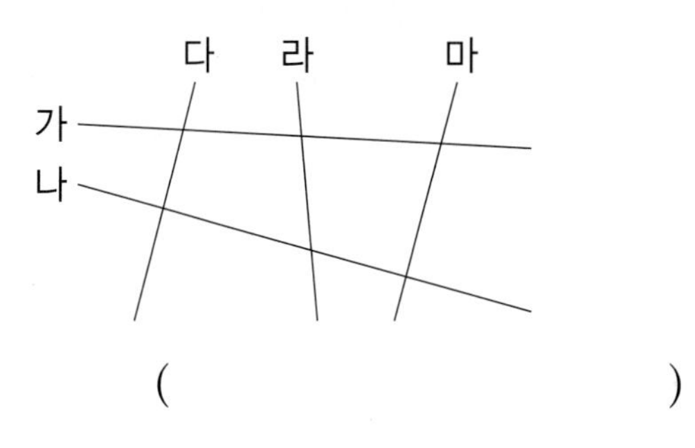

( )

2 평행선 사이의 거리가 3 cm가 되도록 주어진 직선과 평행한 직선을 그어 보세요.

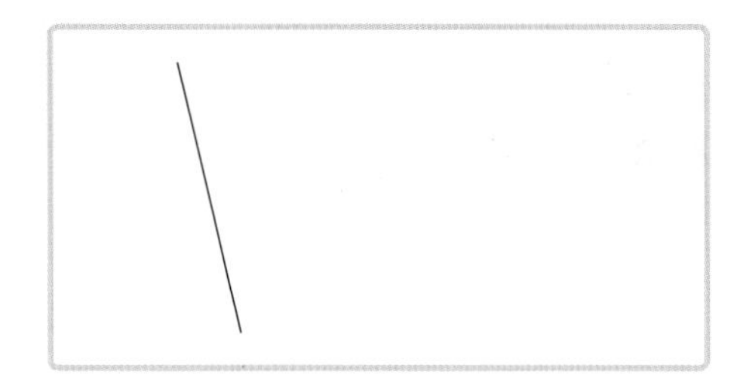

3 평행사변형을 보고 □ 안에 알맞은 수를 써넣으세요.

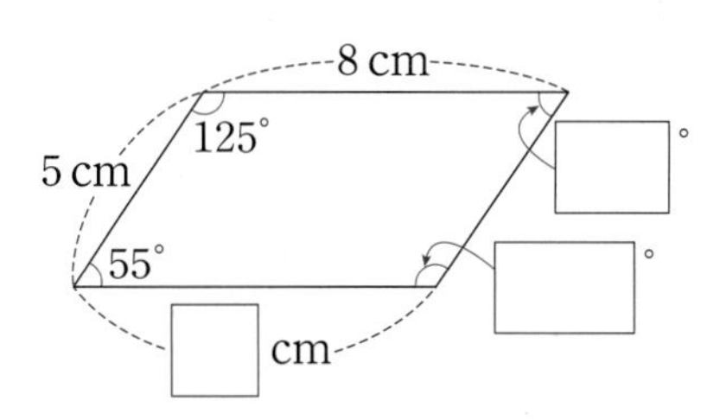

4 오른쪽 사각형의 이름이 될 수 있는 것을 모두 찾아 기호를 써 보세요.

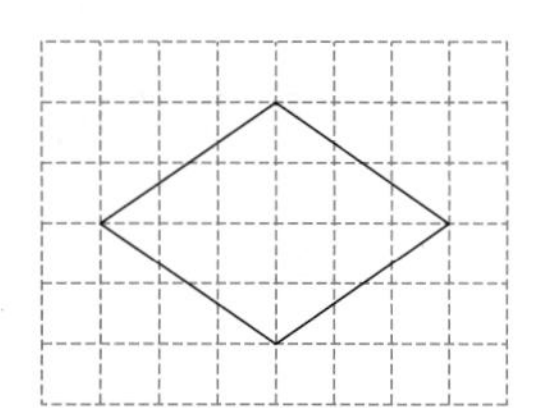

㉠ 마름모　㉡ 정사각형
㉢ 직사각형　㉣ 평행사변형

( )

4 단원

응용 공략하기

■ 응용·심화 문제와 레벨UP공략법으로 문제 해결 능력을 키웁니다.

도형에서 수선 찾기

01 도형에서 **변 ㄴㄷ에 대한 수선과 변 ㄱㄷ에 대한 수선의 개수의 합은 몇 개**일까요?

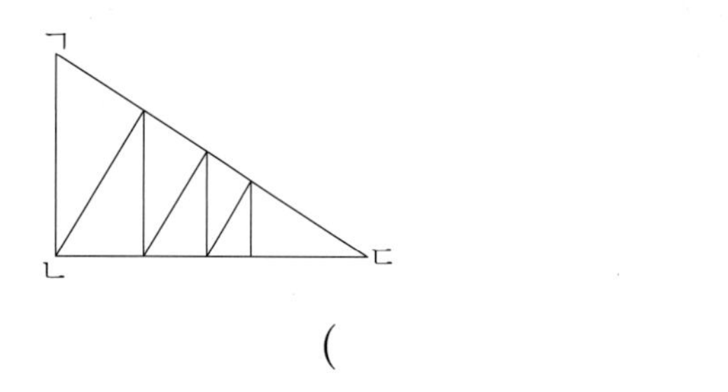

(   )

해결 순서
① 변 ㄴㄷ에 대한 수선의 개수 구하기
② 변 ㄱㄷ에 대한 수선의 개수 구하기
③ 위 ①과 ②의 개수의 합 구하기

수직과 수선을 이용하여 각도 구하기

02 직선 나와 직선 다는 서로 수직입니다. **㉠의 각도**를 구해 보세요.

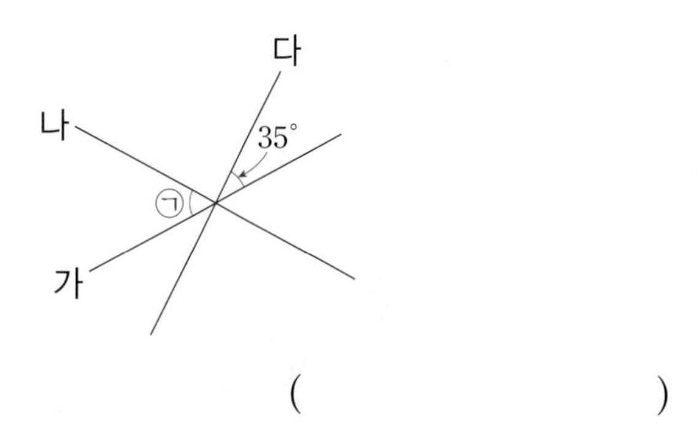

(   )

레벨UP 공략 01

문제에 다음과 같은 표현이 있을 때 알 수 있는 각도는?
- 두 직선이 서로 수직일 때
- 한 직선이 다른 직선에 대한 수선일 때

→ 두 직선이 만나서 이루는 각은 직각(90°)입니다.

사각형의 성질을 이용하여 각의 크기 구하기

서술형

03 오른쪽 사각형 ㄱㄴㄷㄹ은 평행사변형입니다. **각 ㄹㄴㄷ의 크기**를 구하려고 합니다. 풀이 과정을 쓰고, 답을 구해 보세요.

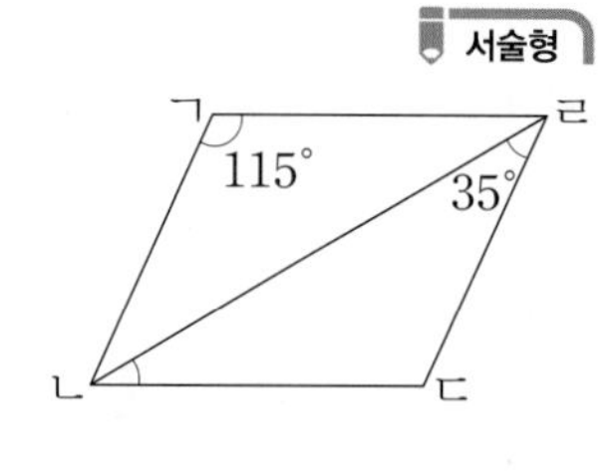

풀이

답

평행선 찾기

04 지수는 오른쪽과 같이 원 위에 똑같은 간격으로 누름 못을 꽂은 다음 1에서부터 시계 방향으로 3칸씩 건너뛰며 털실로 연결하여 모양을 만들려고 합니다. 다시 1까지 돌아와서 모양을 완성하였을 때 **평행선은 모두 몇 쌍**일까요?

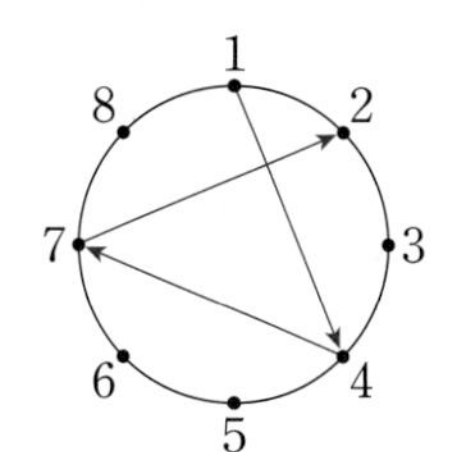

(　　　　　　　　)

해결 순서
1. 1에서부터 시계 방향으로 3칸씩 건너뛰며 모양 완성하기
2. 위 ❶의 모양에서 평행선은 모두 몇 쌍인지 구하기

평행선 사이의 거리 구하기

05 도형에서 **가장 먼 평행선 사이의 거리와 가장 가까운 평행선 사이의 거리의 차는 몇 cm**인지 구해 보세요.

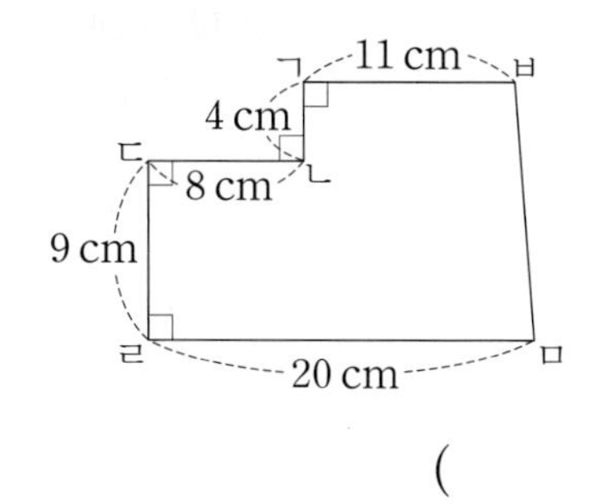

(　　　　　　　　)

레벨 UP 공략 02

평행선이 여러 개일 때 가장 먼(가까운) 평행선 사이의 거리를 구하려면?

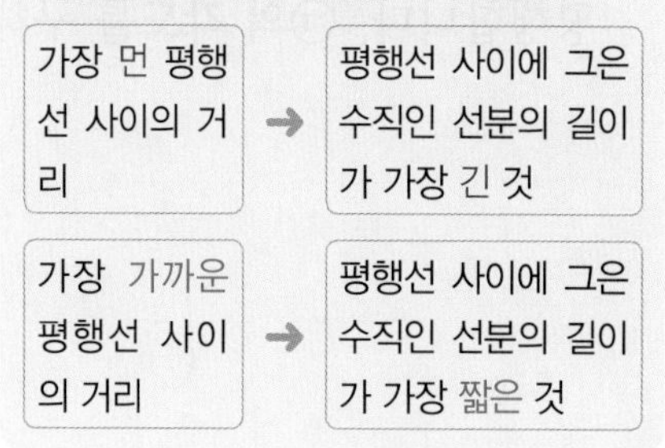

사각형의 성질을 이용하여 변의 길이 구하기

06 창의융합 우리나라의 대표적인 연으로는 직사각형 모양의 방패연과 마름모 모양의 가오리연이 있습니다. 다음과 같은 방패연과 가오리연의 네 변의 길이의 합이 같을 때 **가오리연의 한 변은 몇 cm**일까요?

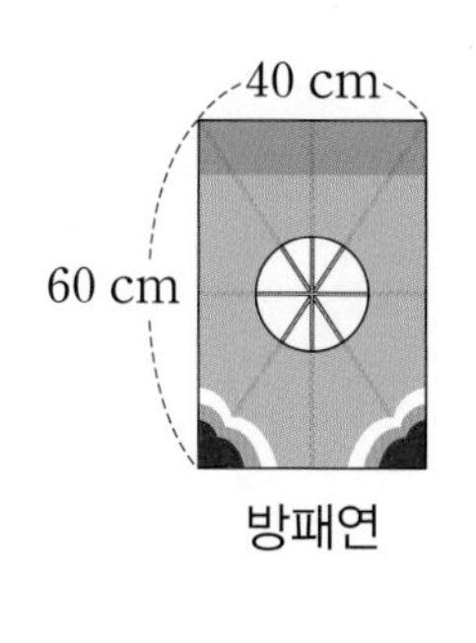

방패연

가오리연

(　　　　　　　　)

레벨 UP 공략 03

직사각형과 마름모의 네 변의 길이의 합이 같을 때 마름모의 한 변의 길이를 구하려면?

직사각형의 네 변의 길이의 합
(가로)+(세로)+(가로)+(세로)
||
마름모의 네 변의 길이의 합
(한 변)×4

해결 순서
1. 방패연의 네 변의 길이의 합 구하기
2. 가오리연의 한 변의 길이 구하기

4 단원

응용 공략하기

평행선의 성질(같은 위치에 있는 각)을 이용하여 각도 구하기

07 직선 가와 직선 나는 서로 평행합니다. **㉠의 각도**를 구해 보세요.

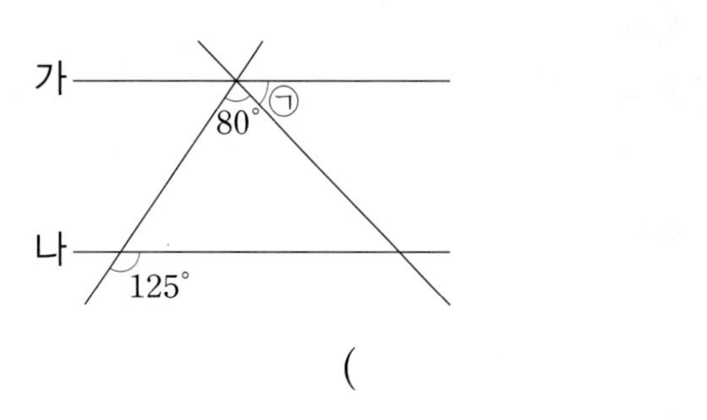

( )

레벨 UP 공략 04

평행선과 한 직선이 만날 때 생기는 각 중에서 같은 위치에 있는 각의 크기는?

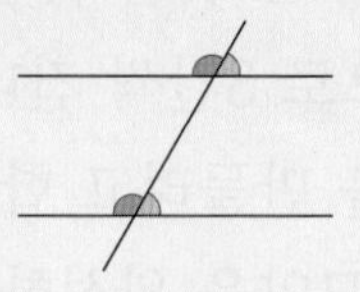

평행선과 한 직선이 만날 때 생기는 각 중에서 같은 위치에 있는 각의 크기는 같습니다.

평행선의 성질(반대 위치에 있는 각)을 이용하여 각도 구하기

08 오른쪽 그림에서 직선 가와 직선 나는 서로 평행합니다. **㉠의 각도**를 구해 보세요.

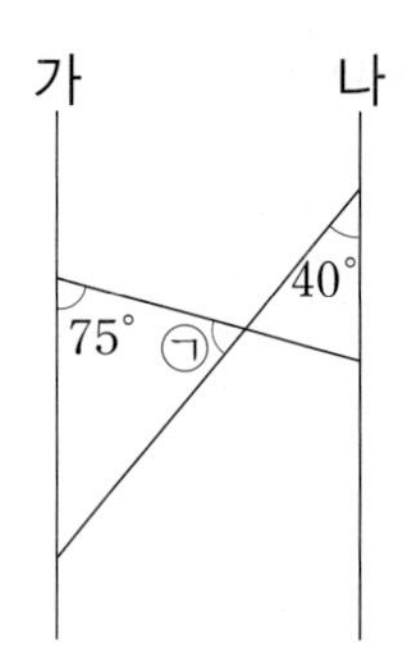

( )

레벨 UP 공략 05

평행선과 한 직선이 만날 때 생기는 각 중에서 반대 위치에 있는 각의 크기는?

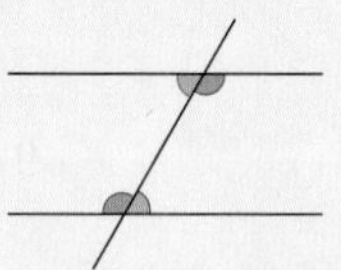

평행선과 한 직선이 만날 때 생기는 각 중에서 반대 위치에 있는 각의 크기는 같습니다.

사각형 사이의 관계를 이용하여 변의 길이 구하기

09 사다리꼴 ㄱㄴㄷㄹ 안에 선분 ㄱㄴ과 평행한 선분 ㅁㄷ을 그은 것입니다. **사각형 ㄱㄴㄷㅁ의 네 변의 길이의 합은 몇 cm일까요?**

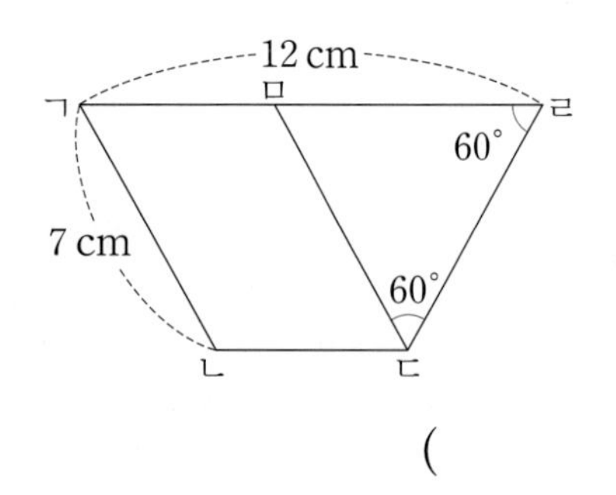

( )

해결 순서

❶ 선분 ㅁㄷ의 길이 구하기
❷ 선분 ㄱㅁ의 길이 구하기
❸ 사각형 ㄱㄴㄷㅁ의 네 변의 길이의 합 구하기

조건을 이용하여 각의 크기 구하기

10 오른쪽 사각형 ㄱㄴㄷㄹ은 평행사변형입니다. 각 ㄴㄷㅁ과 각 ㅁㄷㄹ의 크기가 같을 때 **각 ㄱㅁㄷ의 크기**를 구해 보세요.

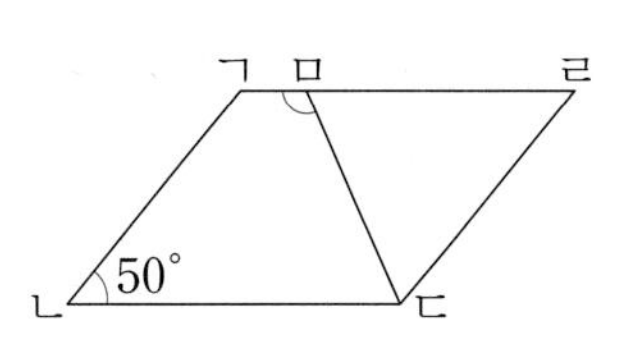

( )

해결 순서
❶ 각 ㄴㄱㄹ과 각 ㄴㄷㄹ의 크기 각각 구하기
❷ 각 ㄴㄷㅁ의 크기 구하기
❸ 각 ㄱㅁㄷ의 크기 구하기

모양과 크기가 같은 작은 도형으로 나누었을 때 변의 길이 구하기 서술형

11 오른쪽은 마름모를 모양과 크기가 같은 평행사변형 3개로 나눈 것입니다. 평행사변형 한 개의 네 변의 길이의 합이 40 cm일 때 **마름모의 네 변의 길이의 합은 몇 cm**인지 풀이 과정을 쓰고, 답을 구해 보세요.

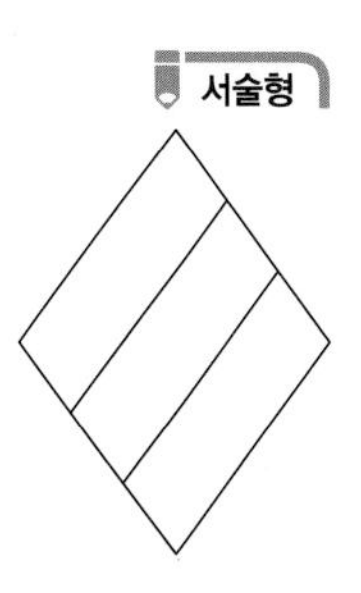

풀이

답

레벨 UP 공략 06

마름모를 한 줄로 길게 크기가 같은 평행사변형 ▲개로 나누었을 때 각 변의 길이는?

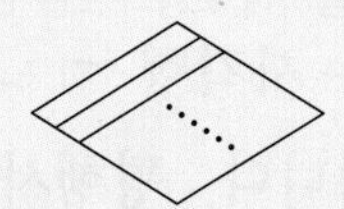

평행사변형의 짧은 변이 ● cm일 때
- (평행사변형의 긴 변)=(●×▲) cm
- (마름모의 한 변)=(●×▲) cm

크고 작은 도형의 개수 구하기

12 신유형

동우는 다음과 같이 사방치기를 하기 위해 운동장에 직사각형을 그린 후 선을 그었습니다. 동우가 그린 모양에서 찾을 수 있는 **크고 작은 사다리꼴은 모두 몇 개**일까요?

(사방치기: 평평한 바닥에 놀이판을 그려 놓고 돌을 던진 다음 그림의 첫 칸부터 마지막 칸까지 다녀오는 놀이)

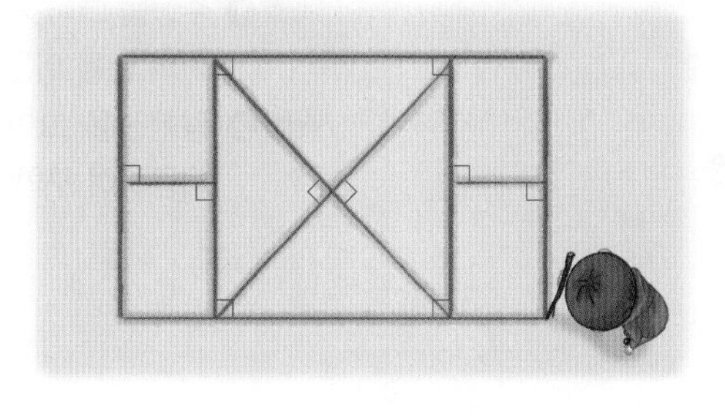

( )

해결 순서
❶ 사다리꼴이 될 수 있는 경우 알아보기
❷ 크고 작은 사다리꼴의 개수 구하기

겹쳐 놓은 색 테이프에서 각도 구하기

13 직사각형 모양의 색 테이프 2장을 다음과 같이 겹쳐 놓았습니다. **㉠의 각도**를 구해 보세요.

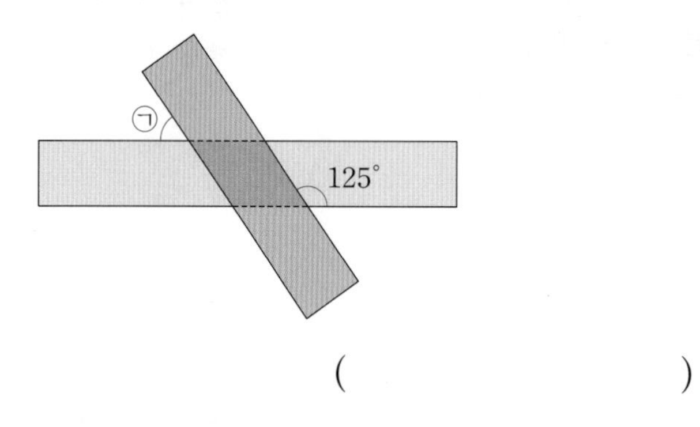

( )

조건을 이용하여 도형의 모든 변의 길이의 합 구하기

14 오른쪽 사각형 ㄱㄴㄷㄹ은 평행사변형입니다. **평행사변형 ㄱㄴㄷㄹ의 네 변의 길이의 합은 몇 cm**일까요?

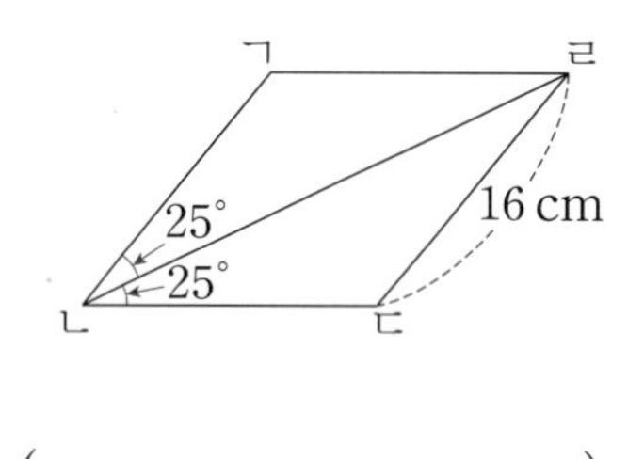

( )

해결 순서

❶ 변 ㄱㄴ의 길이 구하기

❷ 변 ㄱㄹ과 변 ㄴㄷ의 길이 각각 구하기

❸ 평행사변형 ㄱㄴㄷㄹ의 네 변의 길이의 합 구하기

평행선 사이의 꺾어진 두 직선 사이의 각의 크기 구하기

15 창의융합 한옥의 처마는 계절에 따른 태양의 각도를 이용하여 여름에는 햇빛을 막아 주고, 겨울에는 햇빛이 들어오게 합니다. 다음 그림에서 각 ㄱㄴㄷ은 희영이가 밖을 볼 수 있는 각도입니다. 직선 가와 직선 나가 서로 평행할 때 **각 ㄱㄴㄷ의 크기**를 구해 보세요.

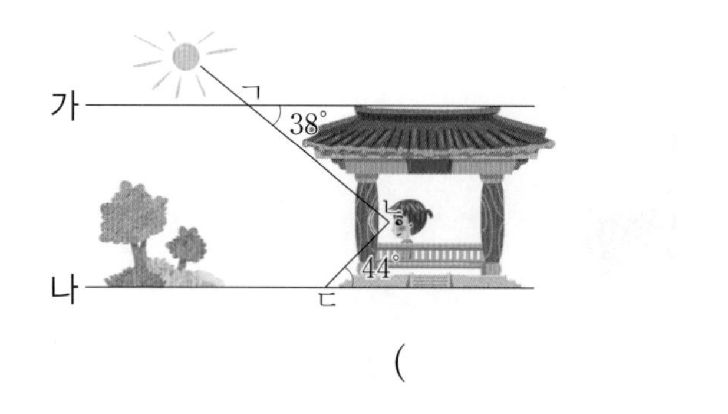

( )

레벨 UP 공략 07

평행선 사이의 꺾어진 두 직선 사이의 각의 크기를 구하려면?

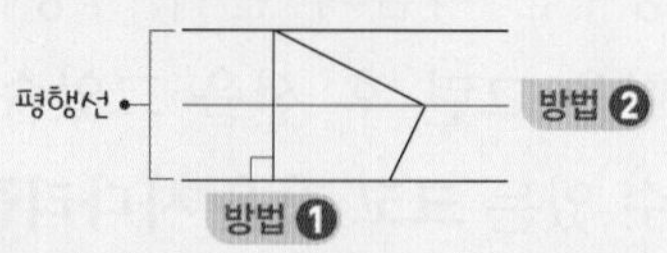

방법 ❶ 수선을 그어 사각형의 네 각의 크기의 합을 이용하여 구합니다.

방법 ❷ 평행선을 그어 평행선의 성질을 이용하여 구합니다.

평행선 사이의 거리를 이용하여 문제 해결하기

16 도형에서 변 ㄱㄴ과 변 ㄹㄷ은 서로 평행하고, 변 ㄱㄴ과 변 ㄴㄷ은 서로 수직입니다. 이 도형에서 **평행선 사이의 거리는 몇 cm**일까요?

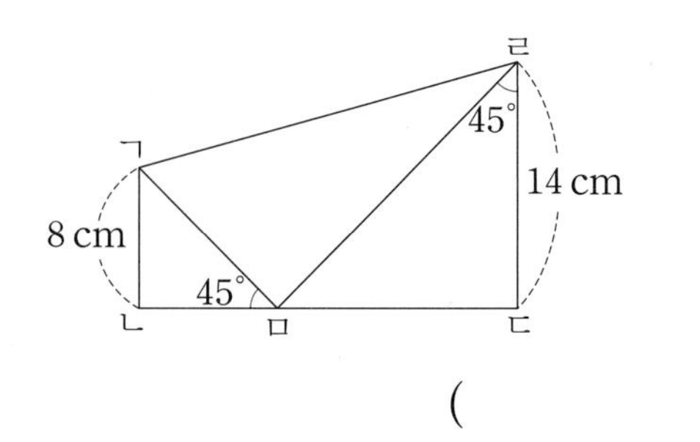

( )

해결 순서
1. 선분 ㄴㅁ의 길이 구하기
2. 선분 ㅁㄷ의 길이 구하기
3. 평행선 사이의 거리 구하기

정사각형에서 각의 크기 구하기 — 서술형

17 오른쪽 그림은 정사각형 ㄱㄴㄷㄹ에 선분 2개를 그은 것입니다. **각 ㅇㅈㅂ의 크기**를 구하려고 합니다. 풀이 과정을 쓰고, 답을 구해 보세요.

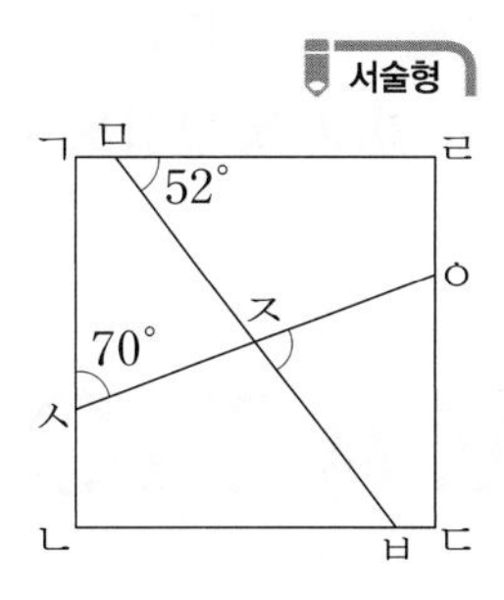

풀이

답

레벨 UP 공략 08

정사각형 안에 선분을 그었을 때 알 수 있는 것은?

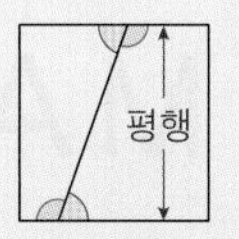

① 정사각형은 평행사변형이므로 마주 보는 두 쌍의 변이 서로 평행합니다.
② 평행선이 한 직선과 만날 때 생기는 각 중에서 반대 위치에 있는 각의 크기는 같습니다.

종이를 접었을 때 생기는 각의 크기 구하기

18 마름모 모양의 종이를 오른쪽 그림과 같이 접었습니다. **각 ㄱㄴㅁ의 크기**를 구해 보세요.

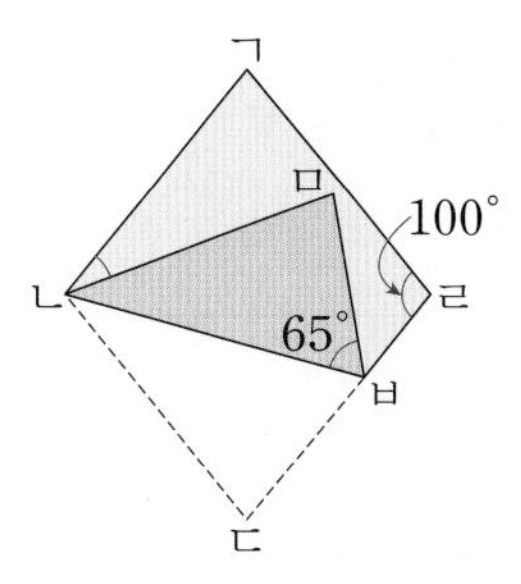

( )

해결 순서
1. 각 ㄴㄷㅂ의 크기 구하기
2. 각 ㄷㄴㅂ과 각 ㅁㄴㅂ의 크기 각각 구하기
3. 각 ㄱㄴㅁ의 크기 구하기

4 단원

심화 해결하기

■ 레벨UP공략법을 활용한 고난도 문제를 스스로 해결하고 발전합니다.

01 직선 가와 직선 나는 서로 수직입니다. **㉠과 ㉡의 각도의 차**를 구해 보세요.

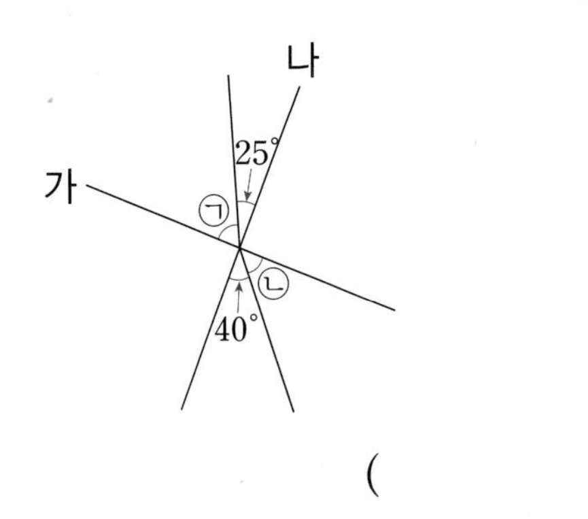

( )

02 창의융합 A부터 Z까지의 알파벳 중에는 수선 또는 평행선이 있는 글자가 있습니다. 다음 단어 중에서 **수선도 있고 평행선도 있는 알파벳은 모두 몇 개**일까요?

MATHEMATICS

└• 수학을 뜻하는 영어 단어

( )

서술형

03 사각형 ㄱㄴㄷㄹ은 평행사변형이고, 삼각형 ㄹㄷㅁ은 이등변삼각형입니다. **삼각형 ㄹㄷㅁ의 세 변의 길이의 합은 몇 cm**인지 풀이 과정을 쓰고, 답을 구해 보세요.

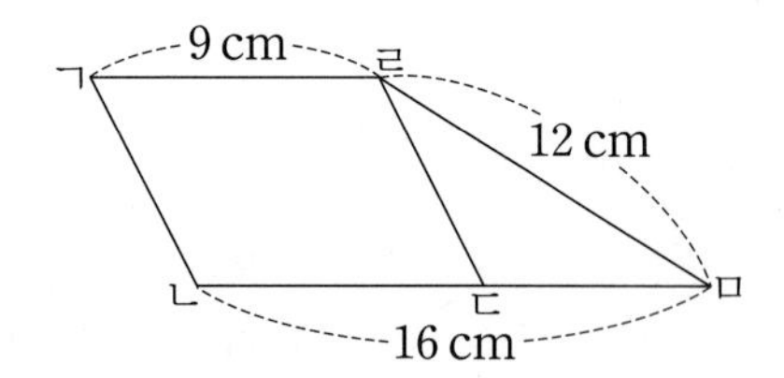

풀이

답

04 사각형 ㄱㄴㄷㄹ은 평행사변형이고, 사각형 ㄹㄷㅁㅂ은 마름모입니다. **각 ㄱㄹㅂ의 크기**를 구해 보세요.

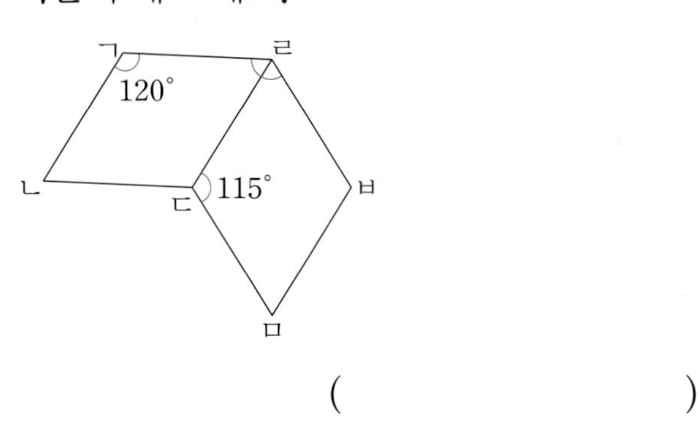

(　　　　　　　　　)

05 오른쪽 그림에서 직선 가와 직선 나는 서로 평행합니다. **㉠과 ㉡의 각도의 합**을 구해 보세요.

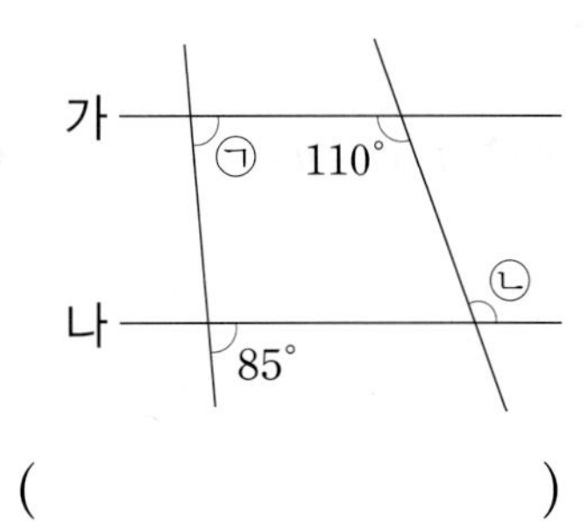

(　　　　　　　　　)

06 선분 ㄷㄹ은 선분 ㄱㄴ에 대한 수선입니다. 각 ㄷㄹㄱ을 크기가 같은 각 3개로 나누고, 각 ㄷㄹㄴ을 크기가 같은 각 5개로 나누었습니다. **각 ㅂㄹㅅ의 크기**를 구해 보세요.

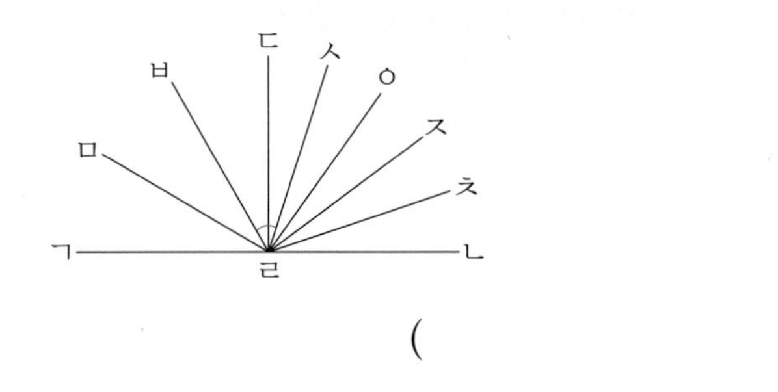

(　　　　　　　　　)

4 단원

07 창의융합 조각보는 여러 조각의 헝겊을 이어서 만든 것입니다. 다음은 모양과 크기가 같은 마름모 모양 조각으로 만든 조각보입니다. 이 조각보에서 빨간색 선의 길이가 78 cm일 때 **마름모 한 개의 네 변의 길이의 합은 몇 cm**일까요?

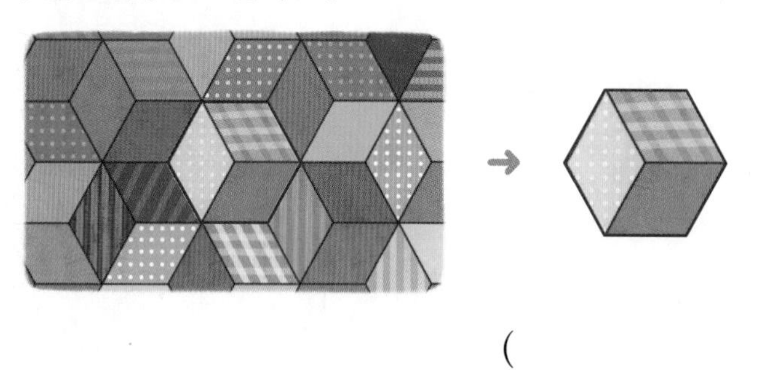

( )

08 직선 가와 직선 나는 서로 평행합니다. **㉠의 각도**를 구해 보세요.

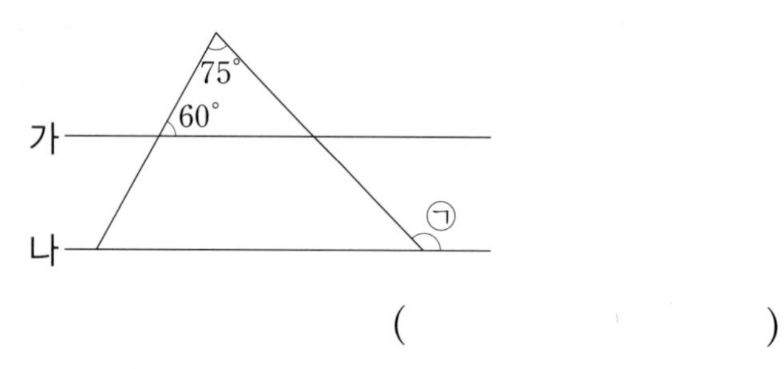

( )

09 크기가 다른 정사각형 가, 나, 다를 겹치지 않게 이어 붙인 도형입니다. **도형에서 가장 먼 평행선 사이의 거리는 몇 cm**일까요?

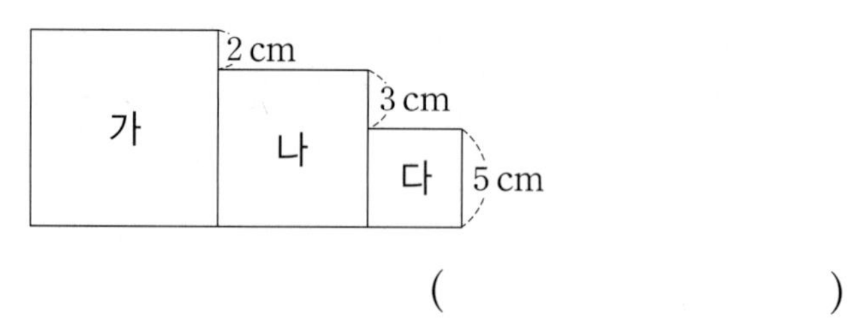

( )

10 오른쪽 그림은 마름모 ㄱㄴㄷㄹ과 평행사변형 ㄱㄹㅁㅂ을 겹치지 않게 붙여 놓은 것입니다. 평행사변형 ㄱㄹㅁㅂ의 네 변의 길이의 합이 46 cm일 때 **도형을 둘러싼 굵은 선의 길이는 몇 cm**일까요?

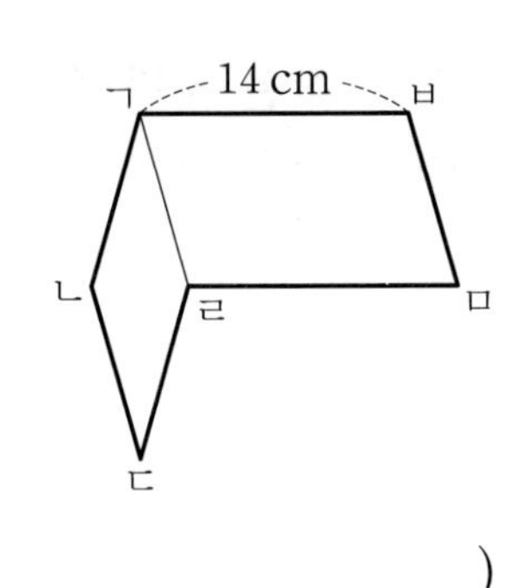

( )

서술형

11 오른쪽 그림에서 직선 ㄱㄴ과 직선 ㄷㄹ은 서로 평행합니다. 각 ㅁㅂㅇ의 크기가 각 ㅁㅅㅇ의 크기의 2배일 때 **각 ㅂㅁㅅ의 크기**를 구하려고 합니다. 풀이 과정을 쓰고, 답을 구해 보세요.

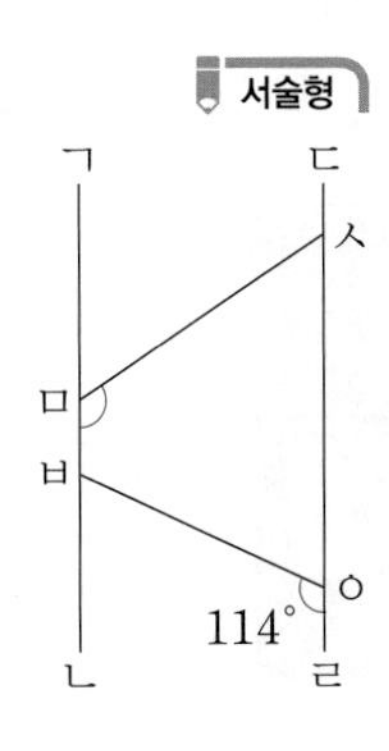

풀이

답

12 사각형 ㄱㄴㄷㄹ은 사다리꼴입니다. **변 ㄱㄹ의 길이는 몇 cm**인지 구해 보세요.

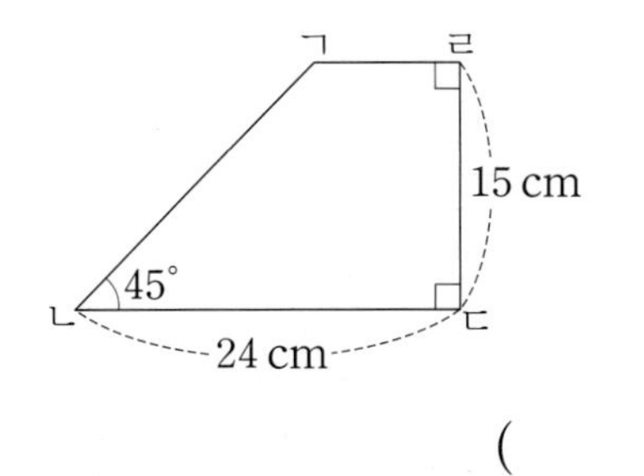

( )

4 단원

13 오른쪽 그림에서 찾을 수 있는 **크고 작은 사다리꼴과 마름모의 개수의 차는 몇 개**일까요?

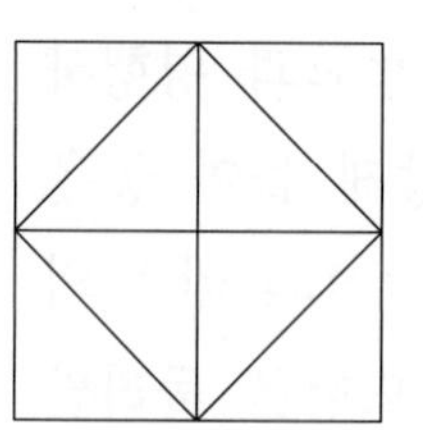

(　　　　　　　　)

14 장기판에 왕의 말을 두는 곳은 다음과 같이 직사각형 안에 직각삼각형 8개로 이루어져 있습니다. ㉠과 ㉡의 각도의 차가 6°일 때 **㉢의 각도**를 구해 보세요. (단, ㉡>㉠입니다.)

창의융합

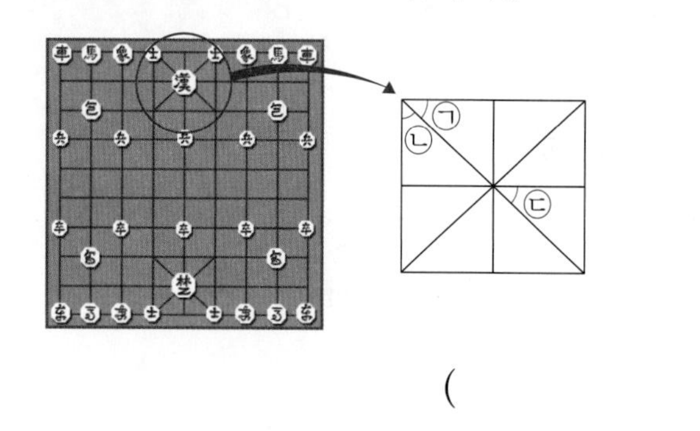

(　　　　　　　　)

15 서술형

마름모 ㄱㄴㄷㄹ과 정삼각형 ㄹㄷㅁ을 겹치지 않게 이어 붙인 것입니다. **각 ㅁㄴㄷ의 크기**를 구하려고 합니다. 풀이 과정을 쓰고, 답을 구해 보세요.

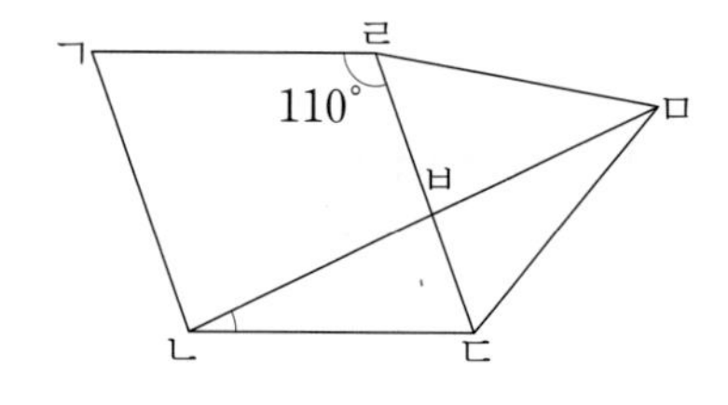

풀이

답

정답 및 풀이 > 25쪽

16 직선 가와 직선 나는 서로 평행합니다. **㉠의 각도**를 구해 보세요.

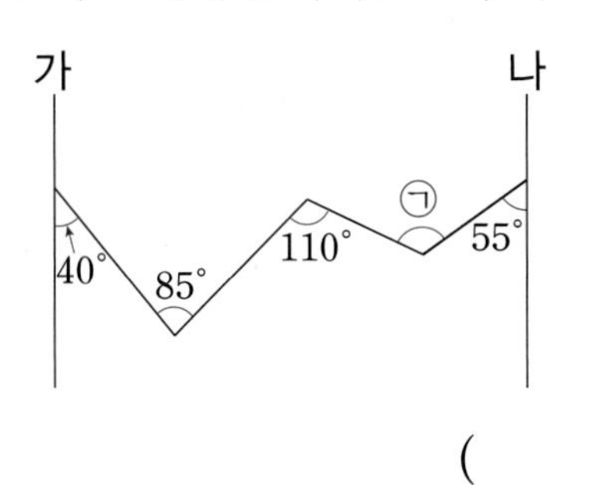

( )

17 직사각형 모양의 종이띠를 오른쪽과 같이 접어 올렸습니다. **㉠의 각도**를 구해 보세요.

( )

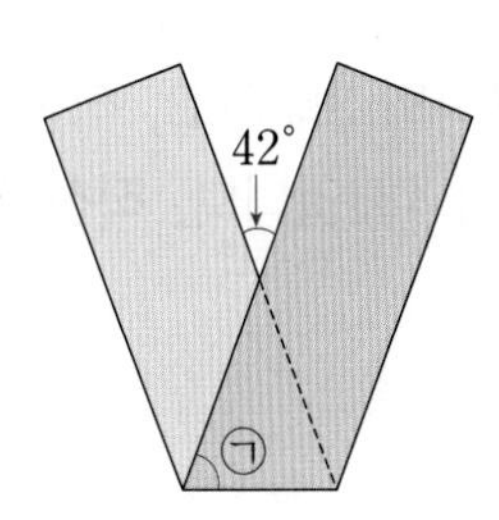

18 선분 ㄱㄷ은 선분 ㄴㄹ에 대한 수선입니다. **㉠의 각도**를 구해 보세요.

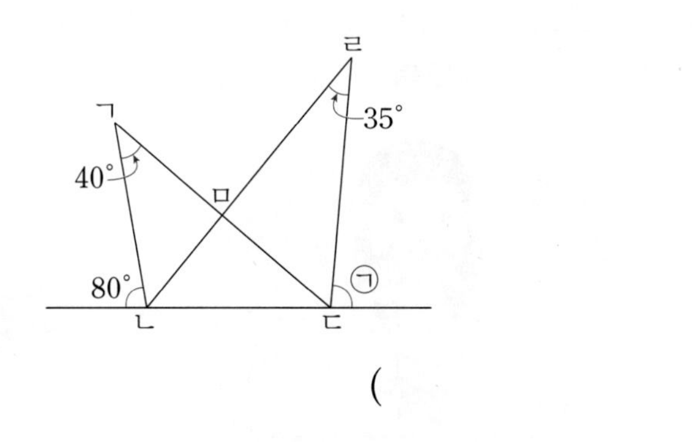

( )

4 단원

최상위 도전하기

■ **경시 수준**의 **최상위 문제**에 도전하여 사고력을 키웁니다.

1

오른쪽 그림에서 직선 가와 직선 나는 서로 수직이고, 직선 다와 직선 라는 서로 평행합니다. **㉠의 각도**를 구해 보세요.

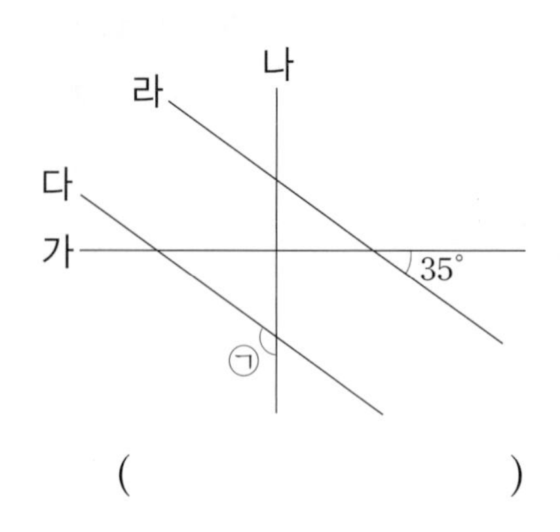

( )

2

직선 가, 직선 나, 직선 다, 직선 라는 서로 평행하고, 직선 가와 직선 라 사이의 거리는 32 cm입니다. 직선 나와 직선 다 사이의 거리는 직선 가와 직선 나 사이의 거리의 3배이고, 직선 다와 직선 라 사이의 거리는 직선 가와 직선 나 사이의 거리의 4배입니다. **직선 가와 직선 다 사이의 거리는 몇 cm**일까요?

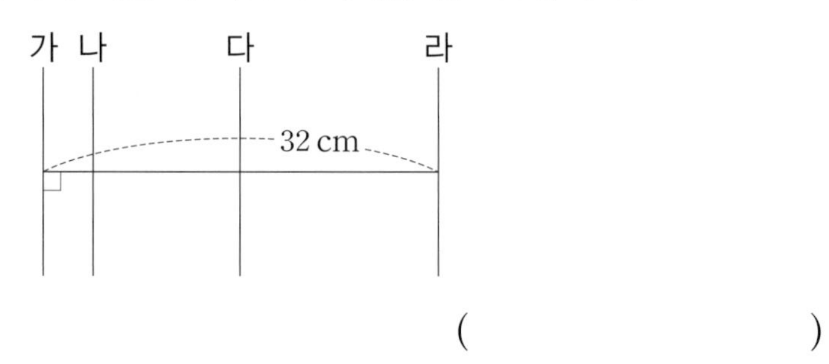

( )

3

창의융합

테셀레이션은 같은 모양의 조각들을 겹치지 않도록 빈틈없이 늘어놓은 것을 말합니다. 희수는 모양과 크기가 같은 마름모 6개로 다음과 같이 테셀레이션 모양을 만들었습니다. **㉠의 각도**를 구해 보세요.

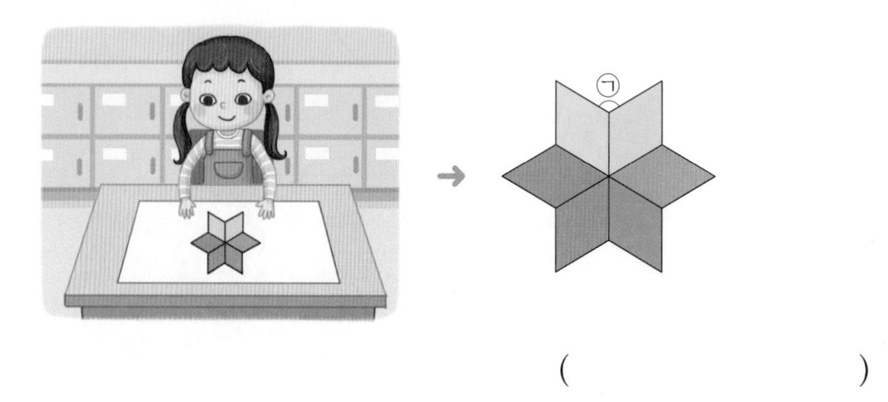

( )

정답 및 풀이 > 27쪽

4

직선 ㄱㄴ과 직선 ㄷㄹ은 서로 평행합니다. **각 ㅁㅈㅂ의 크기**를 구해 보세요.

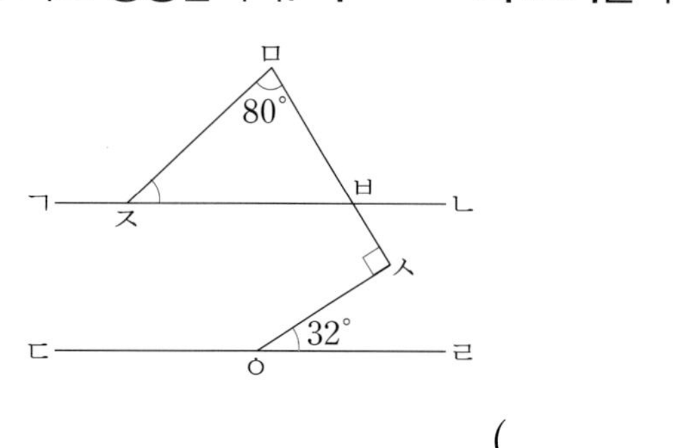

(　　　　　　　　)

5

오른쪽 사각형 ㄱㄴㄷㄹ은 평행사변형이고, 삼각형 ㄱㄴㅁ은 이등변삼각형입니다. 각 ㄱㅁㅂ의 크기는 각 ㅂㅁㄷ의 크기의 3배일 때 **각 ㅁㅂㄷ의 크기**를 구해 보세요.

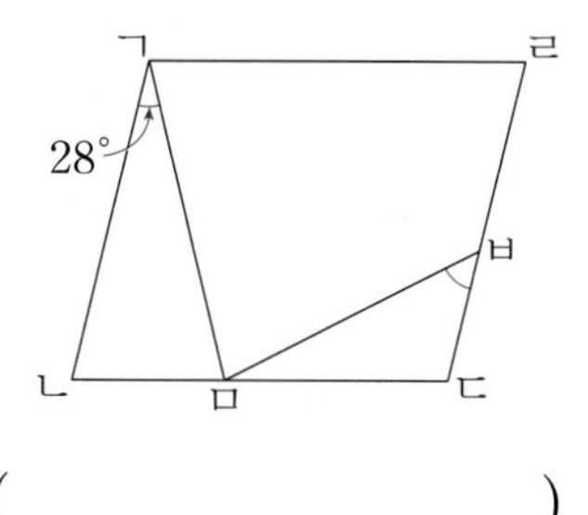

(　　　　　　　　)

1% 도전

6

직선 가와 직선 나는 서로 평행합니다. **㉠의 각도**를 구해 보세요.

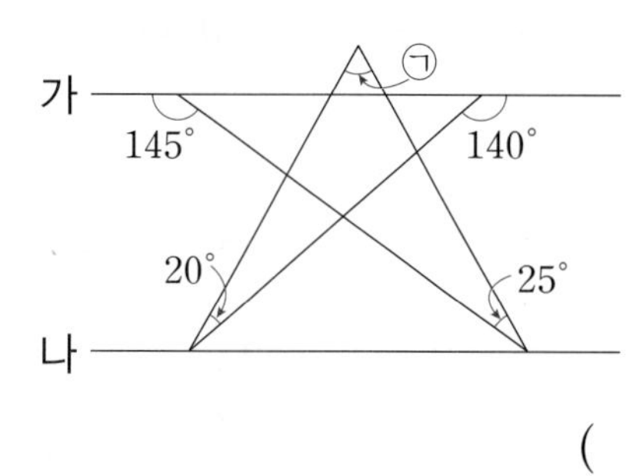

(　　　　　　　　)

4 단원

상위권 TEST

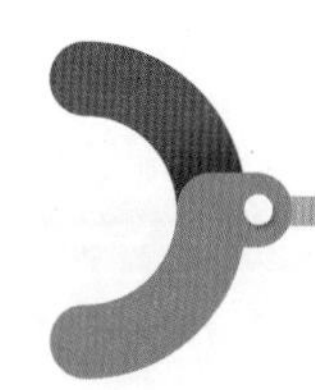

01 수선도 있고 평행선도 있는 도형을 모두 찾아 기호를 써 보세요.

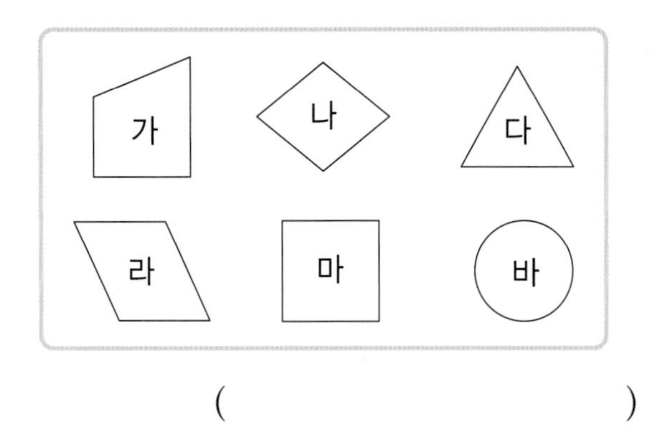

( )

02 직사각형 모양의 종이띠를 선을 따라 모두 잘랐습니다. 잘라 낸 도형 중에서 사다리꼴은 평행사변형보다 몇 개 더 많을까요?

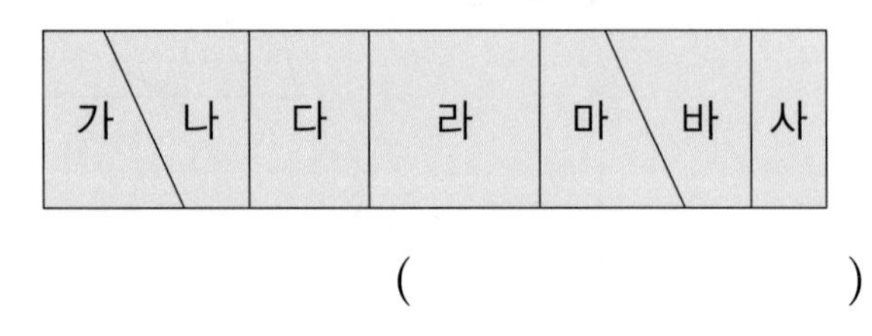

( )

03 현규는 길이가 50 cm인 철사를 사용하여 다음과 같은 평행사변형과 마름모 모양을 각각 한 개씩 만들었습니다. 두 도형을 만들고 남은 철사는 몇 cm일까요?

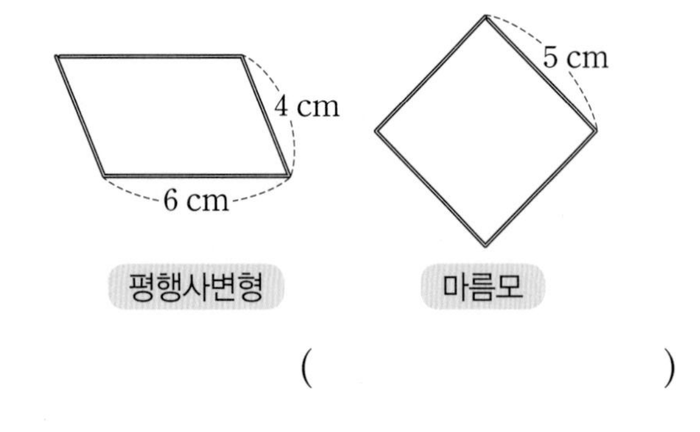

( )

04 직선 가와 변 ㄴㄷ, 직선 나와 변 ㄱㄷ은 각각 서로 평행합니다. ㉠의 각도를 구해 보세요.

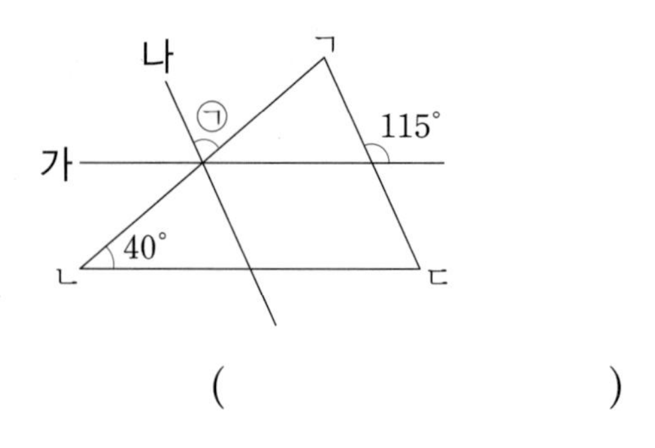

( )

05 도형에서 변 ㄱㄹ과 변 ㄴㄷ은 서로 평행할 때 평행선 사이의 거리는 몇 cm일까요?

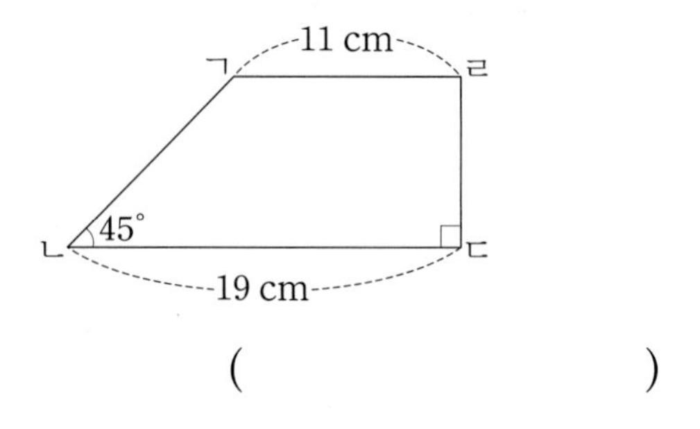

( )

06 사각형 ㄱㄴㄷㄹ은 평행사변형이고, 삼각형 ㄹㄷㅁ은 정삼각형입니다. 각 ㄴㄱㄹ의 크기를 구해 보세요.

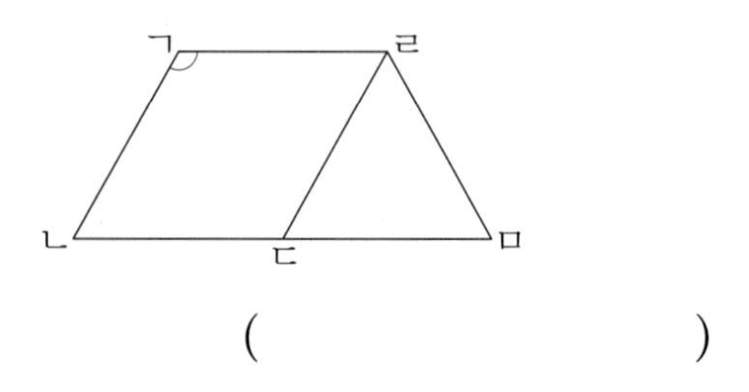

( )

07 사각형 ㄱㄴㄷㄹ은 평행사변형이고, 각 ㄱㄹㅁ과 각 ㅁㄹㄷ의 크기는 같습니다. 각 ㄴㅁㄹ의 크기를 구해 보세요.

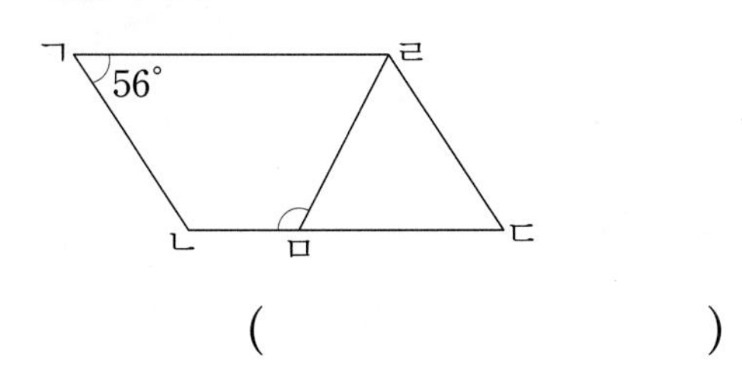

( )

08 오른쪽 그림은 모양과 크기가 같은 작은 정삼각형을 겹치지 않게 이어 붙인 것입니다. 이 그림에서 찾을 수 있는 가장 큰 사다리꼴의 네 변의 길이의 합은 몇 cm일까요?

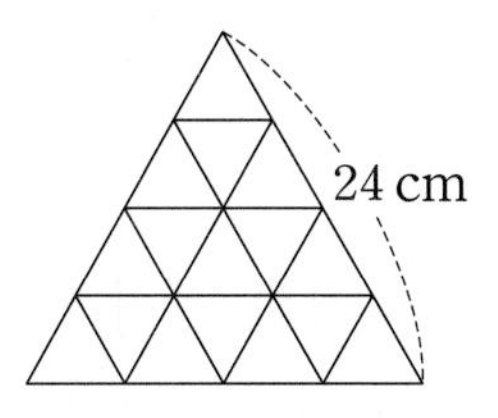

( )

09 직선 가와 직선 나는 서로 평행할 때 각 ㄱㄴㄷ의 크기를 구해 보세요.

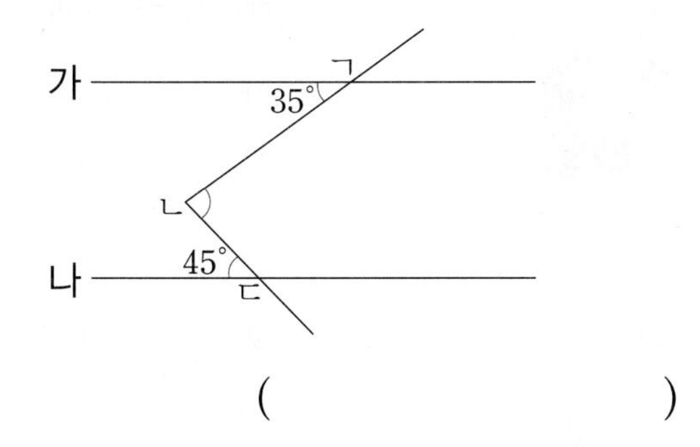

( )

10 직사각형 모양의 종이를 오른쪽과 같이 접었습니다. 각 ㄱㅁㅂ의 크기를 구해 보세요.

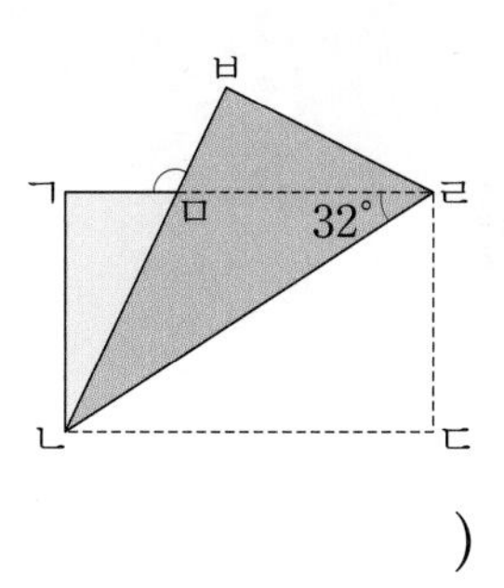

( )

★ 최상위

11 선분 ㄱㄷ은 선분 ㄴㄹ에 대한 수선입니다. ㉠의 각도를 구해 보세요.

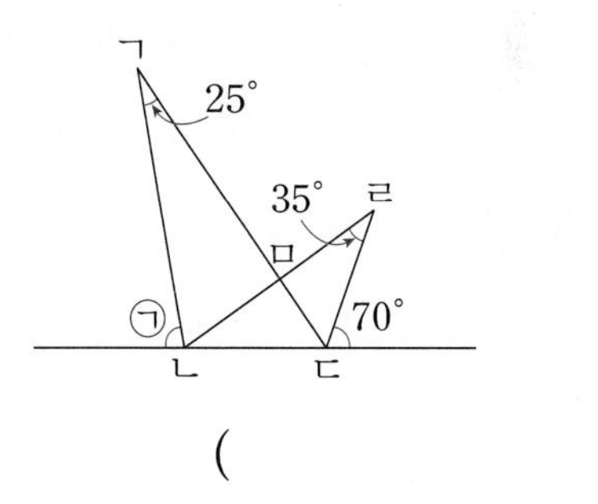

( )

★ 최상위

12 사각형 ㄱㄴㄷㄹ은 마름모이고, 삼각형 ㅁㄴㅂ은 이등변삼각형입니다. 각 ㅂㅁㅅ의 크기는 각 ㄱㅁㅅ의 크기의 4배일 때 각 ㄱㅅㅁ의 크기를 구해 보세요.

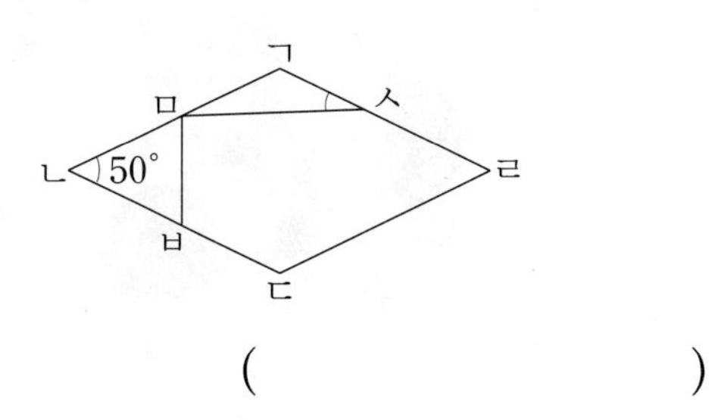

( )

4 단원

쉬어가기

사자성어

칠전팔기

七 顚 八 起

일곱 칠 | 넘어질 전 | 여덟 팔 | 일어날 기

바로 뜻 일곱 번 넘어져도 여덟 번 일어난다는 뜻.

깊은 뜻 여러 번 실패해도 포기하지 않고 꾸준히 노력함을 이르는 말이에요.

이럴 때 쓰는 말이야!

우리나라에서 **평창** 동계 올림픽이 열리기까지는 많은 **노력**이 있었어요.
2010년 동계 올림픽은 캐나다의 **밴쿠버**에 밀렸고,
2014년 동계 올림픽 유치도 **실패**하여 러시아의 **소치**에서 열리게 되었어요.
"우리나라에서 동계 올림픽을 유치하는 것은 힘든 것 같습니다."
"올림픽 **개최지**로 평창이 적합하지 않은 것 같아요."
실망한 사람들은 **올림픽** 개최를 포기하거나 장소를 바꾸는 것이 좋겠다고 했어요.
그러나 **포기**하지 않고 □□□□의 정신으로 다시 한 번 **도전**하기로 했어요.
여러 분야의 사람들의 힘을 모아 마침내 제23회 동계 올림픽 개최지로
대한민국 평창이 선정되었답니다.

잠깐! Quiz

Q □□□□에 들어갈 말은?

A 위의 글을 읽고 파란색 글자들을 아래에서 모두 찾아 /표로 지웁니다.

대	한	민	국	밴	
	노	력		쿠	올
개		평	포	버	림
최		창	기		픽
지	칠	전	팔	기	도
실	패		소	치	전

꺾은선그래프

응용 대표 유형

01 꺾은선그래프에서 수량이 가장 많은 항목 찾기
02 꺾은선그래프에서 두 항목의 수량 비교하기
03 꺾은선그래프를 보고 자료의 합계 구하기
04 표와 꺾은선그래프 완성하기
05 꺾은선그래프를 보고 중간값 예상하기
06 꺾은선그래프를 보고 앞으로의 변화 예상하기
07 두 자료에서 항목의 수량의 차가 가장 큰 경우 구하기
08 세로 눈금 한 칸의 크기를 바꾸어 나타내기
09 두 자료의 항목의 변화 비교하기
10 세로 눈금의 칸 수를 이용하여 항목의 수량 구하기
11 일정하게 변하는 자료의 값 예상하기
12 세로 눈금의 수량을 모를 때 세로 눈금 한 칸의 크기 구하기
13 두 자료의 변화량을 비교하여 문제 해결하기
14 조건에 맞게 꺾은선그래프 완성하기
15 꺾은선그래프를 완성하여 문제 해결하기
16 세로 눈금 한 칸의 크기가 다른 두 꺾은선그래프 비교하기

1 꺾은선그래프

(1) 꺾은선그래프: 수량을 점으로 표시하고, 그 점들을 선분으로 이어 그린 그래프

예 어느 지역의 눈이 온 날수

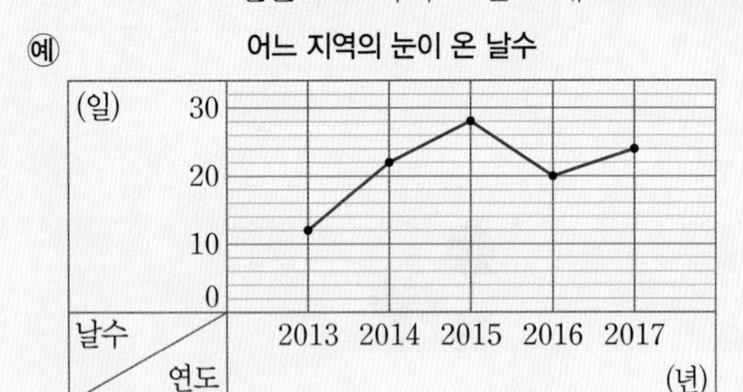

① 세로 눈금 한 칸은 2일을 나타냅니다. (→ $10 \div 5 = 2$(일))

② 눈이 가장 많이 온 때는 2015년입니다. (→ 점이 가장 높게 찍힌 때)

③ 전년에 비해 눈이 온 날수가 가장 많이 늘어난 때는 2014년입니다. (→ 선이 오른쪽 위로 가장 많이 기울어진 때)

(2) 꺾은선그래프의 특징

① 변화하는 모양과 정도를 쉽게 알 수 있습니다.

② 조사하지 않은 중간값을 예상할 수 있습니다.

③ 앞으로 변화될 모양을 예상할 수 있습니다.

응용 2 꺾은선그래프를 보고 중간값 예상하기

예 운동장의 온도를 나타낸 꺾은선그래프를 보고 오전 11시 30분의 온도 예상하기

운동장의 온도

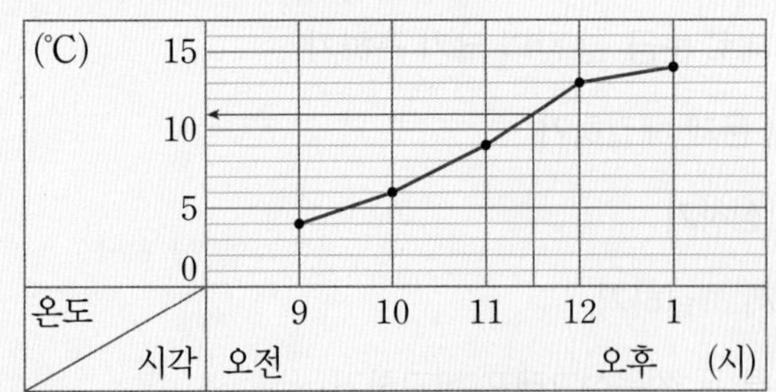

① 오전 11시와 낮 12시의 온도 각각 읽기

→ 오전 11시: 9 ℃, 낮 12시: 13 ℃

② 위 ①의 두 값 사이의 중간값 예상하기

→ 9 ℃와 13 ℃의 중간은 11 ℃이므로 오전 11시 30분의 온도는 11 ℃쯤입니다.

3 물결선을 사용한 꺾은선그래프

꺾은선그래프를 그릴 때 필요 없는 부분은 물결선(≈)으로 그리고 물결선 위로 시작할 수를 정합니다.

예 (가) 토마토 싹의 키

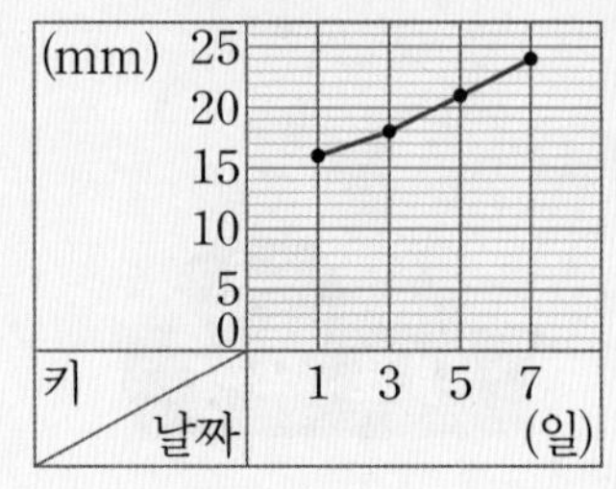

(나) 토마토 싹의 키

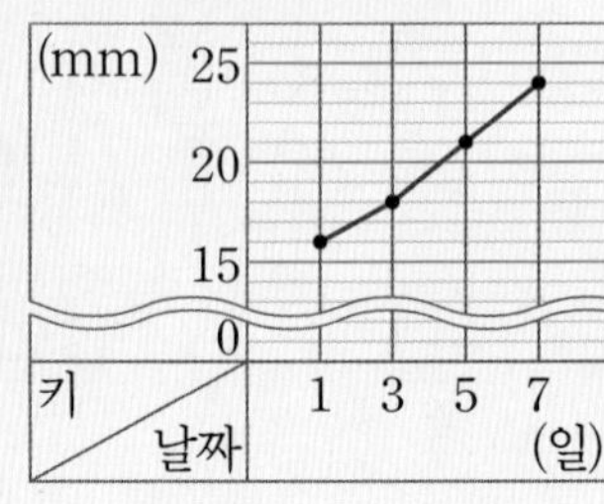

→ 물결선을 사용하면 세로 눈금 칸이 넓어져서 다른 값들을 더 잘 알 수 있습니다.

4 꺾은선그래프로 나타내기

예 효준이의 턱걸이 기록을 나타낸 표를 보고 꺾은선그래프로 나타내기

턱걸이 기록

요일	월	화	수	목	금
기록(회)	7	9	15	12	13

④ 턱걸이 기록

(회) 15, 10, 5, 0 / ① 기록 / 요일 / ② / ③ / 월 화 수 목 금 (요일)

① 가로와 세로 중 어느 쪽에 조사한 수를 나타낼 것인지 정합니다.

② 눈금 한 칸의 크기를 정하고, 조사한 수 중에서 가장 큰 수를 나타낼 수 있도록 눈금의 수를 정합니다.

③ 가로 눈금과 세로 눈금이 만나는 자리에 점을 찍고, 찍은 점들을 선분으로 잇습니다.

④ 꺾은선그래프에 알맞은 제목을 붙입니다.

세로 눈금의 수량을 모를 때 세로 눈금 한 칸의 크기 구하기

예 어느 가게의 월별 아이스크림 판매량을 나타낸 꺾은선그래프에서 6월부터 10월까지 아이스크림 판매량의 합이 620개일 때 세로 눈금 한 칸의 크기 구하기

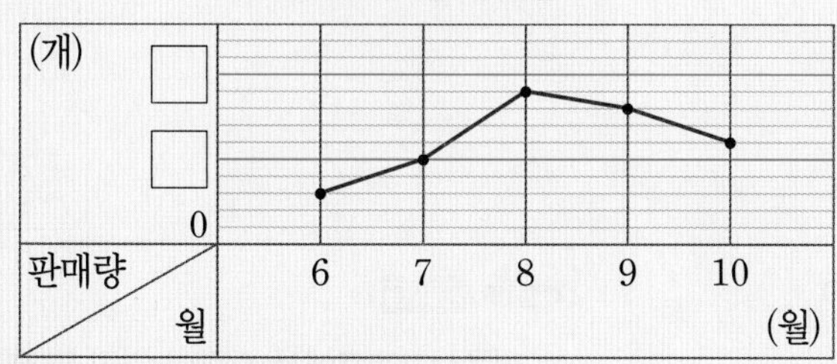

① (세로 눈금의 칸 수의 합)
$=3+5+9+8+6=31$(칸)

② (세로 눈금 한 칸의 크기)
$=620\div31=20$(개)
└ 아이스크림 판매량의 합

두 자료를 한꺼번에 나타낸 꺾은선그래프에서 두 자료의 차가 가장 크거나 작은 경우 구하기

예 어느 마을의 남자와 여자의 인구를 나타낸 꺾은선그래프에서 인구의 차가 가장 큰 때와 가장 작은 때는 각각 언제이고, 이때의 인구의 차는 몇 명인지 구하기

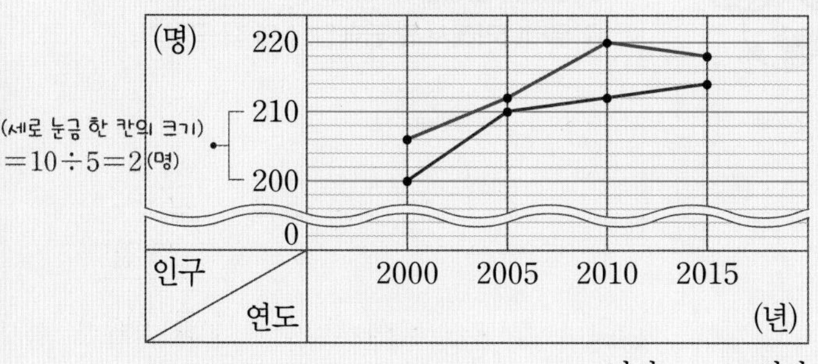

(1) 인구의 차가 가장 큰 때

두 꺾은선 사이의 간격이 가장 큰 때

➜ 2010년, (인구의 차)$=220-212=8$(명)

(2) 인구의 차가 가장 작은 때

두 꺾은선 사이의 간격이 가장 작은 때

➜ 2005년, (인구의 차)$=212-210=2$(명)

[1~2] 준서네 마을의 11월 하루 기온 변화를 조사하여 나타낸 꺾은선그래프입니다. 물음에 답하세요.

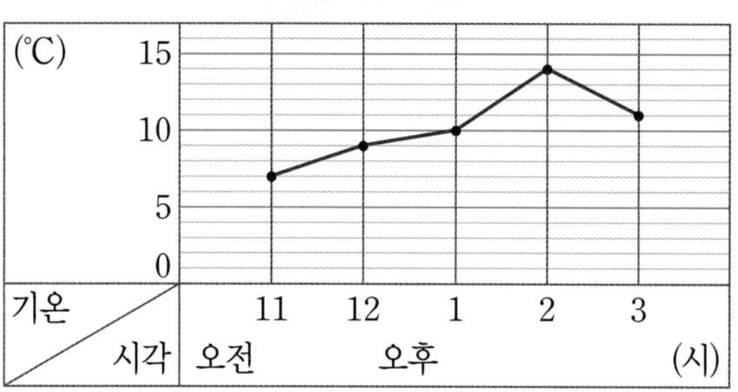

1 오전 11시의 기온은 몇 ℃인가요?

( )

2 기온의 변화가 가장 많은 때는 몇 시와 몇 시 사이인가요?

( )

3 어느 스케이트 선수의 대회별 스피드 스케이팅 500 m 최고 기록을 조사하여 나타낸 표입니다. 표를 보고 꺾은선그래프로 나타내어 보세요.

스피드 스케이팅 500 m 최고 기록

대회	1차	2차	3차	4차
기록(초)	37.4	36.6	37.2	36

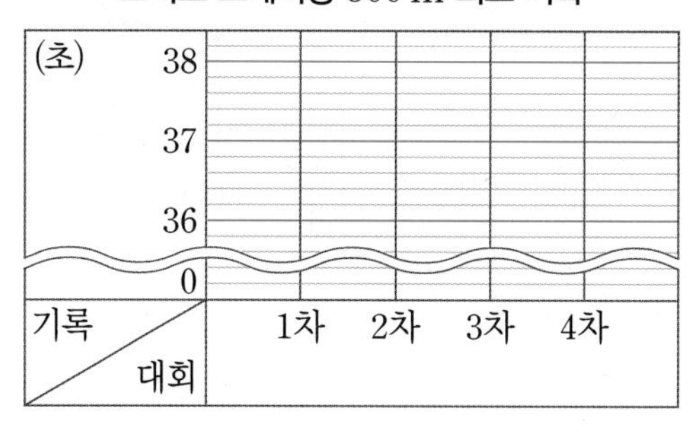

5 단원

응용 공략하기

■ **응용·심화 문제**와 **레벨UP공략법**으로
문제 해결 능력을 키웁니다.

[01~02] 어느 지역의 기온이 영하로 내려간 날수를 월별로 조사하여 나타낸 꺾은선그래프입니다. 물음에 답하세요.

영하로 내려간 날수

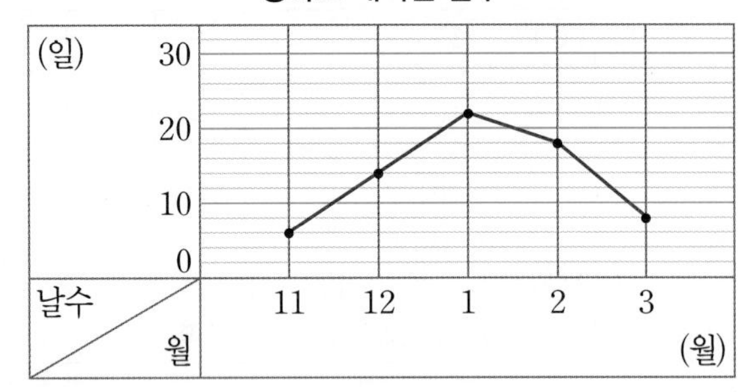

꺾은선그래프에서 수량이 가장 많은 항목 찾기

01 영하로 내려간 날수가 **가장 많았던 때**는 몇 월인가요?

( )

레벨UP 공략 01

꺾은선그래프에서 수량이 가장 많거나 가장 적은 항목을 찾으려면?

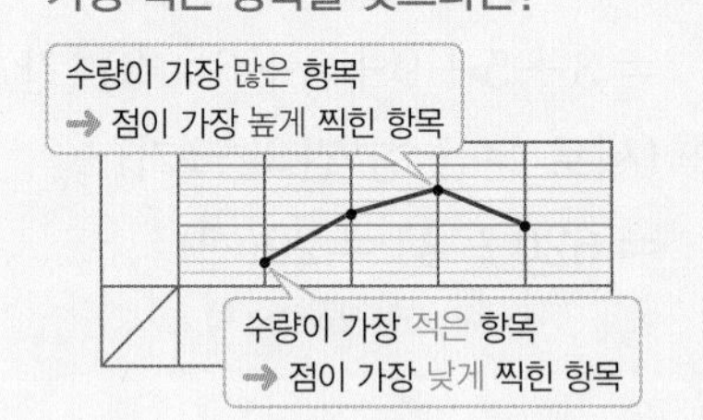

꺾은선그래프에서 두 항목의 수량 비교하기

02 영하로 내려간 날수가 **11월은 12월보다 며칠 적은지** 구해 보세요.

( )

꺾은선그래프를 보고 자료의 합계 구하기

03 창의융합 우리나라의 연도별 하계 올림픽 금메달 수를 조사하여 나타낸 꺾은선그래프입니다. 2000년부터 2016년까지 **우리나라에서 딴 금메달은 모두 몇 개**인가요?

하계올림픽 금메달 수

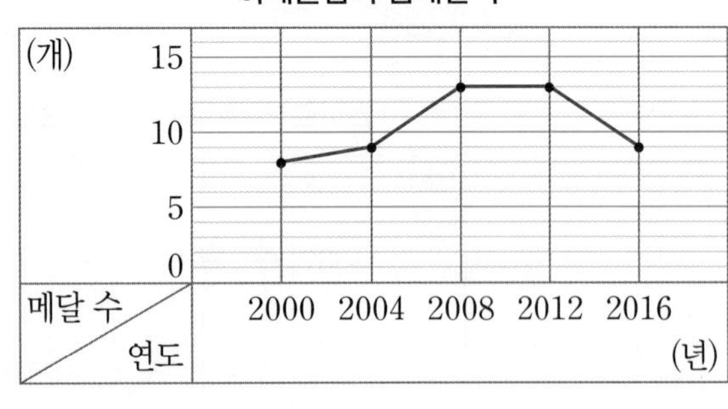

( )

해결 순서

❶ 연도별 금메달 수 구하기
❷ 우리나라에서 딴 금메달 수의 합 구하기

[04~06] 연주네 집 마당에 있는 나무의 높이를 매년 6월에 조사하여 나타낸 표와 꺾은선그래프입니다. 물음에 답하세요.

나무의 높이

연도(년)	2013	2014	2015	2016	2017
높이(cm)	118	120			138

나무의 높이

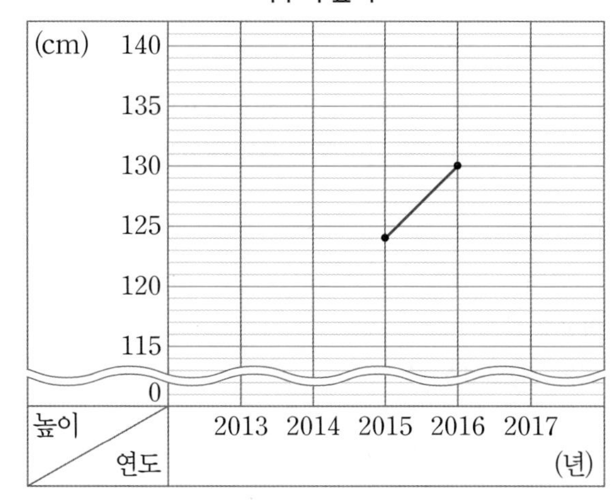

표와 꺾은선그래프 완성하기

04 위의 **표와 꺾은선그래프를 각각 완성**해 보세요.

꺾은선그래프를 보고 중간값 예상하기

05 **2015년 12월에 나무의 높이는 몇 cm쯤이라고 예상**하는지 써 보세요.

( )

꺾은선그래프를 보고 앞으로의 변화 예상하기 서술형

06 **2018년 6월에 나무의 높이를 잰다면 몇 cm쯤 될 것이라고 예상**하는지 풀이 과정을 쓰고, 답을 구해 보세요.

풀이

답

해결 순서
❶ 꺾은선그래프를 보고 표의 빈칸 완성하기
❷ 표를 보고 꺾은선그래프의 빈 곳 완성하기

레벨 UP 공략 02

꺾은선그래프를 보고 중간값을 예상하려면?

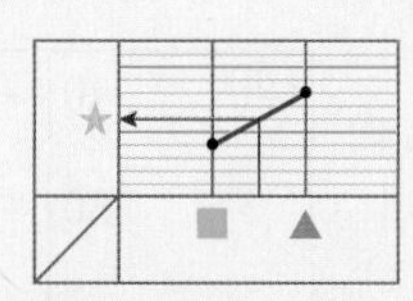

방법 ❶ 두 항목의 수량을 각각 읽고 그 중간값을 예상합니다.

방법 ❷ 두 항목의 중간점이 가리키는 세로 눈금을 읽어서 중간값을 예상합니다.

5 단원

응용 공략하기

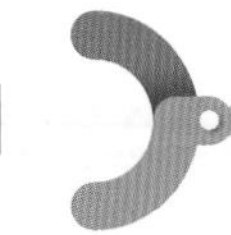

두 자료에서 항목의 수량의 차가 가장 큰 경우 구하기

07 창의융합

BOD는 물의 오염 정도를 나타내는 단위입니다. 다음은 연도별 한강과 영산강의 BOD를 어느 한 지점에서 조사하여 나타낸 꺾은선그래프입니다. 두 강의 **BOD의 차가 가장 큰 때는 몇 년이고, 이때의 BOD의 차는 몇 ppm**인지 구해 보세요.

한강과 영산강의 BOD

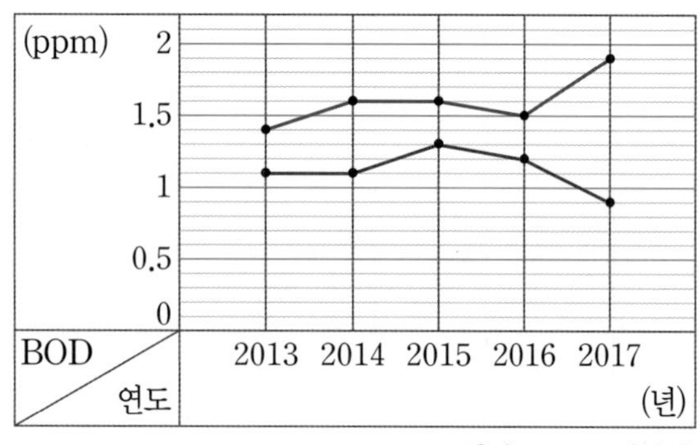

— 한강 — 영산강

[출처: 환경부 물환경정보시스템]

(,)

레벨UP 공략 03

두 자료를 나타낸 꺾은선그래프를 보고 항목의 수량의 차를 구하려면?

방법 ❶ 항목의 수량을 각각 구한 후 두 수량의 차를 구합니다.

방법 ❷ 두 항목의 세로 눈금 칸 수의 차를 ■라 할 때
(두 항목의 수량의 차)
=(세로 눈금 한 칸의 크기)×■

해결 순서

❶ 두 강의 BOD의 차가 가장 큰 때 찾기

❷ 위 ❶의 BOD의 차 구하기

세로 눈금 한 칸의 크기를 바꾸어 나타내기 서술형

08 유민이가 훌라후프를 돌린 횟수를 조사하여 나타낸 꺾은선그래프입니다. 이 꺾은선그래프의 세로 눈금 한 칸의 크기를 4회로 하여 다시 그리면 **수요일과 목요일의 세로 눈금 칸 수의 차는 몇 칸**이 되는지 풀이 과정을 쓰고, 답을 구해 보세요.

훌라후프를 돌린 횟수

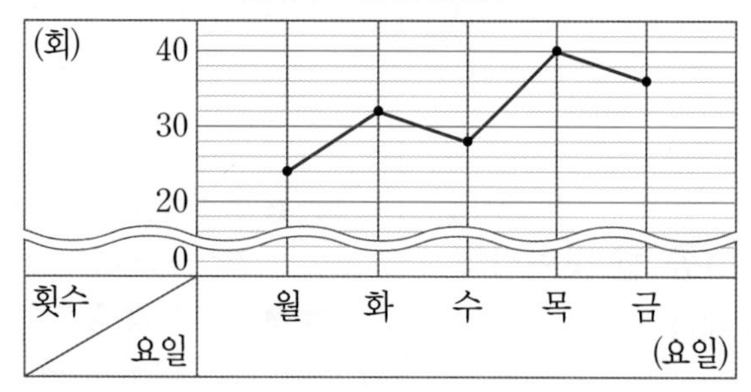

풀이

답

레벨UP 공략 04

세로 눈금 한 칸의 크기를 바꾸어 나타낸 꺾은선그래프에서 두 항목의 세로 눈금 칸 수의 차를 구하려면?

(두 항목의 수량의 차)
÷(바꾼 그래프에서 세로 눈금 한 칸의 크기)

[09~10] 서진이와 희정이의 몸무게를 3월부터 11월까지 2개월 간격으로 조사하여 나타낸 꺾은선그래프입니다. 물음에 답하세요.

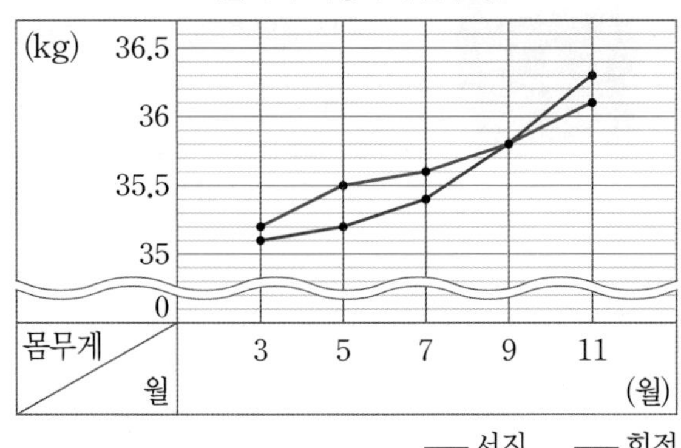

두 자료의 항목의 변화 비교하기

09 조사한 기간 동안 **몸무게가 더 많이 늘어난 사람은 누구이고, 늘어난 몸무게는 몇 kg**인가요?

(,)

해결 순서
1. 서진이의 몸무게 변화량 구하기
2. 희정이의 몸무게 변화량 구하기
3. 몸무게가 더 많이 늘어난 사람과 늘어난 몸무게 각각 구하기

세로 눈금의 칸 수를 이용하여 항목의 수량 구하기

10 **희정이가 서진이보다 0.2 kg 더 무거운 때의 두 사람의 몸무게의 합은 몇 kg**인지 구해 보세요.

( )

일정하게 변하는 자료의 값 예상하기

11 우영이가 자전거를 타고 일정한 빠르기로 달린 거리를 조사하여 나타낸 꺾은선그래프입니다. 우영이가 **1분 동안 달린 거리는 몇 m**일까요?

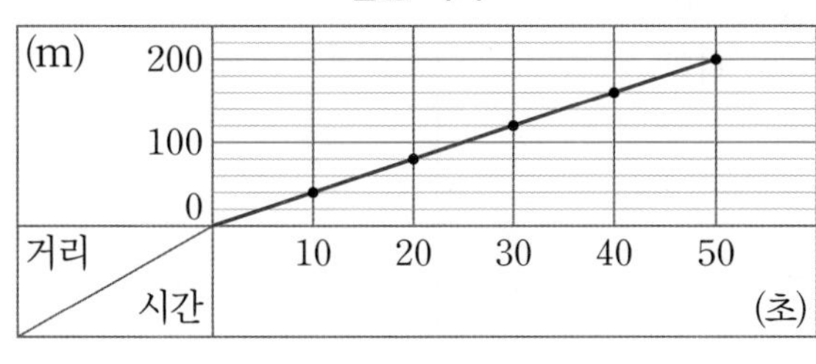

( )

해결 순서
1. 10초 동안 달린 거리 구하기
2. 1분 동안 달린 거리 구하기

5 단원

세로 눈금의 수량을 모를 때 세로 눈금 한 칸의 크기 구하기

12 신유형 측우기는 비의 양을 재기 위하여 쓰인 기구입니다. 다음은 오전 10시부터 오후 2시까지 측우기로 강우량을 조사하여 나타낸 꺾은선그래프입니다. 조사한 시간 동안 강우량의 합이 76 mm일 때 **㉠과 ㉡에 알맞은 수의 합**을 구해 보세요.

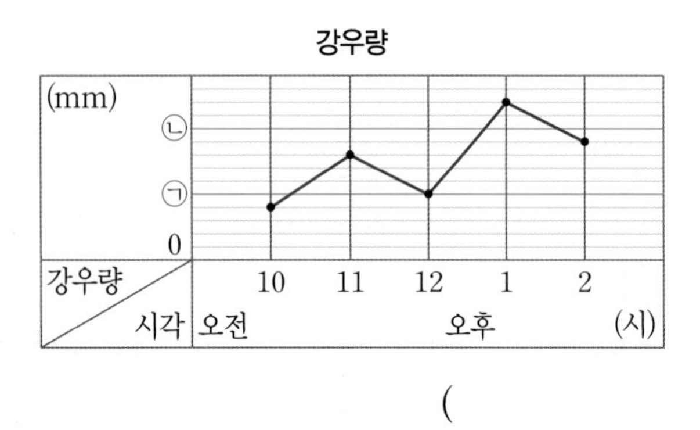

(　　　　　　　　)

레벨UP 공략 05

자료의 합계를 알 때 세로 눈금 한 칸의 크기를 구하려면?
(자료의 합계)÷(세로 눈금 칸 수의 합)

해결 순서
① 세로 눈금 한 칸의 크기 구하기
② ㉠과 ㉡에 알맞은 수의 합 구하기

두 자료의 변화량을 비교하여 문제 해결하기 　서술형

13 지호와 나리의 저축액을 매월 마지막 날에 조사하여 나타낸 꺾은선그래프입니다. **지호의 저축액이 전달에 비해 가장 많이 늘어난 달에 나리의 저축액은 전달에 비해 얼마나 더 늘었는지** 풀이 과정을 쓰고, 답을 구해 보세요.

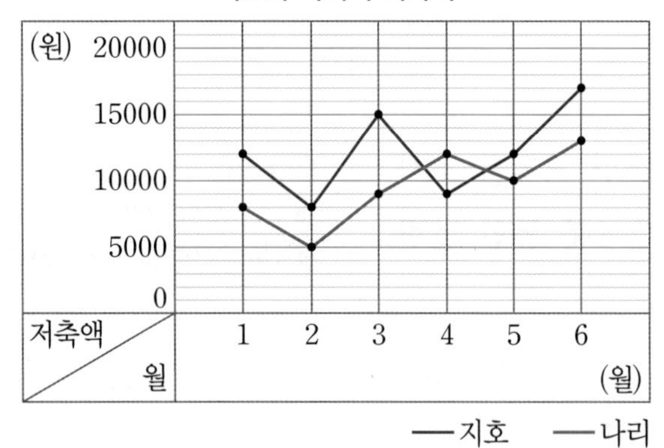

풀이

답

레벨UP 공략 06

꺾은선그래프에서 선의 기울어진 모양과 정도로 알 수 있는 것은?

• 변화하는 모양

값이 커지는 경우

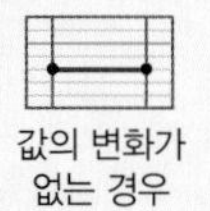
값의 변화가 없는 경우

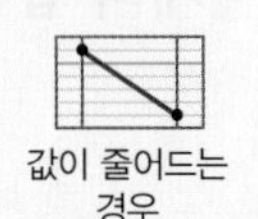
값이 줄어드는 경우

• 변화하는 정도

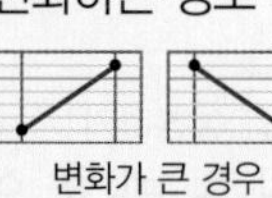
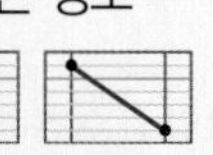
변화가 큰 경우

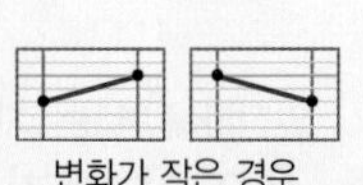
변화가 작은 경우

→ 선이 많이 기울어질수록 변화의 정도가 큽니다.

정답 및 풀이 > 30쪽

[14~15] 어느 미술관의 입장객 수를 조사하여 나타낸 꺾은선그래프입니다. 월요일부터 금요일까지 입장객 수의 합은 1800명이고, 금요일의 입장객은 목요일의 입장객보다 20명 더 많습니다. 물음에 답하세요.

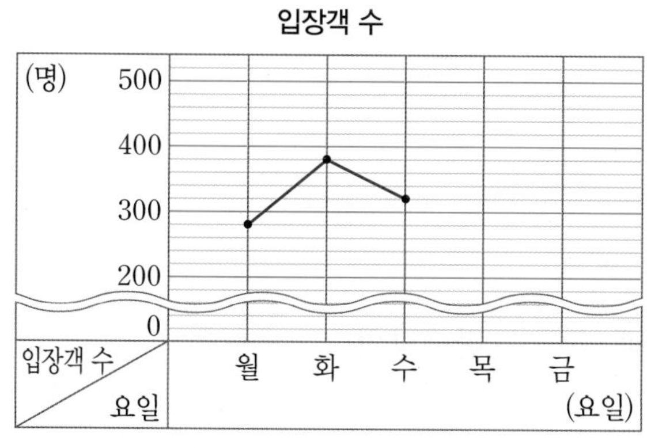

조건에 맞게 꺾은선그래프 완성하기

14 위의 **꺾은선그래프를 완성**해 보세요.

꺾은선그래프를 완성하여 문제 해결하기

15 위의 꺾은선그래프에서 입장객 수의 변화가 가장 큰 때의 변화량만큼 토요일의 입장객 수가 늘어났습니다. **토요일의 입장객은 몇 명**인지 구해 보세요.

(　　　　　　　　　)

해결 순서
❶ 입장객 수의 변화가 가장 큰 때 찾기
❷ 토요일의 입장객 수 구하기

세로 눈금 한 칸의 크기가 다른 두 꺾은선그래프 비교하기

16 어느 회사의 연도별 장난감 생산량과 장난감 판매량을 조사하여 나타낸 꺾은선그래프입니다. 조사한 기간 동안 이 회사에서 만든 장난감 중 **팔고 남은 장난감이 가장 많은 때는 몇 년이고, 그 개수는 몇 개**인가요? (단, 같은 해에 만든 장난감만 팝니다.)

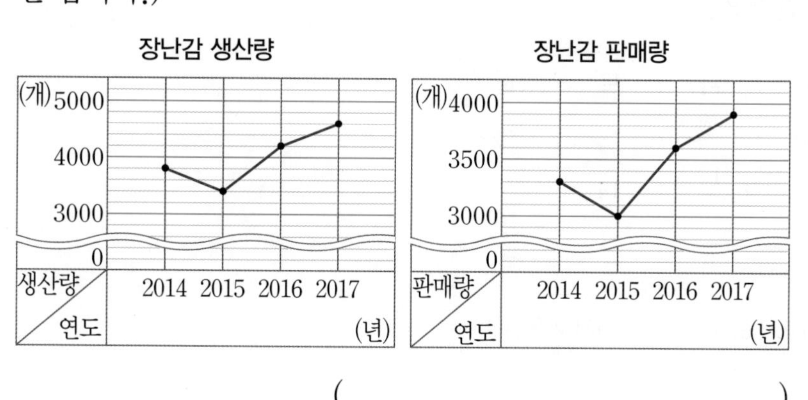

(　　　　　　,　　　　　　)

해결 순서
❶ 연도별 팔고 남은 장난감의 개수 구하기
❷ 팔고 남은 장난감이 가장 많은 때와 그 개수 구하기

5 단원

심화 해결하기

■ **레벨UP공략법**을 활용한 **고난도 문제**를
스스로 해결하고 발전합니다.

[01~02] 어느 편의점의 500 mL짜리 생수 판매량을 1일부터 5일까지 조사하여 나타낸 꺾은선그래프입니다. 물음에 답하세요.

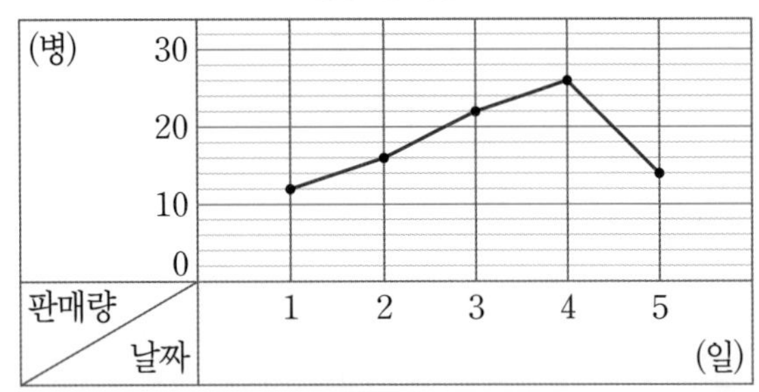

01 **판매량이 가장 많았던 때와 두 번째로 많았던 때의 생수 판매량의 차는 몇 병**인가요?

(　　　　　　　　)

서술형

02 생수 한 병의 가격이 800원이라면 조사한 기간 동안 **생수를 판매한 금액은 모두 얼마**인지 풀이 과정을 쓰고, 답을 구해 보세요.

풀이

답

03 일교차는 하루 동안의 최고 기온과 최저 기온의 차입니다. 다음은 어느 날 뉴스에서 보도한 날씨입니다. **일교차가 가장 작은 때는 언제이고, 이때의 일교차는 몇 ℃**인가요?

창의융합

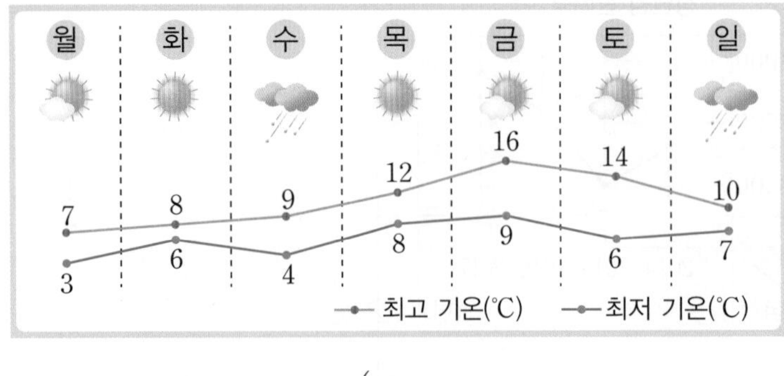

(　　　　　　,　　　　　　)

04 오른쪽은 어느 지역의 11월 하루 기온과 수온을 2시간 간격으로 조사하여 나타낸 꺾은선그래프입니다. **오후 1시의 기온과 수온의 차는 몇 ℃쯤**인가요?

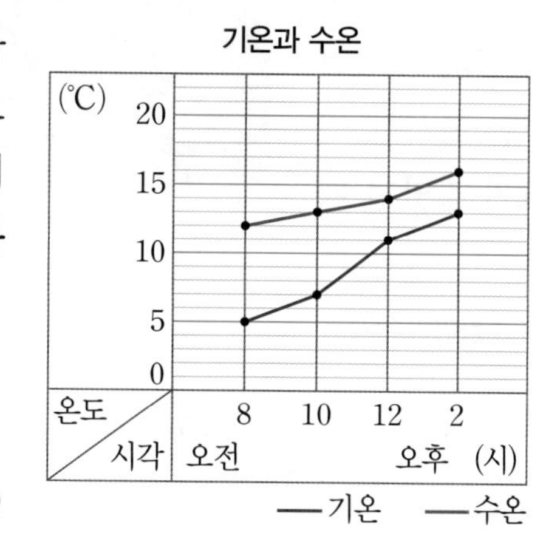

(　　　　　　　　)

[05~06] 수아네 학교의 연도별 전학생 수를 조사하여 나타낸 꺾은선그래프입니다. 2013년부터 2017년까지 전학생 수의 합이 284명일 때 물음에 답하세요.

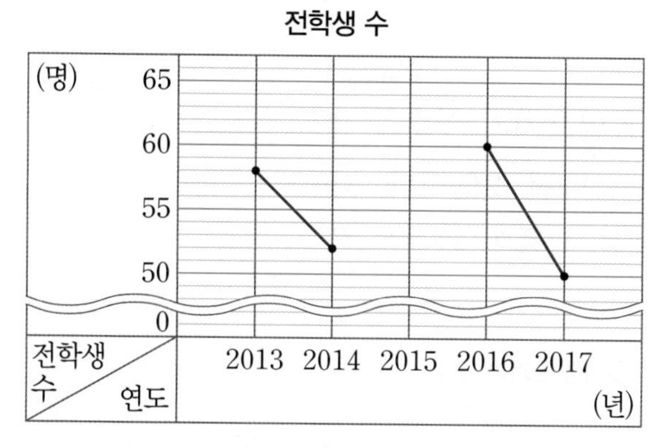

05 위의 **꺾은선그래프를 완성**해 보세요.

06 위 꺾은선그래프의 세로 눈금 한 칸의 크기를 다르게 하여 그렸더니 전학생 수가 가장 많은 때와 가장 적은 때의 세로 눈금 칸 수의 차가 7칸이었습니다. 다시 그린 꺾은선그래프는 **세로 눈금 한 칸의 크기를 몇 명으로 한 것**인지 구해 보세요.

(　　　　　　　　)

07 승준이네 집에서 기르고 있는 강아지인 예뻐와 초롱이의 무게를 매월 1일에 조사하여 나타낸 꺾은선그래프입니다. 조사한 기간 동안 **예삐와 초롱이의 무게가 같았던 때는 모두 몇 번**인가요?

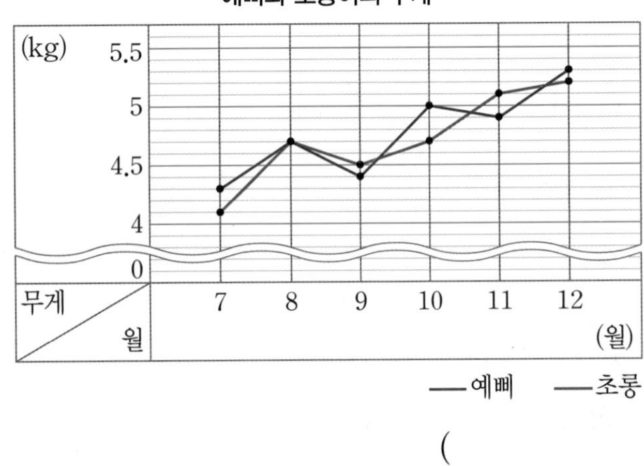

(　　　　　　　　　　)

서술형

08 (가)와 (나) 그래프는 현민이가 4일 동안 한 윗몸일으키기 횟수를 세로 눈금을 각각 다르게 하여 꺾은선그래프로 나타낸 것입니다. **(나) 그래프의 세로 눈금 한 칸은 몇 회**를 나타내는지 풀이 과정을 쓰고, 답을 구해 보세요.

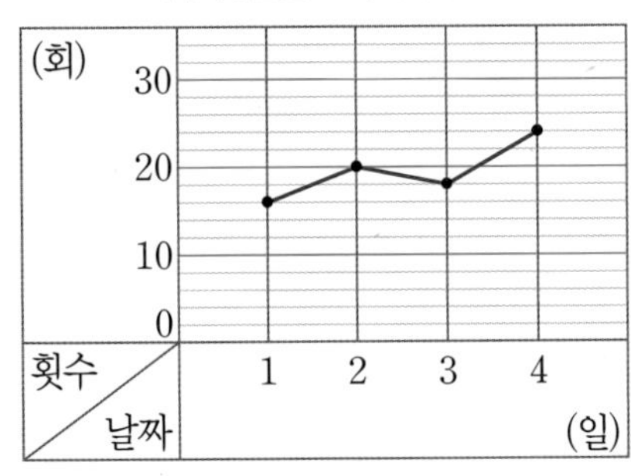

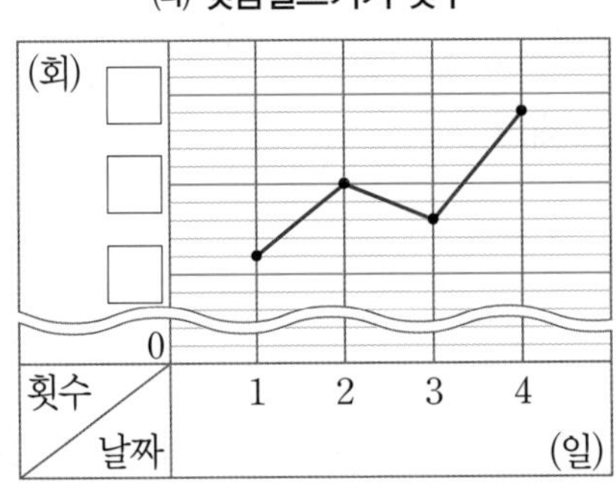

풀이

답

정답 및 풀이 > 31쪽

09 오른쪽은 어느 지역의 누적(포개어 여러 번 쌓음) 적설량을 오후 1시부터 오후 4시까지 조사하여 나타낸 꺾은선그래프입니다. **1시간 동안 적설량이 가장 적은 때의 적설량은 몇 mm인가요?**

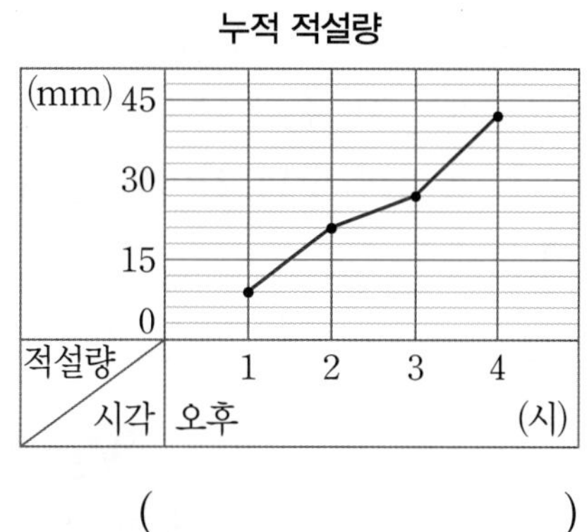

( )

10 신유형 대현이네 집의 요일별 TV 사용 시간을 조사하여 나타낸 꺾은선그래프입니다. TV의 시간당 소비전력은 150 W이고, 전기 소비량은 다음과 같이 계산합니다. **TV 사용 시간이 가장 많은 때와 가장 적은 때의 전기 소비량의 합은 몇 Wh**인지 구해 보세요.

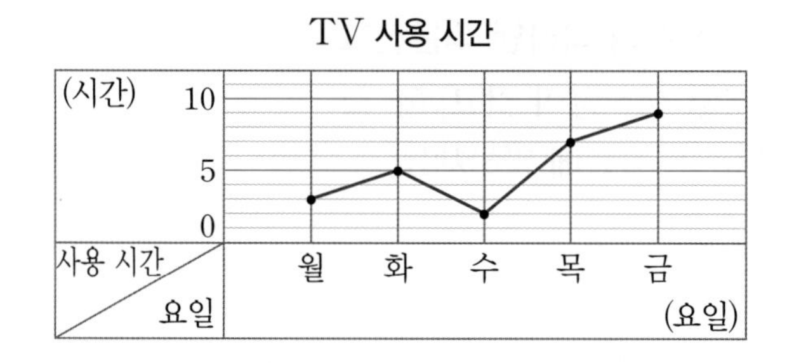

(전기 소비량)=(시간당 소비전력)×(사용 시간)

( )

11 승엽이와 채원이의 월별 수학 점수를 조사하여 나타낸 꺾은선그래프입니다. 3월부터 7월까지 두 사람의 수학 점수의 합이 832점일 때 승엽이와 채원이 중에서 **5월의 수학 점수는 누가 몇 점 더 높은지** 구해 보세요.

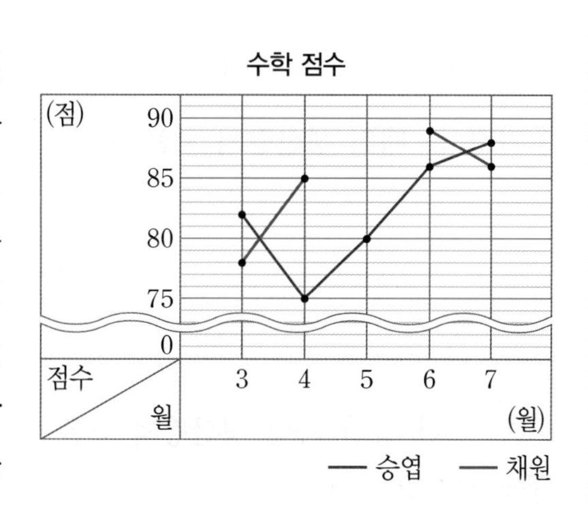

(,)

심화 해결하기

12 창의융합 24절기의 하나인 동지는 일 년 중에서 낮이 가장 짧고 밤이 가장 긴 날입니다. 다음은 동지가 있는 어느 한 주의 낮의 길이를 조사하여 나타낸 꺾은선그래프입니다. **동지의 낮의 길이와 밤의 길이의 차는 몇 시간 몇 분**인지 구해 보세요.

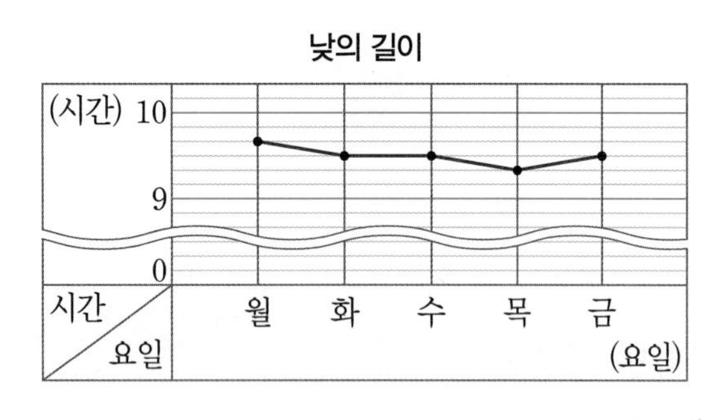

동짓날에는 팥죽을 먹어 나쁜 일을 떨쳐 내는 풍습이 있습니다.

(　　　　　　　　)

[13~14] ㉮와 ㉯ 회사의 월별 가방 생산량을 조사하여 나타낸 꺾은선그래프입니다. ㉮ 회사의 3월 생산량과 ㉯ 회사의 5월 생산량이 같고, ㉮ 회사의 4월 생산량과 ㉯ 회사의 3월 생산량이 같습니다. 물음에 답하세요.

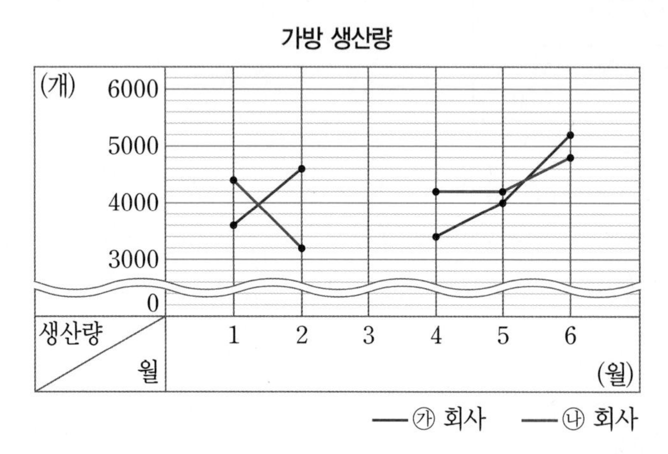

13 두 회사의 **가방 생산량의 차가 가장 큰 때의 생산량의 차는 몇 개**인가요?

(　　　　　　　　)

14 ㉮ 회사와 ㉯ 회사 중에서 조사한 기간 동안 **가방 생산량의 합은 어느 회사가 몇 개 더 많은지** 구해 보세요.

(　　　　　　,　　　　　　)

서술형

15 사랑, 행복, 소망 마을의 연도별 인구를 조사하여 나타낸 꺾은선그래프입니다. 조사한 기간 동안 **인구가 가장 많았던 때와 가장 적었던 때의 인구의 차가 가장 큰 마을은 어느 마을**인지 풀이 과정을 쓰고, 답을 구해 보세요.

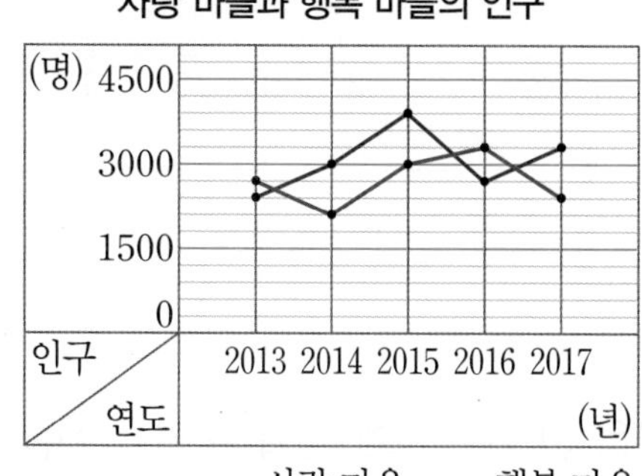

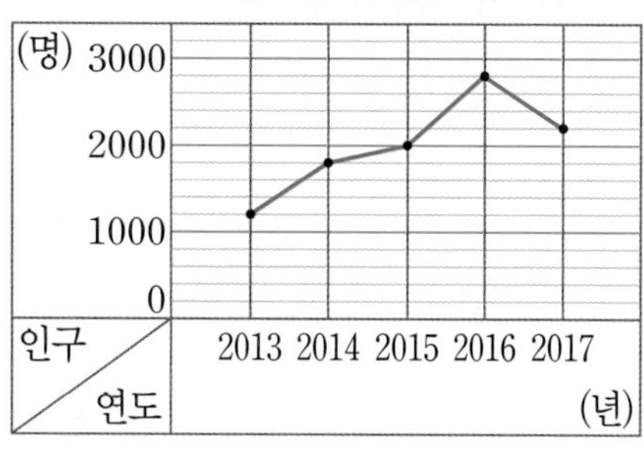

풀이

답

16 택시와 버스가 일정한 빠르기로 달린 거리를 조사하여 나타낸 꺾은선그래프입니다. 택시와 버스가 동시에 출발하여 쉬지 않고 각각 일정한 빠르기로 180 km 떨어진 곳에 간다면 **택시는 버스보다 몇 시간 몇 분 먼저 도착**하는지 구해 보세요.

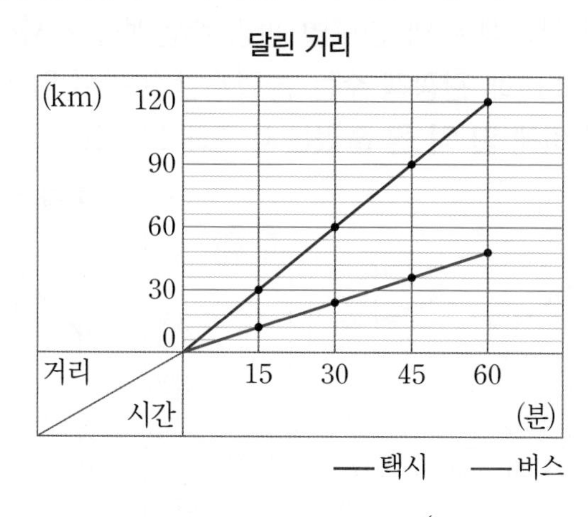

(　　　　　　　　)

5 단원

최상위 도전하기

■ **경시 수준**의 **최상위 문제**에
도전하여 사고력을 키웁니다.

1 오른쪽은 감기에 걸린 지연이의 체온을 오후에 조사하여 나타낸 꺾은선그래프입니다. 4시부터 5시까지 올라간 체온이 5시부터 6시까지 내려간 체온의 2배일 때 **5시의 체온은 몇 ℃인지** 구해 보세요.

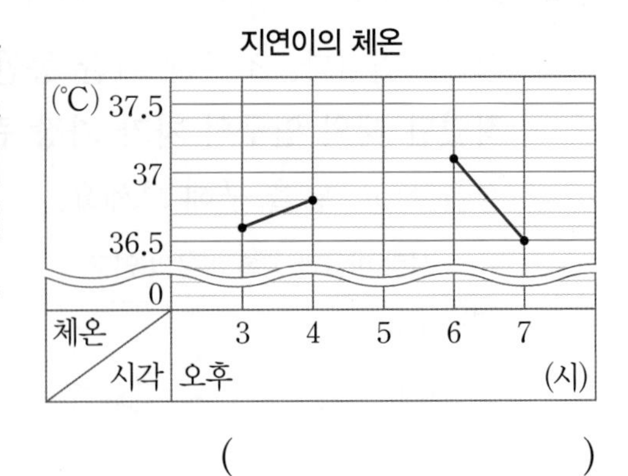

(　　　　　　　　)

2 어느 방앗간에서 일정한 빠르기로 참기름을 만드는 기계 ㉮와 ㉯의 참기름의 양을 조사하여 나타낸 꺾은선그래프입니다. **기계 ㉮에서 참기름 600 mL를 만들 때 기계 ㉯에서는 참기름을 몇 mL 만들 수 있는지** 구해 보세요.

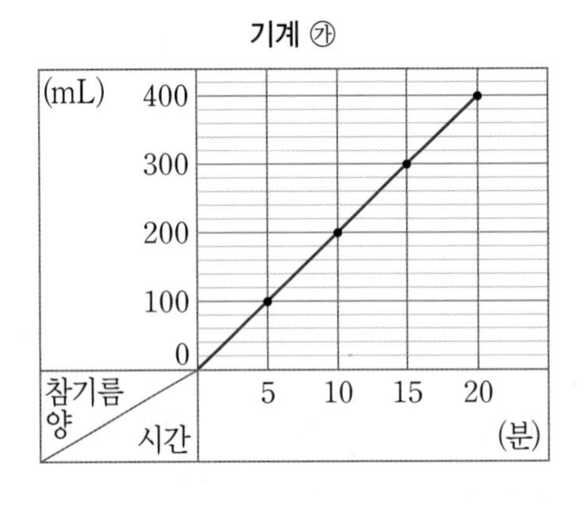

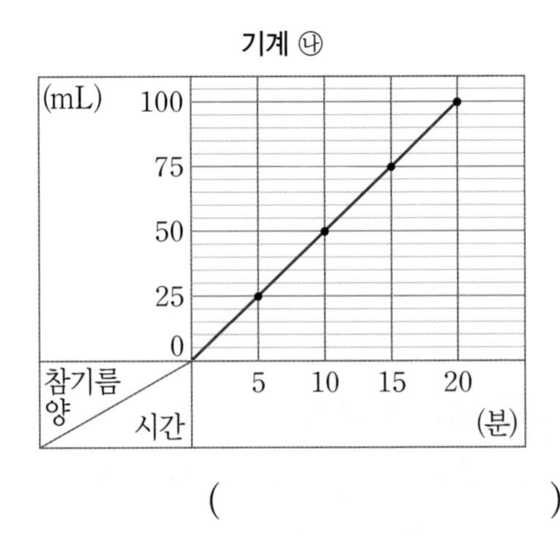

(　　　　　　　　)

3 어느 도시의 연도별 관광객 수와 연도별 관광 수입액을 조사하여 나타낸 꺾은선그래프입니다. 전년에 비해 관광객 수는 늘었지만 관광 수입액은 줄어든 때의 **관광 수입액은 전년에 비해 몇 억 원 줄었는지** 구해 보세요.

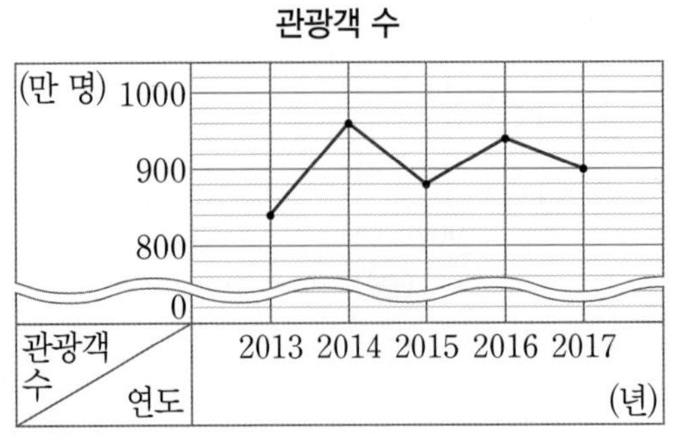

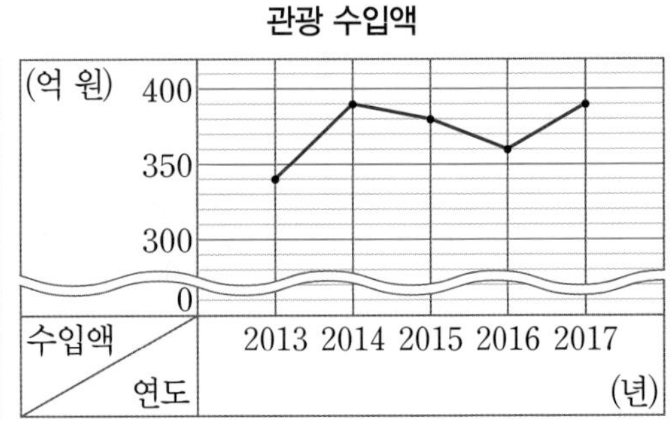

(　　　　　　　　)

4 창의융합

누리집은 인터넷 홈페이지를 나타내는 말입니다. 어느 날 오전 9시부터 오후 2시까지 동주네 학교 누리집의 방문자 수를 시간대별로 조사하여 나타낸 표와 누적 방문자 수를 나타낸 꺾은선그래프입니다. 오전 9시부터 오후 2시까지 방문자 수의 합은 60명이고, ㉡은 ㉠의 3배일 때 **꺾은선그래프를 완성**해 보세요. (단, 이날 오전 9시 이전 방문자 수는 생각하지 않습니다.)

방문자 수

시간	오전 9시 ~오전 10시	오전 10시 ~오전 11시	오전 11시 ~낮 12시	낮 12시 ~오후 1시	오후 1시 ~오후 2시
방문자 수 (명)	8	20	㉠	㉡	16

누적 방문자 수

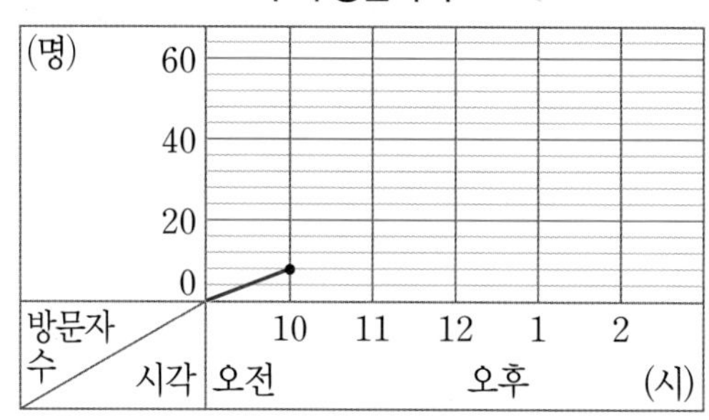

1% 도전

5

어느 영화관에서 4개의 영화 ㉮, ㉯, ㉰, ㉱를 상영하고 있습니다. 왼쪽은 월요일부터 금요일까지 영화별 누적 관람객 수를 나타낸 막대그래프이고, 오른쪽은 ㉰ 영화의 요일별 관람객 수를 나타낸 꺾은선그래프입니다. 금요일의 관람료는 10000원일 때 **㉰ 영화의 금요일 관람료는 모두 얼마**일까요?

영화별 누적 관람객 수

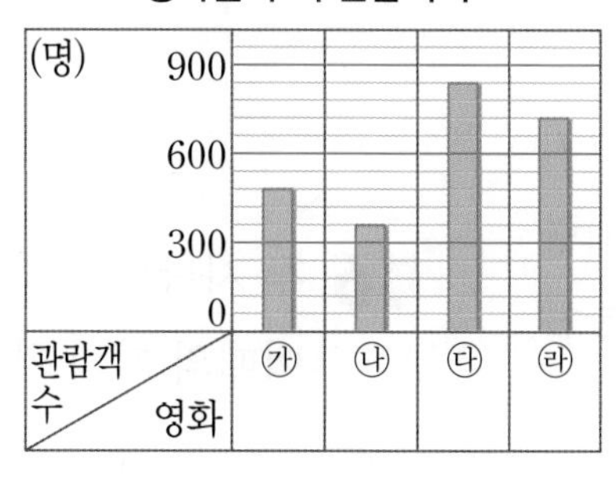

㉰ 영화의 요일별 관람객 수

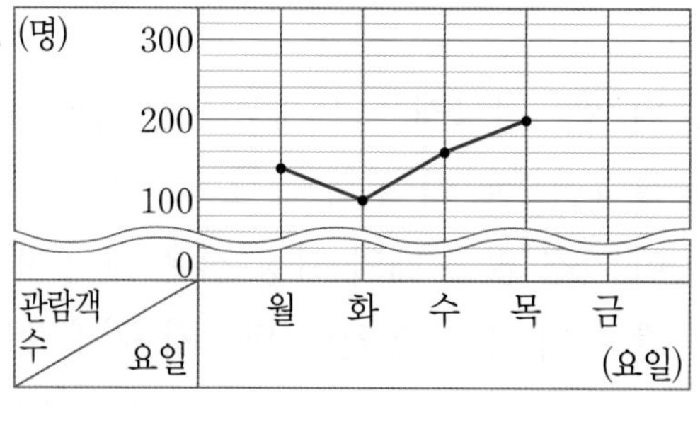

(　　　　　　　　　　)

5 단원

상위권 TEST

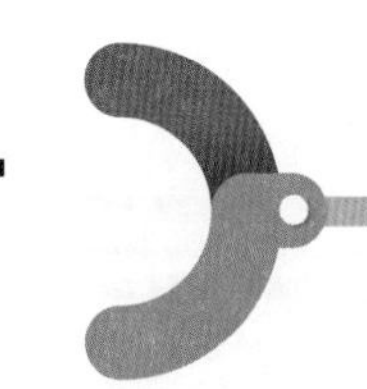

[01~03] 어느 서점의 동화책 판매량을 조사하여 나타낸 꺾은선그래프입니다. 물음에 답하세요.

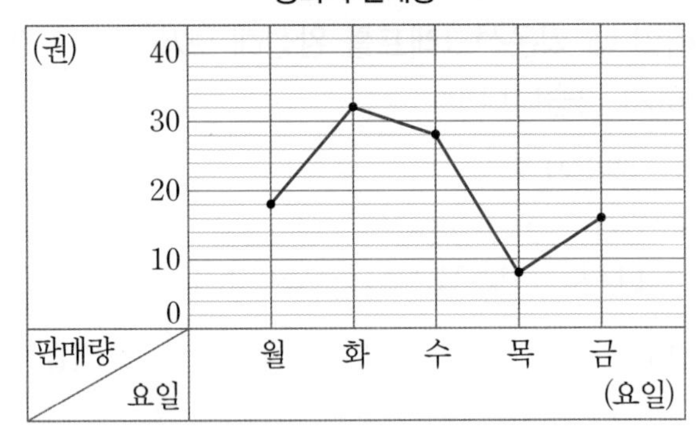

01 이 서점에서 조사한 기간 동안 팔린 동화책은 모두 몇 권인가요?

(　　　　　)

02 동화책 판매량이 전날에 비해 가장 많이 줄어든 때는 언제이고, 전날에 비해 몇 권 줄었는지 구해 보세요.

(　　　　,　　　　)

03 위 꺾은선그래프의 세로 눈금 한 칸의 크기를 4권으로 하여 다시 그리면 동화책 판매량이 가장 많은 때와 가장 적은 때의 세로 눈금 칸 수의 차는 몇 칸이 되는지 구해 보세요.

(　　　　　)

[04~06] 민수와 희정이의 키를 3월부터 8월까지 매월 15일에 조사하여 나타낸 꺾은선그래프입니다. 물음에 답하세요.

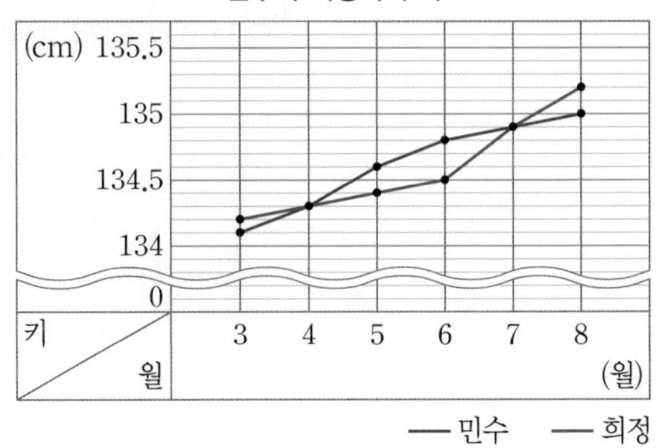

04 조사한 기간 동안 키가 더 많이 큰 사람은 누구이고, 커진 키는 몇 cm인가요?

(　　　　,　　　　)

05 조사한 기간 동안 민수와 희정이의 키가 같았던 때는 모두 몇 번인가요?

(　　　　　)

06 두 사람의 키의 차가 가장 큰 때는 몇 월이고, 이때의 키의 차는 몇 cm인지 구해 보세요.

(　　　　,　　　　)

07 어느 과수원의 연도별 토마토 생산량을 조사하여 나타낸 꺾은선그래프입니다. 조사한 기간 동안 토마토 생산량의 합이 15000 kg일 때 ㉠과 ㉡에 알맞은 수를 각각 구해 보세요.

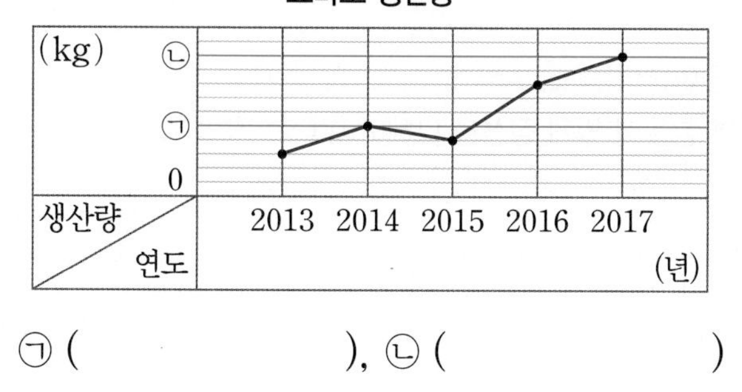

㉠ (   ), ㉡ (   )

[08~09] 혜미와 서준이의 줄넘기 횟수를 조사하여 나타낸 꺾은선그래프입니다. 조사한 기간 동안 두 사람의 줄넘기 횟수의 합이 3000회일 때 물음에 답하세요.

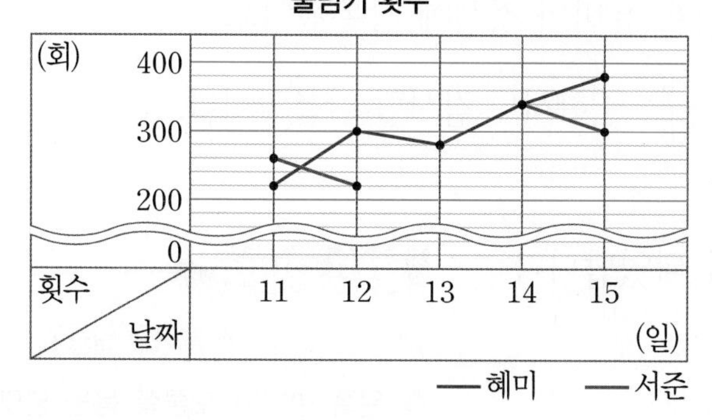

08 위의 꺾은선그래프를 완성해 보세요.

09 혜미의 줄넘기 횟수가 서준이의 줄넘기 횟수보다 80회 적을 때 두 사람의 줄넘기 횟수의 합은 몇 회인가요?

(   )

★ 최상위

10 ㉮와 ㉯ 자동차가 달린 거리를 조사하여 나타낸 꺾은선그래프입니다. ㉮ 자동차는 휘발유 1 L로 12 km를 달릴 수 있고, ㉯ 자동차는 휘발유 1 L로 15 km를 달릴 수 있습니다. 2시간 30분 후 두 자동차가 사용한 휘발유 양의 차는 몇 L쯤인지 구해 보세요.

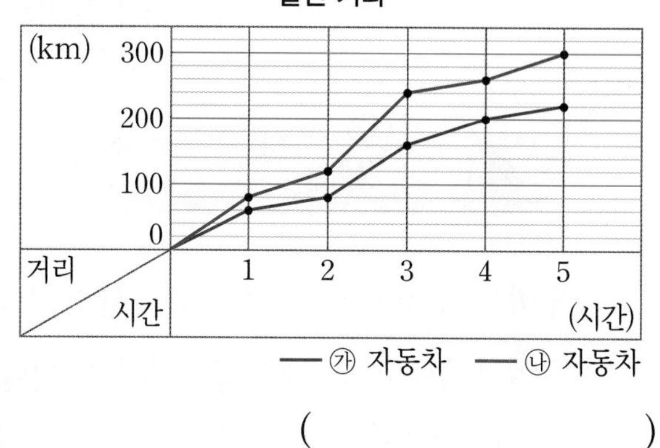

(   )

★ 최상위

11 어느 놀이동산의 월별 입장객 수와 월별 매출액을 조사하여 나타낸 꺾은선그래프입니다. 전달에 비해 입장객 수는 줄었지만 매출액은 늘어난 달의 매출액은 전달에 비해 몇 억 원 늘었는지 구해 보세요.

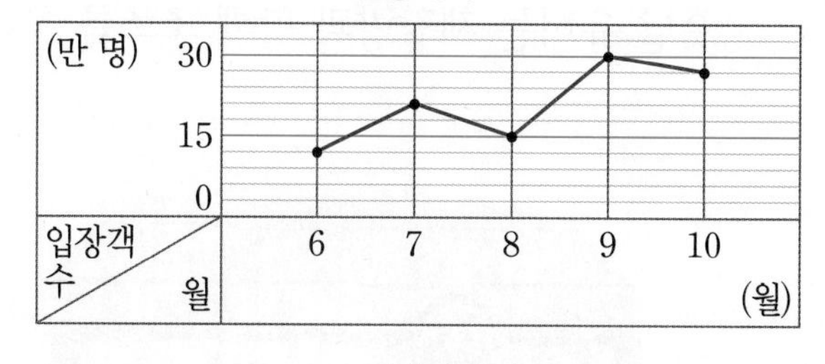

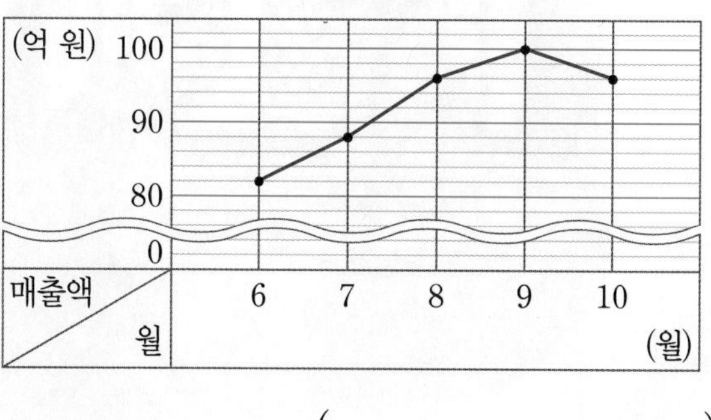

(   )

5 단원

쉬어가기

사자성어

삼고초려

三 顧 草 廬

석 삼 / 돌아볼 고 / 풀 초 / 오두막집 려

바로 뜻 오두막집을 세 번이나 돌아본다는 뜻.

깊은 뜻 뛰어난 인재를 얻으려면 참을성 있게 정성을 다해야 한다는 말이에요.

이럴 때 쓰는 말이야!

유비는 조조와의 전쟁을 대비하기 위하여 관우, 장비와 함께
뛰어난 전략가인 제갈량의 오두막집을 찾아갔어요.
그러나 제갈량을 만날 수가 없었고, 며칠 후 다시 찾아가도 역시 만날 수가 없었어요.
관우와 장비가 불평을 터뜨리자 유비는 이렇게 말했어요.
"원래 귀한 것을 얻으려면 기다릴 줄도 알아야 하는 법이다."
유비는 다시 제갈량을 찾아가 만나게 되었고, 제갈량은 유비의 정성에 감동했어요.
"저같이 부족한 사람도 귀하다 생각하고 □□□□하시니 감사할 따름입니다.
제가 도움이 된다면 온 힘을 다해 모시겠습니다."
훗날 유비는 제갈량과 함께 조조를 물리치고 황제가 되었답니다.

잠깐! Quiz

Q □□□□에 들어갈 말은?

A 왼쪽 한자와 오른쪽 음을 알맞은 것끼리 선으로 이어 봅니다.

三 •	• 초
顧 •	• 삼
草 •	• 고
廬 •	• 려

6 다각형

01 다각형의 구성 요소의 수 구하기
02 정다각형의 한 변의 길이 구하기
03 사각형의 대각선의 성질을 이용하여 변의 길이 구하기
04 다각형에서 대각선의 수 구하기
05 모양 조각으로 주어진 모양 만들기
06 모양 조각으로 주어진 모양 채우기
07 정다각형의 모든 변의 길이의 합 구하기
08 정다각형의 한 각의 크기 구하기
09 모든 변의 길이의 합을 이용하여 정다각형의 이름 알아보기
10 정다각형의 한 변을 길게 늘였을 때 각도 구하기
11 대각선의 수를 이용하여 다각형의 이름 알아보기
12 평면을 빈틈없이 채우는 데 필요한 모양 조각의 개수 구하기
13 사각형의 대각선의 성질을 이용하여 각의 크기 구하기
14 모양 조각으로 채운 도형의 변의 길이 구하기
15 정다각형의 모든 각의 크기의 합을 이용하여 문제 해결하기
16 정다각형의 한 각의 크기를 구하여 문제 해결하기
17 사각형의 대각선의 성질을 이용하여 문제 해결하기
18 이어 붙인 정다각형에서 각의 크기 구하기

1 다각형, 정다각형

(1) 다각형: 선분으로만 둘러싸인 도형

다각형			
변의 수	6개	7개	8개
이름	육각형	칠각형	팔각형

(2) 정다각형: 변의 길이가 모두 같고, 각의 크기가 모두 같은 다각형

정다각형			
변의 수	6개	8개	9개
이름	정육각형	정팔각형	정구각형

응용

2 정다각형의 한 각의 크기 구하기

예 정오각형의 한 각의 크기 구하기

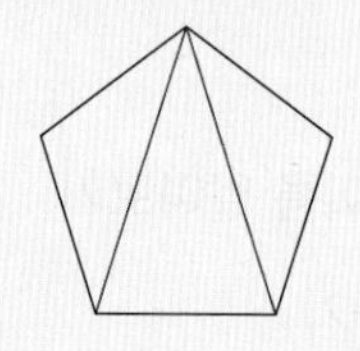

① 정오각형은 삼각형 3개로 나눠집니다.

② (정오각형의 모든 각의 크기의 합)

$=180° \times 3=540°$

└ 삼각형의 세 각의 크기의 합

③ (정오각형의 한 각의 크기)

$=540° \div 5=108°$

선행 개념 [중1] 정다각형의 한 각의 크기

정다각형	정사각형	정오각형	정육각형
모든 각의 크기의 합	$180° \times 2$ $=360°$	$180° \times 3$ $=540°$	$180° \times 4$ $=720°$
한 각의 크기	$360° \div 4$ $=90°$	$540° \div 5$ $=108°$	$720° \div 6$ $=120°$

응용

3 정다각형의 한 변을 길게 늘였을 때 각도 구하기

예 정육각형의 한 변을 길게 늘였을 때 ㉠의 각도 구하기

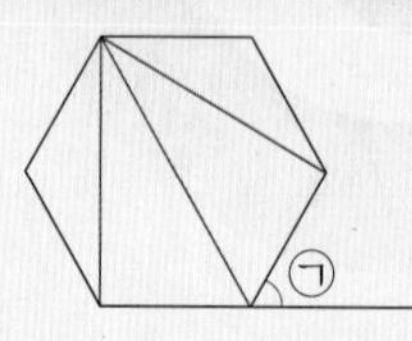

① (정육각형의 모든 각의 크기의 합)

$=180° \times 4=720°$

└ 정육각형은 삼각형 4개로 나눠집니다.

② (정육각형의 한 각의 크기)

$=720° \div 6=120°$

③ ㉠$=180°-$(정육각형의 한 각의 크기)

$=180°-120°=60°$

선행 개념 [중1] 내각과 외각

- **내각:** 다각형에서 이웃하는 두 변으로 이루어진 안쪽의 각
- **외각:** 다각형의 한 꼭짓점을 길게 늘였을 때 생기는 바깥쪽의 각

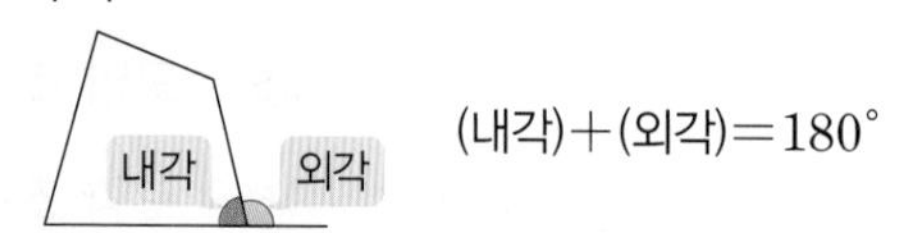

4 대각선

(1) 대각선: 다각형에서 선분 ㄱㄷ, 선분 ㄴㄹ과 같이 서로 이웃하지 않는 두 꼭짓점을 이은 선분

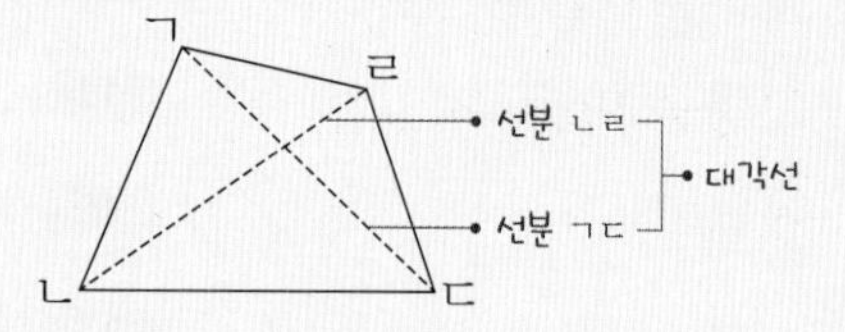

(2) 여러 가지 사각형의 대각선의 성질

① 두 대각선의 길이가 같은 사각형: 직사각형, 정사각형

② 두 대각선이 서로 수직으로 만나는 사각형: 마름모, 정사각형

③ 한 대각선이 다른 대각선을 똑같이 둘로 나누는 사각형: 평행사변형, 마름모, 직사각형, 정사각형

예

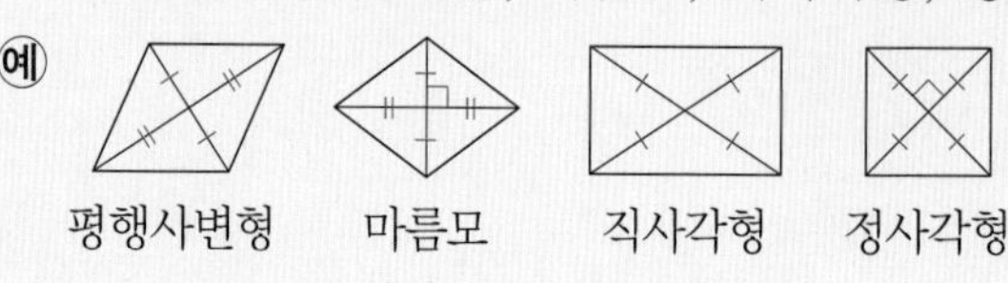

평행사변형 마름모 직사각형 정사각형

응용 5 다각형의 대각선의 수 구하기

예 오각형의 대각선의 수 구하기

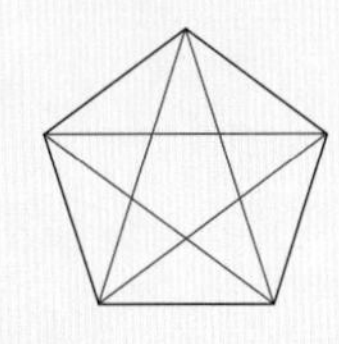

① (한 꼭짓점에서 그을 수 있는 대각선의 수)
$=5-3=2$(개)

② 오각형의 대각선의 수 구하기
➜ $2\times5=10$(개) → $10\div2=5$(개)
└• 대각선이 2번씩 겹칩니다.

참고 삼각형의 모든 꼭짓점은 서로 이웃하고 있으므로 대각선을 그을 수 없습니다.

6 모양 만들기, 모양 채우기

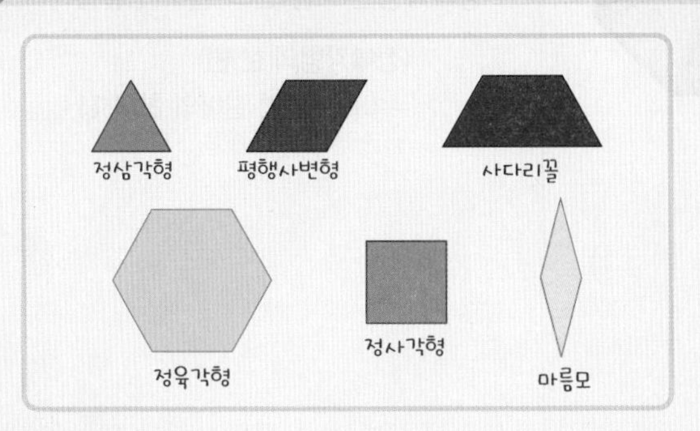

(1) 모양 만들기

다각형으로 이루어진 모양 조각을 사용하여 다양한 모양을 만들 수 있습니다.

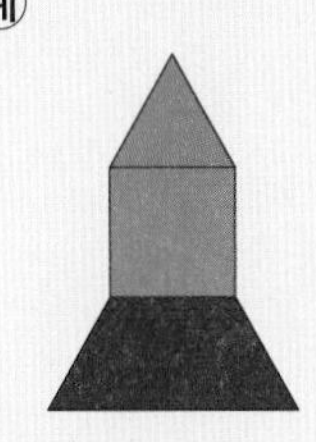
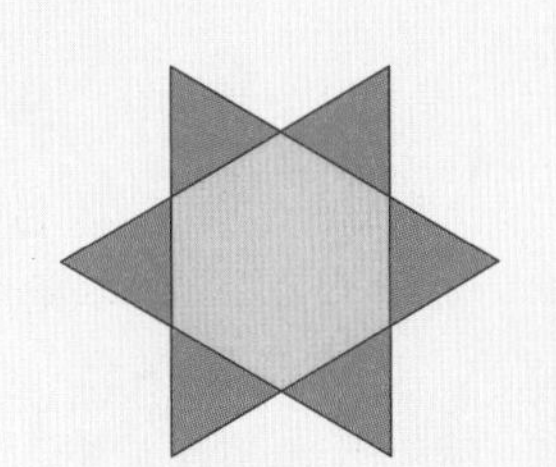
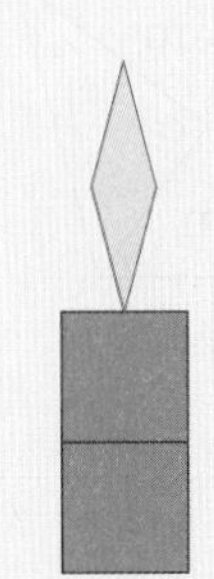

(2) 모양 채우기

모양 조각이 서로 겹치거나 빈틈이 생기지 않게 채울 수 있습니다.

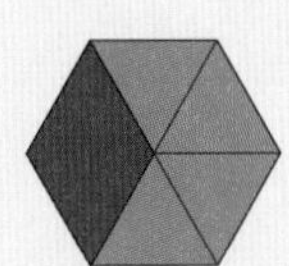
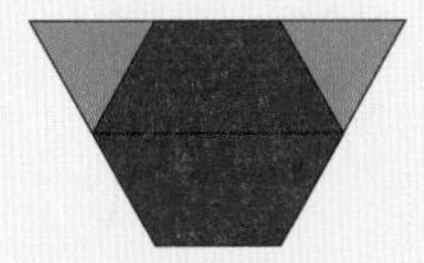

1 다각형의 이름을 써 보세요.

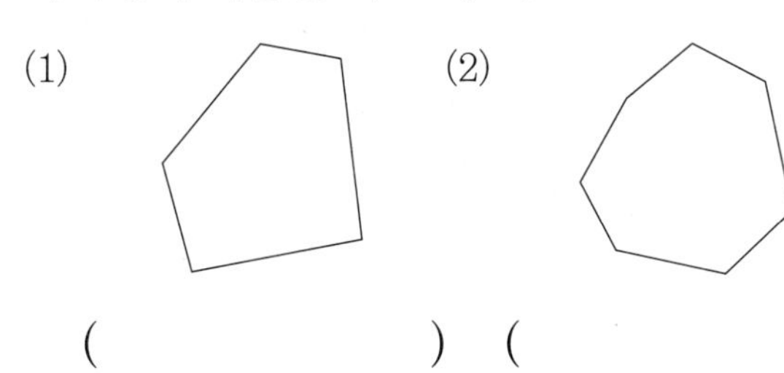

(　　　　　　) (　　　　　　)

2 오른쪽은 한 변이 5 cm인 정팔각형입니다. 이 정팔각형의 모든 변의 길이의 합은 몇 cm일까요?

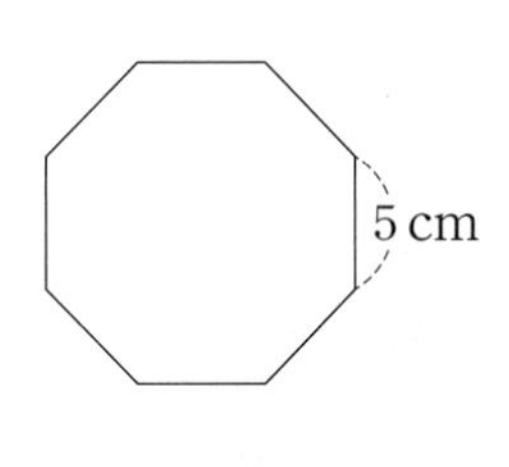

(　　　　　　)

3 두 대각선이 서로 수직으로 만나는 사각형을 모두 찾아 기호를 써 보세요.

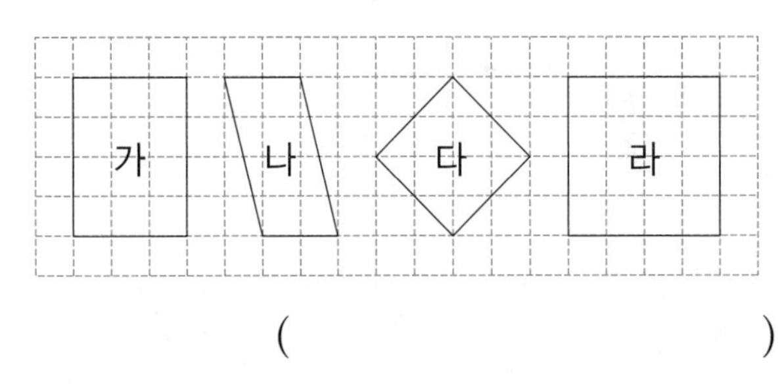

(　　　　　　)

4 2가지 모양 조각을 사용하여 평행사변형을 만들어 보세요. (단, 같은 모양 조각을 여러 번 사용할 수 있습니다.)

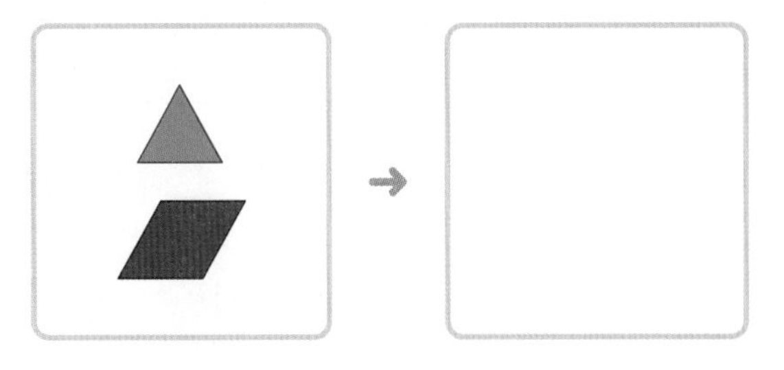

6 단원

응용 공략하기

■ **응용·심화 문제**와 **레벨UP공략법**으로 문제 해결 능력을 키웁니다.

다각형의 구성 요소의 수 구하기

01 **㉠과 ㉡에 알맞은 수의 차**를 구해 보세요.

- 오각형은 각이 ㉠ 개입니다.
- 구각형은 변이 ㉡ 개입니다.

( )

정다각형의 한 변의 길이 구하기

02 창의융합 구절판은 여러 가지 재료들을 밀전병에 싸 먹는 음식으로 보통 정다각형 모양의 그릇에 담습니다. 오른쪽은 구절판을 담은 정다각형 모양의 그릇입니다. 이 그릇의 모든 변의 길이의 합이 48 cm일 때 **한 변은 몇 cm**일까요?

( )

레벨UP 공략 01

정다각형의 모든 변의 길이가 주어졌을 때 한 변의 길이를 구하려면?

정다각형은 모든 변의 길이가 같습니다.

(정■각형의 한 변)
=(모든 변의 길이의 합)÷■

사각형의 대각선의 성질을 이용하여 변의 길이 구하기

서술형

03 오른쪽 평행사변형 ㄱㄴㄷㄹ에서 **선분 ㄱㄷ과 선분 ㄴㄹ의 길이의 합은 몇 cm**인지 구하려고 합니다. 풀이 과정을 쓰고, 답을 구해 보세요.

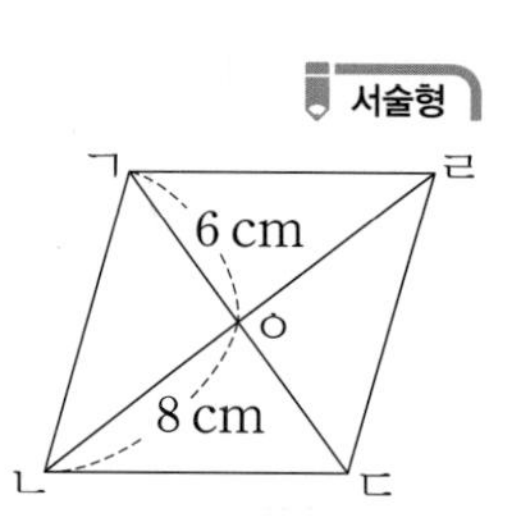

풀이

답

정답 및 풀이 > 36쪽

다각형에서 대각선의 수 구하기

04 두 도형에 각각 **그을 수 있는 대각선의 수의 합은 몇 개**인지 구해 보세요.

육각형	구각형

( )

레벨UP 공략 02

■각형에 그을 수 있는 대각선의 수를 구하려면?

한 꼭짓점에서 그을 수 있는 대각선의 수

■−3=▲

■각형의 꼭짓점의 수

↓

대각선의 수

▲×■=● → ●÷2

대각선이 2번씩 겹칩니다.

[05~06] 모양 조각을 보고 물음에 답하세요.

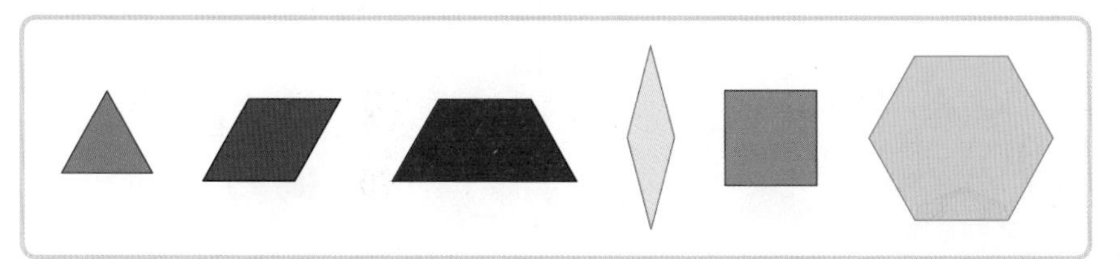

모양 조각으로 주어진 모양 만들기

05 모양 조각을 사용하여 **모양을 만들어 보세요**. (단, 같은 모양 조각을 여러 번 사용할 수 있습니다.)

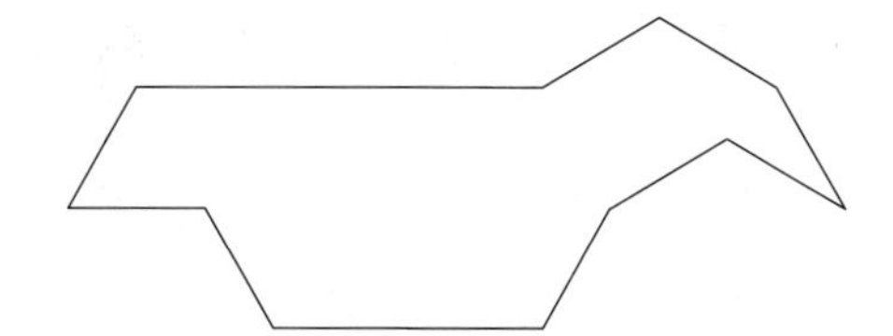

모양 조각으로 주어진 모양 채우기

06 한 가지 모양 조각으로 주어진 모양을 채우려고 합니다. **모양을 채울 수 있는 다각형의 이름**을 모두 써 보세요.

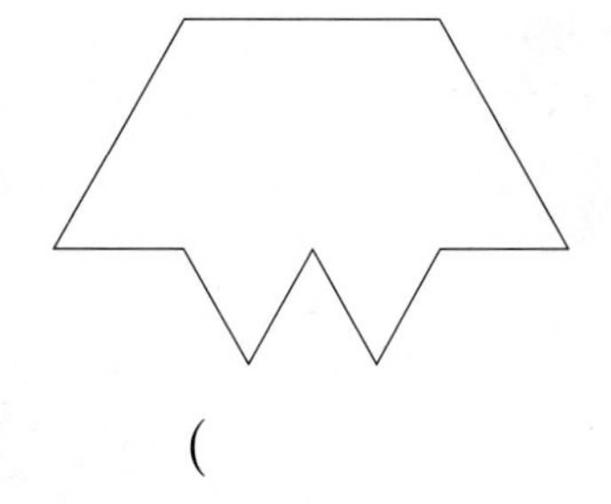

( )

해결 순서

❶ 한 가지 모양 조각으로 주어진 모양을 채울 수 있는 경우 알아보기

❷ 모양을 채울 수 있는 다각형의 이름 모두 알아보기

6 단원

정다각형의 모든 변의 길이의 합 구하기

07 길이가 2 m인 철사를 겹치지 않게 사용하여 한 변이 7 cm인 정오각형을 여러 개 만들려고 합니다. **정오각형을 몇 개까지 만들 수 있고, 남는 철사의 길이는 몇 cm**일까요?

(,)

해결 순서
❶ 정오각형 한 개의 모든 변의 길이의 합 구하기
❷ 만들 수 있는 정오각형의 개수와 남는 철사의 길이 각각 구하기

정다각형의 한 각의 크기 구하기

08 창의융합 혜주는 정사각형 모양의 색종이를 다음과 같이 접어서 정팔각형을 만들었습니다. 만든 **정팔각형의 한 각의 크기**를 구해 보세요.

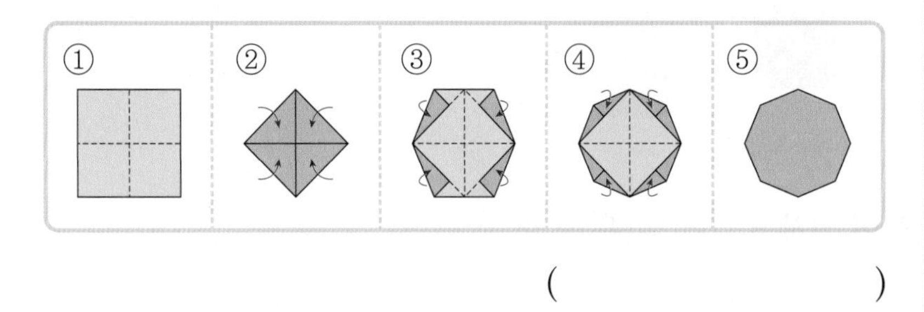

( )

레벨UP 공략 03

정■각형의 한 각의 크기를 구하려면?
정■각형은 삼각형 (■−2)개로 나눠집니다.

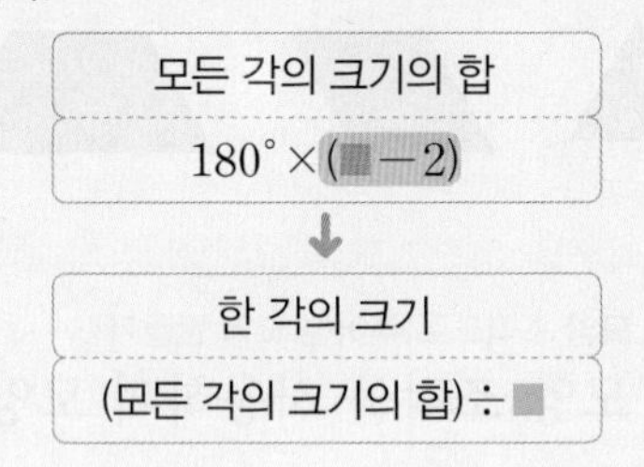

모든 변의 길이의 합을 이용하여 정다각형의 이름 알아보기

09 승훈이와 민정이는 각각 다음과 같은 정다각형을 한 개씩 그렸습니다. 두 사람이 그린 정다각형의 모든 변의 길이의 합이 같을 때 민정이가 그린 **정다각형의 이름**을 써 보세요.

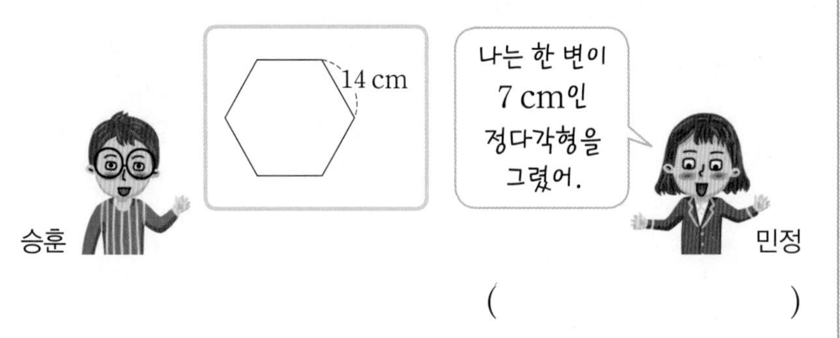

( )

해결 순서
❶ 승훈이가 그린 정다각형의 모든 변의 길이의 합 구하기
❷ 민정이가 그린 정다각형의 이름 알아보기

정다각형의 한 변을 길게 늘였을 때 각도 구하기

서술형

10 오른쪽 그림은 정구각형의 한 변을 길게 늘인 것입니다. ㉠**의 각도**를 구하는 풀이 과정을 쓰고, 답을 구해 보세요.

풀이

답

레벨 UP 공략 04

정다각형의 한 변을 길게 늘였을 때 바깥쪽의 각도를 구하려면?

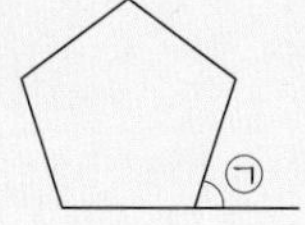

직선 위의 한 점을 꼭짓점으로 하는 각의 크기는 180°입니다.

→ ㉠=180°−(정다각형의 한 각의 크기)

대각선의 개수를 이용하여 다각형의 이름 알아보기

11 준석이는 다각형을 그린 후 그린 다각형에 대각선을 그었더니 모두 44개였습니다. 준석이가 그린 **다각형의 이름**을 써 보세요.

( )

해결 순서

❶ 다각형의 꼭짓점의 수 구하기

❷ 다각형의 이름 알아보기

평면을 빈틈없이 채우는 데 필요한 모양 조각의 개수 구하기

12 왼쪽 모양 조각을 겹치지 않게 놓아 오른쪽 정삼각형을 빈틈없이 채우려고 합니다. **필요한 모양 조각은 모두 몇 개**인지 구해 보세요.

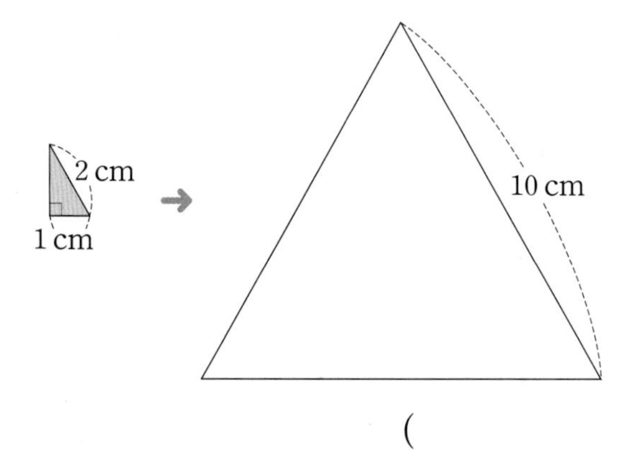

( )

레벨 UP 공략 05

모양 조각으로 주어진 도형을 빈틈없이 채우려면?

주어진 도형을 채울 수 있도록 모양 조각을 이어 붙여서 새로운 모양을 만들어 봅니다.

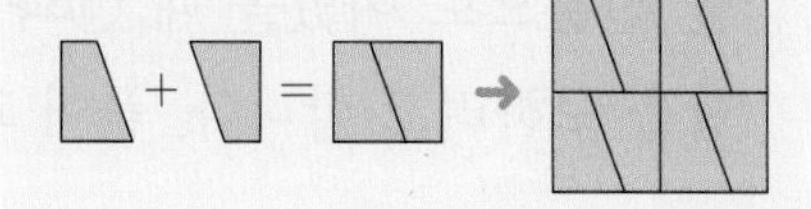

6 단원

사각형의 대각선의 성질을 이용하여 각의 크기 구하기

13 직사각형 ㄱㄴㄷㄹ에 두 대각선을 그은 것입니다. **각 ㄱㄹㄴ의 크기**를 구해 보세요.

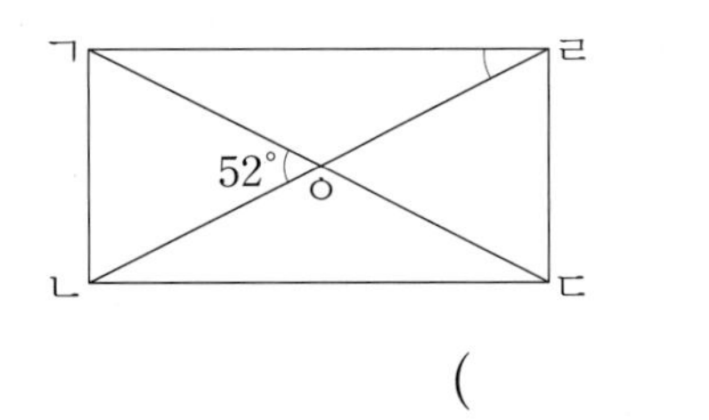

( )

해결 순서
① 각 ㄱㄴㅇ의 크기 구하기
② 각 ㄱㄹㄴ의 크기 구하기

모양 조각으로 채운 도형의 변의 길이 구하기

14 왼쪽 모양 조각은 한 변이 3 cm인 정사각형 4개를 겹치지 않게 이어 붙여 만든 것입니다. 이 모양 조각을 겹치지 않게 놓아 오른쪽 정사각형을 빈틈없이 채웠습니다. **정사각형의 네 변의 길이의 합은 몇 cm**일까요?

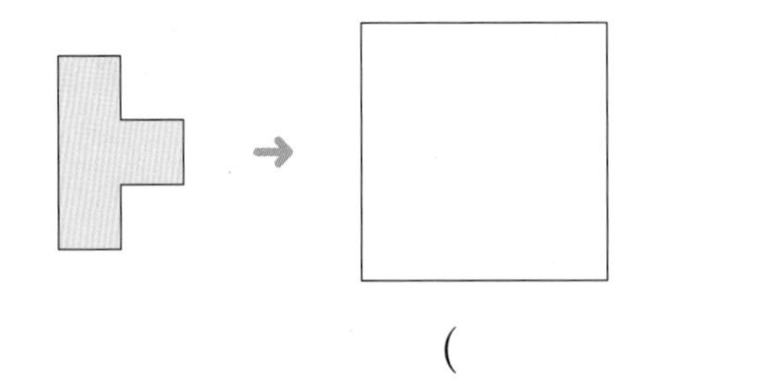

( )

해결 순서
① 정사각형의 한 변의 길이 구하기
② 정사각형의 네 변의 길이의 합 구하기

정다각형의 모든 각의 크기의 합을 이용하여 문제 해결하기 서술형

15 오른쪽 그림은 원 위에 8개의 점을 찍고, 찍은 점을 연결하여 정팔각형을 그린 것입니다. 원의 중심 ㅇ과 정팔각형의 꼭짓점을 선분으로 이었을 때 **㉠과 ㉡의 각도의 합**을 구하려고 합니다. 풀이 과정을 쓰고, 답을 구해 보세요.

풀이

답

정다각형의 한 각의 크기를 구하여 문제 해결하기

16 신유형 나팔꽃의 가운데에 있는 별 모양의 꼭짓점을 따라 선을 그으면 오른쪽과 같이 정오각형이 만들어집니다. 오른쪽 정오각형에서 **각 ㄷㄱㄹ의 크기**를 구해 보세요.

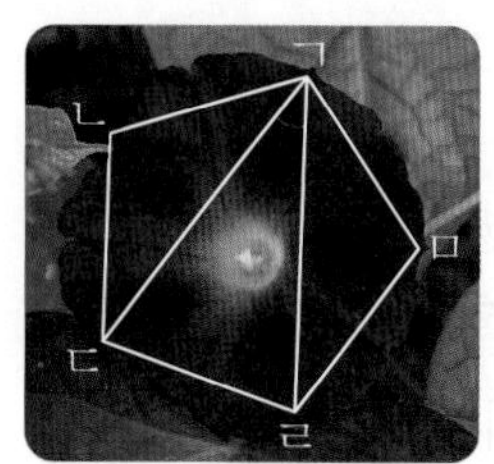

( )

레벨 UP 공략 06

정■각형의 이웃하는 세 꼭짓점을 이어 만든 삼각형은?

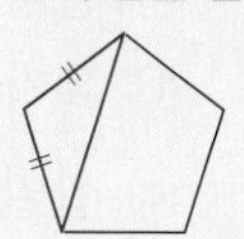
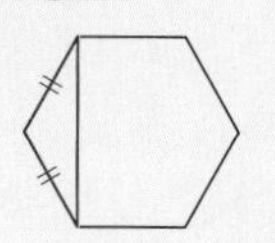
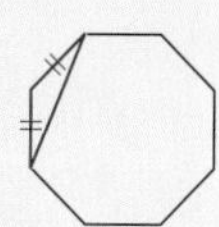

(만든 삼각형의 두 변)
=(정■각형의 두 변)
→ 두 변의 길이가 같으므로 이등변삼각형입니다.

사각형의 대각선의 성질을 이용하여 문제 해결하기

17 사각형 ㄱㄴㄷㄹ은 마름모이고, 사각형 ㄱㄷㅁㄹ은 평행사변형입니다. **각 ㄱㄴㄹ의 크기**를 구해 보세요.

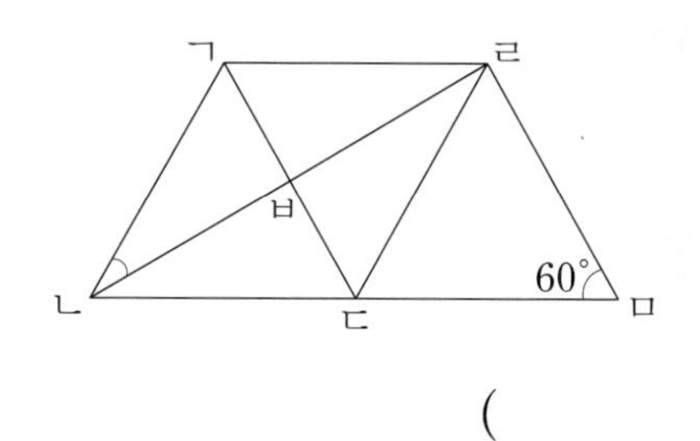

( )

해결 순서
1. 각 ㄹㄱㄷ과 각 ㄱㅂㄹ의 크기 각각 구하기
2. 각 ㄱㄹㅂ의 크기 구하기
3. 각 ㄱㄴㄹ의 크기 구하기

이어 붙인 정다각형에서 각의 크기 구하기

18 정오각형과 정육각형을 겹치지 않게 이어 붙인 것입니다. **각 ㄹㅁㅊ의 크기**를 구해 보세요.

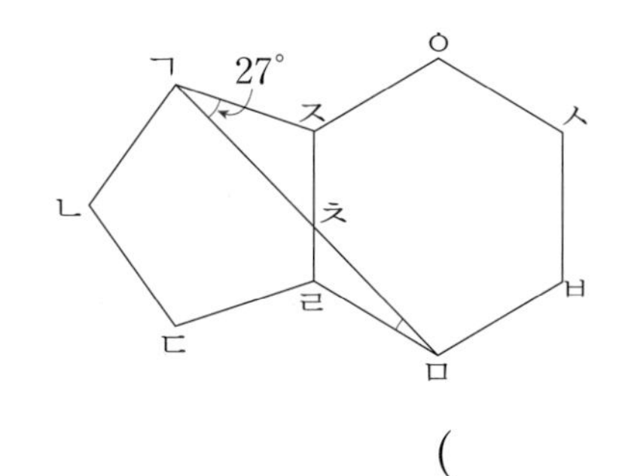

( )

해결 순서
1. 각 ㄱㅊㅈ의 크기 구하기
2. 각 ㄹㅊㅁ의 크기 구하기
3. 각 ㄹㅁㅊ의 크기 구하기

6 단원

심화 해결하기

■ **레벨UP공략법**을 활용한 **고난도 문제**를 스스로 해결하고 발전합니다.

01 ㉠, ㉡, ㉢**의 합은 몇 개**인지 구해 보세요.

㉠ 팔각형의 변의 수
㉡ 육각형의 꼭짓점의 수
㉢ 십일각형의 각의 수

(　　　　　　　　　　)

02 칠판에 쓰여 있는 **정다각형의 이름**은 무엇일까요?

한 변이 12 cm이고, 모든 변의 길이의 합이 240 cm인 정다각형

(　　　　　　　　　　)

서술형

03 오른쪽 정사각형 ㄱㄴㄷㄹ에서 **각 ㄱㄴㅇ의 크기**를 구하려고 합니다. 풀이 과정을 쓰고, 답을 구해 보세요.

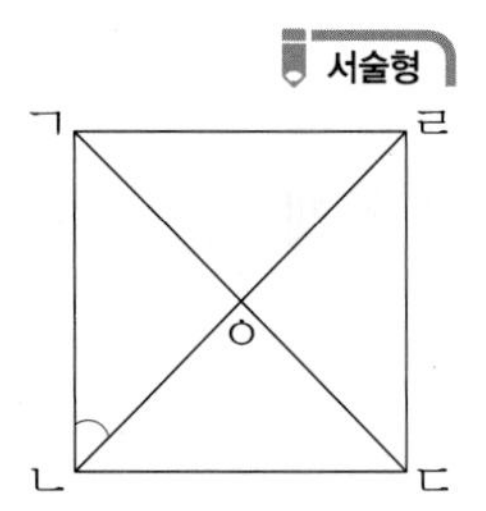

풀이

답

04 오른쪽 직사각형 ㄱㄴㄷㄹ에서 **삼각형 ㄱㅁㄹ의 세 변의 길이의 합은 몇 cm**인지 구해 보세요.

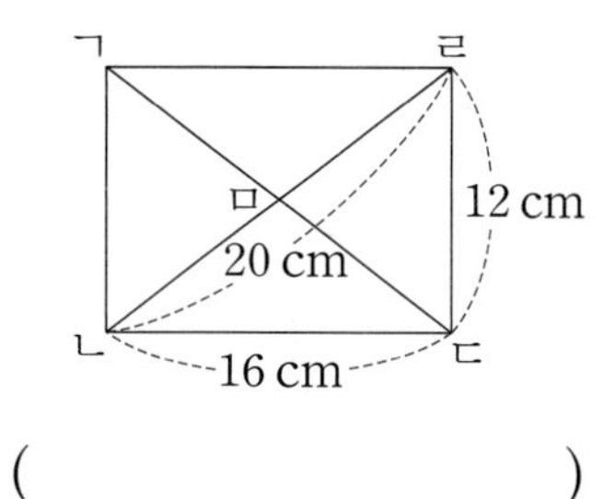

( )

05 소설 '플랫랜드'에 대한 이야기입니다. 이 책의 다음과 같은 내용을 읽고 **계급이 가장 높은 다각형의 이름을 쓰고, 이 다각형의 대각선은 모두 몇 개**인지 구해 보세요.

신유형

플랫랜드는 모든 것이 납작한 평면의 나라입니다. 플랫랜드에 사는 사람들은 계급이 높아질수록 변의 수가 많아집니다.

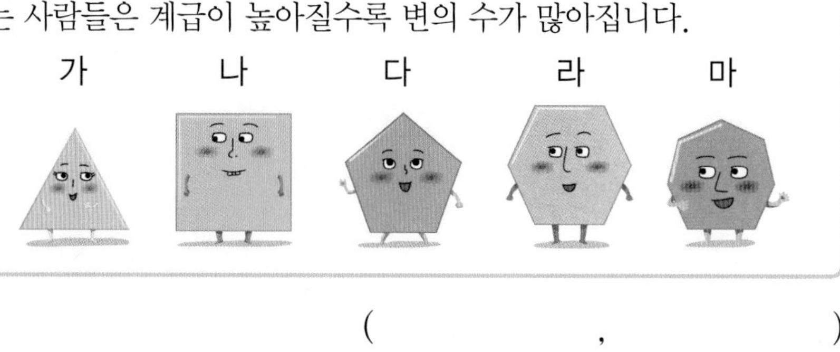

(,)

06 정다각형 가, 나, 다의 모든 변의 길이의 합은 모두 같습니다. 정다각형 나와 다의 **한 변의 길이의 합은 몇 cm**일까요?

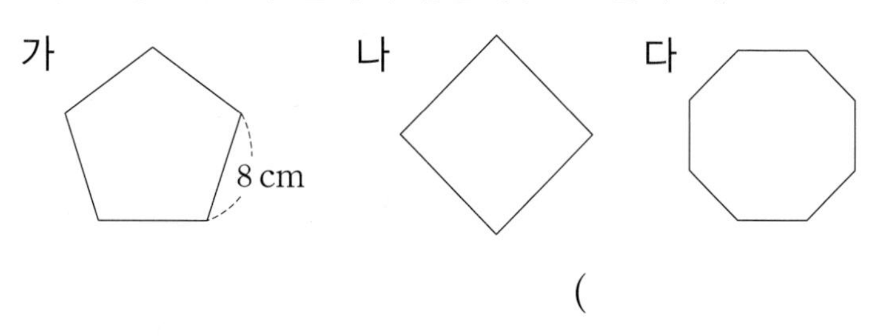

( )

6 단원

심화 해결하기

07 오른쪽 도형은 정팔각형입니다. 정팔각형의 꼭짓점 중에서 3개의 점을 이어 만들 수 있는 **이등변삼각형은 모두 몇 개**일까요?

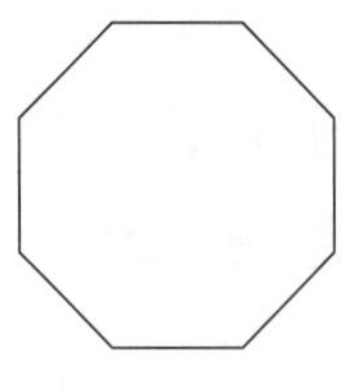

(　　　　　　　　)

08 오른쪽 그림은 마름모 ㄱㄴㄷㄹ에 대각선을 그은 것입니다. **변 ㄱㄴ의 길이는 몇 cm**인지 구해 보세요.

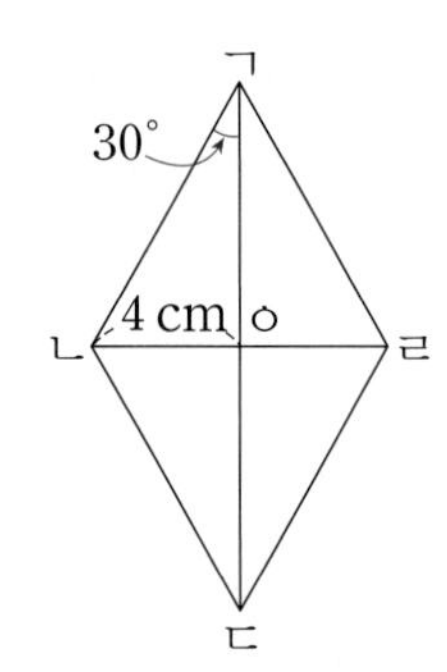

(　　　　　　　　)

09 모양 조각을 모두 사용하여 채우기를 하였을 때 **㉠의 각도**를 구해 보세요. (단, 같은 모양 조각을 여러 번 사용할 수 있습니다.)

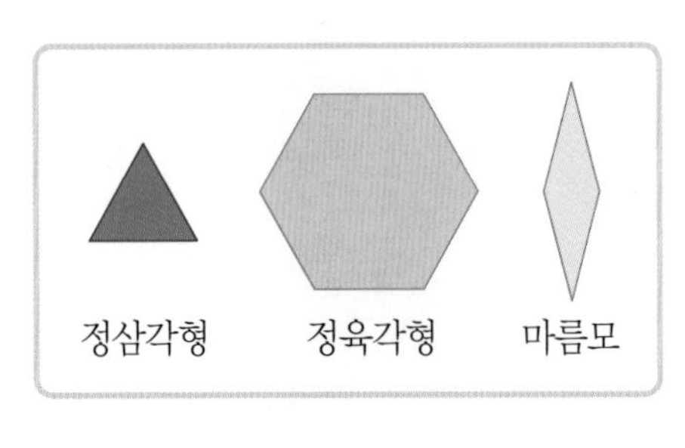

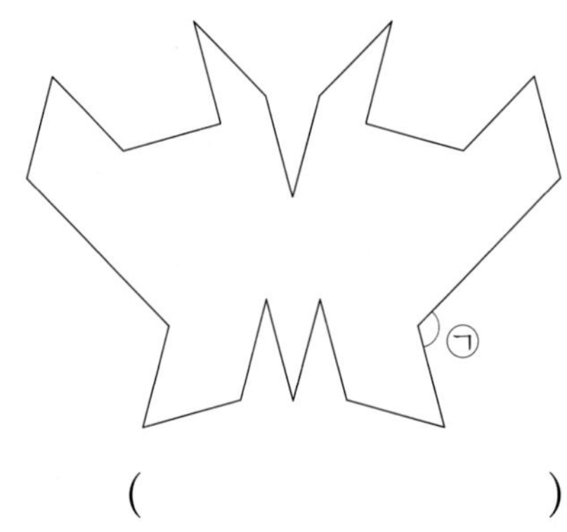

(　　　　　　　　)

10 오른쪽 그림에서 ㉠**의 각도**를 구해 보세요.

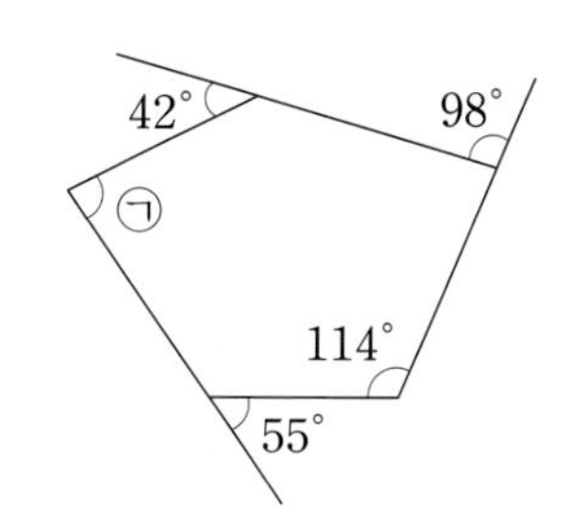

( )

11 창의융합 강은이는 한 대각선이 16 cm인 정사각형 모양 칠교판의 모양 조각 중에서 5조각을 사용하여 오른쪽과 같은 정사각형을 만들었습니다. **만든 정사각형의 네 변의 길이의 합은 몇 cm**일까요?

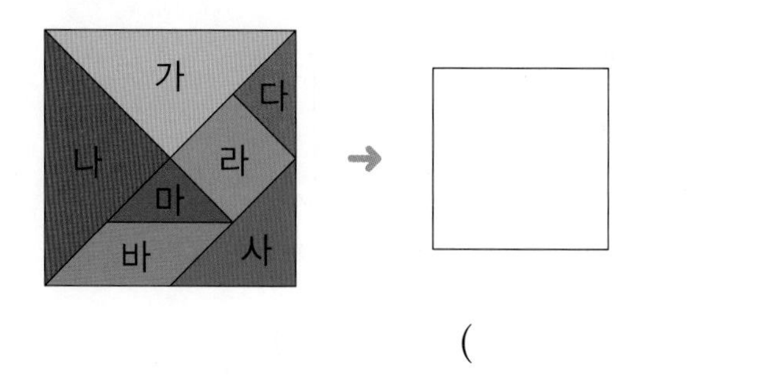

( )

서술형

12 정다각형 ㉮와 ㉯가 있습니다. 정다각형 ㉮와 ㉯의 한 변의 길이는 같고, 변의 개수의 차는 4개입니다. 정다각형 ㉮의 모든 변의 길이의 합은 63 cm이고, 정다각형 ㉯의 모든 변의 길이의 합은 35 cm입니다. **정다각형 ㉯의 이름**은 무엇인지 풀이 과정을 쓰고, 답을 구해 보세요.

풀이

답

6 단원

13 빨대를 사용하여 주어진 조건을 모두 만족하는 도형을 만들려고 합니다. **필요한 빨대는 모두 몇 개**인지 구해 보세요.

- 선분으로만 둘러싸인 도형입니다.
- 빨대 한 개로 한 변을 만듭니다.
- 대각선이 35개입니다.

(　　　　　　　　)

14 오른쪽과 같은 직각삼각형 모양 조각 240개를 겹치지 않게 놓아 가로가 30 cm이고 세로가 24 cm인 직사각형을 빈틈없이 채웠습니다. **㉠의 길이는 몇 cm**일까요?

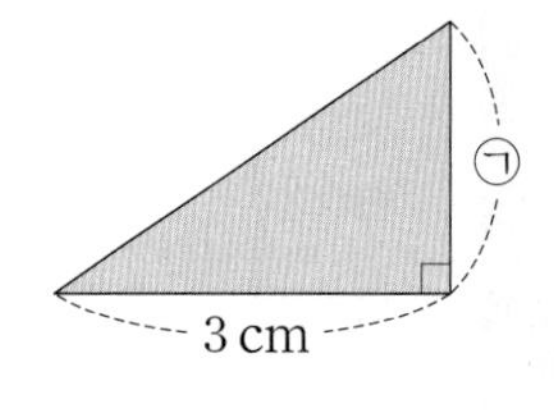

(　　　　　　　　)

서술형

15 모든 각의 크기의 합이 1440°인 정다각형이 있습니다. 이 정다각형의 한 변이 9 cm일 때 **모든 변의 길이의 합은 몇 cm**인지 풀이 과정을 쓰고, 답을 구해 보세요.

풀이

답

16 창의융합 오른쪽은 미국의 국방부 건물인 펜타곤을 위에서 내려다 본 모양으로 정오각형 모양입니다. **㉠의 각도**를 구해 보세요.

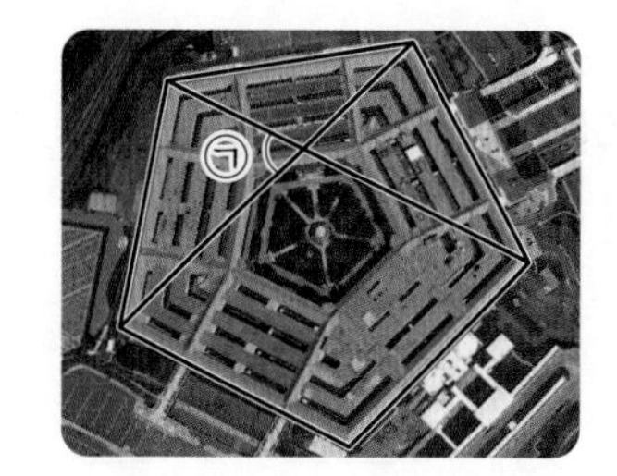

(　　　　　　　　　)

17 사각형 ㄱㄴㄷㄹ은 직사각형이고, 사각형 ㄹㄷㅂㅁ은 정사각형입니다. 사각형 ㄱㄴㄷㄹ의 한 대각선이 14 cm일 때 **사각형 ㄹㄷㅂㅁ의 네 변의 길이의 합은 몇 cm**일까요?

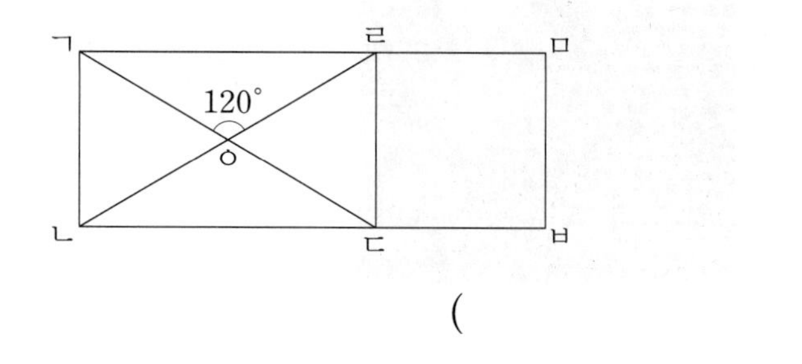

(　　　　　　　　　)

18 한 변이 6 cm인 정육각형을 규칙에 따라 겹치지 않게 이어 붙였습니다. **정육각형을 27개 이어 붙여 만든 도형의 모든 변의 길이의 합은 몇 cm**일까요?

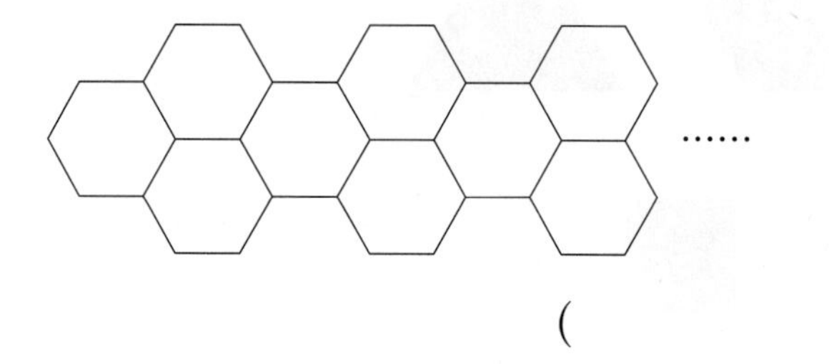

(　　　　　　　　　)

6 단원

최상위 도전하기

■ **경시 수준**의 **최상위 문제**에
도전하여 사고력을 키웁니다.

문제 강의

1

규칙에 따라 다각형을 늘어놓고 있습니다. **10째에 놓이는 다각형의 대각선은 모두 몇 개**일까요?

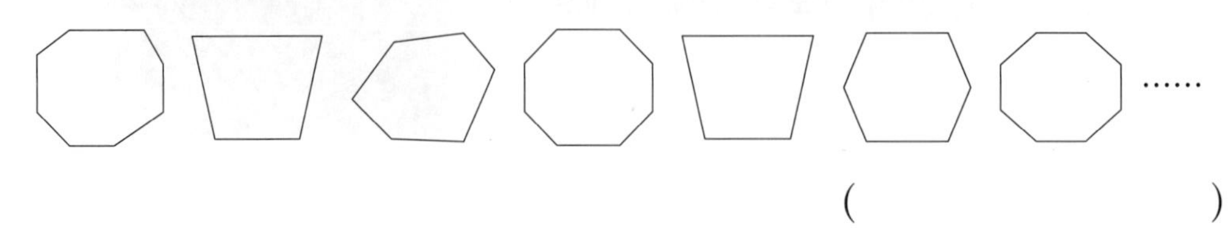

( )

2

창의융합

벌집의 내부는 정육각형 모양의 방들로 이루어져 있습니다. 다음은 정육각형 모양인 벌집 한 개의 각 변을 길게 늘인 것입니다. ㉠, ㉡, ㉢, ㉣, ㉤, ㉥**의 각도의 합**을 구해 보세요.

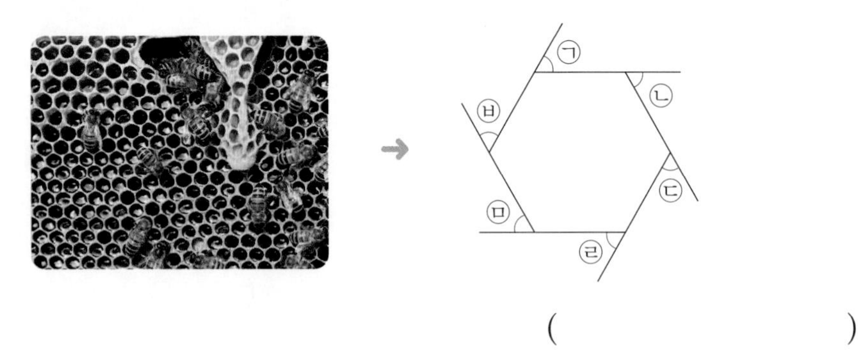

( )

3

보기의 모양 조각을 사용하여 다음과 같은 모양을 만들려고 합니다. 모양 조각을 **가장 많이 사용할 때와 가장 적게 사용할 때의 모양 조각의 개수의 차는 몇 개**일까요? (단, 같은 모양 조각을 여러 번 사용할 수 있습니다.)

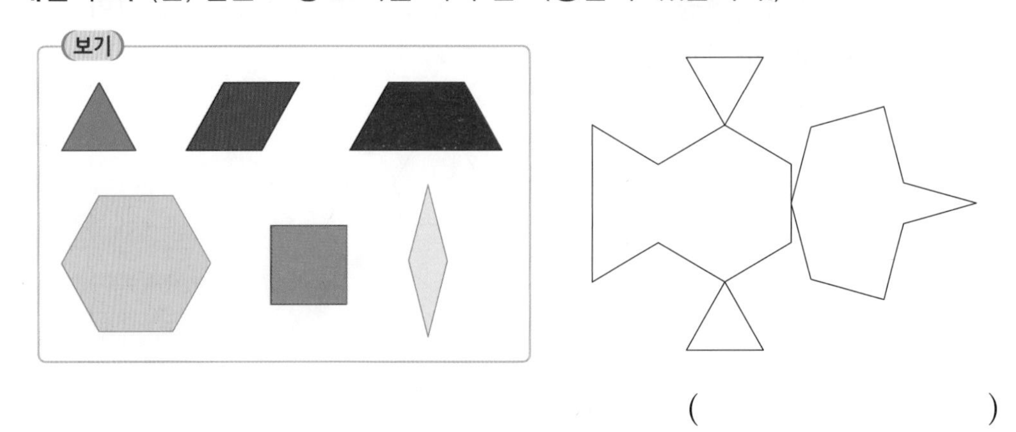

( )

4

어떤 정다각형의 일부와 직선이 맞닿아 이루는 각도를 나타낸 것입니다. 이 **정다각형의 이름**을 써 보세요.

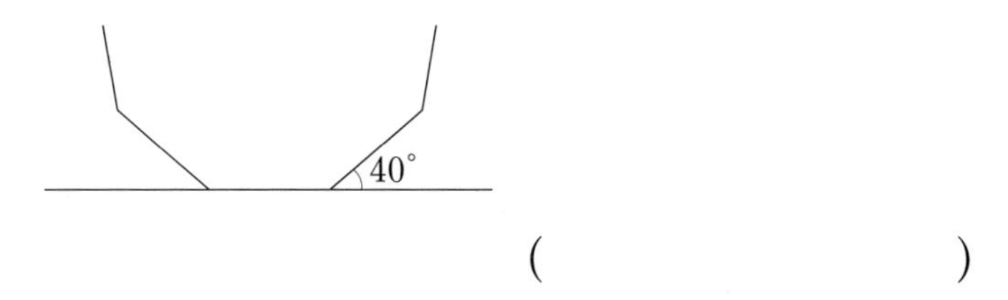

(　　　　　　　　)

5

오른쪽 그림은 정오각형, 정사각형, 정삼각형을 겹치지 않게 이어 붙인 것입니다. 정오각형의 한 변인 변 ㄱㅇ과 정삼각형의 한 변인 변 ㅁㅂ을 길게 늘여 만나는 점을 점 ㅈ이라 할 때 **각 ㅇㅈㅂ의 크기**를 구해 보세요.

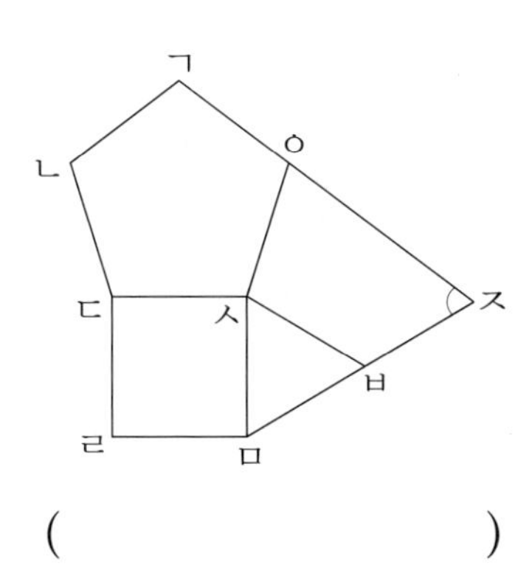

(　　　　　　　　)

1% 도전

6

두 대각선의 길이의 합이 28 cm이고, 차가 4 cm인 마름모 모양의 종이가 있습니다. 이 종이의 두 대각선을 따라 잘랐을 때 만들어지는 4개의 조각을 이어 붙여서 직사각형을 만들려고 합니다. 만들 수 있는 직사각형 중 **네 변의 길이의 합이 가장 긴 직사각형의 네 변의 길이의 합은 몇 cm**인지 구해 보세요. (단, 두 대각선의 길이는 자연수입니다.)

(　　　　　　　　)

6 단원

상위권 TEST

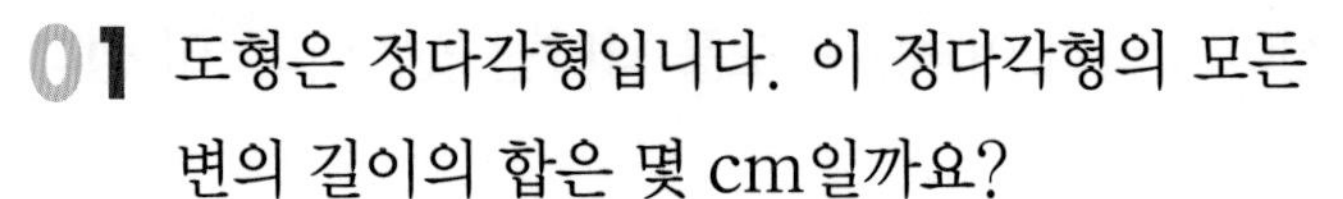

01 도형은 정다각형입니다. 이 정다각형의 모든 변의 길이의 합은 몇 cm일까요?

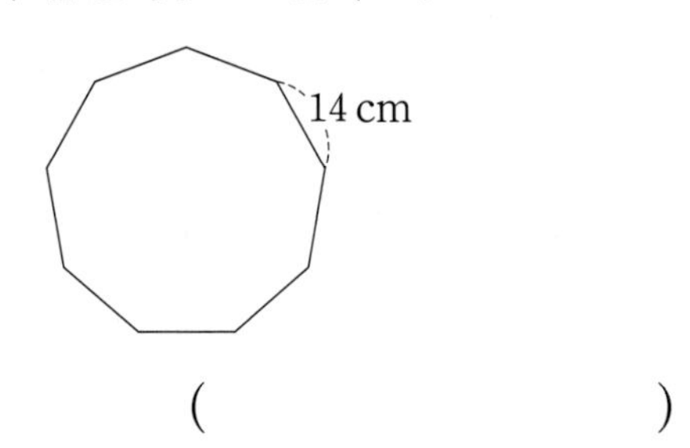

(　　　　　　　　　)

02 정사각형 ㄱㄴㄷㄹ에서 선분 ㄱㄷ과 선분 ㄴㄹ의 길이의 합은 몇 cm일까요?

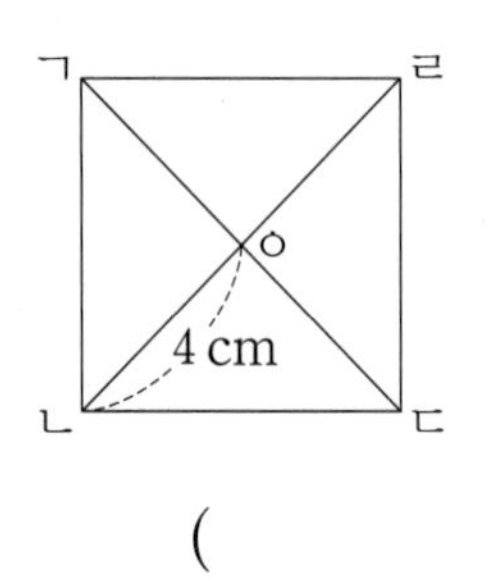

(　　　　　　　　　)

03 길이가 1 m인 철사가 있습니다. 재우는 이 철사를 사용하여 한 변이 7 cm인 정육각형을 2개 만들었습니다. 남은 철사의 길이는 몇 cm일까요?

(　　　　　　　　　)

04 변이 10개인 다각형에 그을 수 있는 대각선은 모두 몇 개일까요?

(　　　　　　　　　)

05 모양 조각을 모두 사용하여 모양을 만들어 보세요. (단, 같은 모양 조각을 여러 번 사용할 수 있습니다.)

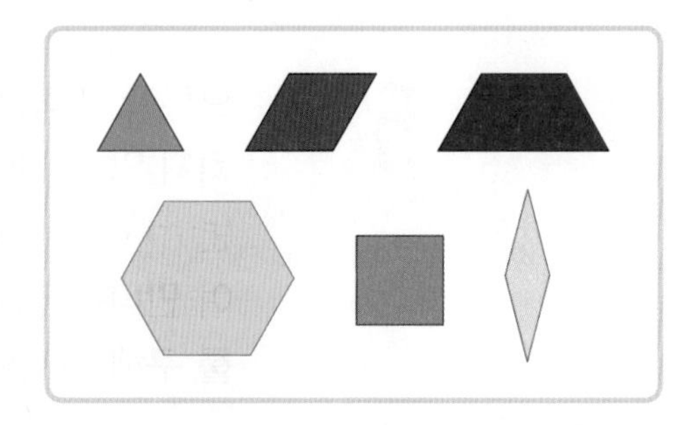

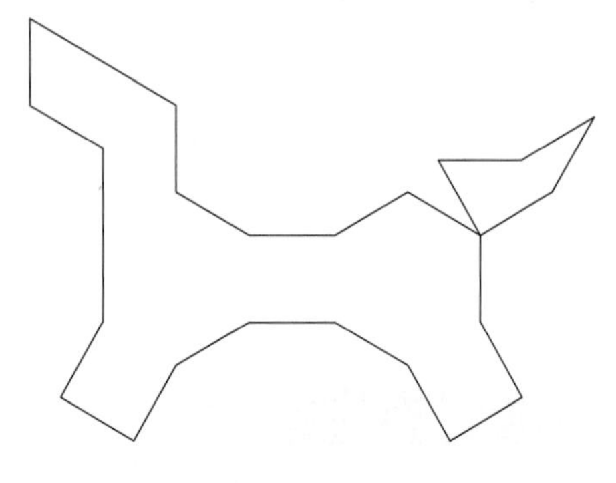

06 직사각형 ㄱㄴㄷㄹ에서 각 ㅇㄴㄷ의 크기를 구해 보세요.

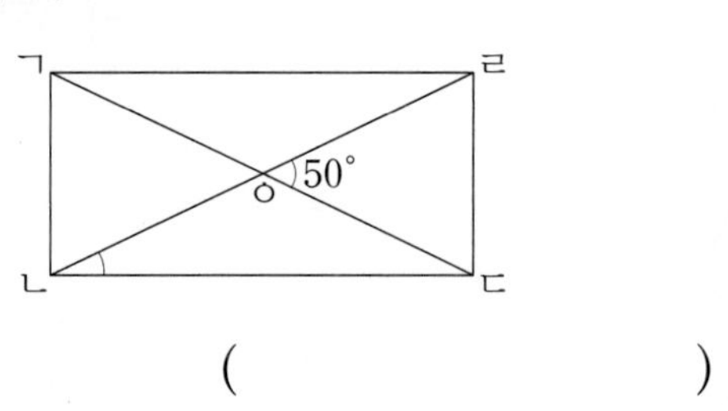

(　　　　　　　　　)

정답 및 풀이 > 41쪽

07 어떤 다각형의 대각선은 모두 90개입니다. 이 다각형의 변은 몇 개일까요?

( )

08 그림에서 ㉠의 각도를 구해 보세요.

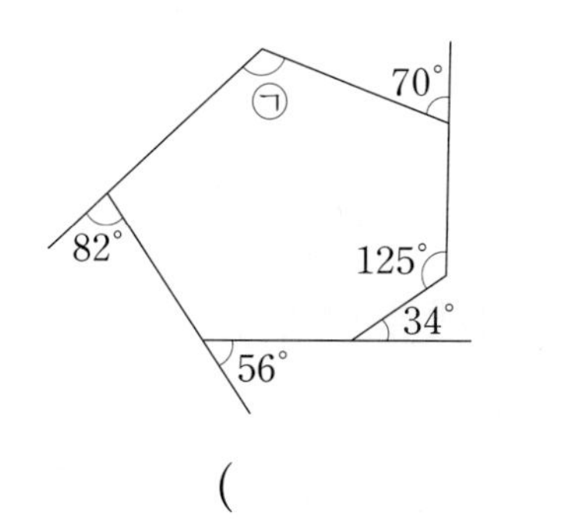

( )

09 오른쪽 모양 조각을 사용하여 다음과 같이 새로운 정사각형을 계속 만들려고 합니다. 한 변이 30 cm인 정사각형을 만들려면 모양 조각은 모두 몇 개 필요할까요?

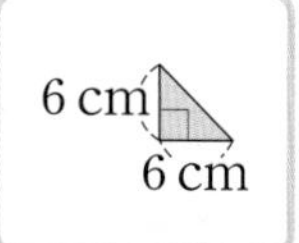

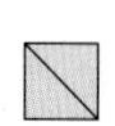 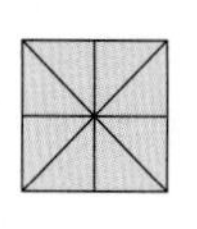 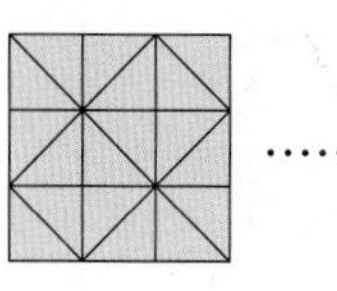 ......

( )

10 정다각형 ㉮와 ㉯가 있습니다. 정다각형 ㉮와 ㉯의 한 변의 길이는 같고, 변의 개수의 차는 3개입니다. 정다각형 ㉮의 모든 변의 길이의 합은 84 cm이고, 정다각형 ㉯의 모든 변의 길이의 합은 63 cm입니다. 정다각형 ㉮의 이름을 써 보세요.

( )

★ 최상위

11 오른쪽과 같은 정구각형에서 각 ㄷㄱㅇ의 크기를 구해 보세요.

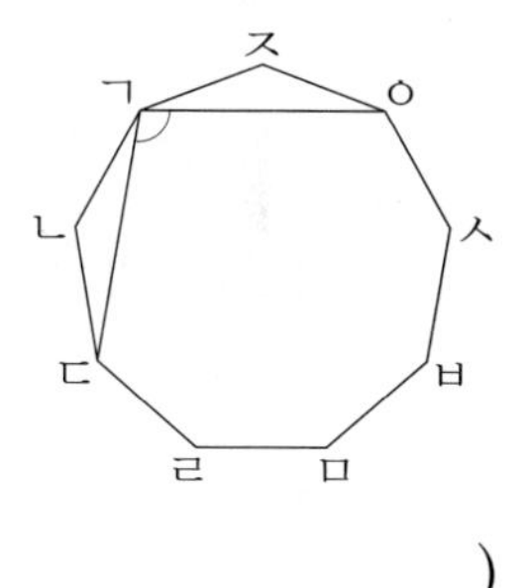

( )

★ 최상위

12 정오각형과 정육각형을 겹치지 않게 이어 붙인 것입니다. 정오각형의 한 변인 변 ㄴㄷ과 정육각형의 한 변인 변 ㅁㅂ을 길게 늘여 만나는 점을 점 ㅊ이라 할 때 각 ㄷㅊㅁ의 크기를 구해 보세요.

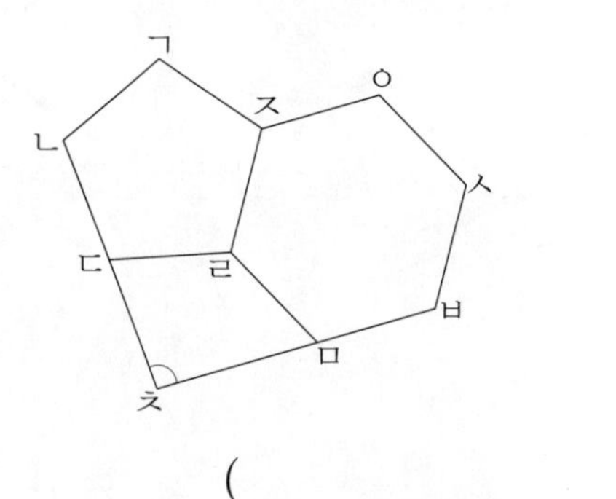

( )

6 단원

쉬어가기 사자성어

일망타진

一 網 打 盡

한 일   그물 망   칠 타   다할 진

바로 뜻 그물을 한 번 쳐서 물고기를 모두 잡는다는 뜻.

깊은 뜻 어떤 무리를 한꺼번에 모두 잡는다는 말이에요.

이럴 때 쓰는 말이야!

이순신은 **임진왜란** 때 우리나라를 지키기 위해 **거북선**을 만들어 왜군과 용감하게 싸웠어요.
왜군은 **이순신**이 이끄는 조선 해군에 의해 여러 지역에서 참패를 당하자
조선을 이기기 위해 **육지**와 **바다**에서 총 공격을 준비했어요.
이를 알아챈 이순신 장군은 **조선** 해군을 하나로 모아 전쟁에 대비하였어요.
"나를 따르라! **한산도**를 중심으로 해서 적을 무찌르자!"
이순신 장군은 적을 바다로 유인하여 학이 날개를 편 것처럼 둘러싼 다음 적을 공격하는
학익진 전법으로 왜군을 □□□□하였어요.
이것이 바로 유명한 한산도 대첩이랍니다.

잠깐! Quiz

Q □□□□에 들어갈 말은?

A 위의 글을 읽고 파란색 글자들을 아래에서 모두 찾아 /표로 지웁니다.

	이		거	북	선
	순	임		조	선
	신	진	한	산	도
바	다	왜		육	지
왜		란	학	익	진
군	일	망	타	진	

초등 고학년을 위한 중학교 필수 영역 초고필

국어

비문학 독해 1·2 / 문학 독해 1·2 / 국어 어휘 / 국어 문법

수학

유리수의 사칙연산 / 방정식 / 도형의 각도

한국사

한국사 1권 / 한국사 2권

사고력을 키워 상위권을 공략하는

큐브 수학 심화

경시대비북

◆ 경시대회 예상 문제 | 실전! 경시대회 모의고사

4·2

동아출판

경시대회 예상 문제

- 수학경시대회에서 자주 출제되는 문제들을 단원별로 2회씩 제공하였습니다.
- 진도북의 한 단원이 끝난 후 〈응용 단원 평가〉로 활용할 수 있습니다.

경시대회 모의고사

수학경시대회에서 출제될 수 있는 실전 문제, 신유형 문제, 사고력 문제, 고난도 문제입니다.
시험 시간에 맞게 평가를 실시하여 실전 경시대회에 대비합니다.

차례 및 성취 분석표

4·2

구분		쪽수	성취도 재도전 (0~6개)	성취도 우수 (7~10개)	성취도 최우수 (11~12개)
경시대회 예상 문제	1. 분수의 덧셈과 뺄셈	[1회] 01~02쪽 [2회] 03~04쪽			
	2. 삼각형	[3회] 05~06쪽 [4회] 07~08쪽			
	3. 소수의 덧셈과 뺄셈	[5회] 09~10쪽 [6회] 11~12쪽			
	4. 사각형	[7회] 13~14쪽 [8회] 15~16쪽			
	5. 꺾은선그래프	[9회] 17~18쪽 [10회] 19~20쪽			
	6. 다각형	[11회] 21~22쪽 [12회] 23~24쪽			

구분		쪽수	재도전 (0~50점)	우수 (51~80점)	최우수 (81~100점)
실전! 경시대회 모의고사	1회 모의고사	25~28쪽			
	2회 모의고사	29~32쪽			
	3회 모의고사	33~36쪽			
	4회 모의고사	37~40쪽			

| **우수**인 경우는 진도북의 **〈응용 공략하기〉** 문제를 다시 한 번 풀어 보세요.
| **재도전**인 경우는 진도북의 **〈응용 개념〉**, **〈레벨UP공략법〉**을 다시 공부하세요.

1회 경시대회 예상 문제

1. 분수의 덧셈과 뺄셈

맞힌 개수

1 빈칸에 알맞은 분수를 써넣으세요.

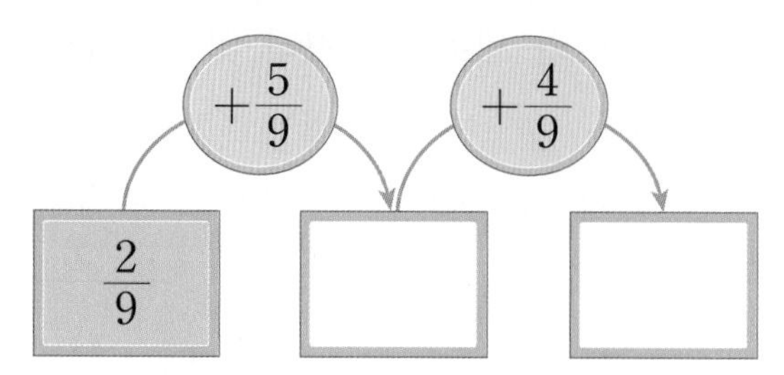

2 가장 큰 수와 가장 작은 수의 차를 구해 보세요.

$\frac{5}{14}$ $\frac{9}{14}$ $\frac{13}{14}$ $\frac{11}{14}$ $\frac{6}{14}$

( )

3 계산 결과가 가장 작은 것을 찾아 기호를 써 보세요.

㉠ $4-1\frac{3}{7}$ ㉡ $3\frac{2}{7}-\frac{6}{7}$ ㉢ $1\frac{3}{7}+1\frac{4}{7}$

( )

4 준현이는 동화책을 어제까지 전체의 $\frac{5}{11}$만큼 읽었고, 오늘 전체의 $\frac{2}{11}$만큼 읽었습니다. 동화책을 모두 읽으려면 전체의 얼마만큼을 더 읽어야 하는지 구해 보세요.

( )

5 □ 안에 알맞은 분수를 구해 보세요.

$\square-1\frac{5}{10}=3\frac{7}{10}+4\frac{6}{10}$

( )

서술형

6 □ 안에 들어갈 수 있는 자연수 중에서 가장 큰 수를 구하려고 합니다. 풀이 과정을 쓰고, 답을 구해 보세요.

$7\frac{1}{8}-2\frac{\square}{8}>4\frac{5}{8}$

풀이

답

1회 예상 문제

7 분모가 8인 진분수가 2개 있습니다. 합이 $\frac{7}{8}$이고, 차가 $\frac{3}{8}$인 두 진분수를 구해 보세요.

(,)

서술형

8 대분수로만 만들어진 뺄셈식에서 ㉮+㉯가 가장 클 때의 값을 구하려고 합니다. 풀이 과정을 쓰고, 답을 구해 보세요.

$$5\frac{㉮}{8}-2\frac{㉯}{8}=3\frac{1}{8}$$

풀이

답

9 기호 ♥를 다음과 같이 약속할 때 $2\frac{3}{10}$♥$1\frac{9}{10}$의 값을 구해 보세요. (단, 앞에서부터 차례로 계산합니다.)

㉮♥㉯=㉮+㉮−㉯

( )

10 다음과 같은 직사각형 가와 나가 있습니다. 직사각형 가의 가로와 세로의 합은 직사각형 나의 가로와 세로의 합보다 몇 m 더 긴지 구해 보세요.

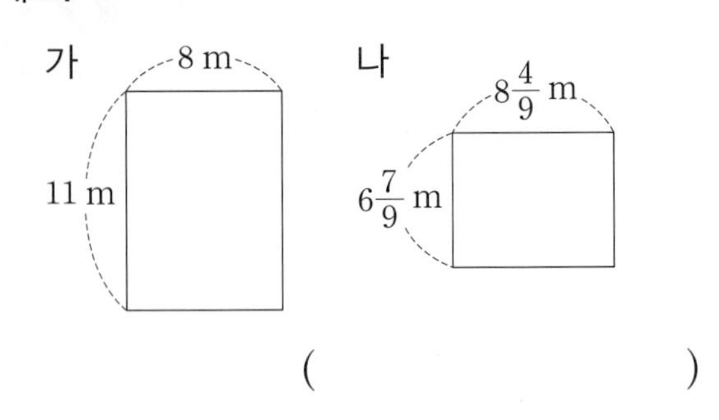

( )

11 길이가 $10\frac{4}{8}$ cm인 색 테이프 3장을 $2\frac{3}{8}$ cm씩 겹치도록 한 줄로 길게 이어 붙였습니다. 이어 붙인 색 테이프의 전체 길이는 몇 cm일까요?

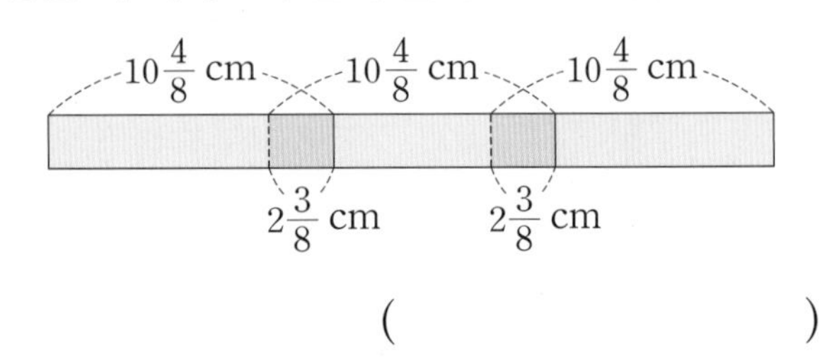

( )

12 창의융합 동지는 24절기 중의 하나로 1년 중 밤의 길이가 가장 길고 낮의 길이가 가장 짧은 날입니다. 어느 해 동짓날 낮의 길이가 $9\frac{45}{60}$시간이었습니다. 이날 밤의 길이는 낮의 길이보다 몇 시간 몇 분 더 길었는지 구해 보세요.

( )

2회 경시대회 예상 문제

1. 분수의 덧셈과 뺄셈

맞힌 개수

1 두 분수의 합이 1이 되도록 짝지어 빈칸에 알맞은 분수를 써넣으세요.

2 계산 결과가 $\frac{9}{13}$보다 작은 것을 찾아 기호를 써 보세요.

㉠ $2\frac{11}{13}-2\frac{1}{13}$

㉡ $4\frac{3}{13}-3\frac{10}{13}$

㉢ $5\frac{7}{13}-4\frac{8}{13}$

(　　　　　)

서술형

3 현주의 질문에 대한 답을 설명해 보세요.

현주

궁금한 게 있어. 분수를 더할 때 왜 분모는 그대로 두고 분자만 더하지?
예를 들어 왜 $\frac{2}{9}+\frac{5}{9}$는 $\frac{7}{18}$이 아니니?

설명

4 설탕이 $2\frac{5}{7}$ kg 있습니다. 케이크 한 개를 만드는 데 필요한 설탕은 $1\frac{2}{7}$ kg입니다. 만들 수 있는 케이크는 모두 몇 개이고, 남는 설탕은 몇 kg인지 구해 보세요.

(　　　　　,　　　　　)

5 동진이네 아버지께서 밭 전체의 $\frac{5}{8}$만큼에 배추를 심고, 전체의 $\frac{2}{8}$만큼에 무를 심었습니다. 아무것도 심지 않은 밭은 전체의 얼마인지 구해 보세요.

(　　　　　)

6 도형은 직사각형입니다. 이 직사각형의 네 변의 길이의 합은 몇 cm일까요?

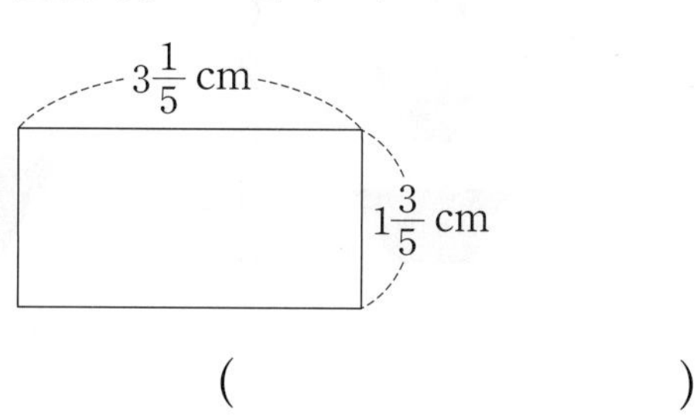

(　　　　　)

2회 예상 문제

7 1부터 9까지의 자연수 중에서 □ 안에 들어갈 수 있는 수를 모두 구해 보세요.

$$1<\frac{3}{5}+\frac{\square}{5}<2$$

( )

8 혜지는 위인전을 전체의 $\frac{11}{13}$만큼 읽었습니다. 남은 쪽수가 12쪽이라면 위인전의 전체 쪽수는 몇 쪽일까요?

( )

9 창의융합 색종이 조각을 붙여서 배 모양을 꾸미려고 합니다. 각 조각의 크기가 왼쪽과 같을 때 배 모양에 붙인 조각의 크기의 합을 구해 보세요.

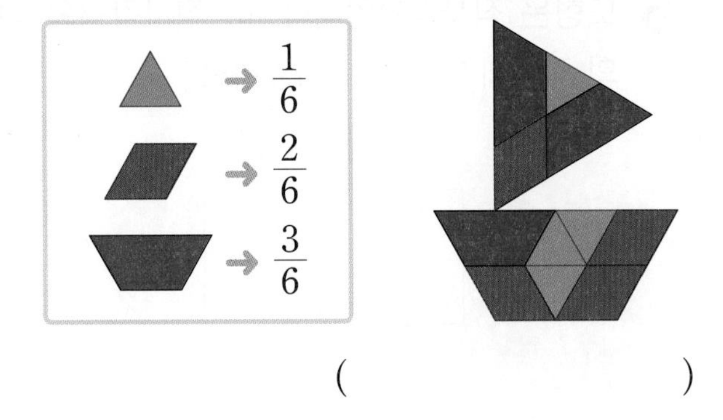

( )

10 6장의 수 카드를 한 번씩 모두 사용하여 분모가 같은 대분수를 2개 만들려고 합니다. 만들 수 있는 가장 큰 대분수와 가장 작은 대분수의 차를 구해 보세요.

9 6 2 4 7 7

( )

11 서술형 어떤 수에 $1\frac{7}{8}$을 더해야 할 것을 잘못하여 빼었더니 $4\frac{2}{8}$가 되었습니다. 바르게 계산한 값은 얼마인지 풀이 과정을 쓰고, 답을 구해 보세요.

풀이

답

12 다음과 같은 규칙으로 늘어놓은 분수들의 합을 구해 보세요.

$$1\frac{10}{23},\ 2\frac{9}{23},\ 3\frac{8}{23}\ \cdots\cdots\ 9\frac{2}{23},\ 10\frac{1}{23}$$

( )

3회 경시대회 예상 문제

2. 삼각형

맞힌 개수

1 삼각형의 세 각의 크기를 나타낸 것입니다. 예각삼각형을 찾아 기호를 써 보세요.

㉠ 40°, 50°, 90°
㉡ 20°, 120°, 40°
㉢ 80°, 75°, 25°

( )

2 다음과 같은 삼각형의 세 변의 길이의 합은 몇 cm일까요?

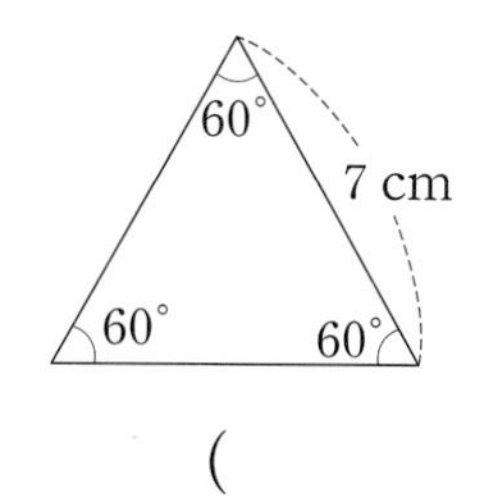

( )

서술형

3 삼각형의 세 각 중에서 두 각의 크기가 다음과 같습니다. 이 삼각형은 예각삼각형과 둔각삼각형 중에서 어떤 삼각형인지 풀이 과정을 쓰고, 답을 구해 보세요.

20° 60°

풀이

답

4 오른쪽 그림과 같이 삼각형 모양 종이의 일부가 찢어졌습니다. 이 삼각형의 이름으로 알맞은 것을 모두 써 보세요.

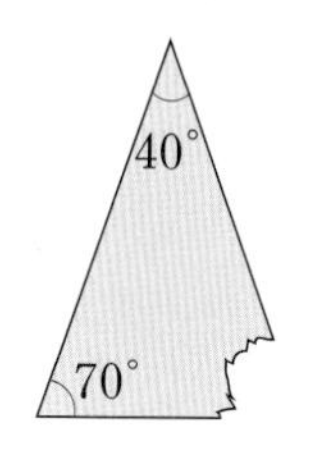

( )

5 정사각형 가의 네 변의 길이의 합과 정삼각형 나의 세 변의 길이의 합은 같습니다. 정삼각형 나의 한 변은 몇 cm일까요?

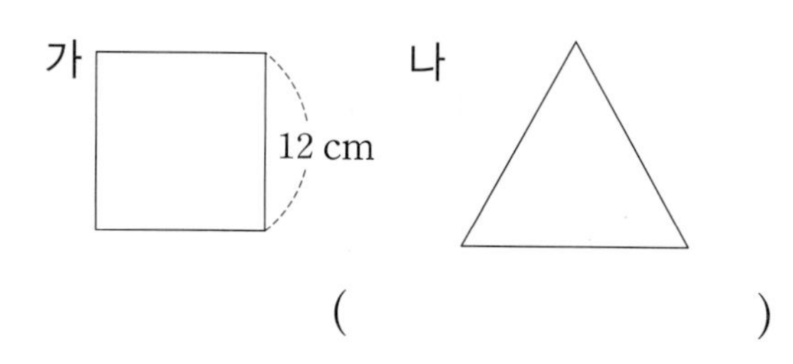

( )

6 도형에서 ㉠의 각도를 구해 보세요.

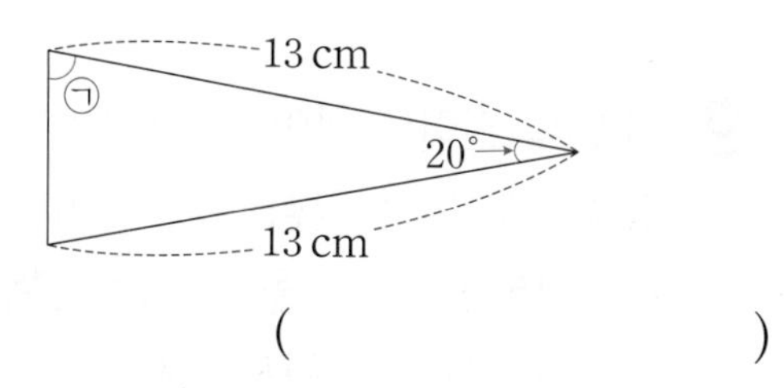

( )

7 그림에서 찾을 수 있는 크고 작은 예각삼각형은 모두 몇 개일까요?

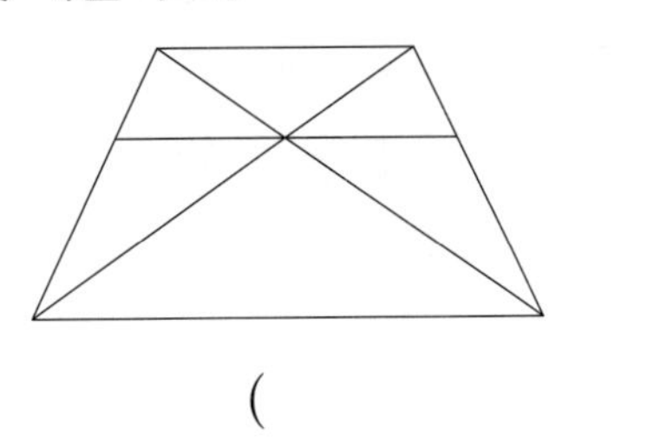

( )

서술형

8 삼각형 ㄱㄴㄷ은 정삼각형, 삼각형 ㄹㄴㄷ은 이등변삼각형입니다. ㉠의 각도를 구하는 풀이 과정을 쓰고, 답을 구해 보세요.

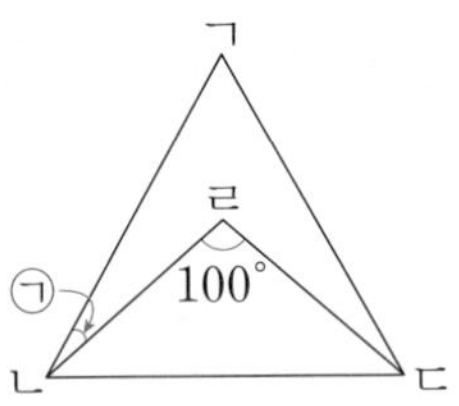

풀이

답

9 세 변의 길이의 합이 23 cm인 이등변삼각형이 있습니다. 이 삼각형의 한 변이 7 cm일 때 다른 두 변의 길이가 될 수 있는 경우는 몇 cm와 몇 cm인지 모두 구해 보세요.

( )

10 오른쪽에서 삼각형 ㄱㄴㄷ과 삼각형 ㄹㄴㅁ은 정삼각형입니다. 선분 ㄱㄹ의 길이는 선분 ㄹㄴ의 길이의 2배일 때 사각형 ㄱㄹㅁㄷ의 네 변의 길이의 합은 몇 cm일까요?

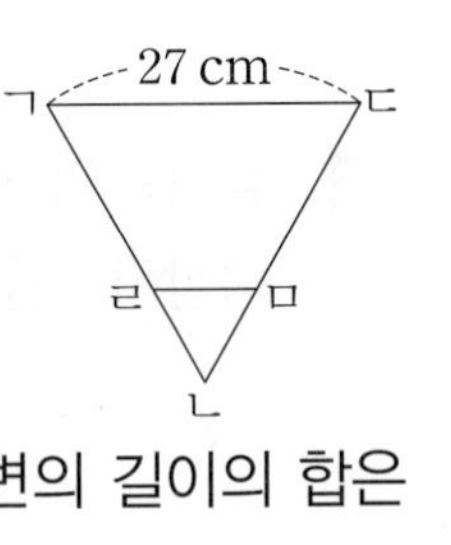

( )

11 그림에서 선분 ㄱㄴ과 선분 ㄴㄷ의 길이가 같고, 선분 ㄷㄹ과 선분 ㄹㅁ의 길이가 같습니다. 각 ㄱㄷㅁ의 크기를 구해 보세요.

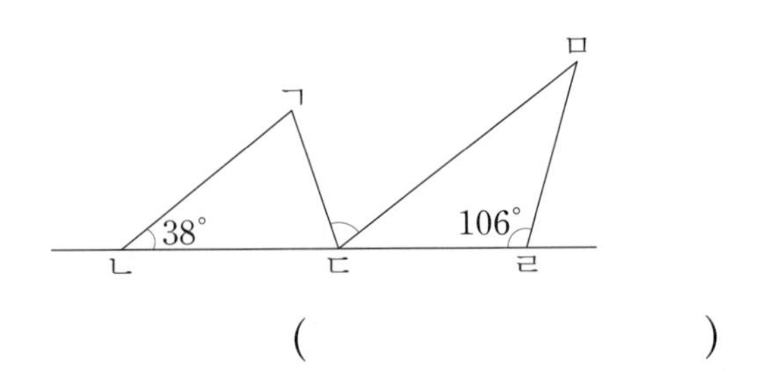

( )

12 창의융합 은주가 집 주변의 건물을 지도에 나타낸 것입니다. 은주가 집에서 지하철역을 거쳐 도서관까지 가려면 몇 m를 가야 할까요?

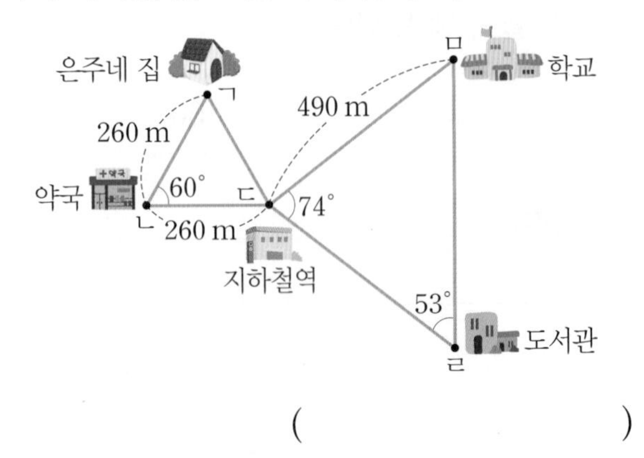

( )

4회 경시대회 예상 문제

2. 삼각형

맞힌 개수

1 이등변삼각형이면서 예각삼각형인 것은 모두 몇 개일까요?

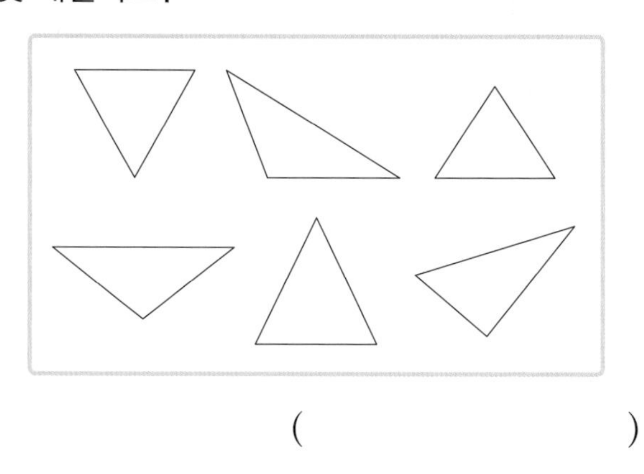

(   )

2 설명이 잘못된 것을 찾아 기호를 써 보세요.

㉠ 직각삼각형은 한 각이 직각입니다.
㉡ 예각삼각형은 세 각이 모두 예각입니다.
㉢ 둔각삼각형은 세 각이 모두 둔각입니다.

(   )

서술형

3 삼각형 ㄱㄴㄷ이 이등변삼각형일 때 각 ㄱㄷㄴ의 크기를 구하려고 합니다. 풀이 과정을 쓰고, 답을 구해 보세요.

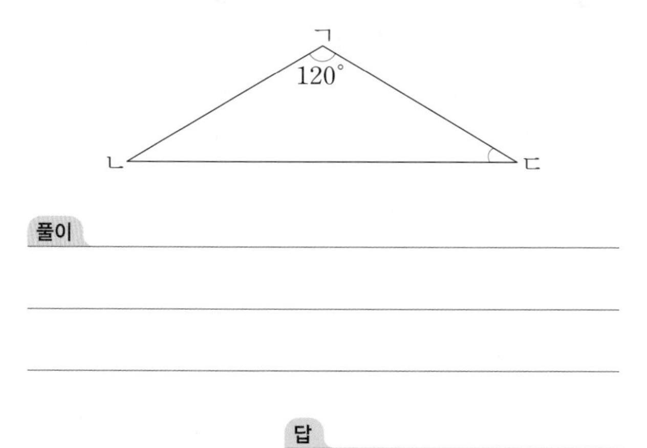

풀이

답

4 오른쪽 삼각형의 이름으로 알맞지 않은 것을 찾아 기호를 써 보세요.

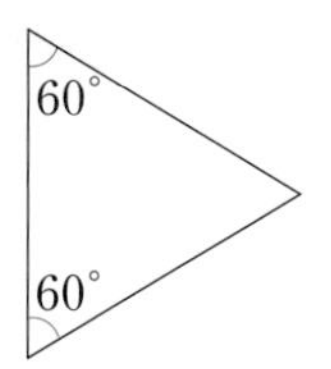

㉠ 이등변삼각형　　㉡ 정삼각형
㉢ 둔각삼각형　　㉣ 예각삼각형

(   )

5 철사를 겹치지 않게 사용하여 다음과 같은 이등변삼각형을 만들었습니다. 이 철사를 펴서 가장 큰 정삼각형을 한 개 만들려고 합니다. 정삼각형의 한 변은 몇 cm가 될까요?

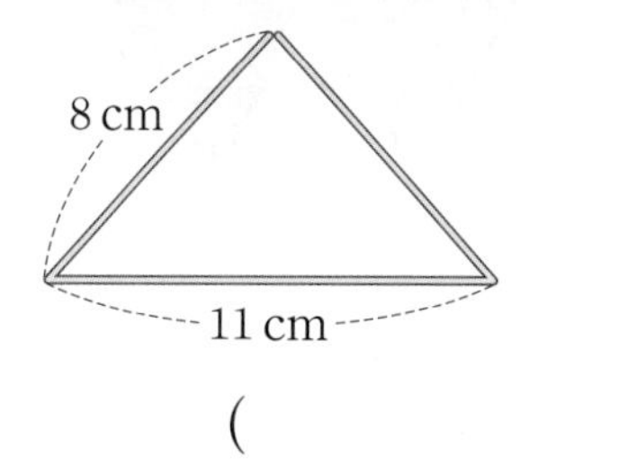

(   )

6 다음의 순서대로 삼각형을 그렸을 때 나머지 한 각의 크기를 구하고, 그려진 삼각형은 예각삼각형과 둔각삼각형 중에서 어떤 삼각형인지 써 보세요.

① 길이가 4 cm인 선분 ㄱㄴ을 긋습니다.
② 점 ㄱ을 꼭짓점으로 하여 크기가 80°인 각을 그립니다.
③ 점 ㄴ을 꼭짓점으로 하여 크기가 40°인 각을 그립니다.
④ 두 각의 변이 만나는 점을 이어 삼각형을 완성합니다.

(,   )

7 한 각의 크기가 50°인 둔각삼각형을 그리려고 합니다. 삼각형의 나머지 두 각이 될 수 있는 각도를 모두 찾아 써 보세요.

94°	53°	90°	77°	36°

(   )

8 창의융합 정삼각형 모양의 블록으로 자동차 모양을 만든 것입니다. 자동차 모양을 둘러싼 굵은 선의 길이가 60 cm일 때 빨간색 선의 길이는 몇 cm인지 구해 보세요.

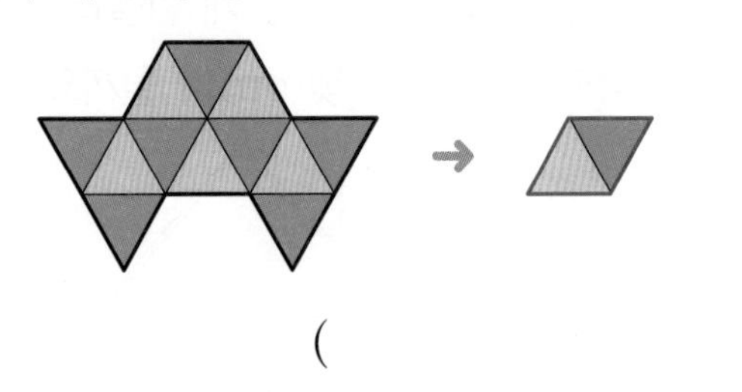

(   )

서술형

9 삼각형 ㄱㄴㄷ은 정삼각형, 삼각형 ㄱㄷㄹ은 이등변삼각형입니다. 각 ㄷㄱㄹ의 크기를 구하는 풀이 과정을 쓰고, 답을 구해 보세요.

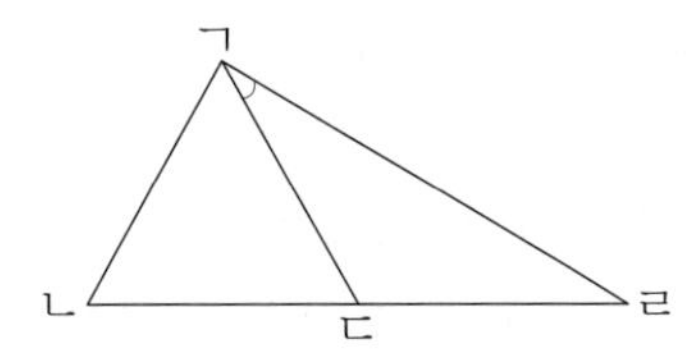

풀이

답

10 세 변의 길이의 합이 25 cm이고, 긴 변과 짧은 변의 길이의 차가 4 cm인 이등변삼각형이 있습니다. 이 이등변삼각형의 긴 변은 몇 cm인지 구해 보세요. (단, 이등변삼각형의 세 변의 길이는 모두 자연수입니다.)

(   )

11 그림에서 선분 ㄱㄴ과 선분 ㄴㄷ의 길이는 같습니다. 각 ㄱㄴㄷ의 크기를 구해 보세요.

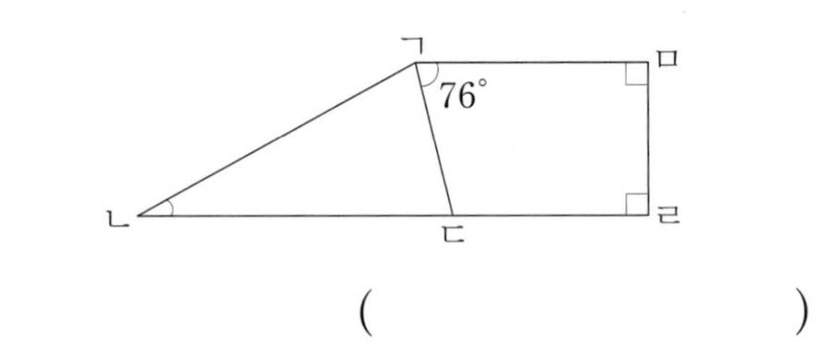

(   )

12 오른쪽 그림에서 사각형 ㄱㄴㄷㄹ은 정사각형이고, 삼각형 ㅁㄴㄷ은 정삼각형입니다. 각 ㅂㅁㄷ의 크기를 구해 보세요.

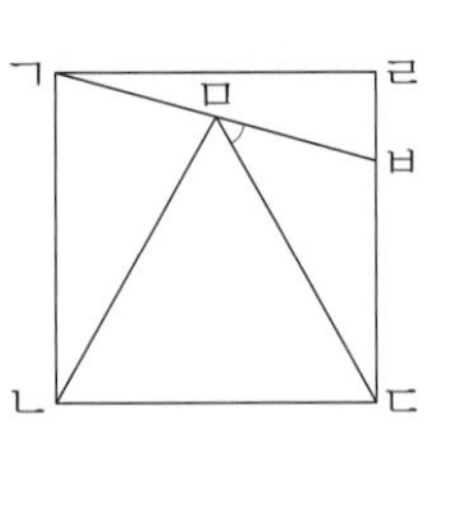

(   )

5회 경시대회 예상 문제

3. 소수의 덧셈과 뺄셈

맞힌 개수

1 ㉠과 ㉡에 알맞은 수를 각각 구해 보세요.

13.8의 10배는 ㉠, $\frac{1}{100}$은 ㉡입니다.

㉠ ( )
㉡ ( )

2 계산 결과가 1보다 큰 것을 모두 찾아 기호를 써 보세요.

㉠ $0.2+0.6$ ㉡ $0.6+0.3$
㉢ $0.4+0.7$ ㉣ $0.8+0.7$

( )

3 가장 큰 수와 가장 작은 수의 합과 차를 각각 구해 보세요.

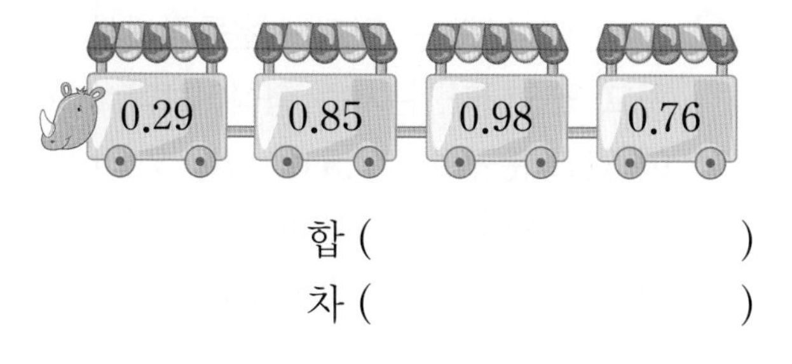

합 ( )
차 ( )

4 2.7과 같은 수를 모두 찾아 기호를 써 보세요.

㉠ 0.27의 10배 ㉡ 2700의 $\frac{1}{100}$
㉢ 0.0027의 100배 ㉣ 27의 $\frac{1}{10}$

( )

5 1이 23개, $\frac{1}{10}$이 5개, $\frac{1}{100}$이 17개인 소수 두 자리 수를 구해 보세요.

( )

서술형

6 밀가루가 6 kg 있습니다. 이 중에서 케이크를 만드는 데 2.38 kg을 사용했고, 과자를 만드는 데 1.25 kg을 사용했습니다. 지금 남아 있는 밀가루는 몇 kg인지 풀이 과정을 쓰고, 답을 구해 보세요.

풀이

답

7 창의융합 이동식 기억장치를 USB 메모리라고 합니다. 용량이 5 GB인 빈 USB 메모리에 다음과 같이 파일을 저장하였습니다. 파일을 저장하고 남은 USB 메모리의 용량은 몇 GB일까요?

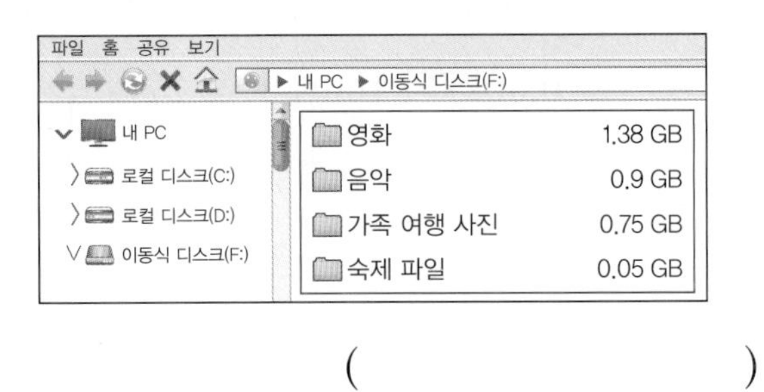

( )

8 3.7보다 크고 4보다 작은 소수 세 자리 수 중에서 소수 셋째 자리 숫자는 소수 둘째 자리 숫자보다 크고 소수 둘째 자리 숫자는 소수 첫째 자리 숫자보다 큰 수를 구해 보세요. (단, 각 자리 숫자는 서로 다릅니다.)

( )

서술형

9 준호와 연아가 말한 두 소수의 합을 구하려고 합니다. 풀이 과정을 쓰고, 답을 구해 보세요.

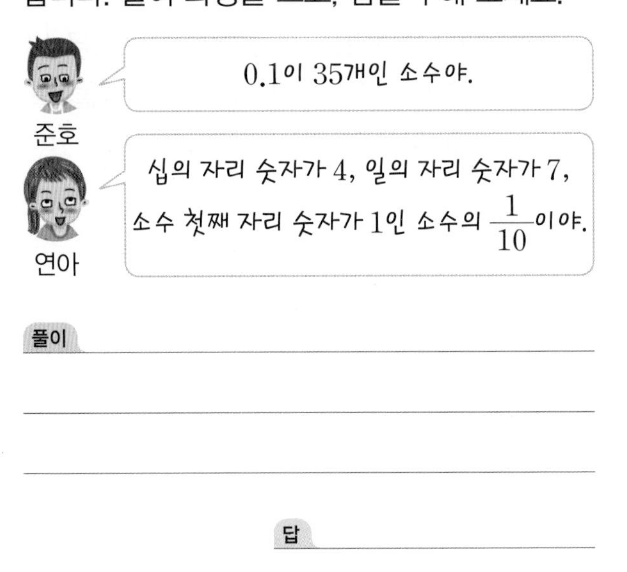

풀이

답

10 오른쪽 소수 두 자리 수의 덧셈식에 잉크가 묻어 일부분이 보이지 않습니다. ㉠, ㉡, ㉢에 알맞은 수의 합을 구해 보세요.

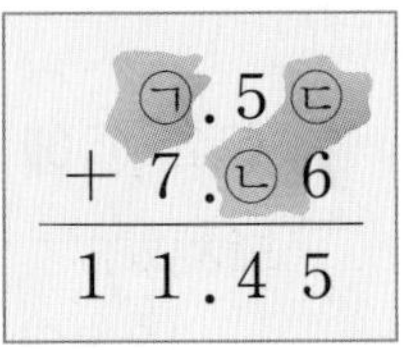

( )

11 들어갔다 나오면 빨강 상자는 길이가 10배가 되고, 파랑 상자는 길이가 $\frac{1}{10}$이 됩니다. 길이가 1.7 m인 ㉮ 끈은 빨강 상자에 2번, 파랑 상자에 3번 들어갔다 나왔고, 길이가 2.081 m인 ㉯ 끈은 빨강 상자에 3번, 파랑 상자에 2번 들어갔다 나왔습니다. 지금 ㉮ 끈과 ㉯ 끈의 길이의 차는 몇 m일까요?

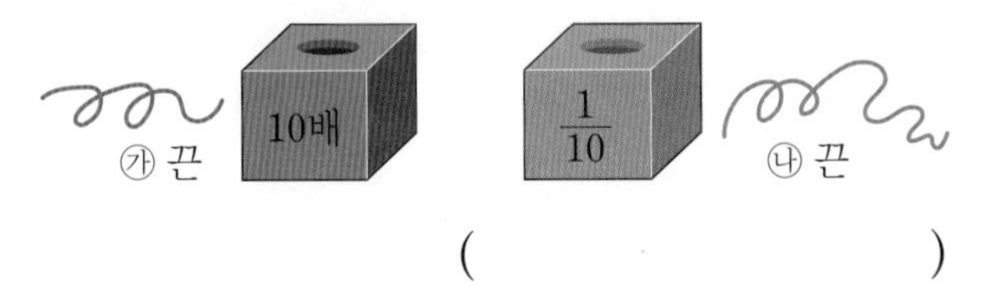

( )

12 은서, 형석, 준규, 민지는 운동장에서 달리기를 하고 있습니다. 은서는 형석이보다 4.56 m 앞에 있고 준규보다 7.5 m 앞에 있습니다. 준규는 민지보다 3.9 m 뒤에 있습니다. 형석이와 민지 사이의 거리는 몇 m인지 구해 보세요.

( )

6회 경시대회 예상 문제

3. 소수의 덧셈과 뺄셈

맞힌 개수

1 소수 둘째 자리 숫자가 가장 작은 수를 찾아 써 보세요.

5.83　　6.01　　0.49

(　　　　　　　)

2 서술형

계산이 잘못된 곳을 찾아 바르게 계산하고, 잘못된 이유를 써 보세요.

$$\begin{array}{r} 0.9\,4 \\ +\ \ 0.5 \\ \hline 0.9\,9 \end{array} \rightarrow$$

이유

3 재호, 은우, 정수의 키를 나타낸 것입니다. 세 사람 중에서 키가 가장 큰 사람은 누구일까요?

재호	은우	정수
1.37 m	139 cm	1.4 m

(　　　　　　　)

4 ㉠이 나타내는 수는 ㉡이 나타내는 수의 몇 배일까요?

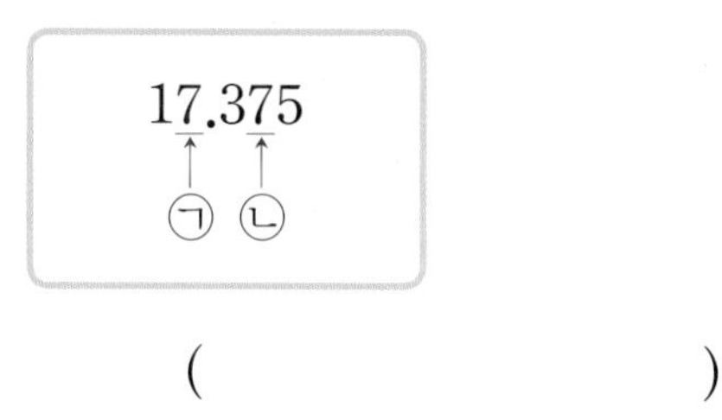

(　　　　　　　)

5 창의융합

자동차를 타고 ㉮ 지점에서 ㉯ 지점까지 가려면 다음과 같이 세 가지 길이 있습니다. 거리가 가장 먼 길과 가장 가까운 길의 거리의 차는 몇 km인지 구해 보세요.

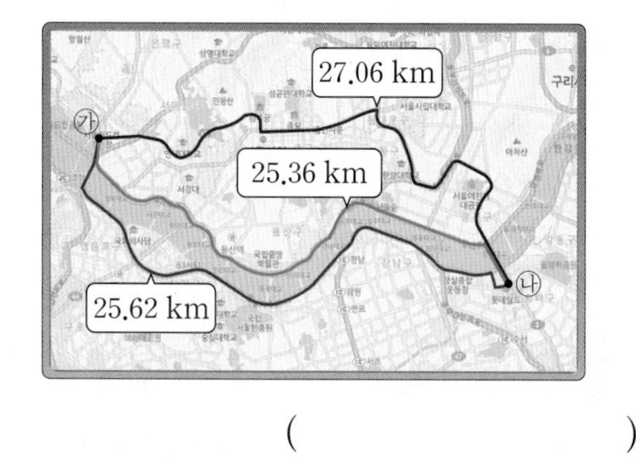

(　　　　　　　)

6 ㉮와 ㉯가 나타내는 소수 두 자리 수의 합과 차를 각각 구해 보세요.

㉮ 1이 7개, 0.1이 16개, 0.01이 5개인 수
㉯ 1이 9개, 0.1이 5개, 0.01이 12개인 수

합 (　　　　　　　)
차 (　　　　　　　)

7 수직선에서 ㉠이 나타내는 수를 구해 보세요.

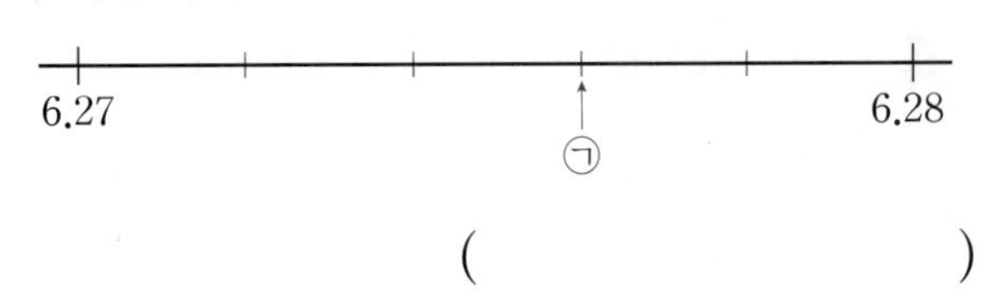

( )

8 0부터 9까지의 수 중에서 □ 안에 들어갈 수 있는 가장 큰 수를 구해 보세요.

$14.3-9.\square7>4.98$

( )

9 떨어뜨린 높이의 $\frac{1}{10}$ 만큼씩 튀어 오르는 공이 있습니다. 이 공을 27 m 높이에서 떨어뜨렸을 때 세 번째로 튀어 오르는 공의 높이는 몇 m인지 소수로 나타내어 보세요.

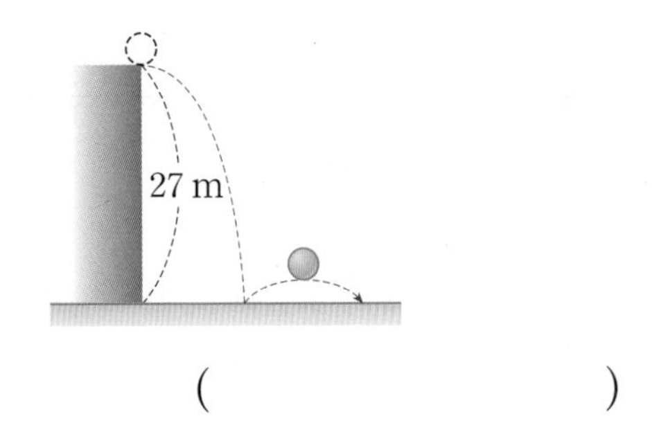

( )

10 5장의 카드를 한 번씩 모두 사용하여 소수 두 자리 수를 만들려고 합니다. 만들 수 있는 가장 큰 수와 가장 작은 수의 합을 구해 보세요.

3 1 9 5 .

( )

서술형

11 어떤 수에 3.16을 더해야 할 것을 잘못하여 뺐더니 6.48이 되었습니다. 바르게 계산한 값은 얼마인지 풀이 과정을 쓰고, 답을 구해 보세요.

풀이

답

12 주어진 조건을 모두 만족하는 소수 세 자리 수를 구해 보세요.

- 4보다 크고 5보다 작습니다.
- 일의 자리 숫자와 소수 첫째 자리 숫자의 합은 7입니다.
- 소수 둘째 자리 숫자는 소수 첫째 자리 숫자의 2배입니다.
- 이 소수를 100배 하면 소수 첫째 자리 숫자는 7이 됩니다.

( )

7회 경시대회 예상 문제

4. 사각형

맞힌 개수

1 그림에서 서로 평행한 직선은 모두 몇 쌍일까요?

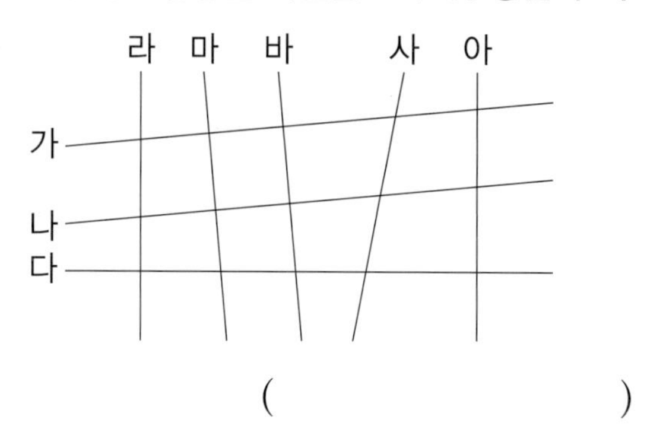

(　　　　　　　　)

2 도형은 마름모입니다. 이 마름모의 네 변의 길이의 합은 몇 cm일까요?

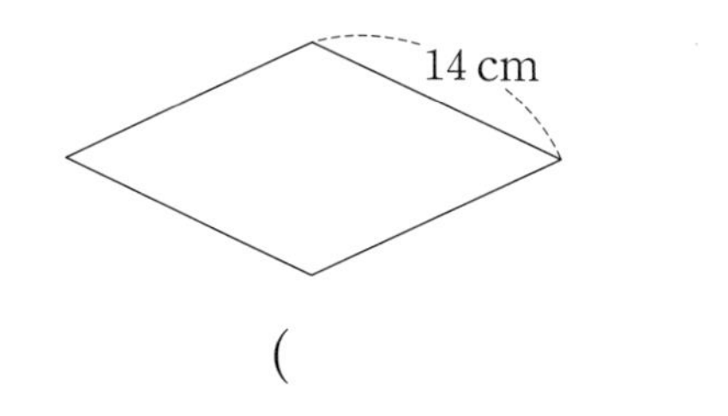

(　　　　　　　　)

3 정사각형 모양의 색종이를 그림과 같이 두 번 접은 다음 선을 따라 잘랐습니다. 자른 종이를 펼쳤을 때 만들어지는 도형의 이름으로 알맞은 것을 모두 찾아 ○표 하세요.

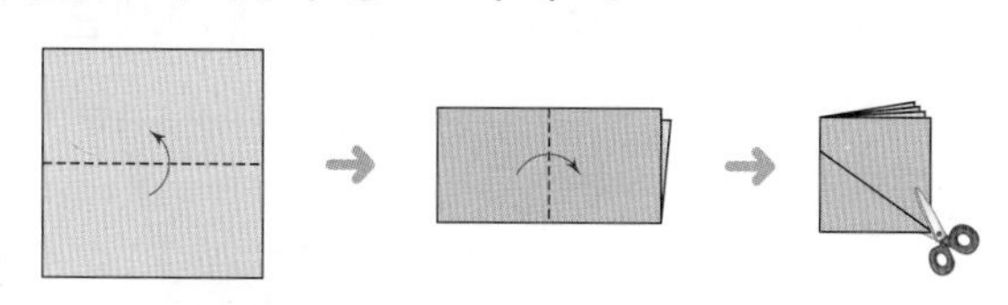

직각삼각형	마름모	사다리꼴
평행사변형	직사각형	정사각형

4 변 ㄱㅂ과 변 ㄴㄷ은 서로 평행합니다. 가장 먼 평행선 사이의 거리는 몇 cm일까요?

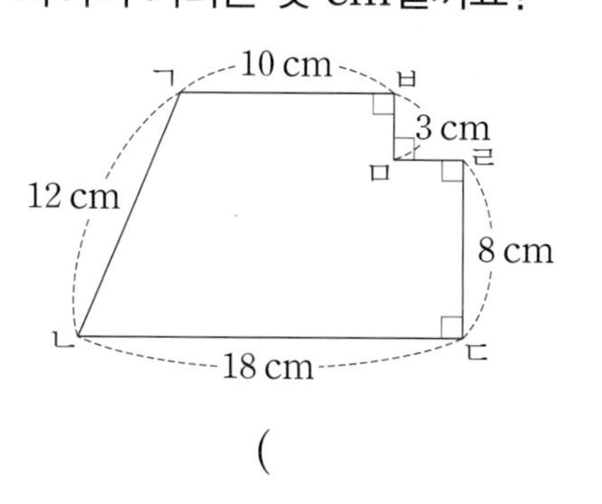

(　　　　　　　　)

서술형

5 그림에서 선분 ㄱㅇ과 선분 ㄴㄹ은 서로 수직입니다. ㉠과 ㉡의 각도의 차를 구하려고 합니다. 풀이 과정을 쓰고, 답을 구해 보세요.

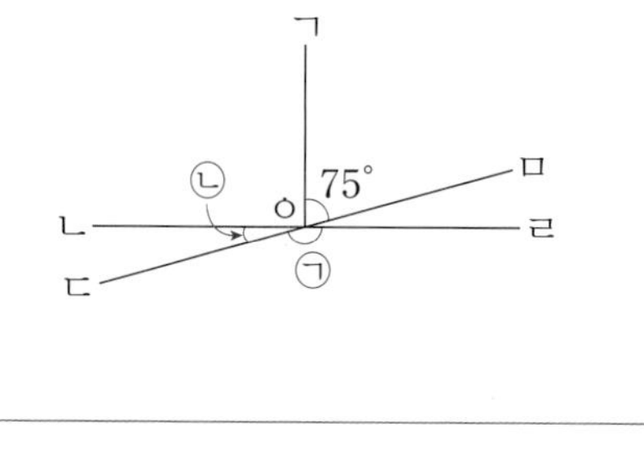

풀이

답

6 창의융합 한글은 24개의 자음과 모음으로 이루어져 있습니다. 다음 자음과 모음 중에서 서로 평행한 선분이 가장 많은 것을 찾아 써 보세요.

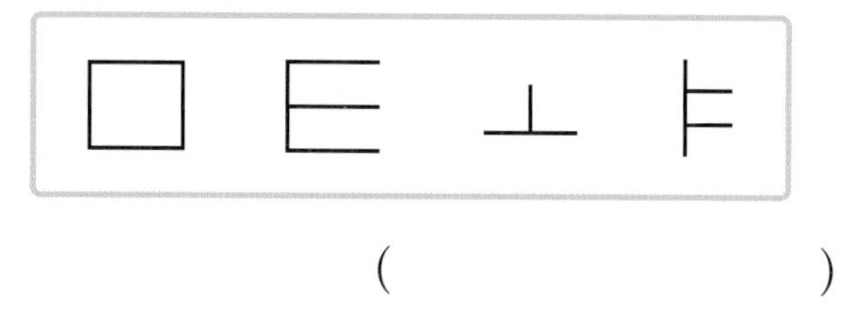

(　　　　　　　　)

7회 예상 문제

7 직선 가와 직선 나는 서로 평행합니다. ㉠의 각도를 구해 보세요.

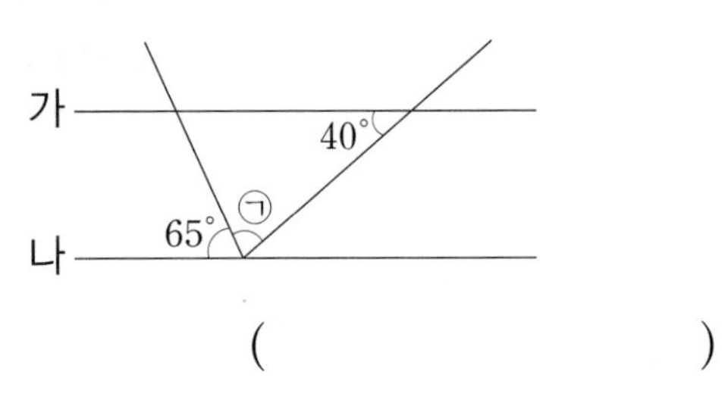

( )

8 직선 가와 변 ㄴㄷ, 직선 나와 변 ㄱㄴ은 각각 서로 평행합니다. ㉠의 각도를 구해 보세요.

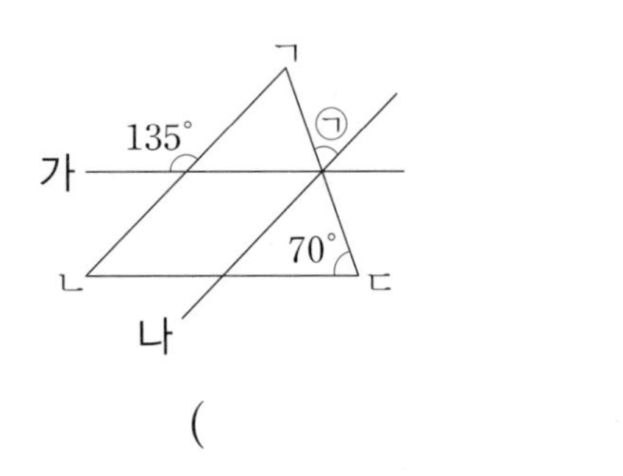

( )

서술형

9 평행사변형 ㄱㄴㄷㅂ과 마름모 ㅂㄷㄹㅁ을 겹치지 않게 이어 붙인 것입니다. 평행사변형 ㄱㄴㄷㅂ의 네 변의 길이의 합이 54 cm일 때 빨간색 선의 길이는 몇 cm인지 풀이 과정을 쓰고, 답을 구해 보세요.

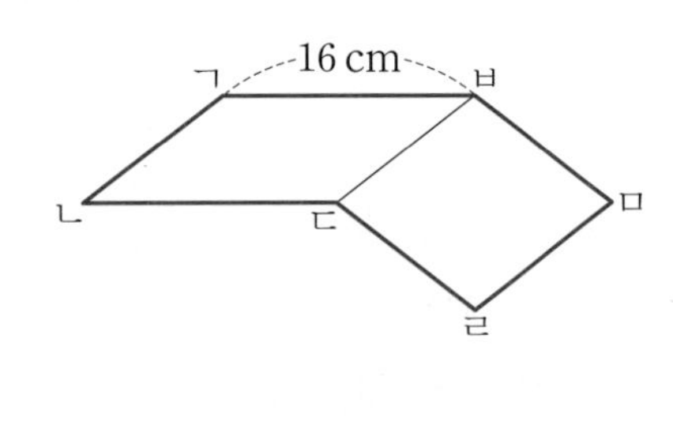

풀이

답

10 직사각형 모양의 종이띠를 그림과 같이 접었습니다. ㉠의 각도를 구해 보세요.

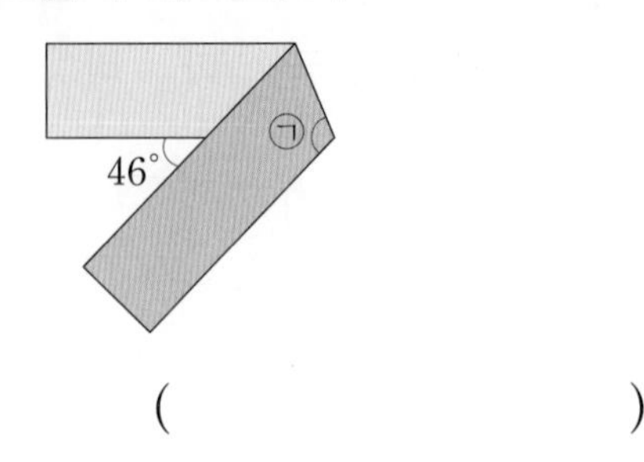

( )

11 사각형 ㄱㄴㄷㅂ은 정사각형, 사각형 ㅂㄷㄹㅁ은 마름모입니다. 각 ㅂㅁㄱ의 크기를 구해 보세요.

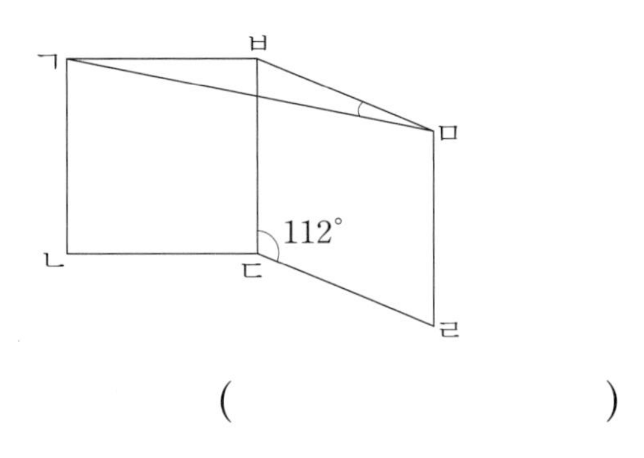

( )

12 평행사변형 모양의 종이를 그림과 같이 접었습니다. 각 ㅁㅅㄷ의 크기를 구해 보세요.

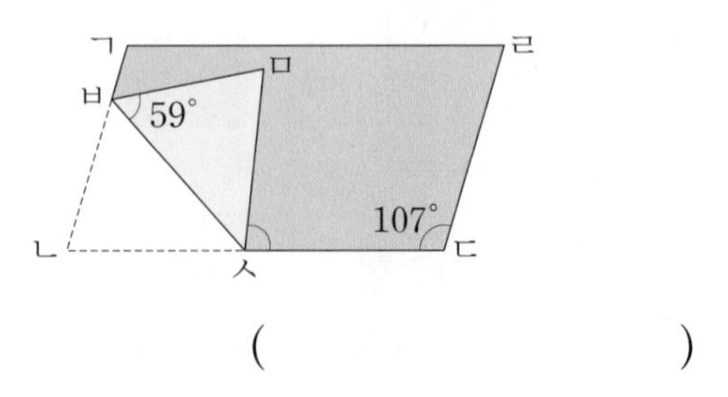

( )

8회 경시대회 예상 문제

4. 사각형

맞힌 개수

1 도형에서 변 ㄱㄷ에 수직인 선분은 모두 몇 개인지 구해 보세요.

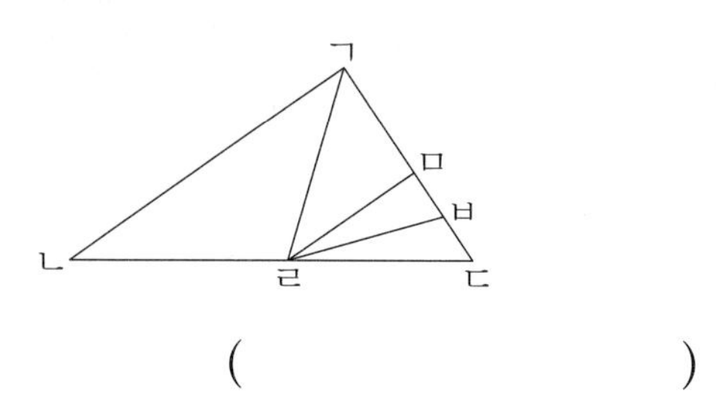

( )

2 다음은 지석이가 주변에서 찾은 마름모 모양의 옷걸이입니다. ㉠의 각도를 구해 보세요.

창의 융합

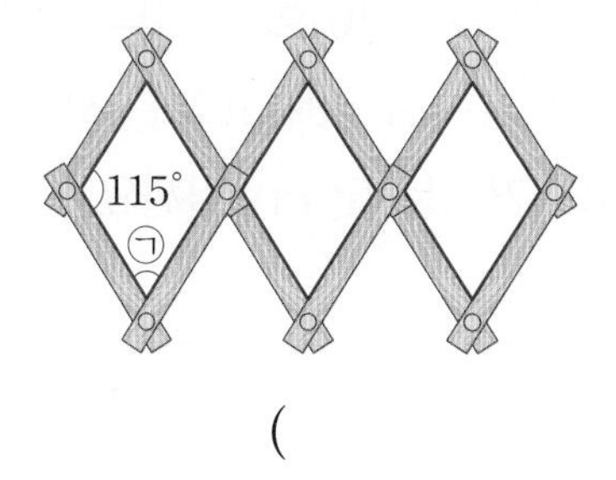

( )

3 은주가 다음과 같이 설명한 이유를 써 보세요.

서술형

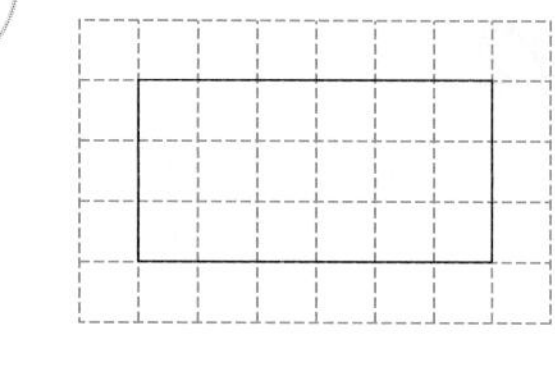

은주

이유

4 평행사변형 ㄱㄴㄷㄹ의 네 변의 길이의 합은 52 cm입니다. 변 ㄱㄴ의 길이는 몇 cm인지 구해 보세요.

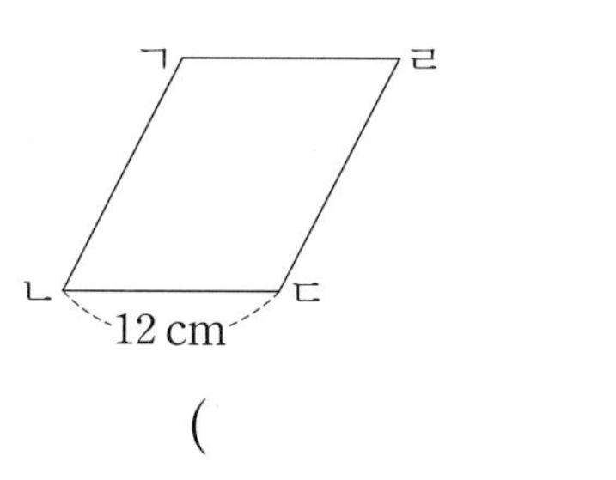

( )

5 변 ㄱㄴ과 변 ㄹㄷ은 서로 평행합니다. 변 ㄱㄴ과 변 ㄹㄷ 사이의 거리가 20 cm일 때 도형의 모든 변의 길이의 합은 몇 cm인지 구해 보세요.

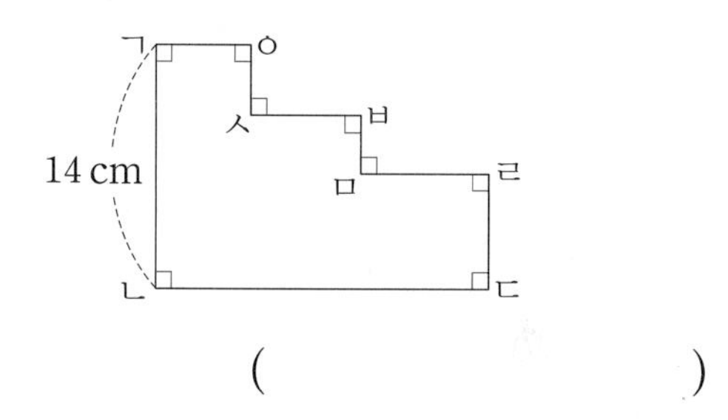

( )

6 정사각형, 정삼각형, 마름모를 겹치지 않게 이어 붙여서 만든 도형입니다. 도형을 둘러싼 굵은 선의 길이는 몇 cm일까요?

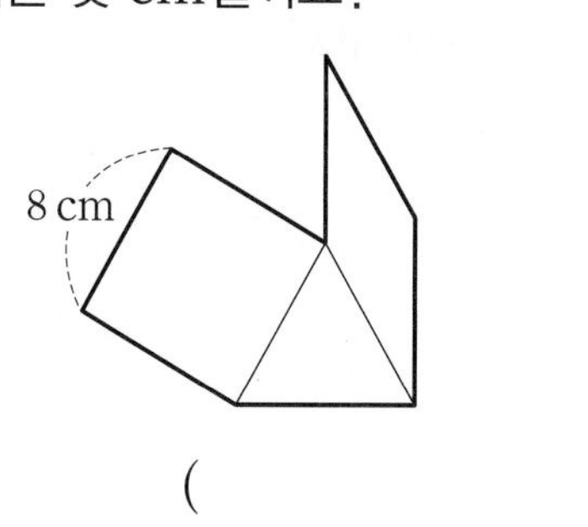

( )

8회 예상 문제

7 직사각형 모양의 색 테이프 2장을 그림과 같이 겹쳐 놓았습니다. ㉠의 각도를 구해 보세요.

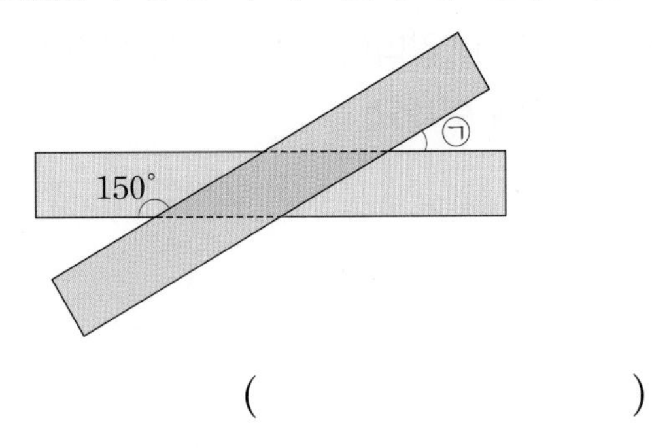

( )

8 서술형

오른쪽 그림에서 직선 가와 직선 나는 서로 수직입니다. ㉠과 ㉡의 각도의 차를 구하려고 합니다. 풀이 과정을 쓰고, 답을 구해 보세요.

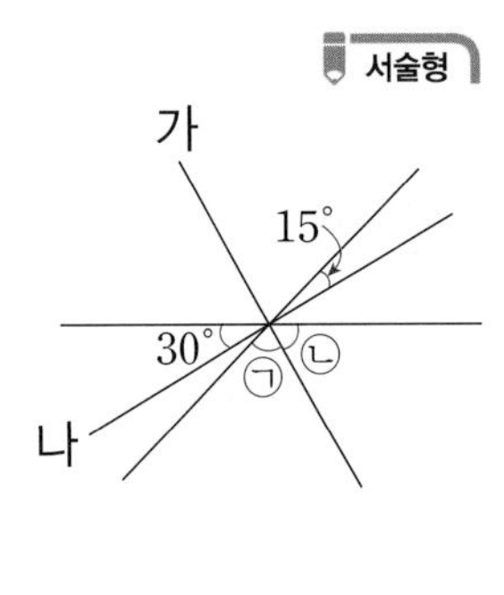

풀이

답

9 직선 가와 직선 나는 서로 평행합니다. ㉠의 각도를 구해 보세요.

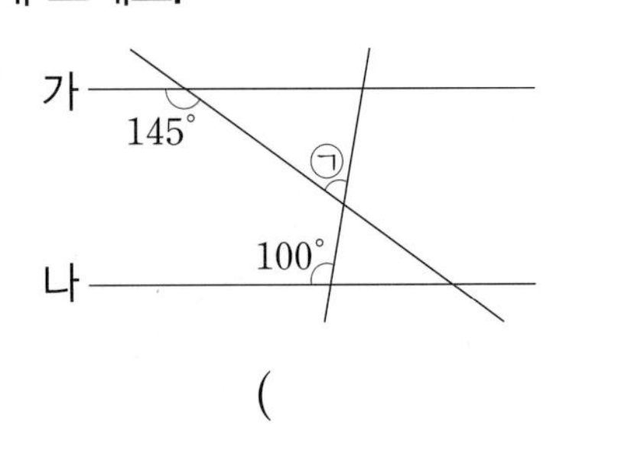

( )

10 직선 가와 직선 나는 서로 평행합니다. ㉠의 각도를 구해 보세요.

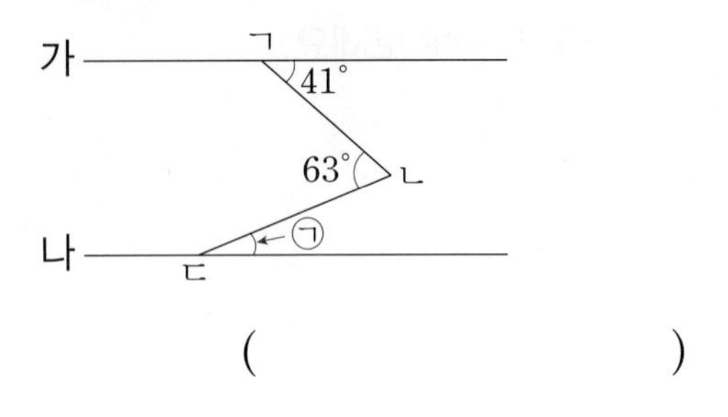

( )

11 직선 가, 직선 나, 직선 다, 직선 라는 서로 평행합니다. 직선 나와 직선 다 사이의 거리는 직선 가와 직선 나 사이의 거리의 2배이고, 직선 다와 직선 라 사이의 거리는 직선 나와 직선 다 사이의 거리의 2배입니다. 직선 다와 직선 라 사이의 거리는 몇 cm일까요?

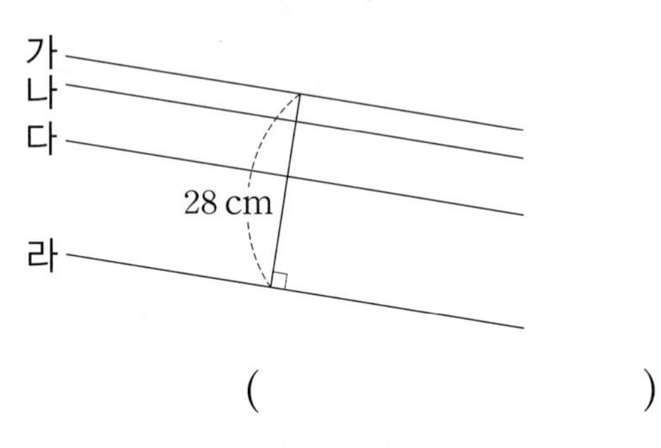

( )

12 정사각형 ㄱㄴㄷㄹ에 선분 2개를 그은 것입니다. 각 ㅇㅈㅂ의 크기를 구해 보세요.

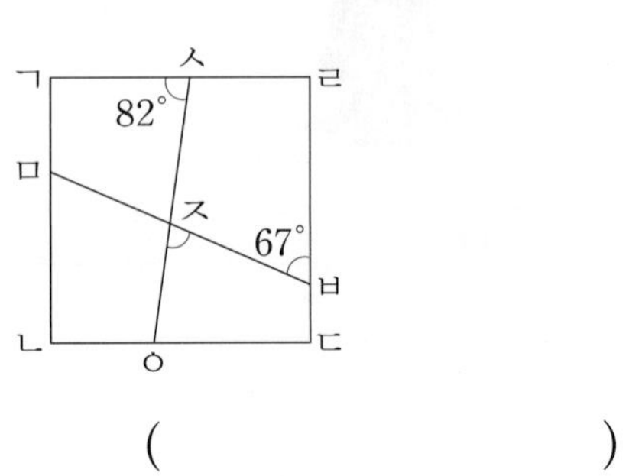

( )

9회 경시대회 예상 문제

5. 꺾은선그래프

맞힌 개수

[1~3] 지연이가 키우는 식물의 키를 2개월 간격으로 조사하여 나타낸 꺾은선그래프입니다. 물음에 답하세요.

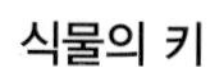

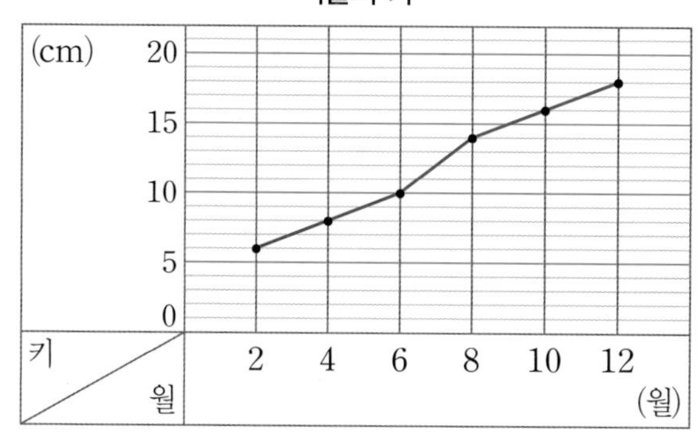

1 식물의 키의 변화가 가장 많은 때는 몇 월과 몇 월 사이인가요?

( )

2 5월의 식물의 키는 몇 cm쯤이라고 예상하는지 써 보세요.

( )

서술형

3 위 꺾은선그래프의 세로 눈금 한 칸의 크기를 2 cm로 하여 다시 그리면 6월과 8월의 세로 눈금 칸 수의 차는 몇 칸이 되는지 풀이 과정을 쓰고, 답을 구해 보세요.

풀이

답

[4~5] 어느 가게의 아이스크림 판매량을 3월부터 7월까지 조사하여 나타낸 꺾은선그래프입니다. 물음에 답하세요.

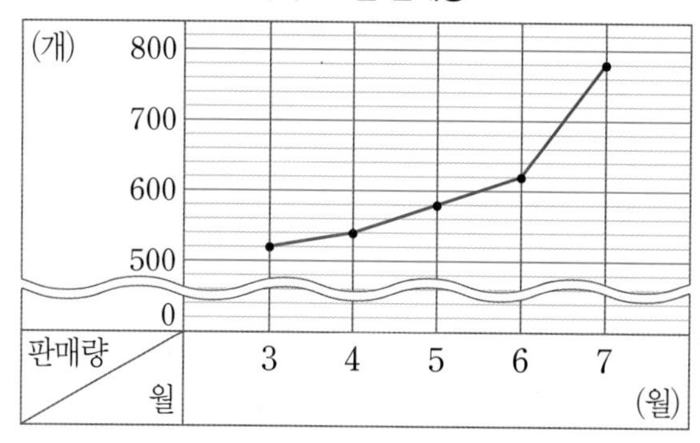

4 판매량이 가장 많은 때와 가장 적은 때의 판매량의 차는 몇 개인가요?

( )

5 조사한 기간 동안 판매한 아이스크림은 모두 몇 개인가요?

( )

6 ㉮와 ㉯ 두 새싹의 키의 변화를 조사하여 나타낸 꺾은선그래프입니다. ㉮ 새싹과 ㉯ 새싹 중에서 조사한 기간 동안 더 많이 자란 새싹은 어느 것인지 구해 보세요.

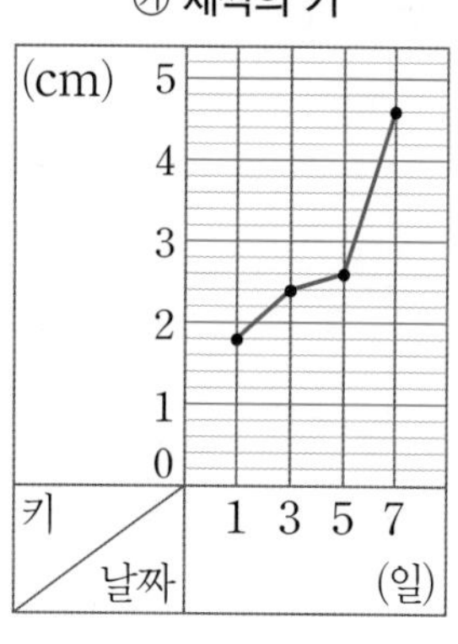

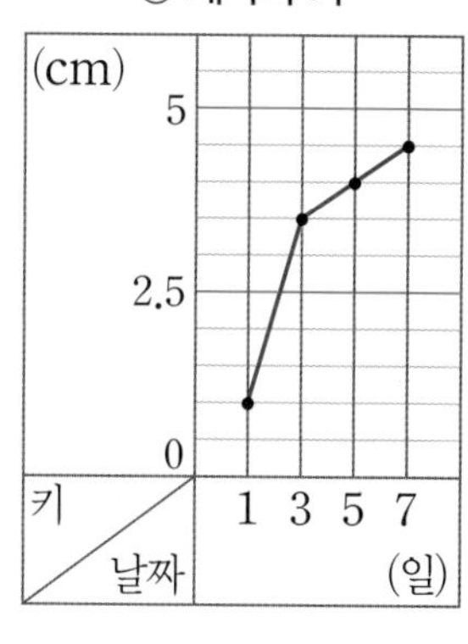

( )

[7 ~ 8] 어느 문구점의 공책 판매량을 월요일부터 금요일까지 조사하여 나타낸 꺾은선그래프입니다. 공책 한 권의 가격이 600원일 때 물음에 답하세요.

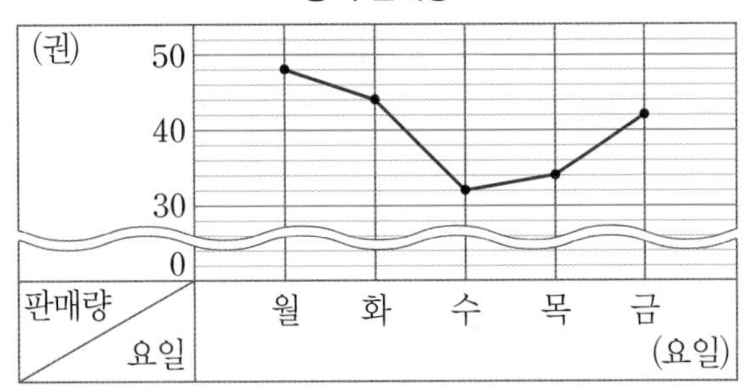

7 조사한 기간 동안 공책을 판매한 금액은 모두 얼마인가요?

( )

8 위의 꺾은선그래프에서 공책 판매량의 변화가 가장 적은 때의 변화량만큼 토요일의 공책 판매량이 늘어났습니다. 토요일의 공책 판매량은 몇 권인지 구해 보세요.

( )

9 창의융합 어느 실험실에서 배양하고 있는 미생물의 수를 조사하여 나타낸 꺾은선그래프입니다. 오후 7시에 미생물은 몇 마리쯤 될 것이라고 예상하는지 써 보세요.

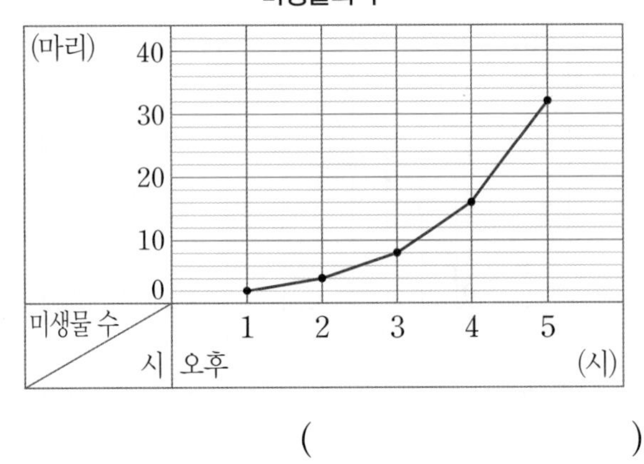

( )

[10 ~ 12] 3학년과 4학년의 월별 모은 헌 종이의 무게를 조사하여 나타낸 꺾은선그래프입니다. 3월부터 7월까지의 3학년과 4학년이 모은 헌 종이의 무게의 합이 4500 kg일 때 물음에 답하세요.

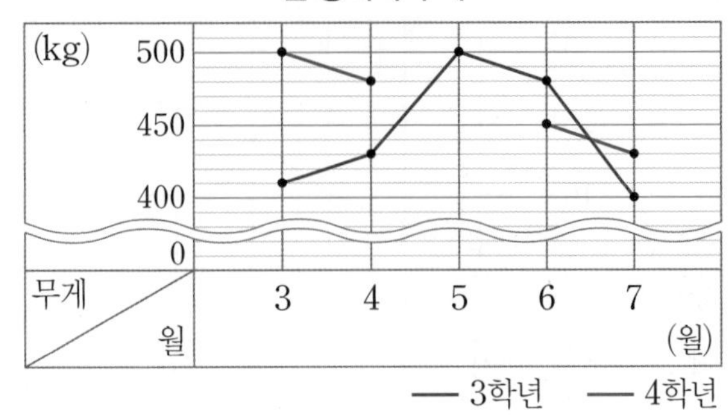

10 위의 꺾은선그래프를 완성해 보세요.

11 5월에 모은 헌 종이의 무게는 어느 학년이 몇 kg 더 무거운지 구해 보세요.

(,)

12 위 꺾은선그래프의 세로 눈금 한 칸의 크기를 다르게 하여 그렸더니 3학년은 헌 종이를 가장 많이 모은 달과 가장 적게 모은 달의 세로 눈금 칸 수의 차가 20칸이 되었습니다. 다시 그린 꺾은선그래프에서 4학년은 헌 종이를 가장 많이 모은 달과 가장 적게 모은 달의 세로 눈금 칸 수의 차가 몇 칸이 되는지 구해 보세요.

( )

10회 경시대회 예상 문제

5. 꺾은선그래프

맞힌 개수

[1~2] 어느 도시의 월별 강수량을 조사하여 나타낸 꺾은선그래프입니다. 물음에 답하세요.

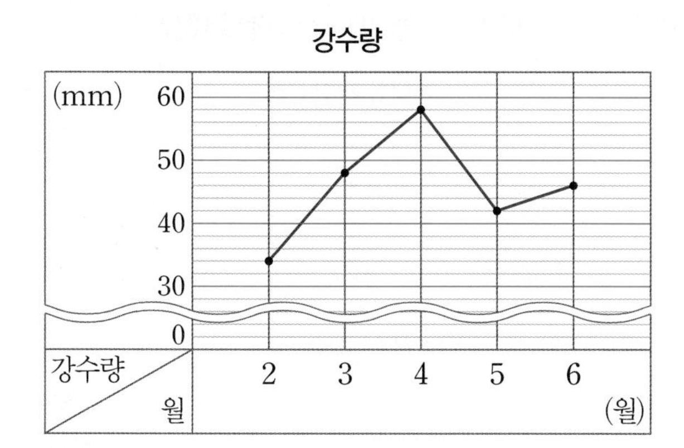

1 2월과 3월의 강수량의 합은 몇 mm인가요?

( )

2 강수량이 가장 많은 때의 강수량은 몇 mm인가요?

( )

3 (가)와 (나) 그래프는 학년별 은호의 몸무게를 세로 눈금을 각각 다르게 하여 꺾은선그래프로 나타낸 것입니다. (나) 그래프의 세로 눈금 한 칸은 몇 kg을 나타내는지 구해 보세요.

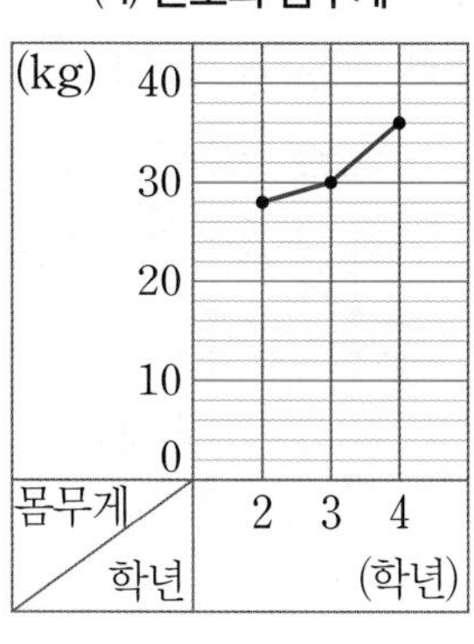

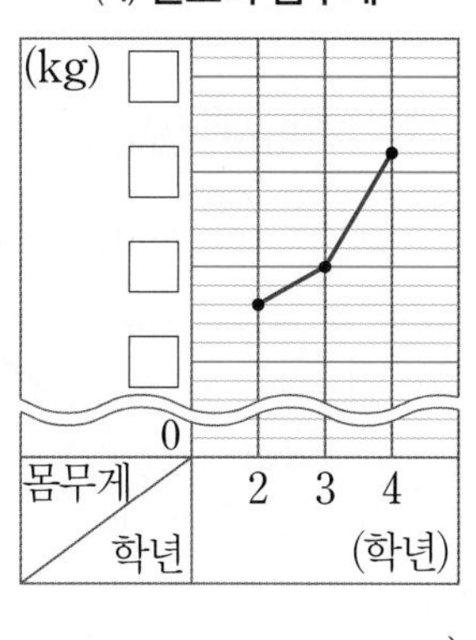

( )

[4~6] 혜지의 키를 매년 12월에 조사하여 나타낸 표와 꺾은선그래프입니다. 물음에 답하세요.

혜지의 키

나이(세)	7	8	9	10	11
키(cm)	120	121			130

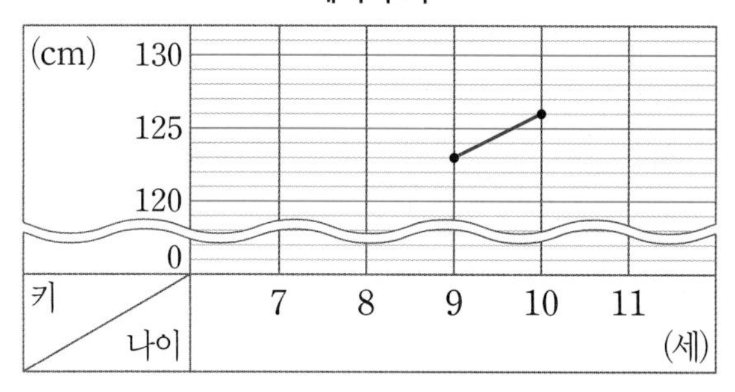

4 위의 표와 꺾은선그래프를 각각 완성해 보세요.

5 혜지의 키가 전년에 비해 가장 많이 자란 때는 언제이고, 전년에 비해 키가 몇 cm 더 자랐는지 구해 보세요.

(,)

서술형

6 혜지가 12세 12월에 키를 잰다면 몇 cm쯤 될 것이라고 예상하는지 풀이 과정을 쓰고, 답을 구해 보세요.

풀이

답

7 창의융합 어느 지역의 월별 미세먼지 농도와 오존 농도를 조사하여 나타낸 꺾은선그래프입니다. 오존 농도가 전달에 비해 가장 많이 늘어난 달에 미세먼지는 전달에 비해 몇 $\mu g/m^3$ 더 늘어났는지 구해 보세요.

미세먼지 농도와 오존 농도

미세먼지($\mu g/m^3$)
오존(ppm)
60 52 44 36 28 20
0.05 0.04 0.03 0.02 0.01 0
39 53 48 52 47 52
0.021 0.017 0.014 0.027 0.024 0.027
10월 2016년 11월 12월 1월 2017년 2월 3월
— 미세먼지 — 오존

( )

[8~9] **어느 동물원의 입장객 수를 조사하여 나타낸 꺾은선그래프입니다. 월요일부터 금요일까지 입장객 수의 합은 2020명이고, 금요일의 입장객은 목요일의 입장객보다 20명 더 많습니다. 물음에 답하세요.**

입장객 수

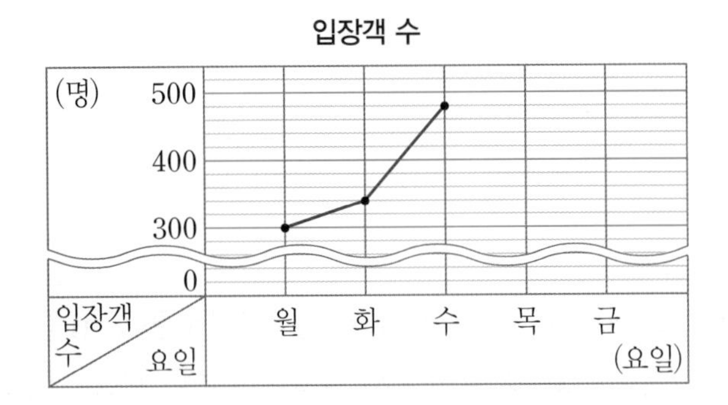

8 위의 꺾은선그래프를 완성해 보세요.

9 위의 꺾은선그래프에서 입장객 수의 변화가 가장 많은 때의 변화량만큼 토요일의 입장객 수가 늘어났습니다. 토요일의 입장객은 몇 명인지 구해 보세요.

( )

[10~11] **㉮와 ㉯ 공장의 월별 휴대전화 생산량을 조사하여 나타낸 꺾은선그래프입니다. 조사한 기간 동안 ㉯ 공장의 휴대전화 생산량은 ㉮ 공장의 생산량보다 6000개 더 많을 때 물음에 답하세요.**

휴대전화 생산량

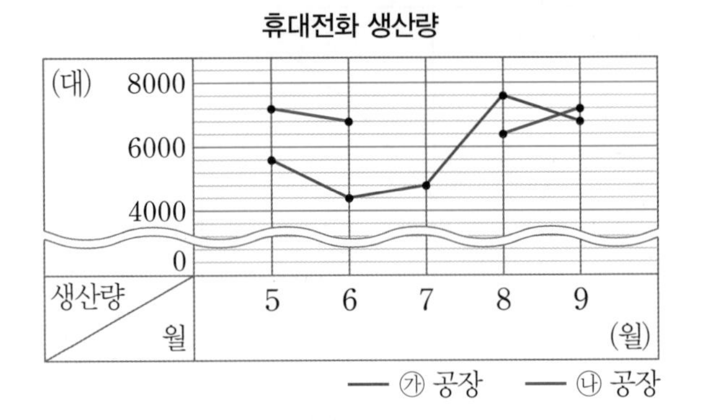

10 ㉯ 공장의 7월 생산량은 몇 대인가요?

( )

11 두 공장의 생산량의 차가 가장 큰 때의 생산량의 차는 몇 대인가요?

( )

12 ㉮와 ㉯ 자동차가 달린 거리를 조사하여 나타낸 꺾은선그래프입니다. 휘발유 1 L로 ㉮ 자동차는 15 km, ㉯ 자동차는 12 km를 갑니다. 2시간 30분 동안 두 자동차가 사용한 휘발유의 양의 차는 몇 L쯤인지 구해 보세요.

달린 거리

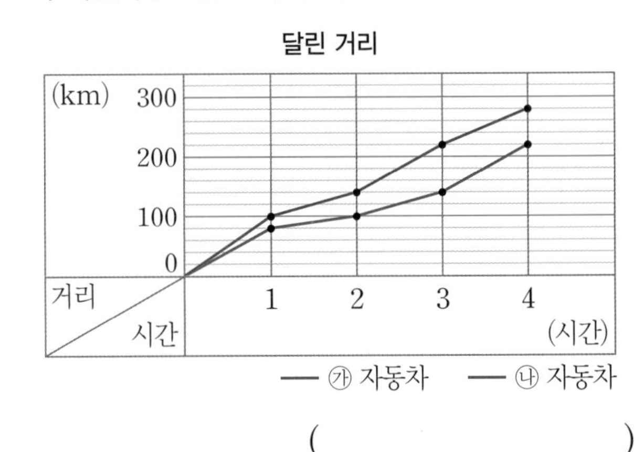

( )

11회 경시대회 예상 문제

6. 다각형

맞힌 개수

1 세 다각형의 변의 수의 합은 몇 개일까요?

십각형	칠각형	구각형

(　　　　　　　　)

2 12개의 선분으로 둘러싸여 있는 도형 중에서 변의 길이가 모두 같고 각의 크기가 모두 같은 도형의 이름을 써 보세요.

(　　　　　　　　)

서술형

3 다각형에 대각선을 그을 수 없는 도형을 찾아 기호를 쓰고, 그 이유를 써 보세요.

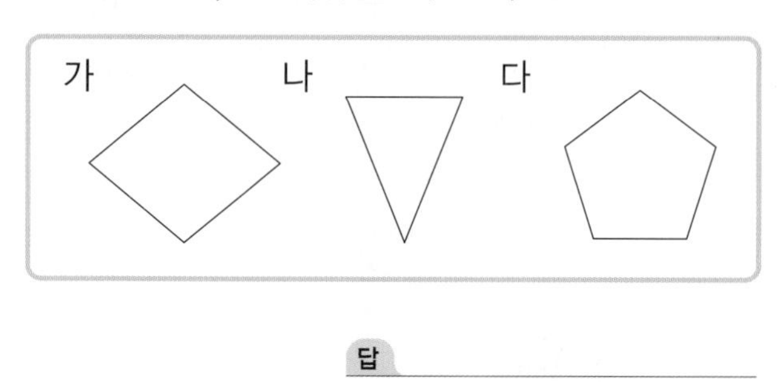

답

이유

4 사각형 ㄱㄴㄷㄹ은 마름모입니다. 선분 ㄱㄷ과 선분 ㄴㄹ의 길이의 합은 몇 cm일까요?

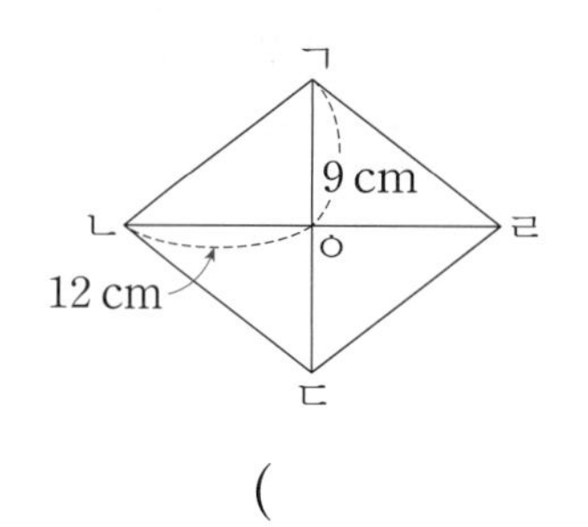

(　　　　　　　　)

5 왼쪽 사다리꼴 모양 조각을 겹치지 않게 놓아 오른쪽 모양을 빈틈없이 채우려고 합니다. 필요한 사다리꼴 모양 조각은 모두 몇 개일까요?

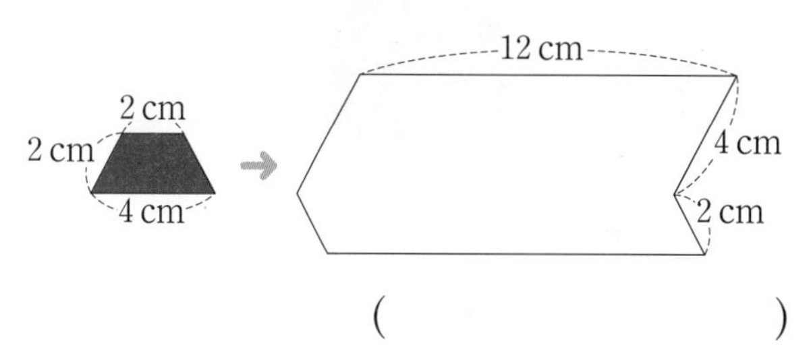

(　　　　　　　　)

6 길이가 1 m인 철사를 겹치지 않게 사용하여 한 변이 10 cm인 정다각형을 한 개 만들었습니다. 남은 철사의 길이가 20 cm일 때 만든 정다각형의 이름을 써 보세요.

(　　　　　　　　)

7 오른쪽은 세 변의 길이의 합이 27 cm인 정삼각형의 세 변에 정사각형, 정오각형, 정육각형을 각각 겹치지 않게 이어 붙인 것입니다. 빨간색 선의 길이는 몇 cm일까요?

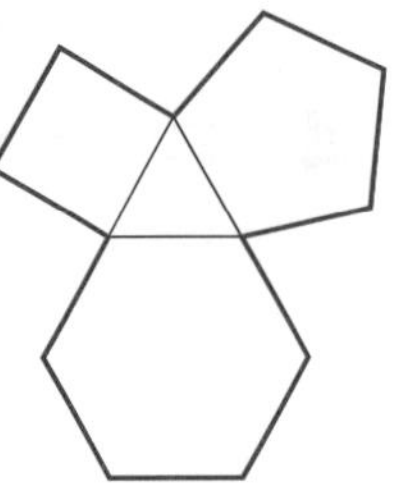

( )

8 창의융합 벌집의 내부는 정육각형 모양의 방들로 이루어져 있습니다. 다음은 벌집 모양에서 볼 수 있는 정육각형의 한 변을 길게 늘인 것입니다. ㉠의 각도를 구해 보세요.

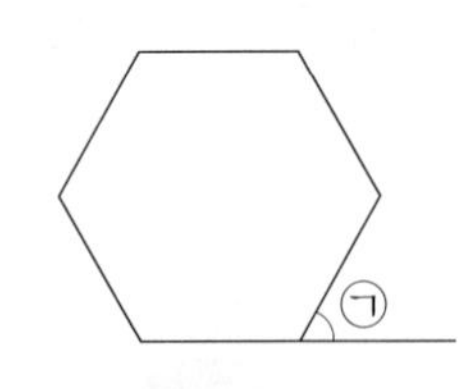

( )

서술형

9 한 변이 13 cm이고, 모든 변의 길이의 합이 117 cm인 정다각형이 있습니다. 이 정다각형의 대각선은 모두 몇 개인지 풀이 과정을 쓰고, 답을 구해 보세요.

풀이

답

10 면봉을 사용하여 그을 수 있는 대각선이 44개인 다각형을 만들려고 합니다. 면봉 한 개로 한 변을 만들 때 면봉은 적어도 몇 개 필요한지 구해 보세요.

( )

11 오른쪽과 같은 정오각형에서 각 ㄴㅂㄷ의 크기를 구해 보세요.

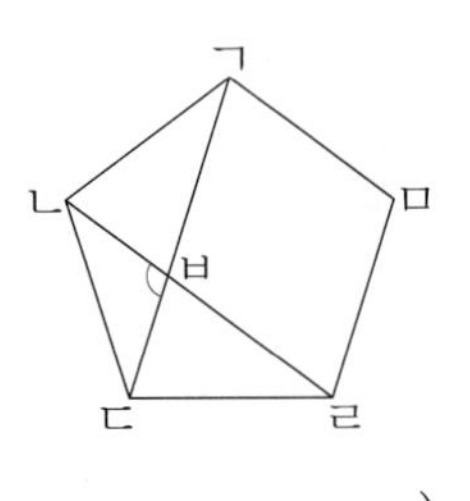

( )

12 왼쪽 모양 조각을 사용하여 오른쪽 모양을 만들려고 합니다. 모양 조각을 가장 많이 사용할 때와 가장 적게 사용할 때의 모양 조각의 개수의 차는 몇 개일까요? (단, 같은 모양 조각을 여러 개 사용할 수 있습니다.)

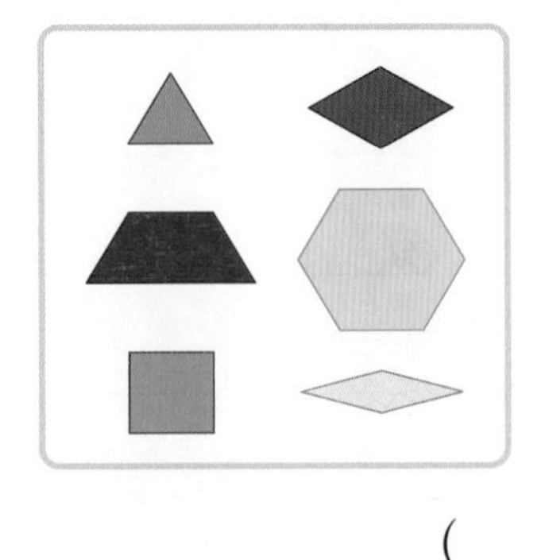

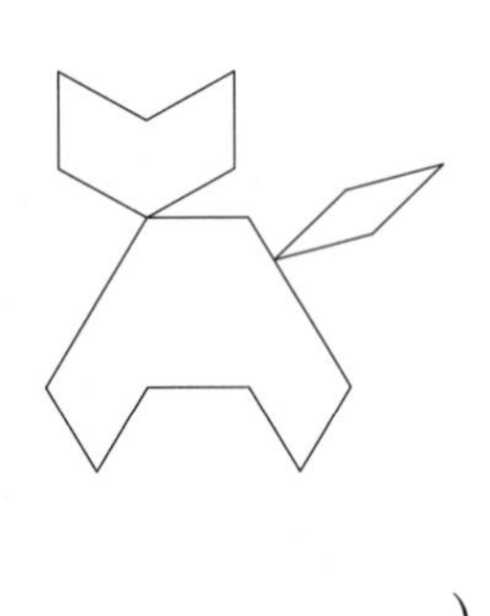

( )

12회 경시대회 예상 문제

6. 다각형

맞힌 개수

1 도형은 정육각형입니다. 이 정육각형의 모든 변의 길이의 합은 몇 cm일까요?

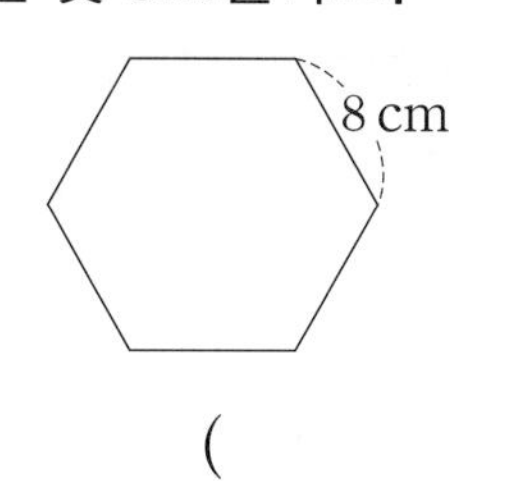

( )

서술형

2 다음 도형이 정다각형이 아닌 이유를 써 보세요.

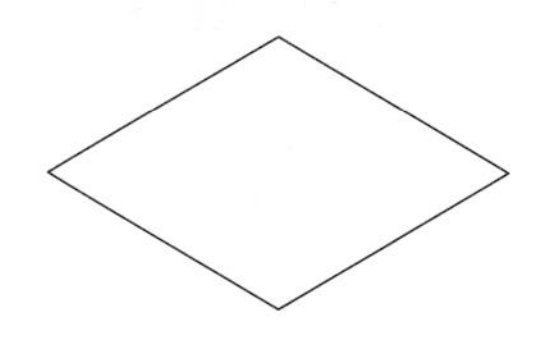

이유

3 한 변이 7 cm인 정다각형이 있습니다. 이 정다각형의 모든 변의 길이의 합이 63 cm일 때 정다각형의 이름을 써 보세요.

( )

서술형

4 정다각형 가와 나의 모든 변의 길이의 합은 같습니다. 정다각형 나의 한 변은 몇 cm인지 풀이 과정을 쓰고, 답을 구해 보세요.

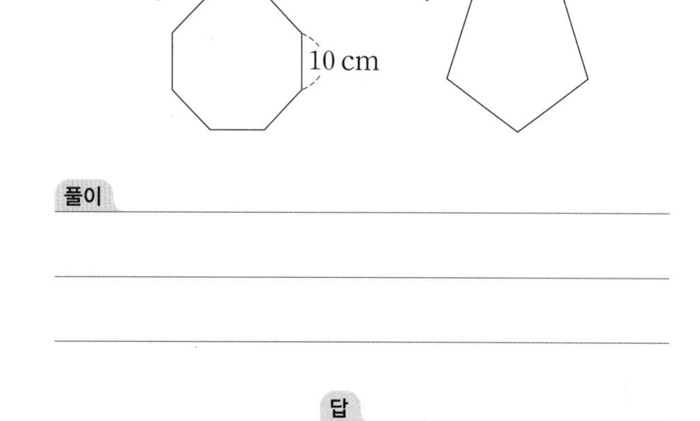

풀이

답

5 두 도형에 각각 그을 수 있는 대각선의 수의 차는 몇 개인지 구해 보세요.

오각형	칠각형

( )

6 모양 조각을 모두 사용하여 주어진 모양을 채우려고 합니다. 모양 조각을 가장 적게 사용할 때 나 모양 조각은 몇 개 필요할까요? (단, 같은 모양 조각을 여러 개 사용할 수 있습니다.)

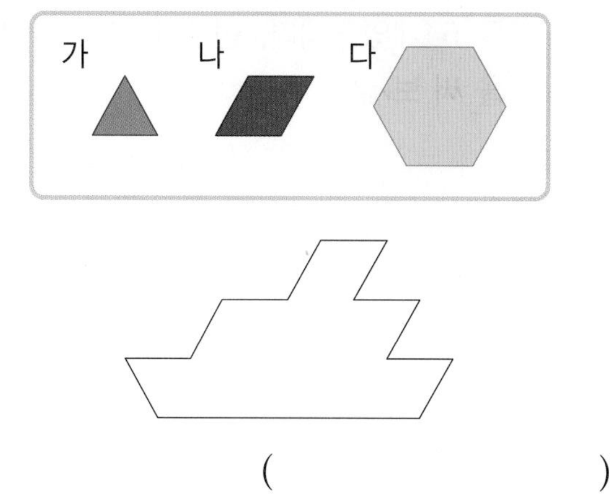

( )

12회 예상 문제

7 길이가 2 m인 철사를 사용하여 한 변이 7 cm인 정구각형을 2개 만들었습니다. 남은 철사의 길이는 몇 cm일까요?

(　　　　　　　　)

8 직사각형 ㄱㄴㄷㄹ에 두 대각선을 그은 것입니다. 각 ㄹㄱㄷ의 크기를 구해 보세요.

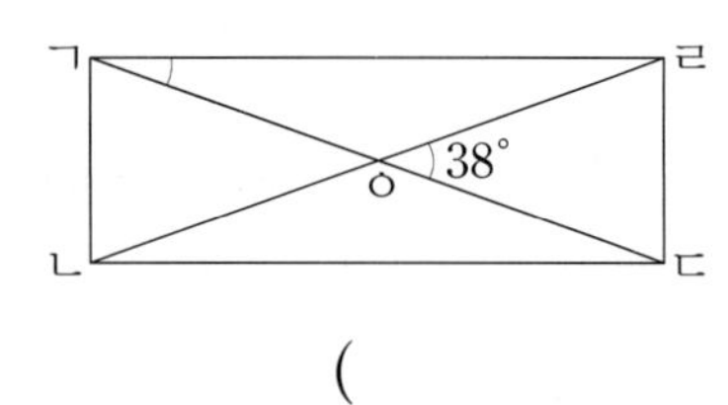

(　　　　　　　　)

9 현우는 다각형을 그린 후 대각선을 그었더니 모두 54개였습니다. 현우가 그린 다각형의 이름을 써 보세요.

(　　　　　　　　)

10 왼쪽 모양 조각은 한 변이 4 cm인 정사각형 3개를 겹치지 않게 이어 붙여 만든 것입니다. 이 모양 조각을 겹치지 않게 놓아 오른쪽 직사각형을 빈틈없이 채웠습니다. 직사각형의 네 변의 길이의 합은 몇 cm일까요?

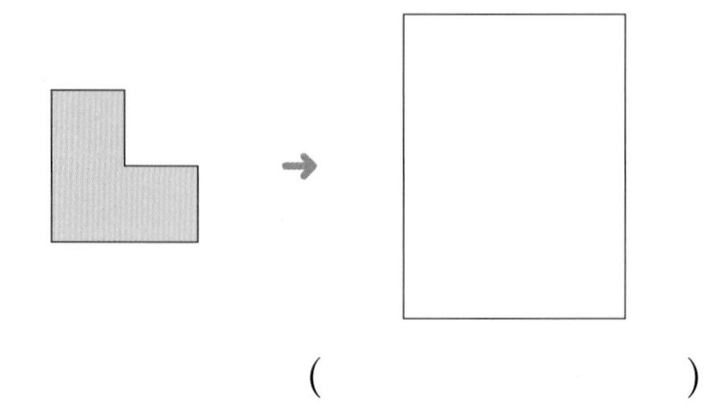

(　　　　　　　　)

11 그림에서 ㉠의 각도를 구해 보세요.

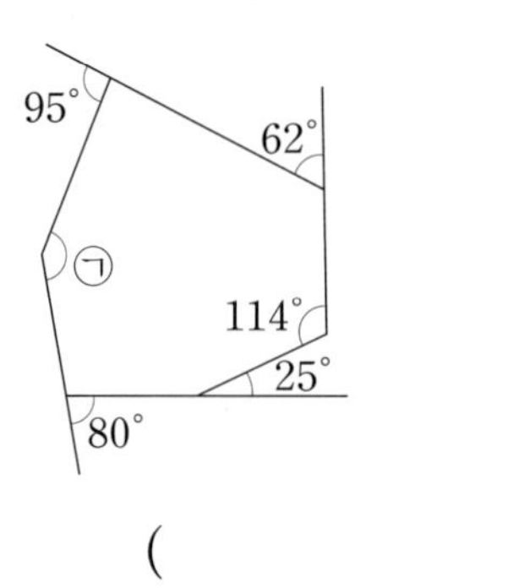

(　　　　　　　　)

12 창의융합 축구공은 12개의 정오각형과 20개의 정육각형으로 이루어져 있습니다. 다음은 축구공의 일부분을 펼쳐 놓은 그림입니다. ㉠의 각도를 구해 보세요.

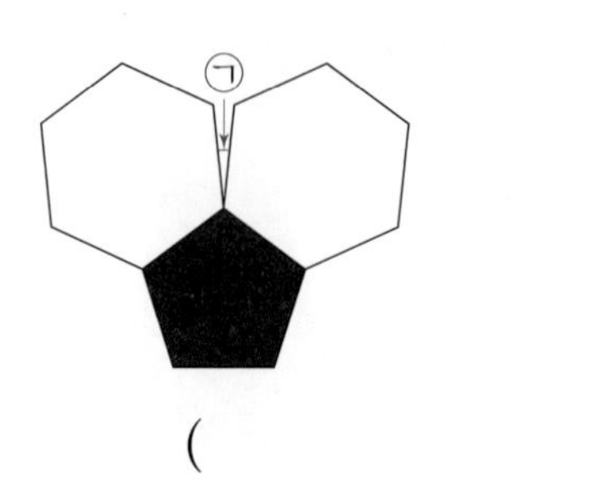

(　　　　　　　　)

정답 및 풀이 > 52쪽

1회 실전! 경시대회 모의고사

1. 분수의 덧셈과 뺄셈 ~ 6. 다각형

점수

★ 배점: 한 문항당 5점 / 시험 시간: 50분

1 ㉡에 알맞은 분수를 구해 보세요.

$$\frac{4}{15}+\frac{9}{15}=㉠,\ ㉠-\frac{2}{15}=㉡$$

(　　　　　　　　)

2 선우, 민기, 정민이의 키를 나타낸 것입니다. 키가 가장 큰 학생의 이름을 써 보세요.

선우	민기	정민
142.73 cm	139.88 cm	142.9 cm

(　　　　　　　　)

3 삼각형의 세 각 중에서 두 각의 크기가 각각 다음과 같습니다. 둔각삼각형을 찾아 기호를 써 보세요.

㉠ 40°, 50°
㉡ 80°, 25°
㉢ 35°, 45°

(　　　　　　　　)

4 변 ㄱㅇ과 변 ㅁㅂ은 서로 평행합니다. 변 ㄱㅇ과 변 ㅁㅂ 사이의 거리는 몇 cm일까요?

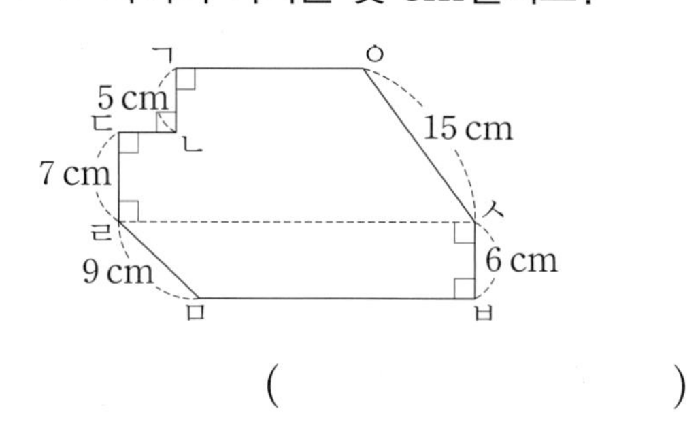

(　　　　　　　　)

5 오른쪽 삼각형의 이름으로 알맞은 것을 모두 찾아 기호를 써 보세요.

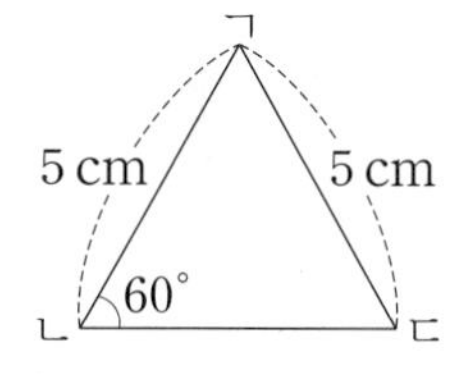

㉠ 정삼각형　　㉡ 둔각삼각형
㉢ 이등변삼각형　　㉣ 예각삼각형

(　　　　　　　　)

서술형

6 한 변이 8 cm인 정다각형이 있습니다. 이 정다각형의 모든 변의 길이의 합이 96 cm일 때 정다각형의 이름은 무엇인지 풀이 과정을 쓰고, 답을 구해 보세요.

풀이

답

1회 모의고사

7 정삼각형 가의 세 변의 길이의 합과 마름모 나의 네 변의 길이의 합은 같습니다. 마름모 나의 한 변은 몇 cm일까요?

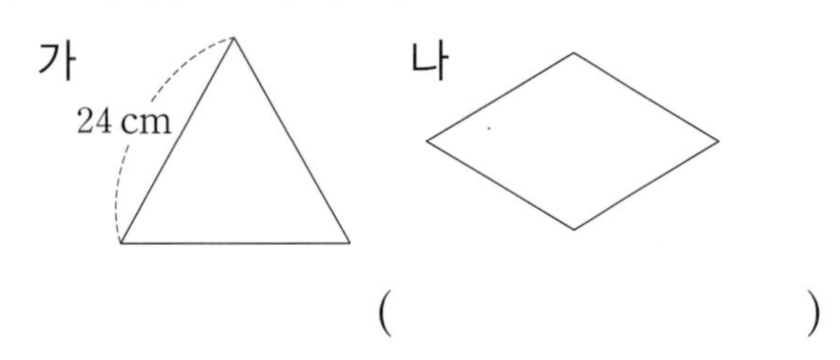

(　　　　　　　　)

[8~9] 어느 미술관의 관람객 수를 일주일 동안 조사하여 나타낸 꺾은선그래프입니다. 물음에 답하세요.

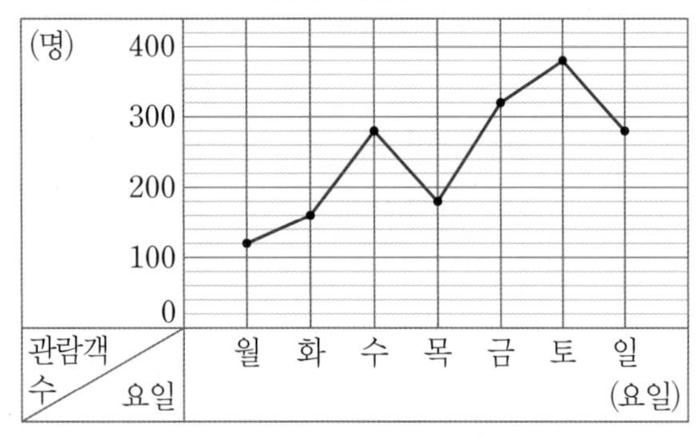

8 관람객 수가 가장 많은 때와 가장 적은 때의 관람객 수의 차는 몇 명인가요?

(　　　　　　　　)

9 일주일 동안 관람객 수의 합은 몇 명인가요?

(　　　　　　　　)

10 두 도형에 각각 그을 수 있는 대각선의 수의 합은 몇 개인지 구해 보세요.

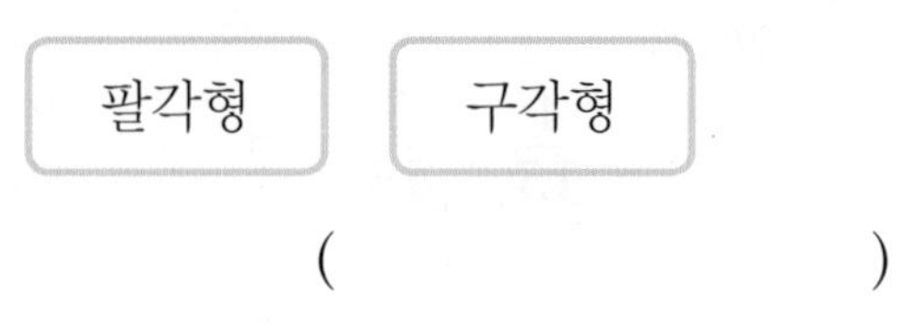

(　　　　　　　　)

11 길이가 3 m인 철사를 겹치지 않게 사용하여 다음과 같은 이등변삼각형을 한 개 만들었습니다. 남은 철사의 길이는 몇 m일까요?

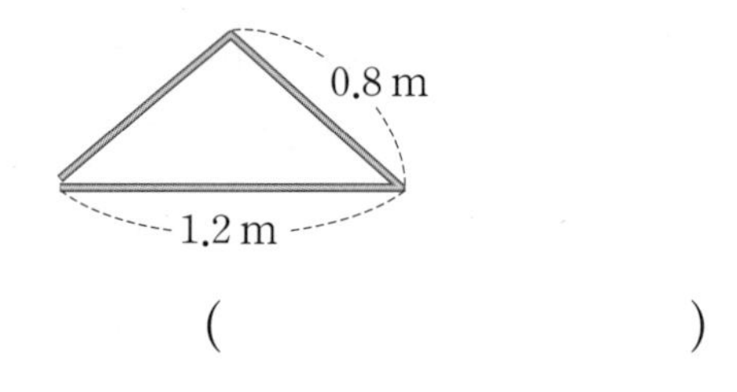

(　　　　　　　　)

12 창의융합 악보에 있는 음표의 박자 길이를 분수로 나타낸 것입니다. 다음 악보에서 한 마디의 박자 길이는 4박자입니다. ㉠에 알맞은 음표의 박자 길이는 몇 박인지 구해 보세요.

음표	이름	박자 길이
♩.	점4분음표	$1\frac{2}{4}$박
♩	4분음표	1박
♪	8분음표	$\frac{2}{4}$박

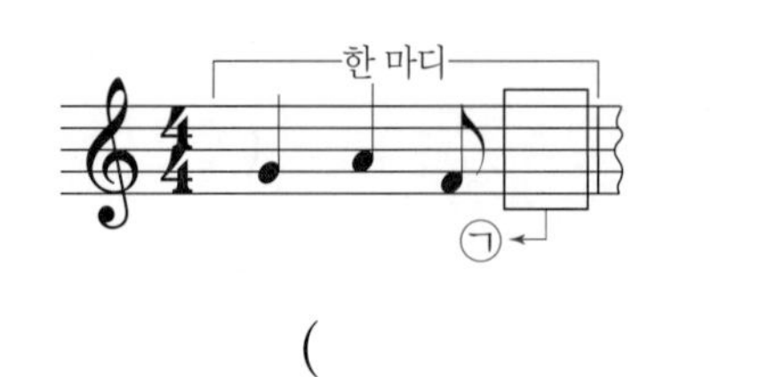

(　　　　　　　　)

13 체육 시간에 은우, 연서, 철호가 도움닫기 멀리 뛰기를 한 결과입니다. 철호의 기록은 몇 m일까요?

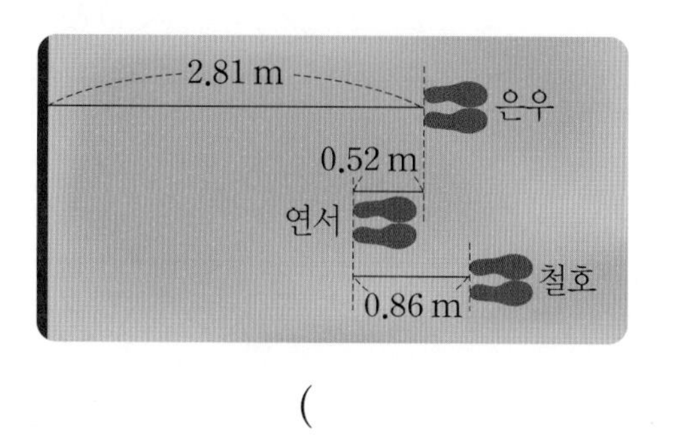

( )

14 양초에 불을 붙인 다음 1분마다 양초의 길이를 재어 나타낸 꺾은선그래프의 일부분이 찢어졌습니다. 양초에 불을 붙인 후 길이가 일정하게 줄어든다고 할 때 처음 양초의 길이는 몇 mm인지 구해 보세요.

양초의 길이

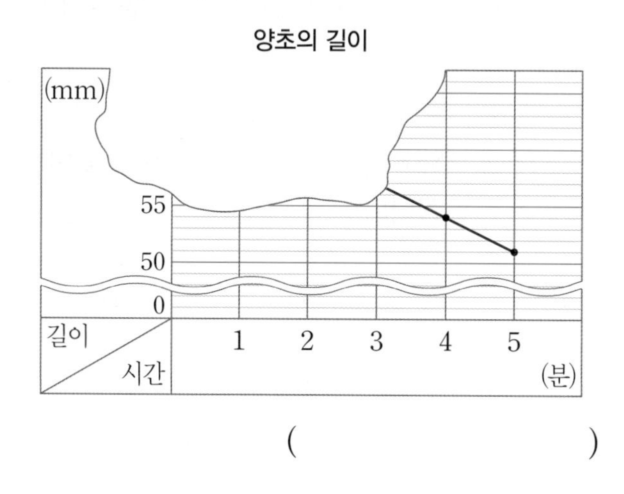

( )

15 창의융합 다음은 일시 정지를 알리는 표지판으로 정팔각형 모양입니다. 이 표지판의 한 변을 길게 늘였을 때 ㉠의 각도를 구해 보세요.

( )

서술형

16 어떤 수에서 $2\frac{4}{9}$를 빼야 할 것을 잘못하여 $2\frac{4}{9}$의 자연수 부분과 분자를 바꾸어 뺐더니 $3\frac{7}{9}$이 되었습니다. 바르게 계산하면 얼마인지 풀이 과정을 쓰고, 답을 구해 보세요.

풀이

답

1회 모의고사

17 직사각형 모양의 종이띠를 그림과 같이 접었습니다. ㉠의 각도를 구해 보세요.

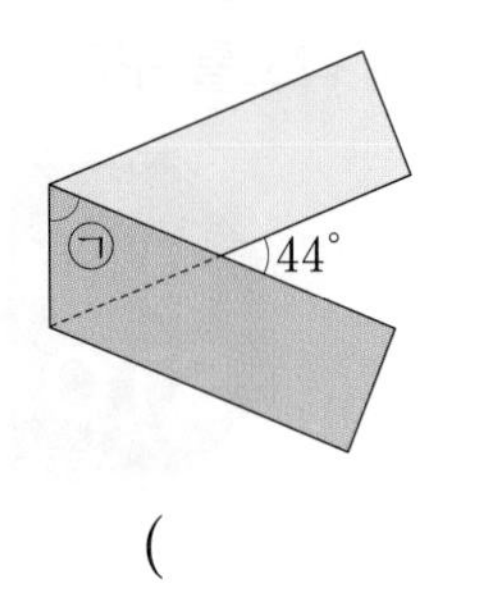

(　　　　　　　　)

18 서술형

하루에 $1\frac{1}{6}$분씩 빨라지는 시계가 있습니다. 이 시계를 오늘 오전 10시에 정확히 맞추어 놓았습니다. 4일 후 오전 10시에 이 시계가 가리키는 시각은 오전 몇 시 몇 분 몇 초인지 풀이 과정을 쓰고, 답을 구해 보세요.

풀이

답

19 직선 가와 직선 나는 서로 평행합니다. ㉠, ㉡, ㉢, ㉣, ㉤의 각도의 합을 구해 보세요.

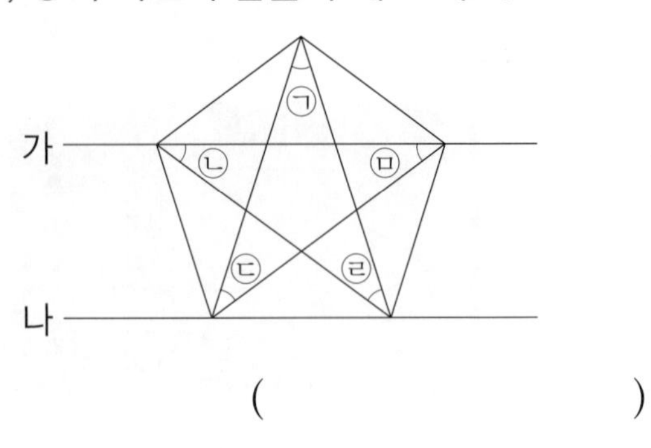

(　　　　　　　　)

20 ㉮ 자동차는 30분 동안 39.25 km를 달리고, ㉯ 자동차는 20분 동안 27.8 km를 달립니다. 거리가 175 km인 도로의 양쪽 끝에서 두 자동차가 동시에 출발하여 서로 마주 보며 달릴 때 1시간 후 두 자동차 사이의 거리는 몇 km인지 구해 보세요. (단, 두 자동차는 각각 일정한 빠르기로 달립니다.)

(　　　　　　　　)

2회 실전! 경시대회 모의고사

1. 분수의 덧셈과 뺄셈 ~ 6. 다각형

점수

★배점: 한 문항당 5점 / 시험 시간: 50분

1 삼각형의 세 변의 길이가 다음과 같을 때 이등변삼각형이 아닌 것을 찾아 기호를 써 보세요.

> ㉠ 6 cm, 6 cm, 5 cm
> ㉡ 4 cm, 7 cm, 6 cm
> ㉢ 8 cm, 8 cm, 8 cm

( )

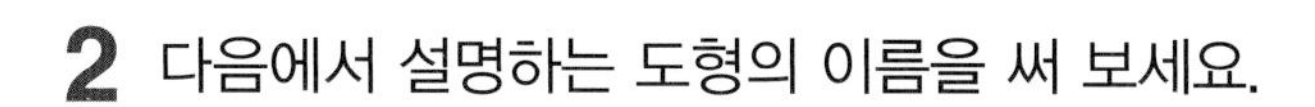

2 다음에서 설명하는 도형의 이름을 써 보세요.

> • 10개의 선분으로 둘러싸여 있습니다.
> • 변의 길이가 모두 같고 각의 크기가 모두 같습니다.

( )

서술형

3 ㉡에 알맞은 수를 구하려고 합니다. 풀이 과정을 쓰고, 답을 구해 보세요.

$$5-1\frac{8}{13}=㉠,\ ㉠+㉡=9\frac{3}{13}$$

풀이

답

4 오른쪽 그림과 같이 높이가 같은 상자를 10층까지 쌓았습니다. 10층까지 쌓은 상자의 전체 높이는 몇 m일까요?

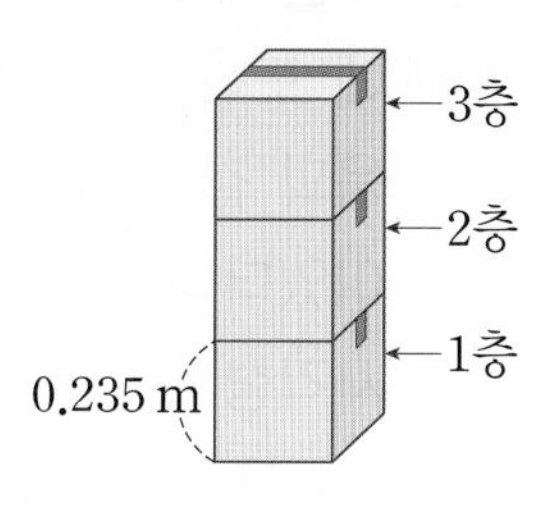

( )

[5~6] 어느 공장의 볼펜 생산량을 월요일부터 금요일까지 조사하여 나타낸 꺾은선그래프입니다. 물음에 답하세요.

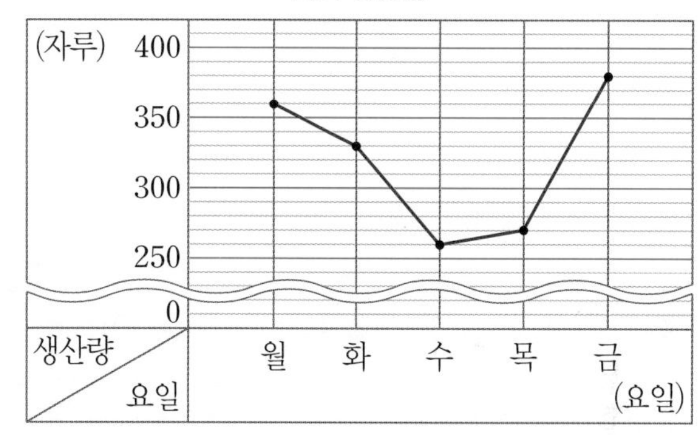

5 위의 꺾은선그래프를 보고 표로 나타내어 보세요.

볼펜 생산량

요일	월	화	수	목	금
생산량(자루)					

6 조사한 기간 동안 생산한 볼펜을 한 자루에 500원씩 받고 모두 팔았다면 볼펜을 판매한 금액은 모두 얼마인지 구해 보세요.

( )

7 창의융합 윷놀이는 윷판 위의 말을 움직여 먼저 최종점에 도착하는 편이 이기는 전통 놀이입니다. 다음과 같은 윷판에서 말을 놓는 곳을 선을 따라 이었더니 정사각형 모양이 되었습니다. 이 정사각형 모양에서 두 대각선의 길이의 합은 몇 cm인지 구해 보세요.

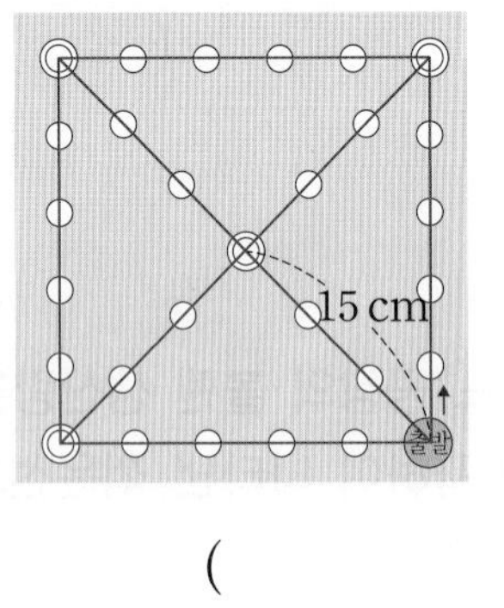

(　　　　　　　　)

서술형

8 삼각형 ㄴㄷㄹ과 삼각형 ㄱㄴㄹ은 이등변삼각형입니다. 각 ㄴㄱㄹ의 크기를 구하려고 합니다. 풀이 과정을 쓰고, 답을 구해 보세요.

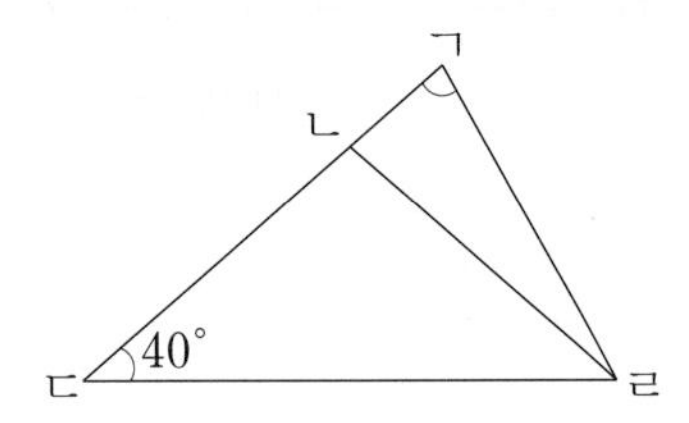

풀이

답

9 도형에서 평행한 두 변인 변 ㄱㅇ과 변 ㅂㅅ 사이의 거리가 22 cm일 때 변 ㄴㄷ과 변 ㅁㄹ 사이의 거리는 몇 cm인지 구해 보세요.

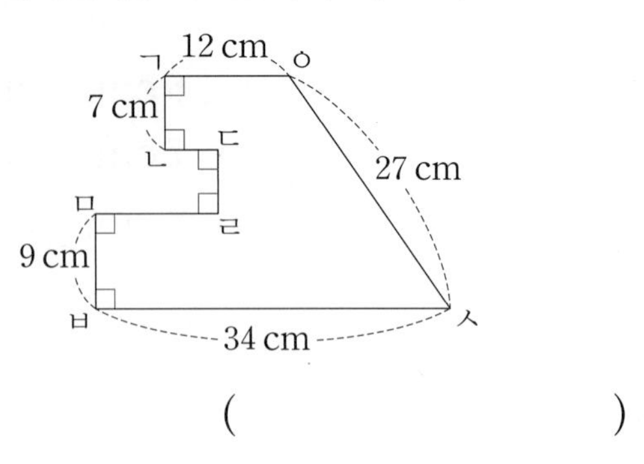

(　　　　　　　　)

10 창의융합 한강에 있는 마포대교, 잠실대교, 반포대교의 길이를 나타낸 것입니다. 세 다리 중에서 길이가 가장 긴 것과 가장 짧은 것의 길이의 차는 몇 km일까요?

마포대교	잠실대교	반포대교
1.4 km	1 km 280 m	1.49 km

(　　　　　　　　)

11 분모가 9인 진분수가 2개 있습니다. 합이 $\frac{8}{9}$, 차가 $\frac{2}{9}$인 두 진분수를 구해 보세요.

(　　　　　　,　　　　　　)

12 직선 가와 직선 나는 서로 평행합니다. 각 ㄱㄴㄷ의 크기를 구해 보세요.

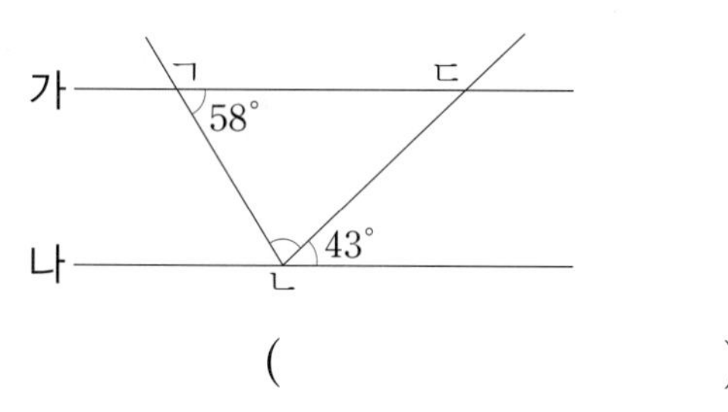

( )

13 0부터 9까지의 수 중에서 □ 안에 들어갈 수 있는 가장 큰 수를 구해 보세요.

$$11.24-7.\square8>3.79$$

( )

서술형

14 어떤 수에서 $\frac{7}{6}$을 빼면 $3\frac{5}{6}$가 됩니다. 어떤 수에서 $1\frac{3}{8}$을 빼면 얼마인지 풀이 과정을 쓰고, 답을 구해 보세요.

풀이

답

15 형과 동생이 어떤 일을 하려고 합니다. 하루에 형은 전체의 $\frac{5}{16}$만큼씩, 동생은 전체의 $\frac{3}{16}$만큼씩 일을 합니다. 이 일을 형이 먼저 시작하여 형과 동생이 하루씩 번갈아가며 한다면 며칠 만에 일을 끝낼 수 있는지 구해 보세요.

( )

16 직사각형 모양의 종이를 그림과 같이 접었습니다. ㉠의 각도를 구해 보세요.

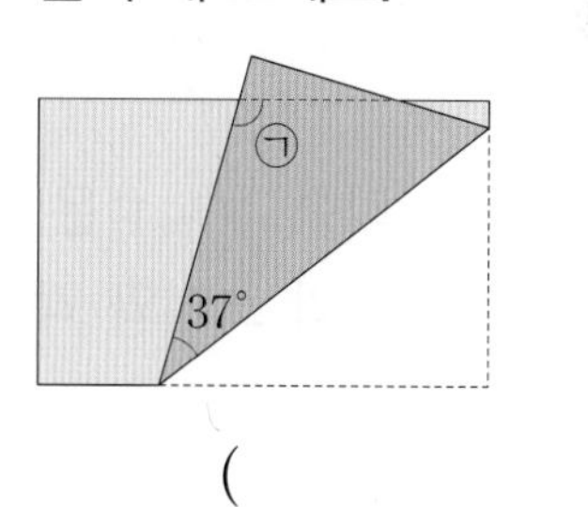

( )

2회 모의고사

17 모양 조각을 사용하여 주어진 모양을 만들려고 합니다. 모양 조각을 가장 많이 사용할 때와 가장 적게 사용할 때의 모양 조각의 개수의 차는 몇 개일까요? (단, 같은 모양 조각을 여러 개 사용할 수 있습니다.)

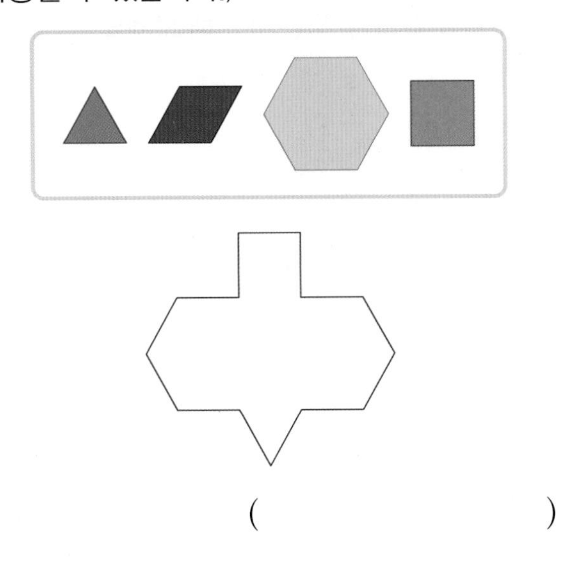

( )

18 그림에서 삼각형 ㄱㄴㄷ은 이등변삼각형입니다. 각 ㄱㄴㅁ의 크기와 각 ㄹㅁㄷ의 크기의 합을 구해 보세요.

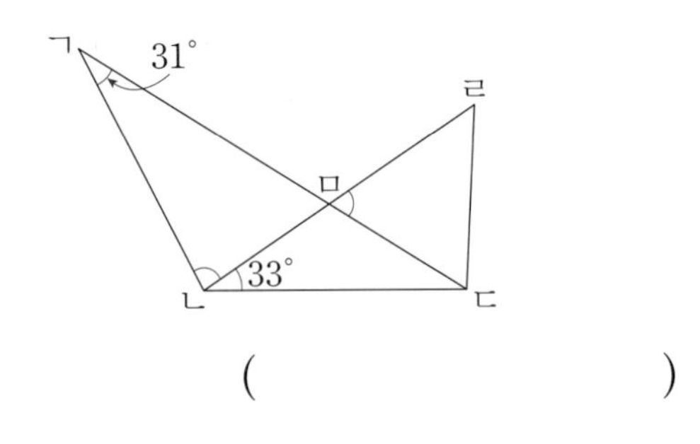

( )

19 어느 동물원의 월별 입장객 수와 월별 매출액을 조사하여 나타낸 꺾은선그래프입니다. 전달에 비해 입장객 수는 줄었지만 매출액은 늘어난 달의 매출액은 전달에 비해 몇 억 원 늘었는지 구해 보세요.

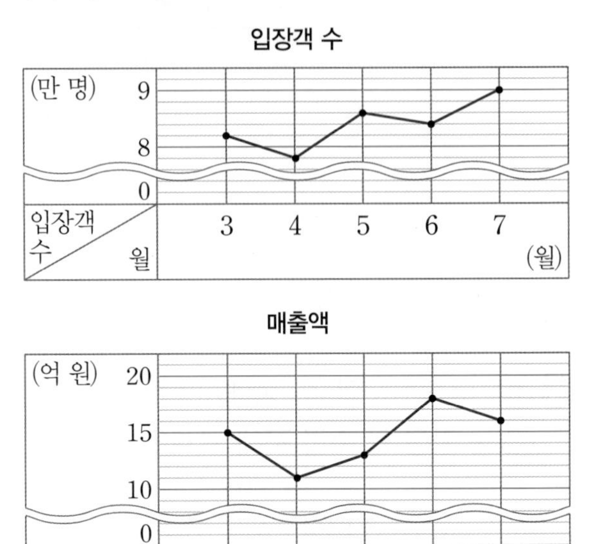

( )

20 정육각형 모양의 종이를 그림과 같이 접었습니다. ㉠의 각도를 구해 보세요.

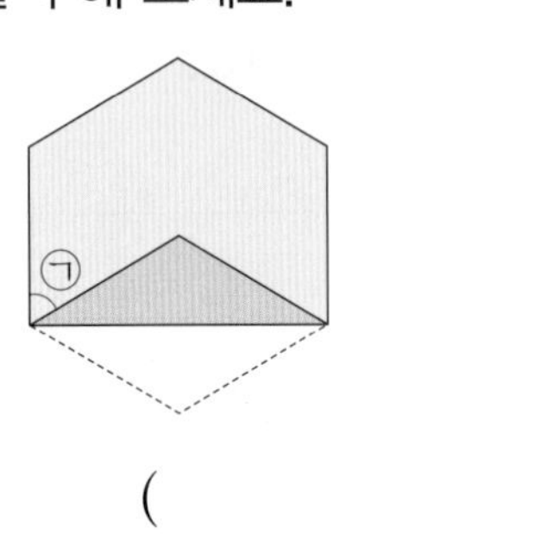

( )

정답 및 풀이 ▸ 54쪽

3회 실전! 경시대회 모의고사

1. 분수의 덧셈과 뺄셈 ~ 6. 다각형

점수

★ 배점: 한 문항당 5점 / 시험 시간: 50분

1 가장 큰 분수와 가장 작은 분수의 합을 구해 보세요.

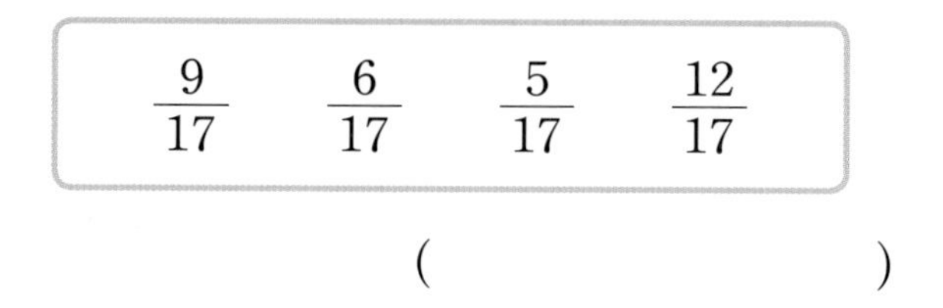

$\frac{9}{17}$ $\frac{6}{17}$ $\frac{5}{17}$ $\frac{12}{17}$

( )

2 ㉠과 ㉡에 알맞은 수의 합을 구해 보세요.

- 3.8은 0.38의 ㉠ 배입니다.
- 500은 0.5의 ㉡ 배입니다.

( )

3 야구장의 내야에 있는 홈, 1루, 2루, 3루의 4개의 베이스를 이으면 마름모 모양이 됩니다. 어느 야구선수가 홈에서 홈런을 쳐 1루, 2루, 3루를 차례로 빨간색 선을 따라 달려 홈에 도착했다면 이 선수가 달린 거리는 모두 몇 m일까요?

창의융합

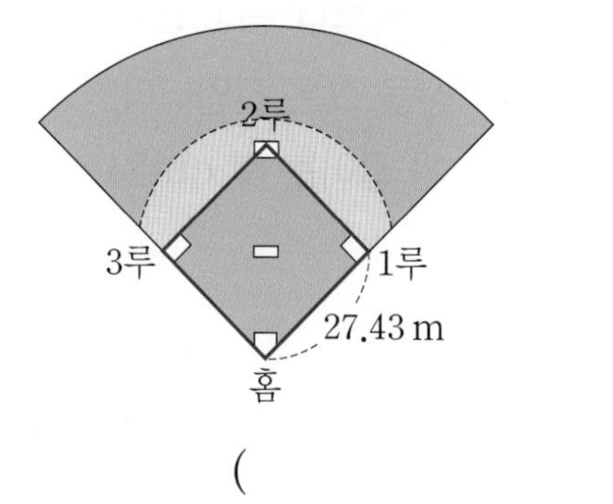

( )

4 삼각형 ㄱㄴㄷ은 이등변삼각형입니다. 세 변의 길이의 합이 49 cm일 때 변 ㄱㄴ의 길이는 몇 cm일까요?

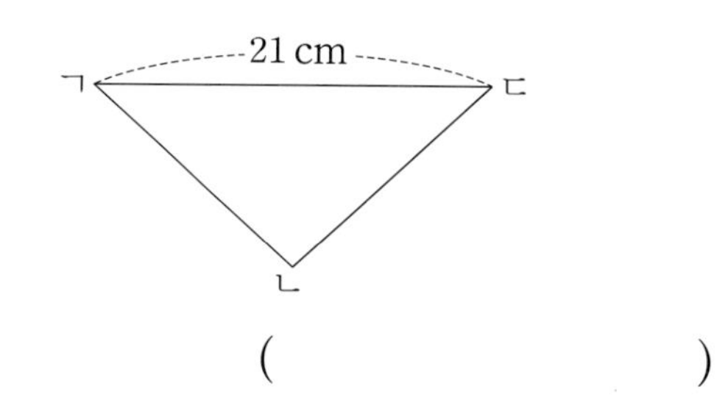

( )

5 칠각형에 그을 수 있는 대각선은 모두 몇 개일까요?

( )

서술형

6 다음이 나타내는 소수 두 자리 수의 10배인 수를 구하려고 합니다. 풀이 과정을 쓰고, 답을 구해 보세요.

1이 47개, 0.1이 1개, 0.01이 15개인 수

풀이

답

7 직선 가와 직선 나는 서로 평행합니다. ㉠의 각도를 구해 보세요.

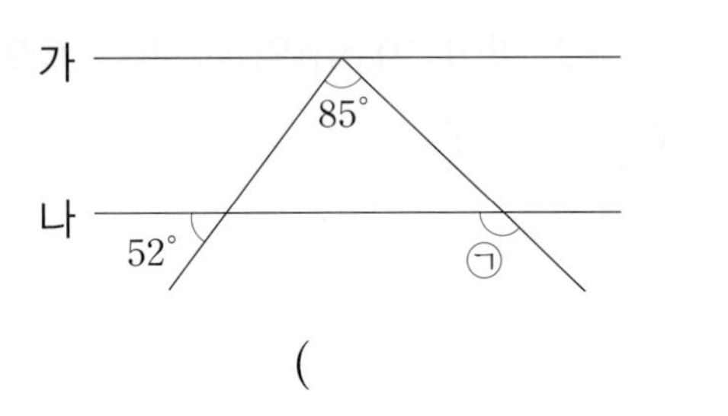

( )

[8~9] ㉮ 회사와 ㉯ 회사의 연도별 자동차 판매량을 조사하여 나타낸 꺾은선그래프입니다. 물음에 답하세요.

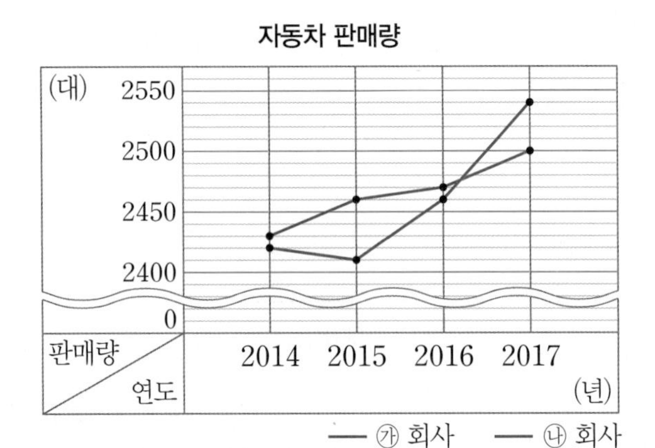

8 두 회사의 자동차 판매량의 차가 가장 큰 때의 판매량의 차는 몇 대인가요?

( )

9 조사한 기간 동안 두 회사의 자동차 판매량은 어느 회사가 몇 대 더 많은지 구해 보세요.

(,)

10 오른쪽 그림에서 삼각형 ㄱㄴㄷ과 삼각형 ㄹㅁㄷ은 정삼각형입니다. 사각형 ㄱㄴㅁㄹ의 네 변의 길이의 합은 몇 cm일까요?

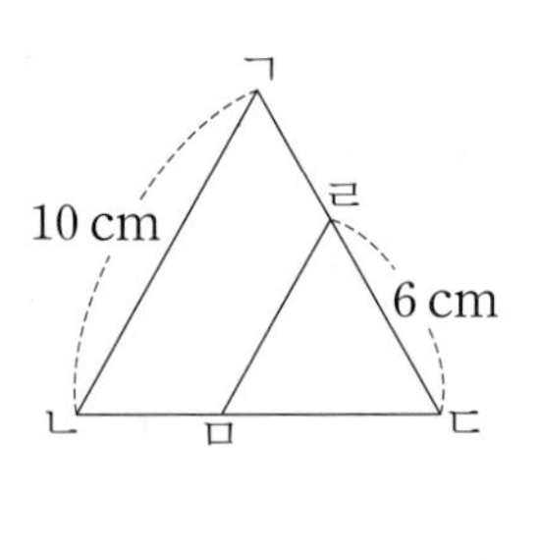

( )

서술형

11 분수 카드 2장을 골라 차가 가장 큰 뺄셈식의 값을 구하려고 합니다. 풀이 과정을 쓰고, 답을 구해 보세요.

$3\frac{2}{11}$ $\frac{13}{11}$ $1\frac{4}{11}$

풀이

답

12 오른쪽은 마름모 ㄱㄴㄷㄹ에 대각선을 그은 것입니다. 변 ㄱㄴ의 길이는 몇 cm일까요?

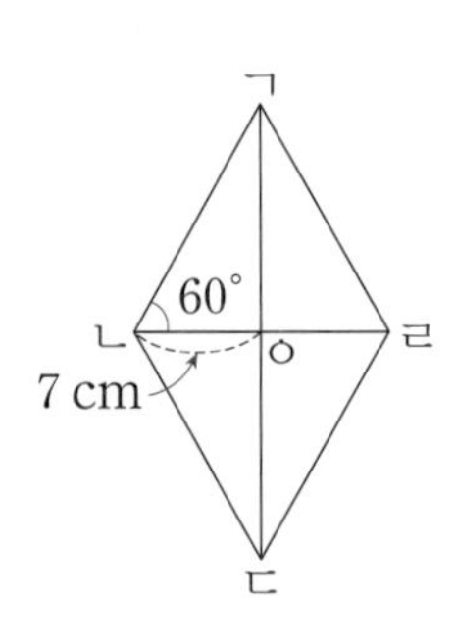

( )

13 주어진 조건을 모두 만족하는 소수 세 자리 수를 구해 보세요.

- 4.3보다 크고 4.5보다 작습니다.
- 소수 둘째 자리 숫자에 어떤 수를 곱해도 항상 0입니다.
- 소수 셋째 자리 숫자는 소수 첫째 자리 숫자의 3배입니다.

(　　　　　　　　)

14 창의융합 우리가 복사 용지로 많이 사용하는 용지는 A4 용지입니다. A0용지를 반으로 접은 크기가 A1용지, A1용지를 반으로 접은 크기가 A2용지……입니다. A6용지의 짧은 변이 10.5 cm, 긴 변이 14.85 cm일 때 A4용지의 긴 변과 짧은 변의 길이의 차는 몇 cm인지 구해 보세요.

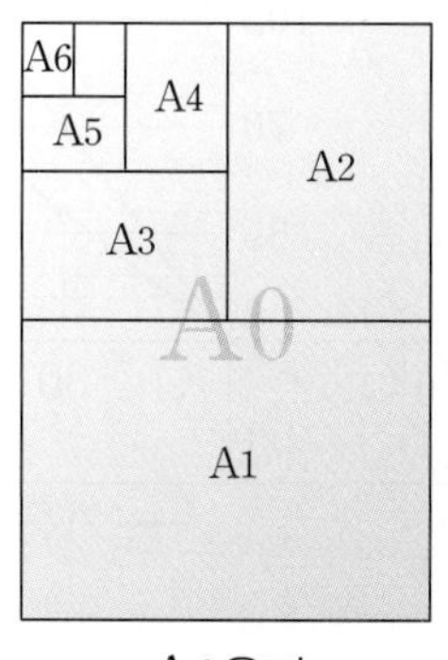

A0용지

(　　　　　　　　)

15 그림에서 찾을 수 있는 크고 작은 둔각삼각형은 모두 몇 개일까요?

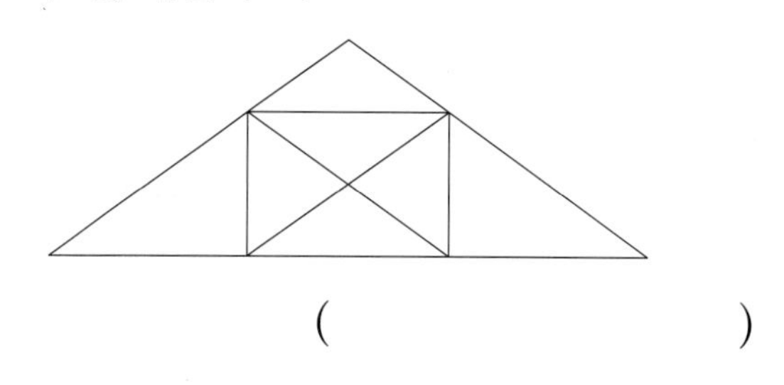

(　　　　　　　　)

서술형

16 사각형 ㄱㄴㄷㅅ과 사각형 ㅅㄴㄷㅂ은 마름모이고, 사각형 ㅂㄷㄹㅁ은 정사각형입니다. 각 ㅂㅅㅁ의 크기를 구하려고 합니다. 풀이 과정을 쓰고, 답을 구해 보세요.

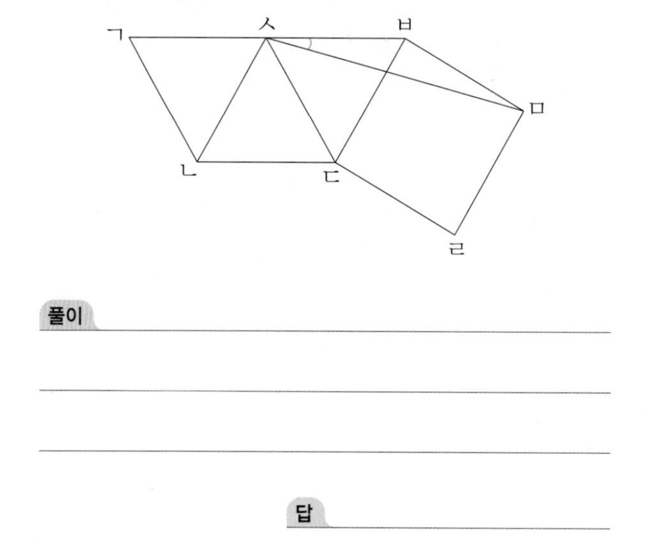

풀이

답

3회 모의고사

17 도형은 정육각형입니다. 각 ㄱㅅㄴ의 크기를 구해 보세요.

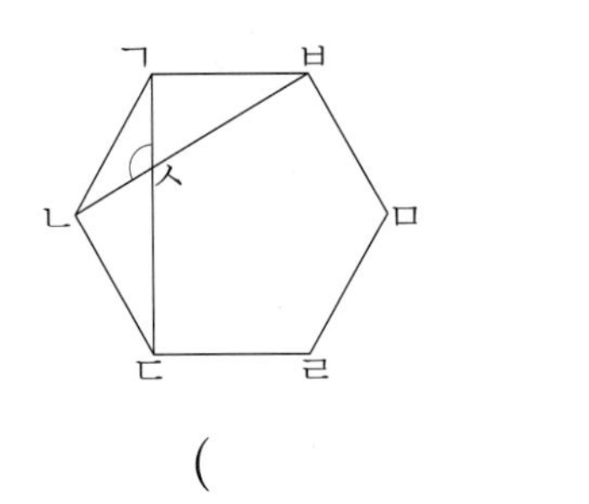

( )

18 직선 가와 직선 나는 서로 평행합니다. 각 ㄱㄴㄷ의 크기를 구해 보세요.

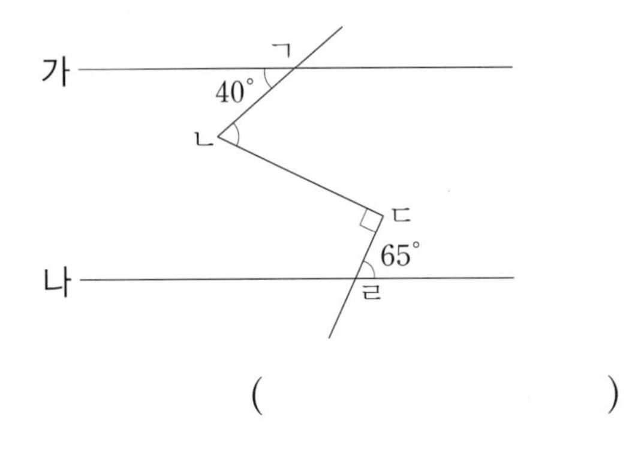

( )

19 한 시간에 $1\frac{2}{5}$분씩 늦어지는 시계가 있습니다. 이 시계를 오늘 오후 2시에 정확히 맞추어 놓았다면 6시간이 지났을 때 이 시계가 가리키는 시각은 오후 몇 시 몇 분 몇 초일까요?

( )

20 자동차와 기차가 일정한 빠르기로 달린 거리를 조사하여 나타낸 꺾은선그래프입니다. 자동차와 기차가 동시에 출발하여 쉬지 않고 각각 일정한 빠르기로 210 km 떨어진 곳에 간다면 자동차는 기차보다 몇 시간 먼저 도착하는지 구해 보세요.

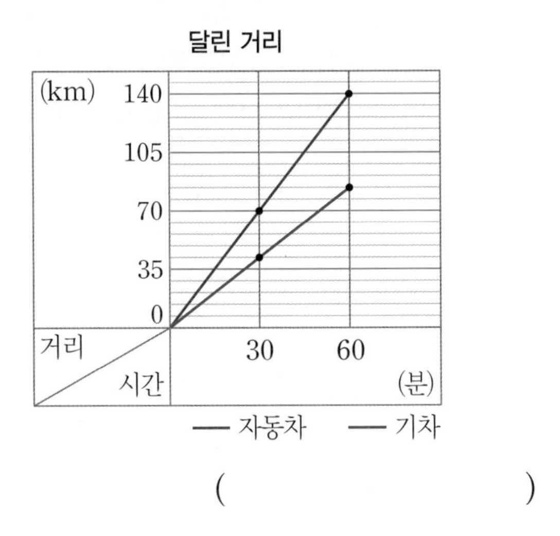

( )

4회 실전! 경시대회 모의고사

1. 분수의 덧셈과 뺄셈 ~ 6. 다각형

점수

★ 배점: 한 문항당 5점 / 시험 시간: 50분

1 도형은 정삼각형입니다. 정삼각형의 세 변의 길이의 합은 몇 cm일까요?

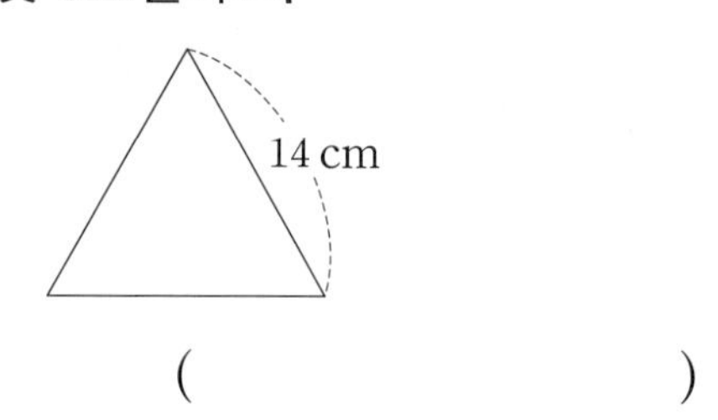

( )

서술형

2 준혁이는 오늘 우유를 0.725 L 마셨고, 세현이는 692 mL 마셨습니다. 누가 우유를 더 많이 마셨는지 풀이 과정을 쓰고, 답을 구해 보세요.

풀이

답

3 평행사변형 ㄱㄴㄷㄹ의 네 변의 길이의 합은 42 cm입니다. 변 ㄱㄴ의 길이는 몇 cm일까요?

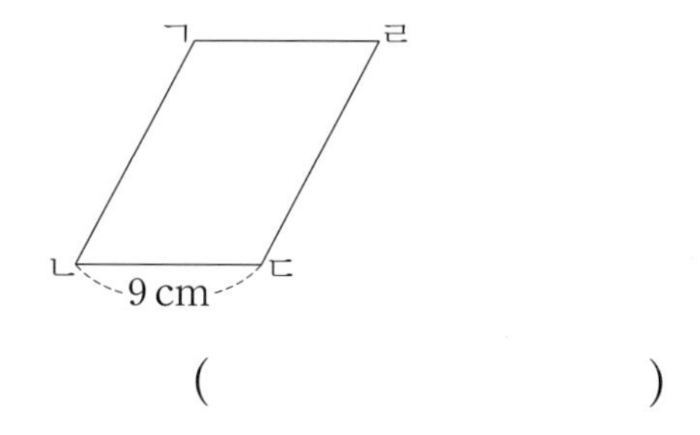

( )

4 ㉮와 ㉯가 나타내는 소수의 합을 구해 보세요.

㉮ $\frac{53}{100}$ ㉯ 2.4의 $\frac{1}{10}$

( )

5 수정이가 키우는 식물의 키를 매월 1일에 조사하여 나타낸 꺾은선그래프입니다. 5월 15일에 식물의 키는 몇 cm쯤이라고 예상하는지 써 보세요.

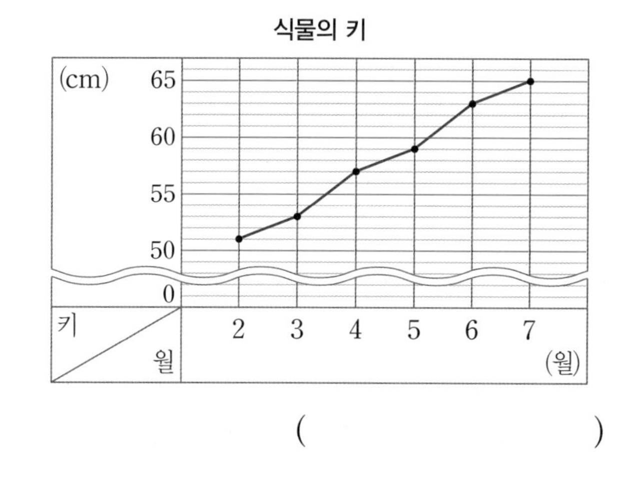

( )

6 우유가 $3\frac{1}{8}$ L 있습니다. 식빵 한 개를 만드는 데 우유가 $1\frac{3}{8}$ L 필요하다면 식빵을 가장 많이 만들고 남는 우유는 몇 L인지 구해 보세요.

( )

7 동훈이가 윗몸일으키기를 한 횟수를 조사하여 나타낸 꺾은선그래프입니다. 이 꺾은선그래프의 세로 눈금 한 칸의 크기를 4회로 하여 다시 그리면 화요일과 수요일의 세로 눈금 칸 수의 차는 몇 칸이 되는지 구해 보세요.

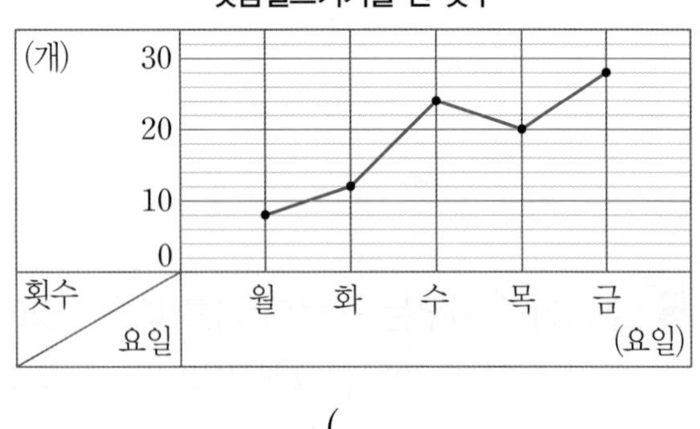

( )

8 길이가 1 m인 철사를 겹치지 않게 사용하여 한 변이 7 cm인 정다각형을 한 개 만들었더니 철사가 16 cm 남았습니다. 만든 정다각형의 이름을 써 보세요.

( )

9 크기가 같은 정삼각형 5개를 겹치지 않게 이어 붙여서 만든 도형입니다. 도형을 둘러싼 빨간색 선의 길이가 63 cm일 때 정삼각형 한 개의 세 변의 길이의 합은 몇 cm인지 구해 보세요.

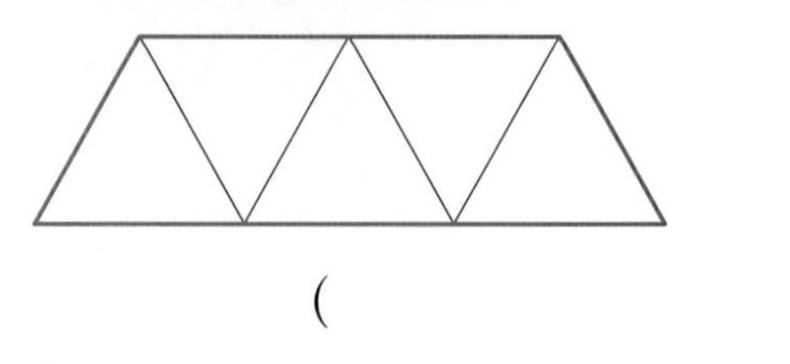

( )

10 오각형과 팔각형에 그을 수 있는 대각선의 수의 합은 몇 개인지 구해 보세요.

( )

서술형

11 5장의 카드를 한 번씩 모두 사용하여 소수 세 자리 수를 만들려고 합니다. 만들 수 있는 소수 중에서 3.52보다 작은 소수는 모두 몇 개인지 풀이 과정을 쓰고, 답을 구해 보세요.

0	3	5	8	.

풀이

답

12 ㉠, ㉡, ㉢에 알맞은 수의 합을 구해 보세요.

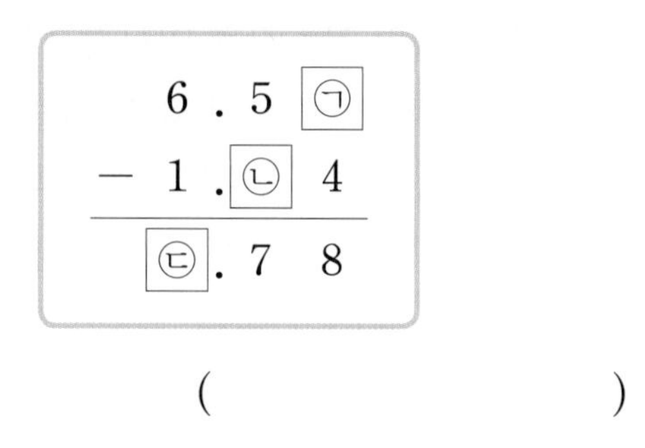

(　　　　　　　　)

13 선분 ㄱㅁ과 선분 ㄷㄹ은 서로 평행합니다. 각 ㄴㄹㄷ의 크기를 구해 보세요.

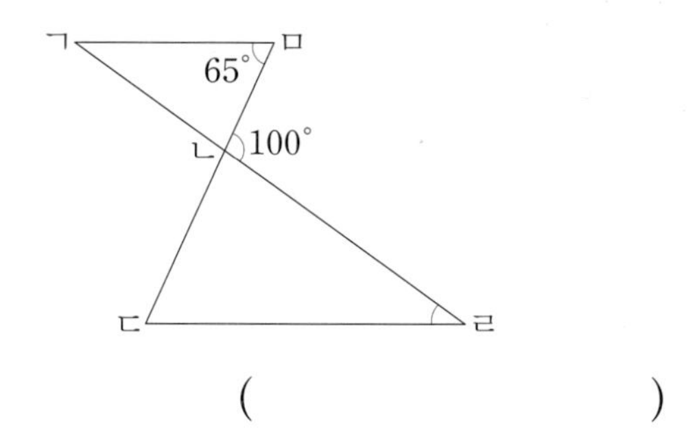

(　　　　　　　　)

14 정삼각형 ㄱㄴㄷ과 이등변삼각형 ㄱㄷㄹ을 겹치지 않게 붙여 놓은 것입니다. 각 ㄱㄹㄷ의 크기를 구해 보세요.

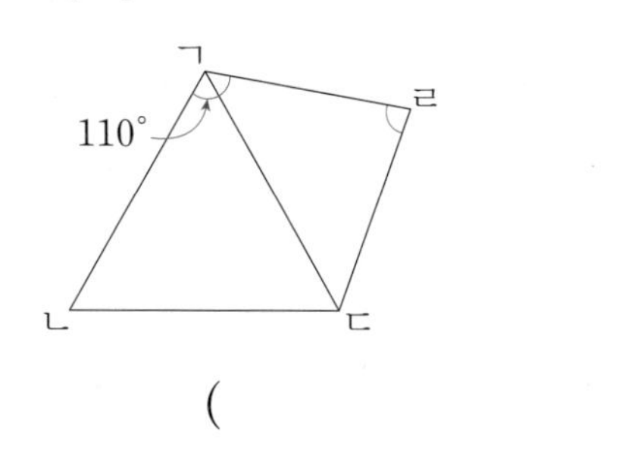

(　　　　　　　　)

15 창의융합 물은 온도가 100 ℃가 될 때 끓기 시작합니다. 온도가 10 ℃인 물을 비커에 담아 가열할 때 물의 온도를 재어 나타낸 꺾은선그래프입니다. 물의 온도가 일정하게 높아질 때 끓기 시작할 때까지 걸리는 시간은 몇 분일까요?

물의 온도

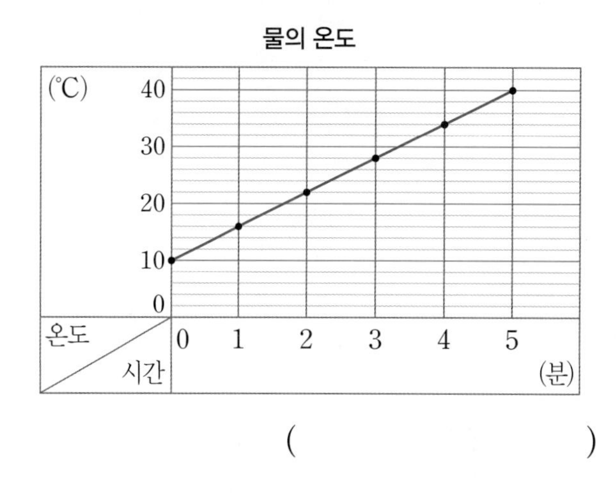

(　　　　　　　　)

16 그을 수 있는 대각선이 27개인 정다각형이 있습니다. 이 정다각형의 한 각의 크기를 구해 보세요.

(　　　　　　　　)

4회 모의고사

17 그림은 크기가 같은 마름모 모양 조각 6개를 겹치지 않게 붙여서 만든 모양입니다. ㉠의 각도를 구해 보세요.

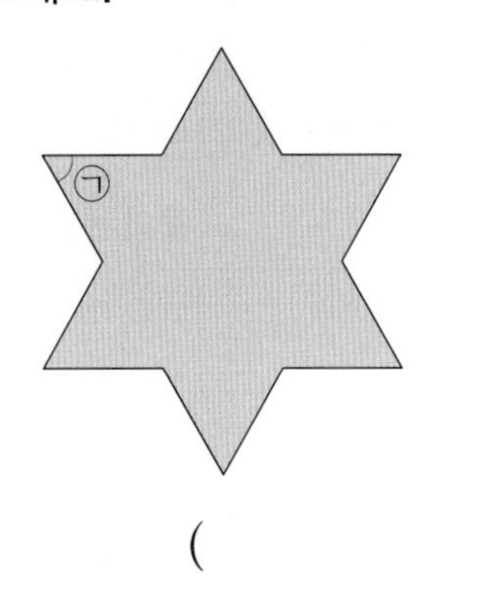

( )

서술형

18 똑같은 주스병 12개가 들어 있는 상자의 무게를 재어 보니 10.62 kg이었습니다. 이 상자에서 주스병 4개를 뺀 다음 다시 무게를 재었더니 7.42 kg이었습니다. 빈 상자의 무게는 몇 kg인지 풀이 과정을 쓰고, 답을 구해 보세요.

풀이

답

19 창의융합 거울에 빛을 비출 때 거울 면으로 들어오는 각을 입사각, 반사된 후 거울 면에서 나가는 각을 반사각이라 하고, 입사각과 반사각의 크기는 같습니다.

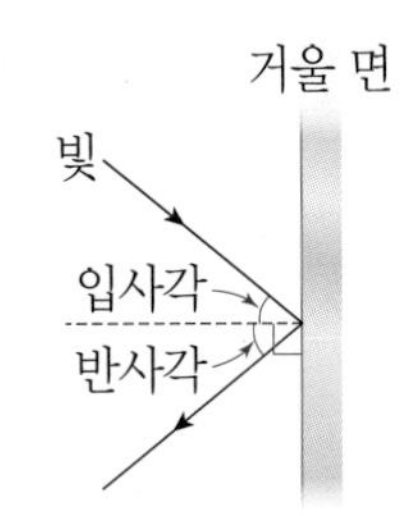

다음과 같이 거울을 평행하게 마주 보게 놓고 빛을 비추었을 때 ㉠의 각도를 구해 보세요.

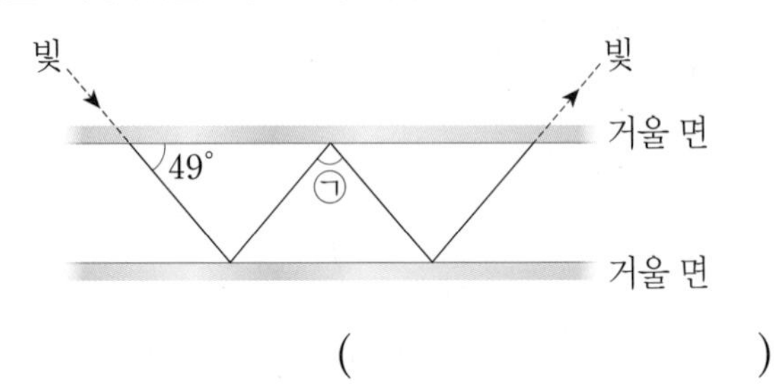

( )

20 길이가 26 cm인 양초에 불을 붙이고 20분 후에 양초의 길이를 재어 보니 $23\frac{3}{10}$ cm였습니다. 양초가 일정한 빠르기로 탈 때 처음 양초에 불을 붙이고 나서 1시간 후 남은 양초의 길이는 몇 cm인지 구해 보세요.

( )

큐브 수학 심화

경시대비북 4·2

초등학교 학년 반 번 이름

엄마 매니저의 큐브수학 STORY

초등수학 문제집 추천

개념

3년째 큐브수학 개념으로 엄마표 수학 완성!

닉네임
사*

4학년부터 개념은 큐브수학으로 시작했는데요. 설명이 쉽게 되어 있어서 접근하기가 좋더라고요. 기초개념만 제대로 잡히면 그다음 단계로 올라가는 건 어렵지 않아요. 처음부터 너무 어려우면 부담스러워 피하기도 하는데 아이가 쉽게 잘 풀어나가는게 효과가 아주 좋았어요. **기초 잡기에는 큐브수학 개념이 제일 만족스러웠어요.**

쉽고 재미있게 개념도 탄탄하게!

닉네임
그**

큐브수학 개념을 계속해서 선택한 이유는 **기초 수학을 체계적으로 풀어가면서 수학 실력을 쌓을 수 있기 때문이에요.** 무료 스마트러닝 개념 동영상 강의도 쉽고 재미나서 혼자서도 충실하게 잘 듣더라고요! 수학 익힘 문제, 더 확장된 문제들까지 다양하게 풀어 볼 수 있어서 좋았어요. 큐브수학만큼 만족도가 큰 문제집은 없는 것 같네요.

무료 동영상 강의로 빈틈 없는 홈스쿨링

닉네임
매****

엄마표 수학을 진행하고 있기 때문에 아이가 잘 따라올 수 있는 수준의 문제집을 고르려고 해요. **특히 홈스쿨링으로 예습을 할 때 가장 좋은 건 동영상 강의예요.** QR코드를 찍으면 바로 동영상을 볼 수 있고, 선생님이 제가 알려주는 것보다 더 알기 쉽게 알려주세요. 부족한 학습은 동영상을 통해 채워줄 수 있어서 정말 좋아요. 혼자서도 언제 어느 때나 강의를 들을 수 있다는 점이 최고!

사고력을 키워 상위권을 공략하는

큐브 수학 심화

정답 및 풀이

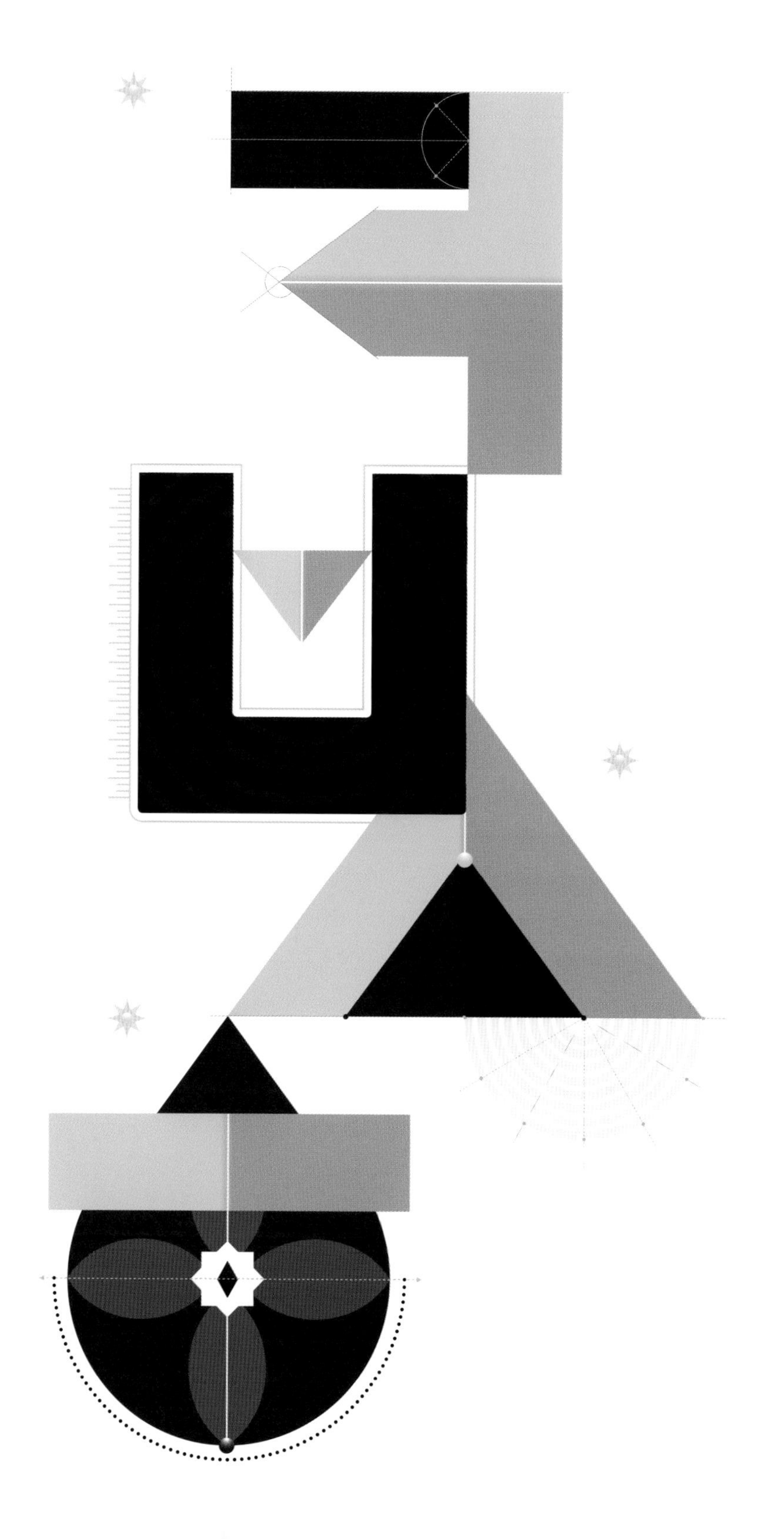

모바일

쉽고 편리한
빠른 정답

4·2

동아출판

정답 및 풀이

4·2

차례

| **모바일 빠른 정답** |

QR코드를 찍으면 **정답 및 풀이**를 쉽고 빠르게 확인할 수 있습니다.

정답 및 풀이

1 분수의 덧셈과 뺄셈

개념 넓히기 007쪽

1 $1\frac{1}{6}(=\frac{7}{6})$ **2** $5\frac{1}{9}$

3 $>$ **4** $6\frac{1}{5}$ L

STEP 1 응용 공략하기 008~014쪽

01 $1\frac{1}{9}(=\frac{10}{9})$, $\frac{6}{9}$ **02** $4\frac{2}{4}$

03 $1\frac{1}{12}$ m$(=\frac{13}{12}$ m$)$ **04** $\frac{6}{9}$

05 예 ❶ $2\frac{1}{7}-1\frac{3}{7}=1\frac{8}{7}-1\frac{3}{7}=\frac{5}{7}$ ▸2점

❷ $\frac{6}{7}-\square=\frac{5}{7}$ → $\square=\frac{6}{7}-\frac{5}{7}=\frac{1}{7}$ ▸3점 / $\frac{1}{7}$

06 $7\frac{2}{5}$ cm **07** ㉢

08 예 ❶ $5\frac{2}{9}-3\frac{\square}{9}=1\frac{4}{9}$에서

$3\frac{\square}{9}=5\frac{2}{9}-1\frac{4}{9}=4\frac{11}{9}-1\frac{4}{9}=3\frac{7}{9}$이므로

□=7입니다. ▸3점

❷ 따라서 □<7이므로 □ 안에 들어갈 수 있는 자연수 중에서 가장 큰 수는 6입니다. ▸2점 / 6

09 $\frac{3}{7}$ kg **10** $5\frac{2}{5}$, $2\frac{3}{5}$ / $3\frac{1}{5}$, $4\frac{4}{5}$

11 $2\frac{4}{8}$ kg **12** $\frac{7}{9}$, $\frac{5}{9}$ 또는 $\frac{5}{9}$, $\frac{7}{9}$

13 $\frac{5}{14}$ **14** $7\frac{5}{10}$ m **15** $9\frac{7}{8}$

16 $18\frac{1}{13}$ km **17** $20\frac{5}{8}$

18 예 ❶ 어떤 수를 □라 하면 $\square+\frac{11}{18}=2\frac{7}{18}$,

$\square=2\frac{7}{18}-\frac{11}{18}=1\frac{25}{18}-\frac{11}{18}$

$=1\frac{14}{18}$입니다. ▸3점

❷ (바른 계산)$=1\frac{14}{18}-\frac{11}{18}=1\frac{3}{18}$ ▸2점

/ $1\frac{3}{18}$

19 ㉯ 길, $2\frac{5}{10}$ km **20** 오전 7시 5분

21 $\frac{2}{5}$ kg

01 ㉠: $\frac{2}{9}$, ㉡: $\frac{8}{9}$

→ ㉠+㉡$=\frac{2}{9}+\frac{8}{9}=\mathbf{\frac{10}{9}}=\mathbf{1\frac{1}{9}}$

㉡−㉠$=\frac{8}{9}-\frac{2}{9}=\mathbf{\frac{6}{9}}$

참고 두 진분수의 합이 대분수일 때 계산 결과를 가분수로 고치지 않아도 정답으로 인정합니다.

02 $3\frac{1}{4}>2\frac{2}{4}>1\frac{3}{4}>1\frac{1}{4}$

→ (가장 큰 분수와 가장 작은 분수의 합)

$=3\frac{1}{4}+1\frac{1}{4}=\mathbf{4\frac{2}{4}}$

03 처음 철사의 길이를 □m라 하면 $\square-\frac{5}{12}=\frac{8}{12}$,

$\square=\frac{8}{12}+\frac{5}{12}=\frac{13}{12}=1\frac{1}{12}$입니다.

→ 처음 철사의 길이는 $\mathbf{1\frac{1}{12}}$ **m**입니다.

04 ㉠ $2\frac{4}{9}+3\frac{2}{9}=5\frac{6}{9}$

㉡ $6\frac{5}{9}-1\frac{4}{9}=5\frac{1}{9}$

㉢ $1\frac{3}{9}+4\frac{8}{9}=5\frac{11}{9}=6\frac{2}{9}$

㉣ $6\frac{1}{9}-\frac{5}{9}=5\frac{10}{9}-\frac{5}{9}=5\frac{5}{9}$

→ $6\frac{2}{9}>5\frac{6}{9}>5\frac{5}{9}>5\frac{1}{9}$

→ $6\frac{2}{9}-5\frac{5}{9}=5\frac{11}{9}-5\frac{5}{9}=\mathbf{\frac{6}{9}}$

05

채점 기준		
	❶ $2\frac{1}{7}-1\frac{3}{7}$을 계산하기	2점
	❷ □ 안에 알맞은 분수 구하기	3점

06 (메뚜기의 전체 길이)

$=1\frac{2}{5}+2\frac{1}{5}+3\frac{4}{5}=3\frac{3}{5}+3\frac{4}{5}=6\frac{7}{5}=\mathbf{7\frac{2}{5}}$**(cm)**

07 ㉠ $9-4\frac{7}{11}=8\frac{11}{11}-4\frac{7}{11}=4\frac{4}{11}$

→ $5-4\frac{4}{11}=4\frac{11}{11}-4\frac{4}{11}=\frac{7}{11}$

㉡ $7-1\frac{5}{11}=6\frac{11}{11}-1\frac{5}{11}=5\frac{6}{11}$

→ $5\frac{6}{11}-5=\frac{6}{11}$

㉢ $6-\frac{6}{11}=5\frac{11}{11}-\frac{6}{11}=5\frac{5}{11}$

→ $5\frac{5}{11}-5=\frac{5}{11}$

• $\frac{5}{11}<\frac{6}{11}<\frac{7}{11}$

따라서 계산 결과가 5에 가장 가까운 것은 ㉢입니다.

08

채점 기준		
	❶ $5\frac{2}{9}-3\frac{□}{9}=1\frac{4}{9}$에서 □의 값 구하기	3점
	❷ □ 안에 들어갈 수 있는 가장 큰 자연수 구하기	2점

09 (종이류와 플라스틱류의 무게의 합)

$=4\frac{3}{7}+1\frac{1}{7}=5\frac{4}{7}$(kg)

→ $6-5\frac{4}{7}=5\frac{7}{7}-5\frac{4}{7}=\mathbf{\frac{3}{7}}$**(kg)**

10 • $5\frac{2}{5}+2\frac{3}{5}=7\frac{5}{5}=8$ → ($\mathbf{5\frac{2}{5}}$, $\mathbf{2\frac{3}{5}}$)

• $3\frac{1}{5}+4\frac{4}{5}=7\frac{5}{5}=8$ → ($\mathbf{3\frac{1}{5}}$, $\mathbf{4\frac{4}{5}}$)

11 도자기의 수만큼 만들고 남는 점토의 양은 다음과 같습니다.

• 도자기 1개: $10\frac{3}{8}-2\frac{5}{8}=9\frac{11}{8}-2\frac{5}{8}=7\frac{6}{8}$

• 도자기 2개: $7\frac{6}{8}-2\frac{5}{8}=5\frac{1}{8}$

• 도자기 3개: $5\frac{1}{8}-2\frac{5}{8}=4\frac{9}{8}-2\frac{5}{8}=2\frac{4}{8}$

• 더 이상 만들 수 없으므로 도자기를 3개까지 만들 수 있습니다.

→ 남는 점토는 $\mathbf{2\frac{4}{8}}$ **kg**입니다.

12 분모가 9이므로 큰 진분수를 $\frac{㉠}{9}$, 작은 진분수를 $\frac{㉡}{9}$이라 하면 $\frac{㉠}{9}+\frac{㉡}{9}=1\frac{3}{9}=\frac{12}{9}$, $\frac{㉠}{9}-\frac{㉡}{9}=\frac{2}{9}$입니다.

→ ㉠+㉡=12, ㉠−㉡=2

두 식을 더하면 ㉠+㉠=14, ㉠=7이고,

7+㉡=12에서 ㉡=5입니다.

따라서 두 진분수는 $\mathbf{\frac{7}{9}}$, $\mathbf{\frac{5}{9}}$입니다.

13 (3일 동안 한 모내기의 양)

$=\frac{3}{14}+\frac{3}{14}+\frac{3}{14}=\frac{9}{14}$

→ (더 해야 하는 모내기의 양)$=1-\frac{9}{14}=\mathbf{\frac{5}{14}}$

14 • 배구 경기장: $18+9=27$(m)

• 배드민턴 경기장: $13\frac{4}{10}+6\frac{1}{10}=19\frac{5}{10}$(m)

→ (두 길이의 차)

$=27-19\frac{5}{10}=26\frac{10}{10}-19\frac{5}{10}=\mathbf{7\frac{5}{10}}$**(m)**

15 분모가 8이므로 8을 제외한 수의 크기를 비교하면 $7>4>3>2$입니다.

가장 큰 대분수: $7\frac{4}{8}$, 가장 작은 대분수: $2\frac{3}{8}$

→ (가장 큰 대분수와 가장 작은 대분수의 합)

$=7\frac{4}{8}+2\frac{3}{8}=\mathbf{9\frac{7}{8}}$

16 (㉮~㉱)=(㉮~㉰)+(㉯~㉱)−(㉯~㉰)

$=9\frac{8}{13}+6\frac{1}{13}-2\frac{5}{13}$

$=15\frac{9}{13}-2\frac{5}{13}=13\frac{4}{13}$(km)

→ (㉮~㉲)

=(㉮~㉱)+(㉱~㉲)

$=13\frac{4}{13}+4\frac{10}{13}=17\frac{14}{13}=\mathbf{18\frac{1}{13}}$**(km)**

17 계산 결과가 가장 크려면 ♥+★의 값이 가장 커야 하므로 ♥와 ★에는 가장 큰 수와 두 번째로 큰 수인 10과 9가 와야 합니다.

가장 큰 진분수를 만들어야 하므로 ■=8이고, ▲와 ●는 남은 수 중에서 큰 수인 7과 6이어야 합니다.

• $\frac{7}{8}>\frac{6}{7}$이므로 ■=8입니다.

→ $♥\frac{▲}{■}+★\frac{●}{■}=10\frac{7}{8}+9\frac{6}{8}=19\frac{13}{8}=\mathbf{20\frac{5}{8}}$

18

채점 기준		
	❶ 어떤 수 구하기	3점
	❷ 바르게 계산하기	2점

19 (㉮ 길의 거리)$=7+\frac{7}{10}=7\frac{7}{10}$(km)

(㉯ 길의 거리)

$=2+2\frac{5}{10}+\frac{7}{10}=4\frac{12}{10}=5\frac{2}{10}$(km)

→ **㉯ 길이** $7\frac{7}{10}-5\frac{2}{10}=\mathbf{2\frac{5}{10}}$**(km)** 더 가깝습니다.

다른 풀이 ㉮ 길과 ㉯ 길은 노고단 고개에서 노고단 정상까지의 거리($\frac{7}{10}$ km)가 겹치므로 이 구간을 제외한 거리만 비교합니다.

• ㉮ 길: 7 km • ㉯ 길: $2+2\frac{5}{10}=4\frac{5}{10}$(km)

→ **㉯ 길**이 $7-4\frac{5}{10}=6\frac{10}{10}-4\frac{5}{10}=\mathbf{2\frac{5}{10}(km)}$ 더 가깝습니다.

20 1일 오전 7시부터 5일 오전 7시까지는 4일입니다.
(4일 동안 빨라지는 시간)
$=1\frac{1}{4}+1\frac{1}{4}+1\frac{1}{4}+1\frac{1}{4}=4\frac{4}{4}=5$(분)
→ (시계가 가리키는 시각)=**오전 7시 5분**
└• 오전 7시+5분

21 (밀가루 한 봉지의 무게)
$=11\frac{3}{5}-8\frac{4}{5}=10\frac{8}{5}-8\frac{4}{5}=2\frac{4}{5}$(kg)
(밀가루 3봉지의 무게)
$=2\frac{4}{5}+2\frac{4}{5}+2\frac{4}{5}=6\frac{12}{5}=8\frac{2}{5}$(kg)
→ (빈 상자의 무게)$=8\frac{4}{5}-8\frac{2}{5}=\mathbf{\frac{2}{5}(kg)}$

STEP 2 심화 해결하기 015~021쪽

01 $1\frac{2}{11}(=\frac{13}{11})$, $\frac{3}{11}$

02 예 ❶ ㉠$=3\frac{8}{12}+1\frac{3}{12}=4\frac{11}{12}$ ▸ 2점
❷ ㉡$-4\frac{11}{12}=3\frac{7}{12}$
→ ㉡$=3\frac{7}{12}+4\frac{11}{12}=7\frac{18}{12}=8\frac{6}{12}$ ▸ 3점
/ $8\frac{6}{12}$

03 $9\frac{3}{5}$ m **04** 예 $1=\frac{1}{6}+\frac{5}{6}$, $1=\frac{3}{6}+\frac{3}{6}$

05 1, 2, 3, 4, 5

06 예 ❶ (두 변의 길이의 합)
$=3\frac{3}{8}+3\frac{3}{8}=6\frac{6}{8}$(m) ▸ 2점
❷ (나머지 한 변)$=9\frac{5}{8}-6\frac{6}{8}=8\frac{13}{8}-6\frac{6}{8}$
$=2\frac{7}{8}$(m) ▸ 3점 / $2\frac{7}{8}$ m

07 $\frac{3}{10}$ kg **08** 4개 **09** $1\frac{9}{15}$ kg

10 $32\frac{10}{11}$ **11** $8\frac{4}{5}$ cm, $26\frac{2}{5}$ cm

12 120쪽 **13** $12\frac{2}{8}$ cm **14** $7\frac{5}{7}$

15 예 ❶ ㉮ 수도꼭지로 1시간 동안 받을 수 있는 물의 양은 $28\frac{1}{2}+28\frac{1}{2}=56\frac{2}{2}=57$(L)입니다.
㉯ 수도꼭지로 1시간 동안 받을 수 있는 물의 양은 $20\frac{1}{2}+20\frac{1}{2}+20\frac{1}{2}=60\frac{3}{2}=61\frac{1}{2}$(L)입니다.
▸ 4점
❷ (1시간 동안 받을 수 있는 물의 양의 합)
$=57+61\frac{1}{2}=118\frac{1}{2}$(L) ▸ 1점 / $118\frac{1}{2}$ L

16 구고전, $\frac{9}{10}$ m **17** 11

18 $5\frac{1}{5}$ **19** $5\frac{4}{15}$ cm

20 예 ❶ (15분 동안 탄 양초의 길이)
$=26-20\frac{5}{9}=25\frac{9}{9}-20\frac{5}{9}$
$=5\frac{4}{9}$(cm) ▸ 1점
❷ (1시간 동안 탄 양초의 길이)
$=5\frac{4}{9}+5\frac{4}{9}+5\frac{4}{9}+5\frac{4}{9}=20\frac{16}{9}$
$=21\frac{7}{9}$(cm) ▸ 2점
❸ (남은 양초의 길이)
$=26-21\frac{7}{9}=25\frac{9}{9}-21\frac{7}{9}=4\frac{2}{9}$(cm) ▸ 2점
/ $4\frac{2}{9}$ cm

21 오후 5시 4분 55초

01 ❶ **동주와 현아가 말한 분수 각각 구하기**
• 동주: $\frac{1}{11}$이 8개인 수는 $\frac{8}{11}$입니다.
• 현아: $\frac{1}{11}$이 5개인 수는 $\frac{5}{11}$입니다.
❷ **위 ❶에서 구한 두 분수의 합과 차 각각 구하기**
• 합: $\frac{8}{11}+\frac{5}{11}=\mathbf{\frac{13}{11}}=\mathbf{1\frac{2}{11}}$
• 차: $\frac{8}{11}-\frac{5}{11}=\mathbf{\frac{3}{11}}$

02

채점 기준		
	❶ ㉠에 알맞은 수 구하기	2점
	❷ ㉡에 알맞은 수 구하기	3점

03 ❶ **가장 큰 수와 가장 작은 수 각각 구하기**

$16>15>6\frac{2}{5}$이므로 가장 큰 수는 16이고, 가장 작은 수는 $6\frac{2}{5}$입니다.

❷ **위 ❶에서 구한 두 수의 차 구하기**

(두 등대의 높이의 차)

$=16-6\frac{2}{5}=15\frac{5}{5}-6\frac{2}{5}=\mathbf{9\frac{3}{5}(m)}$

04 ❶ **1을 분모가 6인 두 진분수의 합으로 나타내는 방법 알아보기**

1을 분모가 6인 두 진분수의 합으로 나타내려면 분자끼리의 합이 6이 되도록 만들어야 합니다.

❷ **위 ❶의 방법을 이용하여 1을 분모가 6인 두 진분수의 합으로 나타내기**

$\mathbf{1=\frac{1}{6}+\frac{5}{6}}$, $\mathbf{1=\frac{3}{6}+\frac{3}{6}}$, $1=\frac{2}{6}+\frac{4}{6}$ 등 여러 가지 방법으로 나타낼 수 있습니다.

05 ❶ **계산 결과가 가장 큰 경우 알아보기**

$\frac{4}{10}+\frac{\square}{10}=\frac{4+\square}{10}$이고, 계산 결과로 나올 수 있는 가장 큰 진분수는 $\frac{9}{10}$입니다.

❷ **□ 안에 들어갈 수 있는 자연수 모두 구하기**

$4+\square=9$, $\square=5$이므로 □ 안에 들어갈 수 있는 자연수는 **1, 2, 3, 4, 5**입니다.

06

채점 기준		
	❶ 두 변의 길이의 합 구하기	2점
	❷ 나머지 한 변의 길이 구하기	3점

07 ❶ **나무토막 ㉮의 무게 구하기**

(나무토막 ㉮의 무게)$=\frac{8}{10}$ kg

❷ **나무토막 ㉯의 무게 구하기**

(나무토막 ㉮의 무게)+(나무토막 ㉯의 무게)

$=1\frac{1}{10}$ kg

➜ (나무토막 ㉯의 무게)

$=1\frac{1}{10}-\frac{8}{10}=\frac{11}{10}-\frac{8}{10}=\mathbf{\frac{3}{10}(kg)}$

08 ❶ **각각의 식에서 □ 안에 들어갈 수 있는 자연수 모두 구하기**

• $\frac{7}{9}-\frac{5}{9}=\frac{2}{9}$이므로 $\frac{2}{9}<\frac{\square}{9}$, $\square>2$입니다.

➜ $\square=3, 4, 5, 6, 7, 8$

• $1\frac{8}{9}+4\frac{8}{9}=5\frac{16}{9}=6\frac{7}{9}$이므로

$6\frac{\square}{9}<6\frac{7}{9}$, $\square<7$입니다.

➜ $\square=1, 2, 3, 4, 5, 6$

❷ **□ 안에 공통으로 들어갈 수 있는 자연수의 개수 구하기**

□ 안에 공통으로 들어갈 수 있는 자연수는 3, 4, 5, 6이므로 모두 **4개**입니다.

선행 개념 [6학년] 수의 범위

• ■ 이상 ▲ 이하인 수: ■보다 크거나 같고 ▲보다 작거나 같은 수

• 수직선에 수의 범위를 나타낼 때 이상과 이하는 •으로 나타냅니다.

참고 3 이상 8 이하인 수와 1 이상 6 이하인 수에서 공통 범위를 찾으면 다음과 같습니다.

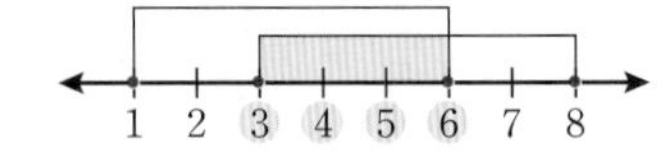

09 ❶ **지민이와 상준이가 덜어 낸 배양토의 무게의 합**

(지민이와 상준이가 덜어 낸 배양토의 무게의 합)

$=\frac{4}{15}+\frac{2}{15}=\frac{6}{15}$(kg)

❷ **처음 자루에 들어 있던 배양토의 무게 구하기**

처음 자루에 들어 있던 배양토의 무게를 □kg이라 하면 $\square-\frac{6}{15}=1\frac{3}{15}$, $\square=1\frac{3}{15}+\frac{6}{15}=1\frac{9}{15}$입니다.

➜ 처음 자루에 들어 있던 배양토는 $\mathbf{1\frac{9}{15}}$ **kg**입니다.

10 ❶ $\frac{5}{11}◆\frac{7}{11}$을 계산하기

$\frac{5}{11}◆\frac{7}{11}=\frac{5}{11}+\frac{5}{11}-\frac{7}{11}=\frac{10}{11}-\frac{7}{11}=\frac{3}{11}$

❷ $\frac{5}{11}◆\frac{7}{11}★30$을 계산하기

$\frac{5}{11}◆\frac{7}{11}★30=\frac{3}{11}★30=30-\frac{3}{11}+3\frac{2}{11}$

$=29\frac{11}{11}-\frac{3}{11}+3\frac{2}{11}$

$=29\frac{8}{11}+3\frac{2}{11}=\mathbf{32\frac{10}{11}}$

11 레벨UP 공략

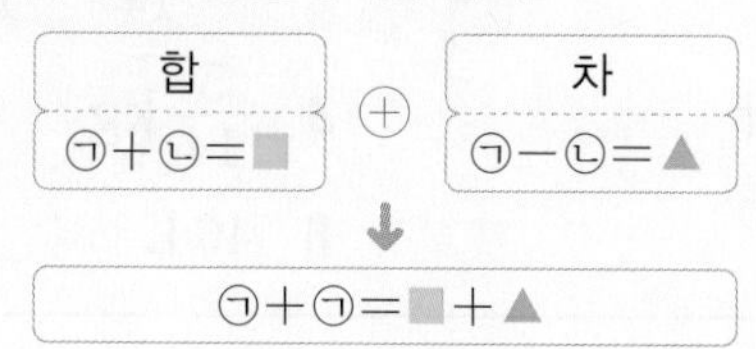

❶ ㉡의 값 구하기

㉠+㉡$=35\frac{1}{5}=\frac{176}{5}$, ㉡−㉠$=17\frac{3}{5}=\frac{88}{5}$

두 식을 더하면 ㉡+㉡$=\frac{176}{5}+\frac{88}{5}=\frac{264}{5}$입니다.

$\frac{264}{5}=\frac{132}{5}+\frac{132}{5}$ → ㉡$=\frac{132}{5}=\mathbf{26\frac{2}{5}}$

❷ ㉠의 값 구하기

㉠$+26\frac{2}{5}=35\frac{1}{5}$

→ ㉠$=35\frac{1}{5}-26\frac{2}{5}=34\frac{6}{5}-26\frac{2}{5}=\mathbf{8\frac{4}{5}}$

12 ❶ 어제와 오늘 읽은 동화책의 쪽수는 전체의 얼마인지 구하기

어제와 오늘 읽은 동화책의 쪽수는 전체의

$\frac{4}{12}+\frac{5}{12}=\frac{9}{12}$입니다.

❷ 동화책의 전체 쪽수 구하기

전체의 $\frac{9}{12}$가 90쪽이므로 전체의 $\frac{1}{12}$은

$90\div9=10$(쪽)입니다.

→ (동화책의 전체 쪽수)

$=10\times12=$**120(쪽)**

13 ❶ 색 테이프 3장의 길이의 합 구하기

(색 테이프 3장의 길이의 합)

$=5\times3=15$(cm)

❷ 겹쳐진 부분의 길이의 합 구하기

(겹쳐진 부분의 길이의 합)

$=1\frac{3}{8}+1\frac{3}{8}=2\frac{6}{8}$(cm)

❸ 이어 붙인 색 테이프의 전체 길이 구하기

(이어 붙인 색 테이프의 전체 길이)

$=15-2\frac{6}{8}=14\frac{8}{8}-2\frac{6}{8}=\mathbf{12\frac{2}{8}}$**(cm)**

중요 (겹쳐진 간격의 수)=(색 테이프의 수)−1

14 ❶ 어떤 수 구하기

$1\frac{4}{7}$의 자연수 부분과 분자를 바꾸면 $4\frac{1}{7}$입니다.

어떤 수를 □라 하면

$\square-4\frac{1}{7}=5\frac{1}{7}$, $\square=5\frac{1}{7}+4\frac{1}{7}=9\frac{2}{7}$입니다.

❷ 바르게 계산하기

(바른 계산)$=9\frac{2}{7}-1\frac{4}{7}=8\frac{9}{7}-1\frac{4}{7}=\mathbf{7\frac{5}{7}}$

15

채점 기준		
	❶ ㉮와 ㉯ 수도꼭지로 1시간 동안 받을 수 있는 물의 양을 각각 구하기	4점
	❷ 두 수도꼭지로 1시간 동안 받을 수 있는 물의 양의 합 구하기	1점

16 ❶ 구고전과 규전의 세 변의 길이의 합 각각 구하기

(구고전의 세 변의 길이의 합)

$=3\frac{9}{10}+5\frac{2}{10}+6\frac{5}{10}=14\frac{16}{10}=15\frac{6}{10}$(m)

(규전의 세 변의 길이의 합)

$=5\frac{3}{10}+4\frac{1}{10}+5\frac{3}{10}=14\frac{7}{10}$(m)

❷ 어느 것의 세 변의 길이의 합이 몇 m 더 긴지 구하기

따라서 **구고전**의 세 변의 길이의 합이

$15\frac{6}{10}-14\frac{7}{10}=14\frac{16}{10}-14\frac{7}{10}=\mathbf{\frac{9}{10}}$**(m)** 더 깁니다.

17 ❶ 문제에 알맞은 식 만들기

㉮+㉯$=5\frac{2}{9}$

㉯+㉰$=7\frac{7}{9}$

+ ㉮+㉰$=9$

㉮+㉯+㉯+㉰+㉮+㉰$=5\frac{2}{9}+7\frac{7}{9}+9$

$=22$

❷ ㉮, ㉯, ㉰의 합 구하기

㉮+㉯+㉯+㉰+㉮+㉰=22

→ ㉮+㉯+㉰=**11**

18 ❶ 만들 수 있는 가장 큰 대분수와 가장 작은 대분수 각각 구하기

분모가 같은 두 대분수를 만들어야 하므로 분모가 될 수 있는 수는 눈의 수가 2개인 5입니다.

진도북 1단원

두 대분수의 차가 가장 크게 되려면
(가장 큰 대분수)−(가장 작은 대분수)를 구해야 하므로 5를 제외한 수의 크기를 비교하면 $6>3>2>1$입니다.

가장 큰 대분수: $6\frac{3}{5}$, 가장 작은 대분수: $1\frac{2}{5}$

❷ 위 ❶에서 만든 두 대분수의 차 구하기

(두 대분수의 차)$=6\frac{3}{5}-1\frac{2}{5}=\mathbf{5\frac{1}{5}}$

19 ❶ 물에 젖은 부분의 길이의 합 구하기

오른쪽 그림과 같이 나무 막대의 양쪽 끝 부분의 물에 젖은 부분의 길이의 합은 나무 막대를 넣었을 때의 물의 높이의 2배입니다.

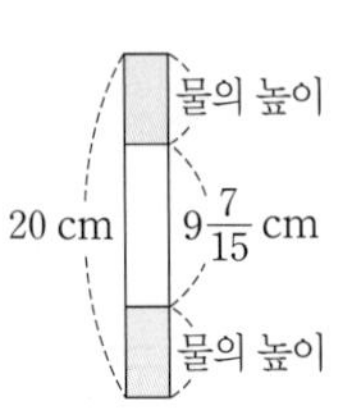

(물에 젖은 부분의 길이의 합)
$=20-9\frac{7}{15}=19\frac{15}{15}-9\frac{7}{15}=10\frac{8}{15}$(cm)

❷ 나무 막대를 넣었을 때의 물의 높이 구하기

$10\frac{8}{15}=5\frac{4}{15}+5\frac{4}{15}$이므로 나무 막대를 넣었을 때의 물의 높이는 $\mathbf{5\frac{4}{15}}$ **cm**입니다.

20

채점 기준		
	❶ 15분 동안 탄 양초의 길이 구하기	1점
	❷ 1시간 동안 탄 양초의 길이 구하기	2점
	❸ 남은 양초의 길이 구하기	2점

21 ❶ 3월 20일 오후 5시부터 3월 25일 오후 5시까지 늦어지는 시간 구하기

3월 20일 오후 5시부터 3월 25일 오후 5시까지는 5일입니다.
(5일 동안 늦어지는 시간)
$=1\frac{1}{60}+1\frac{1}{60}+1\frac{1}{60}+1\frac{1}{60}+1\frac{1}{60}=5\frac{5}{60}$(분)

❷ 실제로 빨라지는 시간 구하기

(실제로 빨라지는 시간)
$=10-5\frac{5}{60}=9\frac{60}{60}-5\frac{5}{60}=4\frac{55}{60}$(분)

1분=60초 → $4\frac{55}{60}$분=4분 55초

❸ 시계가 가리키는 시각 구하기

(시계가 가리키는 시각)=오후 5시+4분 55초
=**오후 5시 4분 55초**

STEP 3 최상위 도전하기 022~023쪽

1	오후 2시 25분	**2**	$39\frac{5}{14}$, $2\frac{1}{14}$
3	$\frac{3}{4}$박	**4**	$\frac{5}{14}$ kg
5	5일	**6**	46 L

1 ❶ 집에서 동물원까지 가는 데 걸린 시간 구하기

(집에서 동물원까지 가는 데 걸린 시간)
$=\frac{3}{4}+1\frac{3}{4}+\frac{1}{4}=1\frac{7}{4}=2\frac{3}{4}$(시간)

❷ 동물원에 도착한 시각 구하기

1시간=60분 → $\frac{1}{4}$시간=15분
→ $\frac{3}{4}$시간=45분 → $2\frac{3}{4}$시간=2시간 45분

(동물원에 도착한 시각)
=11시 40분+2시간 45분=14시 25분
→ **오후 2시 25분**

2 ❶ 분수를 늘어놓은 규칙 찾기

- 자연수 부분: 2, 4, 6, 8 …… → 2부터 2씩 커집니다.
- 분수 부분의 분자: 1, 2, 3, 4 …… → 1부터 1씩 커집니다.

❷ 9째에 놓이는 분수와 10째에 놓이는 분수의 합과 차 각각 구하기

$2\frac{1}{14}$, $4\frac{2}{14}$, $6\frac{3}{14}$, $8\frac{4}{14}$, $10\frac{5}{14}$, $12\frac{6}{14}$, $14\frac{7}{14}$, $16\frac{8}{14}$, $18\frac{9}{14}$, $20\frac{10}{14}$

→ • 합: $18\frac{9}{14}+20\frac{10}{14}=38\frac{19}{14}=39\frac{5}{14}$
• 차: $20\frac{10}{14}-18\frac{9}{14}=2\frac{1}{14}$

3 ❶ □로 표시한 부분에서 ㉠을 제외한 부분의 박자 길이의 합 구하기

𝅘𝅥𝅯+𝅘𝅥𝅮+𝅘𝅥𝅮+𝅘𝅥𝅮+𝅘𝅥.
$=\frac{1}{4}+\frac{2}{4}+\frac{2}{4}+\frac{2}{4}+1\frac{2}{4}=1\frac{9}{4}=3\frac{1}{4}$(박)

❷ ㉠에 알맞은 음표의 박자 길이 구하기

㉠$=4-3\frac{1}{4}=3\frac{4}{4}-3\frac{1}{4}=\mathbf{\frac{3}{4}}$**(박)**

4 ❶ 문제에 알맞은 식 만들기

감자의 무게를 ● kg, 고구마의 무게를 ▲ kg, 빈 바구니의 무게를 □ kg이라 하면

▲+□$=2\frac{13}{14}$, ●+□$=2\frac{2}{14}$입니다.

❷ 빈 바구니의 무게 구하기

두 식을 더하면

▲+□+●+□$=2\frac{13}{14}+2\frac{2}{14}=4\frac{15}{14}=5\frac{1}{14}$,

●+▲+□$=4\frac{10}{14}$이므로 $4\frac{10}{14}$+□$=5\frac{1}{14}$입니다.

→ □$=5\frac{1}{14}-4\frac{10}{14}=4\frac{15}{14}-4\frac{10}{14}=\mathbf{\frac{5}{14}}$

5 ❶ 현규와 진서가 3일 동안 하는 일의 양 구하기

(현규와 진서가 함께 하루에 하는 일의 양)

$=\frac{1}{13}+\frac{2}{13}=\frac{3}{13}$

(현규와 진서가 3일 동안 하는 일의 양)

$=\frac{3}{13}+\frac{3}{13}+\frac{3}{13}=\frac{9}{13}$

❷ 진서가 혼자 일을 하는 날수 구하기

전체 일의 양을 1이라 하면 진서가 혼자 해야 하는 일의 양은 $1-\frac{9}{13}=\frac{4}{13}$이고, $\frac{2}{13}+\frac{2}{13}=\frac{4}{13}$이므로 나머지는 진서가 2일 동안 하면 끝낼 수 있습니다.

❸ 일을 끝내는 데 걸리는 날수 구하기

따라서 두 사람이 일을 시작한 지 3+2=**5(일)** 만에 끝낼 수 있습니다.

6

윤석이네 가족은 $26\frac{1}{9}$ L의 휘발유가 들어 있는 자동차를 타고 전체 휘발유의 $\frac{4}{5}$를 사용한 후 주유소에 들러 휘발유 $40\frac{7}{9}$ L를 더 넣었습니다. **지금 자동차에 들어 있는 휘발유는 몇 L인지 구해 보세요.**

└• (사용하고 남은 휘발유의 양) +(더 넣은 휘발유의 양)

❶ 사용하고 남은 휘발유의 양 구하기

처음에 들어 있던 휘발유의 양을 1이라 하면 사용하고 남은 휘발유의 양은 전체의

$1-\frac{4}{5}=\frac{1}{5}$입니다.

$235\div5=47$

$26\frac{1}{9}=\frac{235}{9}$ → | $\frac{47}{9}$ | $\frac{47}{9}$ | $\frac{47}{9}$ | $\frac{47}{9}$ | $\frac{47}{9}$ |

($\frac{4}{5}$: 사용한 휘발유의 양, $\frac{1}{5}$: 남은 휘발유의 양)

(사용하고 남은 휘발유의 양)

$=\frac{47}{9}\text{L}=5\frac{2}{9}\text{L}$

❷ 지금 자동차에 들어 있는 휘발유의 양 구하기

(지금 자동차에 들어 있는 휘발유의 양)

$=5\frac{2}{9}+40\frac{7}{9}=45\frac{9}{9}=$**46(L)**

상위권 TEST
024~025쪽

01 $5\frac{3}{10}$, $2\frac{3}{10}$		02 $\frac{2}{7}$
03 $56\frac{5}{6}$ g	04 $\frac{9}{11}$, $\frac{3}{11}$ 또는 $\frac{3}{11}$, $\frac{9}{11}$	
05 13	06 $\frac{10}{12}$ m	07 $5\frac{7}{9}$
08 $4\frac{1}{9}$	09 1시간 16분	10 $10\frac{6}{8}$
11 $3\frac{6}{13}$	12 $\frac{4}{5}$ kg	

01 ❶ 가장 큰 수와 가장 작은 수 각각 구하기

$3\frac{8}{10}>2\frac{2}{10}>1\frac{5}{10}$이므로 가장 큰 수는 $3\frac{8}{10}$이고, 가장 작은 수는 $1\frac{5}{10}$입니다.

❷ 위 ❶에서 구한 두 수의 합과 차 각각 구하기

• 합: $3\frac{8}{10}+1\frac{5}{10}=4\frac{13}{10}=\mathbf{5\frac{3}{10}}$

• 차: $3\frac{8}{10}-1\frac{5}{10}=\mathbf{2\frac{3}{10}}$

04 ❶ 두 진분수의 분자를 각각 구하기

큰 진분수를 $\frac{㉠}{11}$, 작은 진분수를 $\frac{㉡}{11}$이라 하면

$\frac{㉠}{11}+\frac{㉡}{11}=1\frac{1}{11}=\frac{12}{11}$, $\frac{㉠}{11}-\frac{㉡}{11}=\frac{6}{11}$입니다.

→ ㉠+㉡=12, ㉠−㉡=6

두 식을 더하면 ㉠+㉠=18, ㉠=9이고,

9+㉡=12에서 ㉡=3입니다.

❷ 두 진분수 구하기

따라서 두 진분수는 $\mathbf{\frac{9}{11}}$, $\mathbf{\frac{3}{11}}$입니다.

05 ❶ ㉠과 ㉡에 알맞은 수 각각 구하기

계산 결과 중에서 0이 아닌 가장 작은 값은 $\frac{1}{14}$입니다.

$5\frac{9}{14}-㉠\frac{㉡}{14}=\frac{1}{14}$에서

$㉠\frac{㉡}{14}=5\frac{9}{14}-\frac{1}{14}=5\frac{8}{14}$입니다.

→ ㉠=5, ㉡=8

❷ ㉠과 ㉡의 합 구하기

㉠=5, ㉡=8이므로

㉠+㉡=5+8=**13**입니다.

06 ❶ 두 끈을 묶기 전의 길이의 합 구하기

(두 끈을 묶기 전의 길이의 합)

$=2\frac{7}{12}+1\frac{9}{12}=3\frac{16}{12}=4\frac{4}{12}$(m)

❷ 줄어든 끈의 길이 구하기

(줄어든 끈의 길이)

$=4\frac{4}{12}-3\frac{6}{12}=3\frac{16}{12}-3\frac{6}{12}=\mathbf{\frac{10}{12}}$**(m)**

07 ❶ $3\frac{8}{15}+6\frac{7}{15}$을 계산하기

$3\frac{8}{15}+6\frac{7}{15}=9\frac{15}{15}=10$

❷ □ 안에 알맞은 분수 구하기

$\square=10-4\frac{2}{9}=9\frac{9}{9}-4\frac{2}{9}=\mathbf{5\frac{7}{9}}$

08 ❶ 만들 수 있는 가장 큰 대분수와 가장 작은 대분수 각각 구하기

분모가 9이므로 9를 제외한 수의 크기를 비교하면 7>6>5>3입니다.

가장 큰 대분수: $7\frac{6}{9}$, 가장 작은 대분수: $3\frac{5}{9}$

❷ 위 ❶에서 만든 두 대분수의 차 구하기

(가장 큰 대분수와 가장 작은 대분수의 차)

$=7\frac{6}{9}-3\frac{5}{9}=\mathbf{4\frac{1}{9}}$

09 ❶ 밤의 길이 구하기

(밤의 길이)$=24-12\frac{38}{60}=23\frac{60}{60}-12\frac{38}{60}$

$=11\frac{22}{60}$(시간)

❷ 낮의 길이는 밤의 길이보다 몇 시간 몇 분 더 긴지 구하기

(낮의 길이)−(밤의 길이)

$=12\frac{38}{60}-11\frac{22}{60}=1\frac{16}{60}$(시간) → **1시간 16분**

10 ❶ 어떤 수 구하기

어떤 수를 □라 하면 $\square-5\frac{3}{8}=1\frac{7}{8}$이므로

$\square=1\frac{7}{8}+5\frac{3}{8}=6\frac{10}{8}=7\frac{2}{8}$입니다.

❷ 바르게 계산하기

(바른 계산)$=7\frac{2}{8}+5\frac{3}{8}=12\frac{5}{8}$

❸ 바르게 계산한 값과 잘못 계산한 값의 차 구하기

(바르게 계산한 값과 잘못 계산한 값의 차)

$=12\frac{5}{8}-1\frac{7}{8}=11\frac{13}{8}-1\frac{7}{8}=\mathbf{10\frac{6}{8}}$

11 ❶ ㉮+㉯+㉰의 값 구하기

$㉮+㉯=3\frac{7}{13}$

$㉯+㉰=4\frac{2}{13}$

$+\ ㉮+㉰=6\frac{4}{13}$

㉮+㉯+㉯+㉰+㉮+㉰

$=3\frac{7}{13}+4\frac{2}{13}+6\frac{4}{13}=14$

→ ㉮+㉯+㉰=7

❷ ㉰의 값 구하기

$㉰=7-3\frac{7}{13}=6\frac{13}{13}-3\frac{7}{13}=\mathbf{3\frac{6}{13}}$

12 ❶ 마신 주스의 양 구하기

(마신 주스의 양)$=3\frac{4}{5}-2\frac{3}{5}=1\frac{1}{5}$(kg)

$1\frac{1}{5}=\frac{6}{5}=\frac{3}{5}+\frac{3}{5}$이므로 전체 주스의 $\frac{1}{5}$은 $\frac{3}{5}$ kg입니다.

❷ 전체 주스의 무게 구하기

(전체 주스의 무게)

$=\frac{3}{5}+\frac{3}{5}+\frac{3}{5}+\frac{3}{5}+\frac{3}{5}=\frac{15}{5}=3$(kg)

❸ 빈 병의 무게 구하기

(빈 병의 무게)$=3\frac{4}{5}-3=\mathbf{\frac{4}{5}}$**(kg)**

2 삼각형

개념 넓히기 029쪽

1 가, 다, 바 **2** (위에서부터) 60, 6

3 예

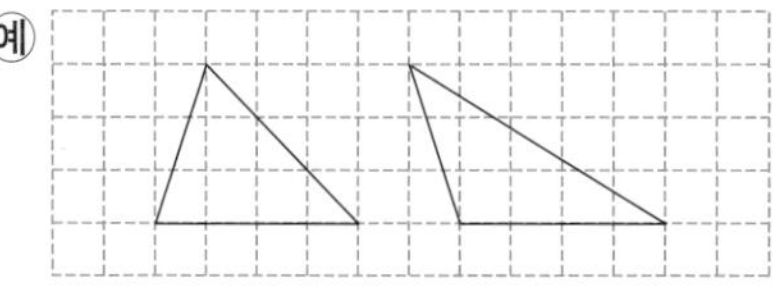

4 ㉡

STEP 1 응용 공략하기 030~035쪽

01 라, 바, 아 **02** 270 cm
03 55° **04** 수민 **05** 80°
06 예 ❶ 정삼각형은 세 변의 길이가 같습니다.
(선분 ㄹㄱ)=(선분 ㅁㄴ)=9 cm
(선분 ㄹㅁ)=14−9=5(cm) ▸3점
❷ (사각형 ㄱㄴㅁㄹ의 네 변의 길이의 합)
=14+9+5+9=37(cm) ▸2점 / 37 cm
07 ㉠, ㉡, ㉣ **08** 96 cm **09** 9 cm
10 7 cm와 11 cm, 9 cm와 9 cm
11 예 ❶ 삼각형 ㄱㄷㄹ은 정삼각형이므로
(각 ㄱㄷㄹ)=60°이고,
(각 ㄱㄷㄴ)=180°−60°=120°입니다. ▸2점
❷ 삼각형 ㄱㄴㄷ은 이등변삼각형이므로
(각 ㄱㄴㄷ)+(각 ㄴㄱㄷ)=180°−120°=60°,
(각 ㄱㄴㄷ)=(각 ㄴㄱㄷ)
=60°÷2=30°입니다. ▸3점 / 30°
12 65° **13** 12개
14 예 ❶ 삼각형 ㄱㄴㄷ은 이등변삼각형이므로
(각 ㄴㄱㄷ)+(각 ㄴㄷㄱ)=180°−130°=50°,
(각 ㄴㄷㄱ)=50°÷2=25°입니다. ▸2점
❷ 삼각형 ㅁㄷㄹ은 이등변삼각형이므로
(각 ㅁㄷㄹ)+(각 ㅁㄹㄷ)=180°−80°=100°,
(각 ㅁㄷㄹ)=100°÷2=50°입니다. ▸2점
❸ (각 ㄱㄷㅁ)=180°−25°−50°=105° ▸1점
/ 105°
15 1080° **16** 90°
17 80 cm **18** 150°

01 • 이등변삼각형: 가, 나, 다, 라, 바, 아
• 둔각삼각형: 라, 바, 사, 아
➜ 이등변삼각형이면서 둔각삼각형인 것: **라, 바, 아**

02 정삼각형은 세 변의 길이가 같으므로 표지판의 세 변은 모두 90 cm입니다.
➜ (표지판의 세 변의 길이의 합)
=90×3=**270(cm)**

03 삼각형 ㄱㄷㄹ은 이등변삼각형이므로
(각 ㄷㄱㄹ)=(각 ㄷㄹㄱ)=35°입니다.
(각 ㄱㄷㄹ)=180°−35°−35°=110°
(각 ㄱㄷㄴ)=180°−110°=70°
(각 ㄴㄱㄷ)=180°−90°−70°=20°
➜ (각 ㄴㄱㄹ)=20°+35°=**55°**

04 나머지 한 각의 크기를 구합니다.
• 준서: 180°−35°−45°=100° ➜ 둔각삼각형
• 수민: 180°−70°−55°=55° ➜ 예각삼각형
• 예준: 180°−25°−65°=90° ➜ 직각삼각형
따라서 예각삼각형을 나타낸 사람은 **수민**입니다.

05

• 삼각형 ㄱㄴㄷ은 이등변삼각형입니다.

• ㉠+㉢=180°−80°
=100°
㉠=㉢=100°÷2=50°
• ㉡=180°−50°=130°
➜ ㉡−㉠=130°−50°=**80°**

> **선행 개념** [중1] 외각
> • 외각: 도형의 한 꼭짓점에서 이웃하는 두 변 중 한 변을 길게 늘였을 때 도형의 바깥쪽에 만들어지는 각
> • 삼각형의 한 꼭짓점에서 외각의 크기는 다른 두 꼭짓점의 각의 크기의 합과 같습니다.
>
> 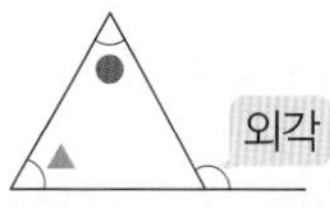
>
> (외각)=●+▲
>
> 참고 [문제 05]에서 ㉡은 꼭짓점 ㄷ의 외각입니다.
> ➜ ㉡=80°+㉠=80°+50°=130°

06

채점 기준		
	❶ 선분 ㄹㄱ, 선분 ㄹㅁ의 길이 각각 구하기	3점
	❷ 사각형 ㄱㄴㅁㄹ의 네 변의 길이의 합 구하기	2점

07 • 두 각의 크기가 60°로 같으므로 ㉡ 이등변삼각형입니다.
• (나머지 한 각의 크기)=180°−60°−60°=60°
세 각의 크기가 모두 같으므로 ㉠ 정삼각형입니다.
• 세 각이 모두 예각이므로 ㉣ 예각삼각형입니다.

진도북 2단원

따라서 삼각형의 이름으로 알맞은 것을 모두 찾아 기호를 쓰면 ㉠, ㉡, ㉣입니다.

08 (정삼각형의 한 변)$=36\div3=12$(cm)
빨간색 선의 길이는 정삼각형의 한 변의 길이의 8배입니다.
➜ (빨간색 선의 길이)$=12\times8=$**96(cm)**

09 삼각형 ㄱㄷㄹ은 정삼각형이므로
(변 ㄱㄹ)$=$(변 ㄷㄹ)$=13$ cm입니다.
(변 ㄱㄴ)$+$(변 ㄴㄷ)$+13+13=44$
(변 ㄱㄴ)$+$(변 ㄴㄷ)$+26=44$
(변 ㄱㄴ)$+$(변 ㄴㄷ)$=18$
➜ 삼각형 ㄱㄴㄷ은 이등변삼각형이므로
(변 ㄱㄴ)$=$(변 ㄴㄷ)$=18\div2=$**9(cm)**입니다.

10 • 길이가 같은 두 변이 11 cm인 경우:
$11+11+\square=29$, $22+\square=29$ ➜ $\square=7$
• 길이가 같은 두 변이 11 cm가 아닌 경우:
$11+\square+\square=29$, $\square+\square=18$ ➜ $\square=9$
따라서 나머지 두 변의 길이가 될 수 있는 경우는 **7 cm와 11 cm, 9 cm와 9 cm**입니다.

11

채점 기준		
	❶ 각 ㄱㄷㄴ의 크기 구하기	2점
	❷ 각 ㄱㄴㄷ의 크기 구하기	3점

12 접힌 부분과 접히기 전 부분의 각도는 같습니다.
㉡$=$(정삼각형의 한 각의 크기)
$=60^\circ$
㉢$+$㉣$=180^\circ-70^\circ=110^\circ$
㉢$=$㉣$=110^\circ\div2=55^\circ$
➜ ㉠$=180^\circ-60^\circ-55^\circ=$**65°**

13 둔각을 찾아 표시하면 다음과 같습니다.

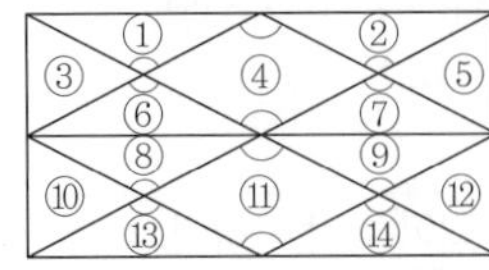

• 도형 1개짜리:
①, ②, ⑥, ⑦, ⑧, ⑨, ⑬, ⑭ (8개)
• 도형 3개짜리: ①+④+②, ⑥+④+⑦,
⑧+⑪+⑨, ⑬+⑪+⑭ (4개)
➜ (둔각삼각형의 개수)$=8+4=$**12(개)**

14

채점 기준		
	❶ 각 ㄴㄷㄱ의 크기 구하기	2점
	❷ 각 ㅁㄷㄹ의 크기 구하기	2점
	❸ 각 ㄱㄷㅁ의 크기 구하기	1점

15 • (정삼각형 2개에 표시한 6개의 각의 크기의 합)
$=60^\circ\times6=360^\circ$
• 노란색으로 색칠한 부분은 삼각형 4개로 나눠집니다.

(노란색으로 색칠한 부분의 6개의 각의 크기의 합)
$=180^\circ\times4=720^\circ$
➜ (표시한 12개의 각의 크기의 합)
$=360^\circ+720^\circ=$**1080°**

16 (선분 ㅇㄱ)$=$(선분 ㅇㄴ)이므로 삼각형 ㅇㄱㄴ은 이등변삼각형입니다. └• 한 원에서 원의 반지름의 길이는 모두 같습니다.
(각 ㅇㄴㄱ)$=$(각 ㅇㄱㄴ)$=40^\circ$
(각 ㄱㅇㄴ)$=180^\circ-40^\circ-40^\circ=100^\circ$
(각 ㄴㅇㄷ)$=180^\circ-100^\circ=80^\circ$이고,
(선분 ㅇㄴ)$=$(선분 ㅇㄷ)이므로 삼각형 ㅇㄴㄷ은 이등변삼각형입니다. └• 한 원에서 원의 반지름의 길이는 모두 같습니다.
(각 ㅇㄴㄷ)$+$(각 ㅇㄷㄴ)$=180^\circ-80^\circ=100^\circ$
(각 ㅇㄴㄷ)$=$(각 ㅇㄷㄴ)$=100^\circ\div2=50^\circ$
➜ (각 ㄱㄴㄷ)$=40^\circ+50^\circ=$**90°**

선행 개념 [중3] 원주각과 중심각
• 원에서 굽은 선 AB에 대하여 원주각과 중심각은 오른쪽 그림과 같습니다.
• 반원에 대한 원주각의 크기는 항상 90°입니다.

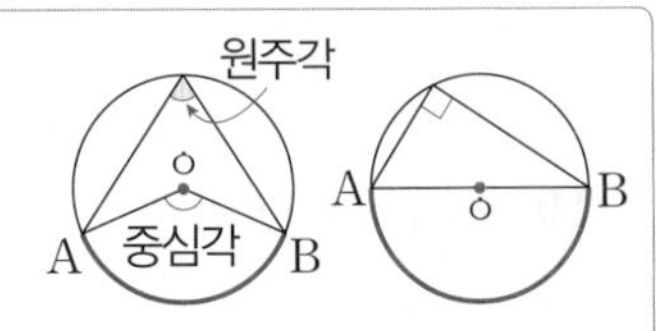

풀이 **[문제 16]**에서 각 ㄱㄴㄷ은 반원에 대한 원주각이므로 (각 ㄱㄴㄷ)$=90^\circ$입니다.

17

(각 ㄱㄷㄹ)$=$(각 ㅁㄷㄹ)$=90^\circ-60^\circ=30^\circ$
(각 ㄱㄷㅁ)$=30^\circ+30^\circ=60^\circ$
(각 ㄷㄱㄹ)$=$(각 ㄷㅁㄹ)$=180^\circ-90^\circ-30^\circ=60^\circ$이므로 삼각형 ㄷㄱㅁ은 정삼각형입니다. 마찬가지 방법으로 삼각형 ㅂㅁㄴ도 정삼각형입니다.
(정삼각형의 한 변)$=$(선분 ㄱㅁ)$=$(선분 ㅁㄴ)
$=40\div2=20$(cm)
➜ (빛이 움직인 거리)$=$(정삼각형의 한 변)$\times4$
$=20\times4=$**80(cm)**

18 (각 ㄴㄱㅇ)=(정삼각형의 한 각의 크기)=60°
(각 ㄹㄱㅇ)=90°−60°=30°
(변 ㄱㄹ)=(변 ㄱㅇ)이므로 삼각형 ㄱㅇㄹ은 이등변삼각형입니다.
(각 ㄱㅇㄹ)+(각 ㄱㄹㅇ)=180°−30°=150°
(각 ㄱㅇㄹ)=(각 ㄱㄹㅇ)=150°÷2=75°
마찬가지 방법으로 (각 ㄴㅇㄷ)=75°입니다.
→ (각 ㄹㅇㄷ)=360°−75°−60°−75°=**150°**

STEP 2 심화 해결하기 036~041쪽

01 16 cm **02** 70°
03 ㉠, ㉤ / ㉠, ㉡, ㉢ **04** 15 cm **05** 35°
06 예 ❶ 정삼각형과 정사각형의 한 변의 길이는 같으므로 굵은 선의 길이는 정삼각형의 한 변의 길이의 8배입니다.
정삼각형의 한 변의 길이를 □cm라 하면
□×8=96, □=96÷8=12(cm)입니다. ▸3점
❷ (정삼각형 한 개의 세 변의 길이의 합)
=12×3=36(cm) ▸2점 / 36 cm
07 56 cm **08** 9 cm
09 12 cm **10** 24개
11 예 ❶ 사각형 ㄱㄷㄹㅁ에서
(각 ㄱㄷㄹ)=360°−65°−90°−90°=115°입니다. ▸1점
❷ (각 ㄴㄷㄱ)=180°−115°=65°이고, 삼각형 ㄱㄴㄷ은 이등변삼각형이므로
(각 ㄴㄱㄷ)=(각 ㄴㄷㄱ)=65°입니다. ▸2점
❸ (각 ㄱㄴㄷ)=180°−65°−65°=50° ▸2점
/ 50°
12 20개 **13** 32 cm **14** 24 cm
15 예각삼각형, 6개 **16** 105°
17 예 ❶ (각 ㄴㄷㄱ)=(각 ㄴㄱㄷ)=25°
(각 ㄱㄴㄷ)=180°−25°−25°=130° ▸1점
❷ (각 ㄷㄴㄹ)=(각 ㄷㄹㄴ)=180°−130°=50°
(각 ㄴㄷㄹ)=180°−50°−50°=80° ▸2점
❸ (각 ㄹㄷㅁ)=(각 ㄹㅁㄷ)
=180°−25°−80°=75°
→ (각 ㄷㄹㅁ)=180°−75°−75°=30° ▸2점
/ 30°
18 75°

01 ❶ **변 ㄱㄷ과 변 ㄴㄷ의 길이의 합 구하기**
(변 ㄱㄷ)+(변 ㄴㄷ)=44−12=32(cm)
❷ **변 ㄱㄷ의 길이 구하기**
삼각형 ㄱㄴㄷ은 이등변삼각형이므로
(변 ㄱㄷ)=(변 ㄴㄷ)=32÷2=**16(cm)**입니다.

02 ❶ **㉠과 ㉡의 각도 각각 구하기**

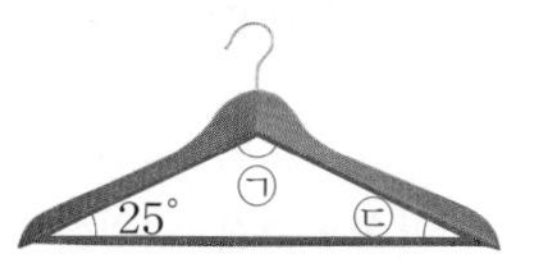

• 이등변삼각형은 두 각의 크기가 같으므로
㉢=25°, ㉠=180°−25°−25°=130°입니다.
• ㉡=(정삼각형의 한 각의 크기)=60°
❷ **㉠과 ㉡의 각도의 차 구하기**
㉠−㉡=130°−60°=**70°**

03 ❶ **삼각형 가의 이름 알아보기**
(삼각형 가의 나머지 한 각의 크기)
=180°−25°−130°=25°
→ 세 각의 크기가 25°, 135°, 25°이므로 ㉠ 이등변삼각형, ㉤ 둔각삼각형입니다.
❷ **삼각형 나의 이름 알아보기**
(삼각형 나의 나머지 한 각의 크기)
=180°−60°−60°=60°
→ 세 각의 크기가 모두 60°이므로 ㉠ 이등변삼각형, ㉡ 정삼각형, ㉢ 예각삼각형입니다.

04 ❶ **이등변삼각형 가의 세 변의 길이의 합 구하기**
(이등변삼각형 가의 세 변의 길이의 합)
=13+16+16=45(cm)
❷ **정삼각형 나의 한 변의 길이 구하기**
(정삼각형 나의 한 변)=45÷3=**15(cm)**

05 ❶ **각 ㄹㄷㄴ과 각 ㄱㄷㄴ의 크기 각각 구하기**
삼각형 ㄹㄴㄷ은 이등변삼각형이므로
(각 ㄹㄴㄷ)+(각 ㄹㄷㄴ)=180°−130°=50°,
(각 ㄹㄷㄴ)=50°÷2=25°입니다.
(각 ㄱㄷㄴ)=(정삼각형의 한 각의 크기)=60°
❷ **㉠의 각도 구하기**
㉠=60°−25°=**35°**

06

채점 기준		
	❶ 정삼각형의 한 변의 길이 구하기	3점
	❷ 정삼각형 한 개의 세 변의 길이의 합 구하기	2점

진도북 2단원

07 ❶ **선분 ㄹㄴ과 선분 ㅁㄷ의 길이 각각 구하기**
선분 ㄱㄹ의 길이를 □cm라 하면→(선분 ㄹㄴ)=(□+□)cm
□+□+□=21, □×3=21, □=7입니다.
(선분 ㄹㄴ)=(선분 ㅁㄷ)=7×2=14(cm)
❷ **사각형 ㄹㄴㄷㅁ의 네 변의 길이의 합 구하기**
(사각형 ㄹㄴㄷㅁ의 네 변의 길이의 합)
=7+14+21+14=**56(cm)**

08 레벨UP 공략
이등변삼각형의 한 변이 ● cm일 때 나머지 두 변의 길이를 구하려면?
길이가 같은 두 변을 다음과 같이 나누어 생각합니다.

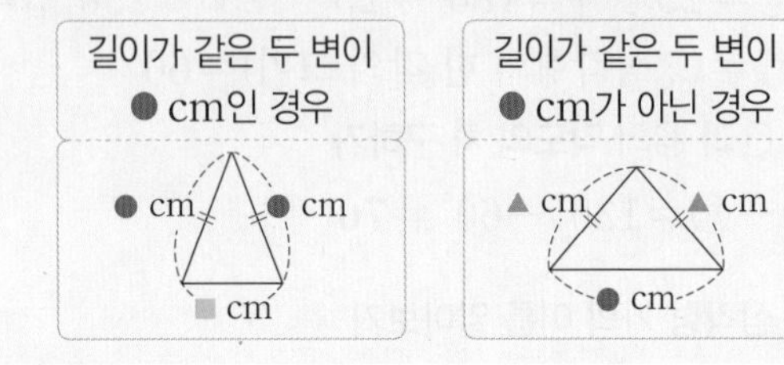

❶ **이등변삼각형의 길이가 같은 두 변이 될 수 있는 경우 알아보기**
이등변삼각형의 긴 변을 □cm라 하면 짧은 변은 (□−4) cm입니다.
- 길이가 같은 두 변이 긴 변인 경우:
  □+□+□−4=23, □+□+□=27, □=9
- 길이가 같은 두 변이 짧은 변인 경우:
  □−4+□+□−4=23, □+□+□=31이 되는 자연수는 없습니다.

❷ **이등변삼각형의 긴 변의 길이 구하기**
따라서 이등변삼각형의 긴 변은 **9 cm**입니다.

09 ❶ **색칠한 가장 작은 정삼각형의 한 변의 길이 구하기**
(두 번째로 큰 정삼각형의 한 변)=32÷2=16(cm)
(세 번째로 큰 정삼각형의 한 변)=16÷2=8(cm)
(색칠한 가장 작은 정삼각형의 한 변)=8÷2=4(cm)
❷ **색칠한 가장 작은 정삼각형의 세 변의 길이의 합 구하기**
(색칠한 가장 작은 정삼각형의 세 변의 길이의 합)
=4×3=**12(cm)**

10 ❶ **이등변삼각형을 그릴 수 있는 경우 알아보기**
이등변삼각형을 그릴 수 있는 경우는 다음과 같이 3가지이고, 8개의 점에서 각각 3개씩 그릴 수 있습니다.

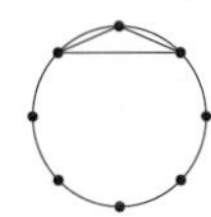 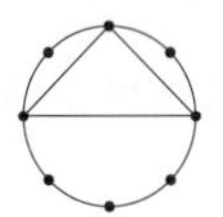 

❷ **그릴 수 있는 이등변삼각형의 개수 구하기**
(그릴 수 있는 이등변삼각형의 개수)
=3×8=**24(개)**

11

채점 기준		
	❶ 각 ㄱㄷㄹ의 크기 구하기	1점
	❷ 각 ㄴㄷㄱ, 각 ㄴㄱㄷ의 크기 각각 구하기	2점
	❸ 각 ㄱㄴㄷ의 크기 구하기	2점

12 ❶ **크고 작은 정삼각형이 될 수 있는 경우 알아보기**

- 정삼각형 1개짜리: ①, ②, ③, ④, ⑤, ⑥, ⑦, ⑧, ⑨, ⑩, ⑪, ⑫ (12개)
- 정삼각형 4개짜리:
  ①+③+④+⑤, ⑥+④+⑤+⑩,
  ⑪+⑤+⑩+⑨, ⑫+⑩+⑨+⑧,
  ⑦+⑨+⑧+③, ②+⑧+③+④ (6개)
- 정삼각형 9개짜리:
  ①+③+④+⑤+⑦+⑧+⑨+⑩+⑪,
  ⑥+④+⑤+⑩+②+③+⑧+⑨+⑫ (2개)

❷ **크고 작은 정삼각형의 개수 구하기**
(크고 작은 정삼각형의 개수)=12+6+2=**20(개)**

13 ❶ **변 ㄱㄴ, 변 ㄴㄷ, 변 ㄷㄱ의 길이 각각 구하기**
(변 ㄱㄴ)=(변 ㄴㄷ)=(변 ㄷㄱ)
=48÷3=16(cm)
❷ **사각형 ㄱㄹㅁㅂ의 네 변의 길이의 합 구하기**
- 삼각형 ㄹㄴㅁ에서 (변 ㄹㄴ)=(변 ㄹㅁ)입니다.
  (변 ㄱㄹ)+(변 ㄹㅁ)=(변 ㄱㄹ)+(변 ㄹㄴ)
  =(변 ㄱㄴ)=16 cm
- 삼각형 ㅂㅁㄷ에서 (변 ㅂㅁ)=(변 ㅂㄷ)입니다.
  (변 ㄱㅂ)+(변 ㅂㅁ)=(변 ㄱㅂ)+(변 ㅂㄷ)
  =(변 ㄱㄷ)=16 cm

→ (사각형 ㄱㄹㅁㅂ의 네 변의 길이의 합)
=16+16=**32(cm)**

14 ❶ **변 ㄱㄴ의 길이 구하기**
삼각형 ㄱㄴㄷ은 이등변삼각형이므로
(변 ㄴㄷ)=(변 ㄱㄷ)=7 cm,
(변 ㄱㄴ)=20−7−7=6(cm)입니다.
❷ **변 ㄱㄹ과 변 ㄴㄹ의 길이 각각 구하기**
삼각형 ㄱㄴㄹ은 이등변삼각형이므로
(변 ㄱㄹ)+(변 ㄴㄹ)=16−6=10(cm),
(변 ㄱㄹ)=(변 ㄴㄹ)=10÷2=5(cm)입니다.

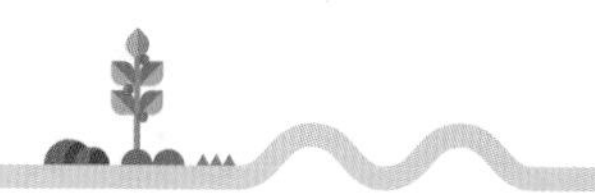

❸ **노란색 부분의 모든 변의 길이의 합 구하기**
(노란색 부분의 모든 변의 길이의 합)
=7+5+5+7=**24(cm)**

15 ❶ **크고 작은 예각삼각형의 개수 구하기**

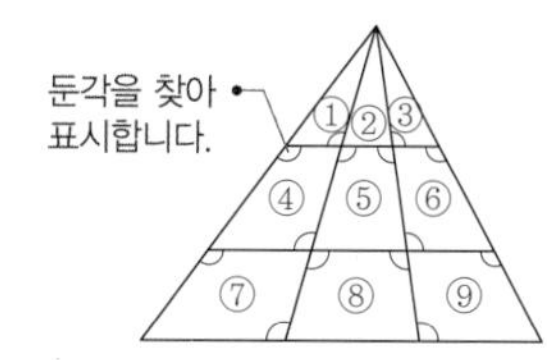

② / ①+②, ②+③, ②+⑤ /
①+②+③, ②+⑤+⑧ /
①+②+④+⑤,
②+③+⑤+⑥ /
①+②+③+④+⑤+⑥,
①+②+④+⑤+⑦+⑧,
②+③+⑤+⑥+⑧+⑨ /
①+②+③+④+⑤+⑥+⑦+⑧+⑨
→ 1+3+2+2+3+1=12(개)

❷ **크고 작은 둔각삼각형의 개수 구하기**
①, ③ / ①+④, ③+⑥ / ①+④+⑦, ③+⑥+⑨
→ 2+2+2=6(개)

❸ **위 ❶과 ❷ 중에서 어느 것이 몇 개 더 많은지 구하기**
따라서 **예각삼각형**이 12−6=**6(개)** 더 많습니다.

16 ❶ **㉡의 각도 구하기**

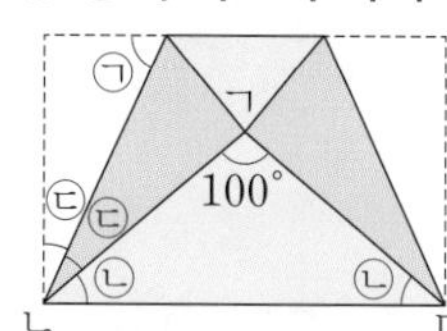

(변 ㄱㄴ)=(변 ㄱㄷ)이므로 삼각형 ㄱㄴㄷ은 이등변삼각형입니다.
100°+㉡+㉡=180°
㉡+㉡=80°, ㉡=80°÷2=40°

❷ **㉠의 각도 구하기**
접힌 부분과 접히기 전 부분의 각도는 같으므로
㉢+㉢+40°=90°, ㉢+㉢=50°,
㉢=50°÷2=25°입니다.
㉠=180°−90°−25°=65°

❸ **㉠과 ㉡의 각도의 합 구하기**
㉠+㉡=65°+40°=**105°**

17

채점 기준		
	❶ 각 ㄱㄴㄷ의 크기 구하기	1점
	❷ 각 ㄴㄷㄹ의 크기 구하기	2점
	❸ 각 ㄷㄹㅁ의 크기 구하기	2점

18 ❶ **삼각형 ㅁㄱㄹ의 종류 알아보기**
삼각형 ㅁㄱㄹ은 이등변삼각형이므로
(각 ㄱㅁㄹ)+(각 ㅁㄱㄹ)=180°−60°=120°이고,
(각 ㄱㅁㄹ)=(각 ㅁㄱㄹ)=120°÷2=60°이므로
삼각형 ㅁㄱㄹ은 정삼각형입니다.

❷ **각 ㄱㅁㄴ의 크기 구하기**
(선분 ㄱㅁ)=(선분 ㄱㄴ)이므로 삼각형 ㄱㄴㅁ은 이등변삼각형입니다.
(각 ㅁㄱㄴ)=60°+90°=150°
(각 ㄱㅁㄴ)+(각 ㄱㄴㅁ)=180°−150°=30°
(각 ㄱㅁㄴ)=(각 ㄱㄴㅁ)=30°÷2=15°

❸ **각 ㅁㅂㄹ의 크기 구하기**
삼각형 ㅁㅂㄹ에서 (각 ㅂㅁㄹ)=60°−15°=45°이므로 (각 ㅁㅂㄹ)=180°−60°−45°=**75°**입니다.

STEP 3 최상위 도전하기 042~043쪽

1	75°	**2**	12개
3	90°	**4**	23°
5	171 cm	**6**	75°

1 ❶ **각 ㄴㄱㄷ과 각 ㄴㄷㄱ의 크기 각각 구하기**
삼각형 ㄱㄴㄷ은 이등변삼각형이므로
(각 ㄴㄱㄷ)+(각 ㄴㄷㄱ)=180°−80°=100°,
(각 ㄴㄱㄷ)=(각 ㄴㄷㄱ)=100°÷2=50°입니다.

❷ **각 ㄷㄱㄹ의 크기 구하기**
(각 ㄱㄷㄹ)=180°−50°=130°
삼각형 ㄱㄷㄹ은 이등변삼각형이므로
(각 ㄷㄱㄹ)+(각 ㄷㄹㄱ)=180°−130°=50°,
(각 ㄷㄱㄹ)=(각 ㄷㄹㄱ)=50°÷2=25°입니다.

❸ **각 ㄴㄱㄹ의 크기 구하기**
(각 ㄴㄱㄹ)=50°+25°=**75°**

2 ❶ **크고 작은 예각삼각형의 개수 구하기**
펼쳤을 때 생기는 모양에서 둔각을 찾아 표시하면 다음과 같습니다.

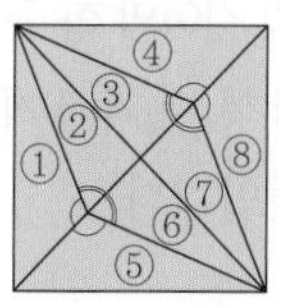

②+③, ⑥+⑦ / ①+②+③,
②+③+④, ⑤+⑥+⑦,
⑥+⑦+⑧ → 2+4=6(개)

❷ **크고 작은 둔각삼각형의 개수 구하기**
①, ④, ⑤, ⑧ / ②+⑥, ③+⑦ → 4+2=6(개)

❸ **위 ❶과 ❷의 개수의 합 구하기**
(예각삼각형과 둔각삼각형의 개수의 합)
=6+6=**12(개)**

3 ❶ **각 ㅇㄴㄱ, 각 ㅇㄷㄴ, 각 ㅇㄱㄷ의 크기 각각 알아보기**

한 원에서 원의 반지름의 길이는 모두 같으므로 삼각형 ㄱㄴㅇ, 삼각형 ㅇㄴㄷ, 삼각형 ㄱㅇㄷ은 모두 이등변삼각형입니다.

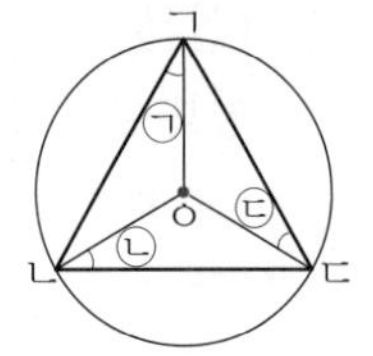

(각 ㅇㄴㄱ)=(각 ㅇㄱㄴ)=㉠

(각 ㅇㄷㄴ)=(각 ㅇㄴㄷ)=㉡

(각 ㅇㄱㄷ)=(각 ㅇㄷㄱ)=㉢

❷ **㉠, ㉡, ㉢의 각도의 합 구하기**

삼각형 ㄱㄴㄷ에서

㉠+㉠+㉡+㉡+㉢+㉢=180°입니다.

→ ㉠+㉡+㉢=**90°**

참고 삼각형 ㄱㄴㄷ은 정삼각형이고, 선분 ㅇㄱ, 선분 ㅇㄴ, 선분 ㅇㄷ은 원의 반지름이므로 삼각형 ㄱㄴㄷ을 똑같이 셋으로 나눈 것입니다.

→ ㉠=㉡=㉢=90°÷3=30°

4 ❶ **각 ㄴㄹㅁ의 크기 구하기**

(각 ㄴㄹㅁ)=180°−55°=125°

❷ **각 ㄹㅁㄴ의 크기 구하기**

삼각형 ㄱㄴㄷ은 이등변삼각형이므로

(각 ㄱㄴㄷ)+(각 ㄱㄷㄴ)=180°−116°=64°,

(각 ㄱㄴㄷ)=(각 ㄱㄷㄴ)=64°÷2=32°입니다.

(각 ㄹㅁㄴ)=(각 ㄱㄷㄴ)=32°

❸ **각 ㄹㄴㅁ의 크기 구하기**

(각 ㄹㄴㅁ)=180°−125°−32°=**23°**

5 ❶ **정삼각형 ㉮, ㉯, ㉰의 한 변의 길이 각각 구하기**

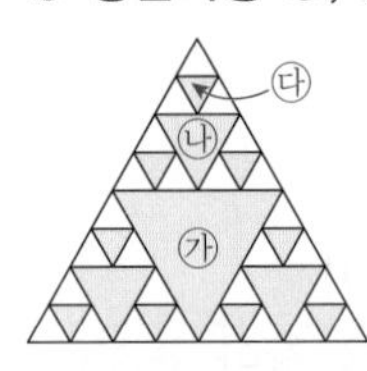

(정삼각형 ㉮의 한 변)

=36÷3=12(cm)

(정삼각형 ㉯의 한 변)

=12÷2=6(cm)

(정삼각형 ㉰의 한 변)=6÷2=3(cm)

❷ **셋째 모양에서 색칠한 부분의 모든 변의 길이의 합 구하기**

셋째 모양에서 색칠한 부분은 정삼각형 ㉮가 1개, 정삼각형 ㉯가 3개, 정삼각형 ㉰가 9개입니다.

(정삼각형 ㉯의 세 변의 길이의 합)

=6×3=18(cm) → 18×3=54(cm)

(정삼각형 ㉰의 세 변의 길이의 합)

=3×3=9(cm) → 9×9=81(cm)

→ (셋째 모양에서 색칠한 부분의 모든 변의 길이의 합)

=36+54+81=**171(cm)**

6 삼각형 ㄱㄴㄷ은 정삼각형, 사각형 ㄱㄷㅁㅂ은 정사각형, 삼각형 ㄷㄱㄹ은 이등변삼각형입니다. **각 ㄱㅅㅂ의 크기**를 구해 보세요.

(한 각의 크기)=60° (한 각의 크기)=90°
두 각의 크기가 같습니다.

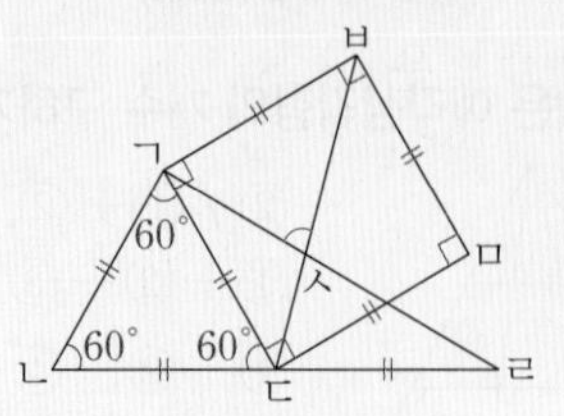

❶ **각 ㅂㄱㅅ의 크기 구하기**

(각 ㄱㄷㄴ)=(정삼각형의 한 각의 크기)=60°

(각 ㄱㄷㄹ)=180°−60°=120°

삼각형 ㄷㄱㄹ은 이등변삼각형이므로 (각 ㄷㄱㄹ)=(각 ㄷㄹㄱ)

(각 ㄷㄱㄹ)+(각 ㄷㄹㄱ)=180°−120°=60°,

(각 ㄷㄱㄹ)=60°÷2=30°입니다.

사각형 ㄱㄷㅁㅂ은 정사각형이므로

(각 ㅂㄱㅅ)=90°−30°=60°입니다.

❷ **각 ㄱㅂㄷ의 크기 구하기**

(변 ㄱㄴ)=(변 ㄱㄷ)=(변 ㄱㅂ)이므로

삼각형 ㄱㄷㅂ은 이등변삼각형입니다. (각 ㄱㄷㅂ)=(각 ㄱㅂㄷ)

(각 ㄱㄷㅂ)+(각 ㄱㅂㄷ)=180°−90°=90°

(각 ㄱㅂㄷ)=90°÷2=45°

❸ **각 ㄱㅅㅂ의 크기 구하기**

삼각형 ㄱㅅㅂ에서

(각 ㄱㅅㅂ)=180°−60°−45°=**75°**입니다.

상위권 TEST 044~045쪽

01 33 cm	**02** 18 cm	**03** 예나
04 50°	**05** 14 cm	**06** 150°
07 4 cm와 8 cm, 6 cm와 6 cm		
08 9개, 9개	**09** 15°	**10** 42 cm
11 70°	**12** 27°	

04 ❶ **각 ㄴㄷㅁ의 크기 구하기**

(각 ㄴㄷㅁ)=360°−90°−90°−65°=115°

❷ **각 ㄷㅁㄹ과 각 ㅁㄷㄹ의 크기 각각 구하기**

(각 ㅁㄷㄹ)=180°−115°=65°

삼각형 ㅁㄷㄹ은 이등변삼각형이므로

(각 ㄷㅁㄹ)=(각 ㅁㄷㄹ)=65°입니다.

❸ **각 ㄷㄹㅁ의 크기 구하기**

(각 ㄷㄹㅁ)=180°−65°−65°=**50°**

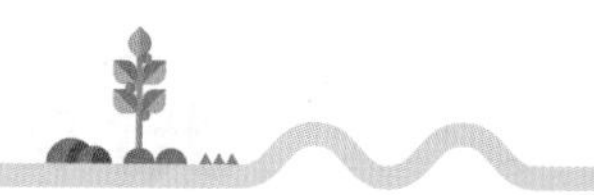

05 ❶ 변 ㄱㄴ과 변 ㄷㄹ의 길이 각각 구하기
삼각형 ㄱㄴㄷ은 정삼각형이므로
(변 ㄱㄴ)=(변 ㄴㄷ)=(변 ㄷㄱ)=3 cm입니다.
삼각형 ㄱㄷㄹ은 이등변삼각형이므로
(변 ㄷㄹ)=(변 ㄷㄱ)=3 cm입니다.
❷ 삼각형 ㄱㄴㄹ의 세 변의 길이의 합 구하기
(삼각형 ㄱㄴㄹ의 세 변의 길이의 합)
$=3+3+3+5=$ **14(cm)**

06 ❶ 각 ㄹㄷㄴ과 각 ㄹㄴㄷ의 크기 각각 구하기
(각 ㄱㄷㄴ)=(정삼각형의 한 각의 크기)$=60°$
(각 ㄹㄷㄴ)$=60°-45°=15°$
삼각형 ㄹㄴㄷ은 이등변삼각형이므로
(각 ㄹㄴㄷ)=(각 ㄹㄷㄴ)$=15°$입니다.
❷ 각 ㄴㄹㄷ의 크기 구하기
(각 ㄴㄹㄷ)$=180°-15°-15°=$ **150°**

07 ❶ 이등변삼각형의 길이가 같은 두 변이 될 수 있는 경우 알아보기
- 길이가 같은 두 변이 8 cm인 경우:
$8+8+\square=20$, $16+\square=20$ → $\square=4$
- 길이가 같은 두 변이 8 cm가 아닌 경우:
$8+\square+\square=20$, $\square+\square=12$ → $\square=6$

❷ 나머지 두 변의 길이가 될 수 있는 경우 모두 구하기
따라서 나머지 두 변의 길이가 될 수 있는 경우는
4 cm와 8 cm, 6 cm와 6 cm입니다.

08 ❶ 크고 작은 예각삼각형의 개수 구하기

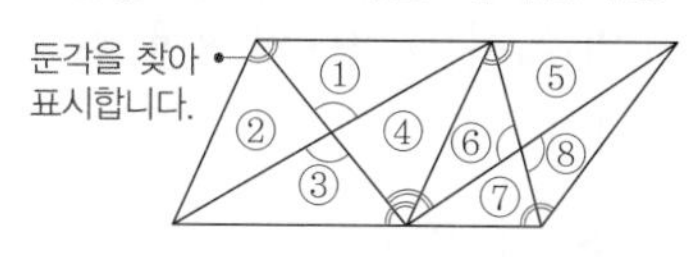

②, ④, ⑤, ⑦ / ②+③, ①+④, ⑥+⑦, ⑤+⑧ / ③+④+⑥+⑦
→ (크고 작은 예각삼각형의 개수)
$=4+4+1=$ **9(개)**
❷ 크고 작은 둔각삼각형의 개수 구하기
①, ③, ⑥, ⑧ / ①+②, ③+④, ⑤+⑥, ⑦+⑧ / ①+④+⑥+⑤
→ (크고 작은 둔각삼각형의 개수)
$=4+4+1=$ **9(개)**

09 ❶ 각 ㄴㄷㄱ의 크기 구하기
삼각형 ㄱㄴㄷ은 이등변삼각형이므로
(각 ㄴㄱㄷ)+(각 ㄴㄷㄱ)$=180°-50°=130°$,
(각 ㄴㄷㄱ)$=130°\div2=65°$입니다.
❷ 각 ㄹㄷㄴ의 크기 구하기
삼각형 ㄹㄴㄷ은 이등변삼각형이므로
(각 ㄹㄷㄴ)=(각 ㄹㄴㄷ)$=50°$입니다.
❸ 각 ㄱㄷㄹ의 크기 구하기
(각 ㄱㄷㄹ)$=65°-50°=$ **15°**

10 ❶ 변 ㄱㄴ과 변 ㄴㄷ의 길이 각각 구하기
- 삼각형 ㄱㄹㅂ에서 (변 ㄱㄹ)=(변 ㄹㅂ)이므로
(변 ㄹㅂ)+(변 ㄹㄴ)=(변 ㄱㄴ)입니다.
- 삼각형 ㅂㅁㄷ에서 (변 ㅂㅁ)=(변 ㅁㄷ)이므로
(변 ㄴㅁ)+(변 ㅁㅂ)=(변 ㄴㄷ)입니다.

사각형 ㄹㄴㅁㅂ의 네 변의 길이의 합이 28 cm이므로
(변 ㄱㄴ)=(변 ㄴㄷ)$=28\div2=14$(cm)입니다.
❷ 삼각형 ㄱㄴㄷ의 세 변의 길이의 합 구하기
(삼각형 ㄱㄴㄷ의 세 변의 길이의 합)
$=14\times3=$ **42(cm)**

11 ❶ 각 ㄷㄹㅁ의 크기 구하기
삼각형 ㄹㄷㅁ은 이등변삼각형이므로
(각 ㄷㄹㅁ)$=180°-65°-65°=50°$입니다.
❷ 각 ㄹㅁㄱ의 크기 구하기
(선분 ㄱㄹ)=(선분 ㄹㄷ)=(선분 ㄹㅁ)이므로
삼각형 ㄹㄱㅁ은 이등변삼각형입니다.
(각 ㄱㄹㅁ)$=90°+50°=140°$
(각 ㄹㄱㅁ)+(각 ㄹㅁㄱ)$=180°-140°=40°$
(각 ㄹㅁㄱ)$=40°\div2=20°$
❸ 각 ㄷㅂㅁ의 크기 구하기
(각 ㄹㅂㅁ)$=180°-50°-20°=110°$
→ (각 ㄷㅂㅁ)$=180°-110°=$ **70°**

12 ❶ ㉠과 ㉢의 각도 각각 구하기

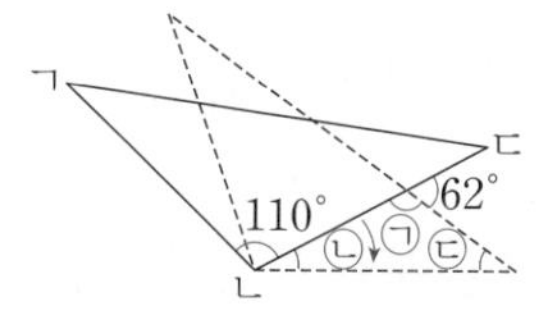

- ㉠$=180°-62°=118°$
- 삼각형 ㄱㄴㄷ은 이등변삼각형이므로
(각 ㄴㄱㄷ)+(각 ㄴㄷㄱ)$=180°-110°=70°$,
(각 ㄴㄱㄷ)=(각 ㄴㄷㄱ)$=70°\div2=35°$입니다.
㉢=(각 ㄴㄷㄱ)$=35°$

❷ 삼각형 ㄱㄴㄷ을 몇 도만큼 돌리면 되는지 구하기
㉡$=180°-118°-35°=27°$
→ 삼각형 ㄱㄴㄷ을 ㉡= **27°**만큼 돌리면 됩니다.

3 소수의 덧셈과 뺄셈

개념 넓히기 049쪽

1 0.35, 영 점 삼오　2 (1) > (2) <
3 0.26　4 159.8 km

STEP 1 응용 공략하기 050~056쪽

01 민국　02 2개　03 수영장
04 ㉡, ㉢　05 3064.1원, 17168원
06 예 ❶ 1 mL=0.001 L이므로
370 mL=0.37 L입니다. ▸2점
❷ (남은 우유의 양)=2−0.37−0.15
=1.48(L) ▸3점 / 1.48 L
07 6
08 예 ❶ (끈 2개의 길이의 합)
=5.78+4.5=10.28(m) ▸2점
❷ (매듭을 짓는 데 사용한 끈의 길이)
=10.28−9.92=0.36(m) ▸3점 / 0.36 m
09 8.6 cm　10 5.268　11 47.7 km
12 1.48, 4.79　13 ㉢, ㉠, ㉡　14 6359
15 8.59 m　16 2.48　17 87.78, 60.84
18 예 ❶ 어떤 수를 □라 하면 □−0.49=1.36이므로 □=1.36+0.49=1.85입니다. ▸3점
❷ (바른 계산)=1.85+0.49=2.34 ▸2점 / 2.34
19 0.4 km　20 0.58 kg　21 12.74 km

01 민국: $\frac{217}{1000}$=0.217, 승훈: 21.7의 $\frac{1}{10}$ → 2.17,
연아: 이 점 일칠 → 2.17
따라서 나타내는 소수가 다른 사람은 **민국**입니다.

02 0.31 → 0.3, 6.437 → 0.03, 32.045 → 30,
17.563 → 0.003, 3.69 → 3, 14.93 → 0.03
따라서 3이 0.03을 나타내는 수는 6.437, 14.93으로 모두 **2개**입니다.

03 놀이터: 630 m=$\frac{630}{1000}$ km=0.63 km
→ 0.625<0.63<0.639이므로 준우네 집에서 가장 가까운 곳은 **수영장**입니다.

04 ㉠ 1.59+2.69=4.28　㉡ 6.87−2.49=4.38
㉢ 3.04+1.34=4.38　㉣ 9.52−5.04=4.48
→ 계산 결과가 4.38인 것은 ㉡, ㉢입니다.

05 • 폴란드: 10즈워티는 1즈워티의 10배입니다.
306.41 —10배→ 3064.1 → **3064.1원**
• 덴마크: 100크로네는 1크로네의 100배입니다.
171.68 —100배→ 17168 → **17168원**

06

채점 기준		
	❶ 370 mL를 L 단위로 나타내기	2점
	❷ 남은 우유의 양 구하기	3점

07 3.74−1.25=2.49이고, 2.49<2.□6−0.1에서
2.49+0.1=2.59입니다.
2.59<2.□6에서 소수 둘째 자리 수를 비교하면 9>6이므로 5<□이어야 합니다.
→ □ 안에 들어갈 수 있는 가장 작은 수는 **6**입니다.

08

채점 기준		
	❶ 끈 2개의 길이의 합 구하기	2점
	❷ 매듭을 짓는 데 사용한 끈의 길이 구하기	3점

09 (오만 원짜리 지폐의 가로)
=14.8+0.6=15.4(cm)
(오만 원짜리 지폐의 세로)=6.8 cm
→ 15.4−6.8=**8.6(cm)**

10 (수직선: 5.26, ㉠, 5.27)

5.26과 5.27 사이의 크기는 0.01이고, 0.01을 10등분 하면 작은 눈금 한 칸의 크기는 0.001입니다.
→ ㉠이 나타내는 소수는 5.26에서 0.001씩 8번 뛰어 센 수이므로 **5.268**입니다.

11 (마라톤을 한 거리)=10−3.8=6.2(km)
→ (경기 시작부터 지금까지 경기한 거리의 합)
=1.5+40+6.2
=41.5+6.2
=**47.7(km)**

12
```
  ㉠. 4 ㉡
+ 4 . ㉢ 9
---------
  6 . 2 7
```
• ㉡+9=17 → ㉡=8
• 1+4+㉢=12 → ㉢=7
• 1+㉠+4=6 → ㉠=1
따라서 덧셈을 한 두 소수는 ㉠.4㉡=**1.48**, 4.㉢9=**4.79**입니다.

13 • ㉠의 □ 안에 0을 넣고, ㉡의 □ 안에 9를 넣어도 20.451>20.098이므로 ㉠>㉡입니다.

• ㉠의 □ 안에 9를 넣고 ㉢의 □ 안에 0을 넣어도 29.451 < 29.76이므로 ㉠ < ㉢입니다.
→ ㉢ > ㉠ > ㉡이므로 큰 수부터 차례로 기호를 쓰면 ㉢, ㉠, ㉡입니다.

14 10이 6개이면 60, 1이 2개이면 2, 0.1이 14개이면 1.4, 0.01이 19개이면 0.19이므로 63.59입니다.
어떤 수의 $\frac{1}{100}$이 63.59이므로 어떤 수는 63.59의 100배입니다. → 63.59 $\xrightarrow{100배}$ **6359**

15 (제3전시실의 가로) = 48.13 − 27.5 = 20.63 (m)
(제3전시실의 세로) = 35.8 − 12.86 − 10.9
= 22.94 − 10.9 = 12.04 (m)
→ 20.63 − 12.04 = **8.59 (m)**

16 • 2보다 크고 3보다 작으므로 일의 자리 숫자는 2입니다.
• 소수 첫째 자리 숫자는 4이므로 소수 두 자리 수는 2.4□입니다.
• 소수 둘째 자리 숫자는 소수 첫째 자리 숫자의 2배이므로 □ = 4 × 2 = 8입니다.
→ 조건을 모두 만족하는 소수 두 자리 수: **2.48**

17 가장 큰 소수 두 자리 수는 74.31이고, 가장 작은 소수 두 자리 수는 13.47입니다.
→ • 합: 74.31 + 13.47 = **87.78**
• 차: 74.31 − 13.47 = **60.84**

18

채점 기준		
	❶ 어떤 수 구하기	3점
	❷ 바르게 계산하기	2점

19 (가로등 사이의 간격 수) = 101 − 1 = 100(군데)
전체 1을 똑같이 100칸으로 나누면 $\frac{1}{100}$ = 0.01이므로 가로등 사이의 간격은 0.01 km입니다. 따라서 첫째 가로등부터 41째 가로등까지의 거리는 0.01이 41 − 1 = 40(개)인 수와 같으므로 **0.4 km**입니다.

20 (우유 $\frac{1}{4}$의 무게) = 2.18 − 1.78 = 0.4 (kg)
(우유 전체의 무게)
= 0.4 + 0.4 + 0.4 + 0.4 = 1.6 (kg)
→ (빈 병의 무게) = 2.18 − 1.6 = **0.58 (kg)**

참고 우유 $\frac{1}{4}$의 무게가 0.4 kg이므로 우유 전체의 무게는 0.4 kg의 4배입니다.

21 • 20분 + 20분 + 20분 = 60분 = 1시간
(현수가 1시간 동안 걷는 거리)
= 2.14 + 2.14 + 2.14 = 4.28 + 2.14 = 6.42 (km)
• 30분 + 30분 = 60분 = 1시간
(민준이가 1시간 동안 걷는 거리)
= 3.16 + 3.16 = 6.32 (km)
→ 6.42 + 6.32 = **12.74 (km)**

STEP 2 심화 해결하기 057~063쪽

01 ㉠, ㉣
02 예 ❶ 1이 3개이면 3, 0.1이 5개이면 0.5, 0.01이 6개이면 0.06이므로 ㉮가 나타내는 소수 두 자리 수는 3.56입니다. ▸2점
❷ 1이 8개이면 8, 0.1이 2개이면 0.2, 0.01이 14개이면 0.14이므로 ㉯가 나타내는 소수 두 자리 수는 8.34입니다. ▸2점
❸ ㉯ − ㉮ = 8.34 − 3.56 = 4.78 ▸1점 / 4.78
03 에베레스트 산, 로체 산
04 16.21, 13.59 **05** 0.36 m
06 80.5 kg **07** 2000배 **08** 0.589
09 예 ❶ 어떤 수를 □라 하면 □ − 2.6 = 3.59, □ = 3.59 + 2.6 = 6.19입니다. ▸3점
❷ 따라서 윤석이가 답해야 하는 수는 6.19 + 2.6 = 8.79입니다. ▸2점 / 8.79
10 8.71
11 예 ❶ 자연수 부분이 0인 경우는 0.279, 0.297, 0.729, 0.792, 0.927, 0.972이고, 자연수 부분이 2인 경우는 2.079, 2.097, 2.709입니다. ▸4점
❷ 따라서 2.79보다 작은 소수는 모두 6 + 3 = 9(개)입니다. ▸1점 / 9개
12 219.11점 **13** 96.2, 3.8 **14** 36
15 0.035 m **16** 592 **17** ㉮ 길, 0.29 km
18 예 ❶ (색 테이프 4장의 길이의 합)
= 8.6 + 8.6 + 8.6 + 8.6 = 34.4 (cm) ▸2점
❷ (겹쳐진 부분의 길이의 합)
= 34.4 − 32 = 2.4 (cm) ▸1점
❸ 겹쳐진 부분은 3군데이고 2.4 = 0.8 + 0.8 + 0.8이므로 0.8 cm씩 겹치게 이어 붙인 것입니다. ▸2점 / 0.8 cm
19 49.95 **20** 0.98 **21** 0.78 km

01 ❶ **소수로 나타내었을 때 소수 둘째 자리 숫자 각각 구하기**

㉠ 6.09 → 9 ㉡ 0.87 → 7

㉢ 0.139 → 3 ㉣ 0.299 → 9

❷ **위 ❶에서 소수 둘째 자리 숫자가 9인 것을 모두 찾기**

소수 둘째 자리 숫자가 9인 것은 ㉠, ㉣입니다.

02

채점 기준		
	❶ ㉮가 나타내는 소수 두 자리 수 구하기	2점
	❷ ㉯가 나타내는 소수 두 자리 수 구하기	2점
	❸ ㉮와 ㉯가 나타내는 소수 두 자리 수의 차 구하기	1점

03 ❶ **로체 산과 칸첸중가 산의 높이를 각각 소수로 나타내기**

• 로체 산: 8516 m=8.516 km

• 칸첸중가 산: 8 km 586 m=8586 m

=8.586 km

❷ **높이가 가장 높은 산과 가장 낮은 산 각각 찾기**

소수의 크기를 비교하면

8.848 > 8.611 > 8.586 > 8.516입니다.

• 높이가 가장 높은 산: **에베레스트 산**(8.848 km)

• 높이가 가장 낮은 산: **로체 산**(8.516 km)

04 ❶ **가장 큰 수와 가장 작은 수 각각 구하기**

㉠ 1.25 $\xrightarrow{10배}$ 12.5 ㉡ 0.149 $\xrightarrow{100배}$ 14.9

㉢ 150 $\xrightarrow{\frac{1}{100}}$ 1.5 ㉣ 13.1 $\xrightarrow{\frac{1}{10}}$ 1.31

14.9 > 12.5 > 1.5 > 1.31이므로 가장 큰 수는 14.9이고, 가장 작은 수는 1.31입니다.

❷ **가장 큰 수와 가장 작은 수의 합과 차 각각 구하기**

• 합: 14.9+1.31=**16.21**

• 차: 14.9−1.31=**13.59**

05 ❶ **사용한 철사의 길이 구하기**

정사각형은 네 변의 길이가 모두 같습니다.

(사용한 철사의 길이)

=0.16+0.16+0.16+0.16=0.64 (m)

❷ **남은 철사의 길이 구하기**

(남은 철사의 길이)=1−0.64

=**0.36 (m)**

선행 개념 [5학년] 소수의 곱셈

(소수)×(자연수)는 자연수의 곱셈을 한 후 곱해지는 수의 소수점 위치에 맞추어 곱의 결과에 소수점을 찍습니다.

풀이 (사용한 철사의 길이)=0.16×4=0.64 (m)

→ (남은 철사의 길이)=1−0.64=0.36 (m)

06 ❶ **1900 g을 kg 단위로 나타내기**

1900 g=1.9 kg

❷ **아기 캥거루를 주머니 속에 넣은 어미 캥거루의 무게 구하기**

(아기 캥거루를 주머니 속에 넣은 어미 캥거루의 무게)

=78.6+1.9=**80.5 (kg)**

07 ❶ **㉠과 ㉡이 나타내는 수 각각 구하기**

㉠은 일의 자리 숫자이므로 6을 나타내고, ㉡은 소수 셋째 자리 숫자이므로 0.003을 나타냅니다.

❷ **㉠이 나타내는 수는 ㉡이 나타내는 수의 몇 배인지 구하기**

3은 0.003의 1000배이고, 6은 3의 2배이므로 6은 0.003의 2000배입니다.

→ ㉠이 나타내는 수는 ㉡이 나타내는 수의 **2000배**입니다.

08 ❶ **1.6+4.85를 계산하기**

1.6+4.85=6.45

❷ **□ 안에 들어갈 수 있는 가장 큰 소수 세 자리 수 구하기**

7.04−□=6.45, □=7.04−6.45=0.59입니다.

7.04−□>6.45에서 □는 0.59보다 작아야 하므로 □ 안에 들어갈 수 있는 수 중에서 가장 큰 소수 세 자리 수는 **0.589**입니다.

09

채점 기준		
	❶ 어떤 수 구하기	3점
	❷ 윤석이가 답해야 하는 수 구하기	2점

10 레벨UP 공략

수직선에서 10등분이 아닐 때 작은 눈금 한 칸의 크기를 구하려면?

작은 눈금 한 칸

■와 ● 사이의 크기가 0.1, 0.01……일 때 수직선을 10등분 하면 작은 눈금 한 칸의 크기를 소수로 나타낼 수 있습니다.

❶ **㉠과 ㉡이 나타내는 수 각각 구하기**

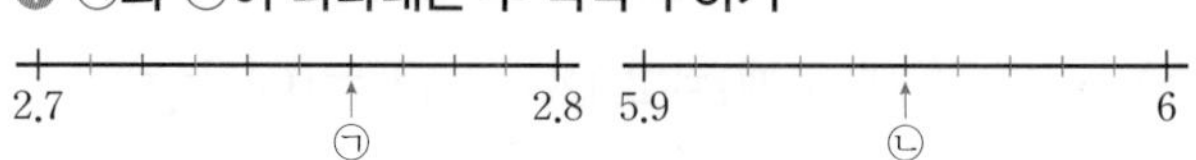

2.7과 2.8 사이의 크기와 5.9와 6 사이의 크기는 모두 0.1이고, 0.1을 10등분 하면 작은 눈금 한 칸의 크기는 0.01입니다.

㉠ 2.7에서 0.01씩 6번 뛰어 센 수: 2.76

㉡ 5.9에서 0.01씩 5번 뛰어 센 수: 5.95

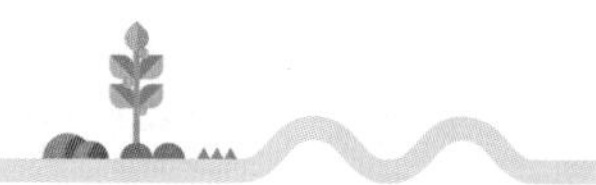

❷ ㉠과 ㉡이 나타내는 수의 합 구하기

㉠+㉡=2.76+5.95=**8.71**

11

채점 기준	❶ 2.79보다 작은 소수 만들기	4점
	❷ 위 ❶의 개수 구하기	1점

참고 2.79보다 작은 소수를 구해야 하므로 자연수 부분은 7, 9가 될 수 없습니다. 따라서 자연수 부분이 0인 경우와 2인 경우로 나누어 생각합니다.

12 ❶ 두 프로그램의 점수 각각 구하기

(쇼트 프로그램 점수)=39.03+35.89=74.92(점)

(프리 프로그램 점수)=69.69+74.5=144.19(점)

❷ 두 프로그램에서 받은 점수의 합 구하기

(두 프로그램에서 받은 점수의 합)

=74.92+144.19=**219.11(점)**

13 ❶ 계산 결과가 가장 큰 경우 구하기

9>7>5>3>1이므로 가장 큰 소수 한 자리 수인 97.5를 만들고, 남은 수로 가장 작은 소수 한 자리 수인 1.3을 만듭니다.

➔ 97.5−1.3=**96.2**

❷ 계산 결과가 가장 작은 경우 구하기

1<3<5<7<9이므로 가장 작은 소수 한 자리 수인 13.5를 만들고, 남은 수로 가장 큰 소수 한 자리 수인 9.7을 만듭니다.

➔ 13.5−9.7=**3.8**

14 ❶ ㉠, ㉡, ㉢, ㉣, ㉤에 알맞은 수 각각 구하기

• 28.1㉠8<28.10㉡에서 ㉠=0, ㉡=9입니다.

• 28.109<2㉢.083에서 소수 첫째 자리 수를 비교하면 1>0이므로 ㉢=9입니다.

• 29.083<2㉣.0㉤1에서 ㉣=9이고, 소수 셋째 자리 수를 비교하면 3>1이므로 ㉤=9입니다.

❷ ㉠, ㉡, ㉢, ㉣, ㉤에 알맞은 수들의 합 구하기

㉠+㉡+㉢+㉣+㉤=0+9+9+9+9=**36**

15 ❶ 첫 번째, 두 번째로 튀어 오르는 공의 높이 각각 구하기

• 첫 번째: 35 m의 $\frac{1}{10}$ ➔ 3.5 m

• 두 번째: 3.5 m의 $\frac{1}{10}$ ➔ 0.35 m

❷ 세 번째로 튀어 오르는 공의 높이 구하기

세 번째로 튀어 오르는 공의 높이는 0.35 m의 $\frac{1}{10}$이므로 **0.035 m**입니다.

16 ❶ 어떤 세 자리 수의 각 자리의 숫자 구하기

어떤 세 자리 수 ㉮를 ㉠㉡㉢이라 하면

㉮의 $\frac{1}{10}$은 ㉠㉡.㉢, ㉮의 $\frac{1}{100}$은 ㉠.㉡㉢입니다.

```
   ㉠㉡.㉢
+   ㉠.㉡㉢
----------
   6 5.1 2
```

• ㉢=2

• 2+㉡=11 ➔ ㉡=9

• 1+9+㉠=15 ➔ ㉠=5

❷ 어떤 세 자리 수 구하기

㉠=5, ㉡=9, ㉢=2이므로 어떤 세 자리 수 ㉮는 **592**입니다.

17 ❶ ㉮ 길과 ㉯ 길의 거리 각각 구하기

• 620 m=0.62 km

• 1250 m=1.25 km

(㉮ 길의 거리)=1.14+0.62=1.76(km)

(㉯ 길의 거리)=1.25+0.8=2.05(km)

❷ 어느 길로 가는 것이 몇 km 더 가까운지 구하기

1.76<2.05이므로 **㉮ 길**로 가는 것이 2.05−1.76=**0.29(km)** 더 가깝습니다.

18 레벨UP 공략

겹쳐진 부분의 길이를 구하려면?

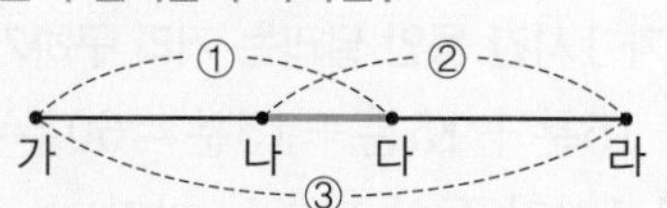

(겹쳐진 부분의 길이)=(각각의 길이의 합)−(전체 길이)
=①+②−③

채점 기준	❶ 색 테이프 4장의 길이의 합 구하기	2점
	❷ 겹쳐진 부분의 길이의 합 구하기	1점
	❸ 몇 cm씩 겹치게 이어 붙인 것인지 구하기	2점

19 ❶ 수를 늘어놓은 규칙 찾기

일의 자리, 소수 첫째 자리, 소수 둘째 자리의 수가 각각 1씩 작아지는 규칙입니다.

❷ 첫째 수부터 아홉째 수까지의 합 구하기

9.99+8.88+7.77+6.66+5.55+4.44+3.33+2.22+1.11이고,

1+2+3+4+5+6+7+8+9=45이므로 같은 자리 수끼리 계산합니다.

➔ (첫째 수부터 아홉째 수까지의 합)

=(1이 45개인 수)+(0.1이 45개인 수)+(0.01이 45개인 수)

=45+4.5+0.45=**49.95**

20 레벨UP 공략

3개의 수로 가장 큰 소수 두 자리 수와 가장 작은 소수 두 자리 수를 만들려면?

수의 크기가 ①>②>③일 때

가장 큰 소수 두 자리 수	가장 작은 소수 두 자리 수
①.②③	③.②①

❶ **1보다 작으면서 1에 가장 가까운 경우 구하기**

0.□□에서 소수 첫째 자리부터 큰 수를 차례로 쓰면 0.98입니다.

→ $1-0.98=0.02$

❷ **1보다 크면서 1에 가장 가까운 경우 구하기**

1.□□에서 소수 첫째 자리부터 작은 수를 차례로 쓰면 1.03입니다.

→ $1.03-1=0.03$

❸ **1에 가장 가까운 수 구하기**

$0.02<0.03$이므로 만들 수 있는 소수 두 자리 수 중에서 1에 가장 가까운 수는 **0.98**입니다.

중요 • 1에 가장 가까운 수는 1보다 작은 수일 수도 있고 1보다 큰 수일 수도 있습니다.
• 1에 가장 가까운 수는 1과의 차가 가장 작은 수입니다.

21 ❶ **버스가 1시간 동안 달리는 거리 구하기**

15분+15분+15분+15분=60분=1시간

(버스가 1시간 동안 달리는 거리)

$=16.28+16.28+16.28+16.28=65.12$(km)

❷ **택시가 1시간 동안 달리는 거리 구하기**

10분+10분+10분+10분+10분+10분

=60분=1시간

(택시가 1시간 동안 달리는 거리)

$=12.35+12.35+12.35+12.35+12.35+12.35$

$=74.1$(km)

❸ **1시간 후 버스와 택시 사이의 거리 구하기**

(1시간 후 버스와 택시 사이의 거리)

$=140-65.12-74.1$

$=74.88-74.1=$**0.78(km)**

참고 버스와 택시가 서로 반대 방향으로 움직이고 있지만 마주 보며 달리는 것이므로 뺄셈으로 계산합니다.

선행 개념 [5학년] 소수의 곱셈

• 16.28×4, 12.35×6의 계산

```
  1 6.2 8      1 2.3 5
×       4    ×       6
  6 5.1 2      7 4.1
```

STEP 3 최상위 도전하기 064~065쪽

1	27.83	**2**	90개
3	0.224 kg	**4**	0.2 m
5	37.9 kg	**6**	9

1 ❶ **수를 뛰어 센 규칙 찾기**

21.83에서 3번 뛰어 센 수가 25.43입니다.

$25.43-21.83=3.6$이고, $3.6=1.2+1.2+1.2$이므로 1.2씩 뛰어 센 것입니다.

❷ **㉠에 알맞은 수 구하기**

㉠은 25.43에서 1.2씩 2번 뛰어 센 수입니다.

→ ㉠$=25.43+1.2+1.2$

$=26.63+1.2=$**27.83**

2 ❶ **소수 첫째 자리 숫자가 될 수 있는 경우 구하기**

1.4보다 크고 1.6보다 작은 소수 세 자리 수의 소수 첫째 자리 숫자는 4 또는 5입니다.

• 소수 첫째 자리 숫자가 4인 경우

1.401, 1.402, 1.403 ······ 1.408, 1.409 (9개)

1.412, 1.413 ······ 1.418, 1.419 (8개)

⋮

1.478, 1.479 (2개)

1.489 (1개)

→ $9+8+7+6+5+4+3+2+1=45$(개)

• 소수 첫째 자리 숫자가 5인 경우도 마찬가지 방법으로 $9+8+7+6+5+4+3+2+1=45$(개)입니다.

❷ **조건에 알맞은 소수의 개수 구하기**

조건에 알맞은 소수의 개수: $45+45=$**90(개)**

3 ❶ **각도기 1개의 무게 구하기**

(컴퍼스 1개의 무게)=(각도기 2개의 무게)

=0.64 kg이므로

$0.64=0.32+0.32$에서

(각도기 1개의 무게)=0.32 kg입니다.

❷ **주사위 1개의 무게 구하기**

(각도기 3개의 무게)=(주사위 10개의 무게)

$=0.32+0.32+0.32$

$=0.96$(kg)

주사위 10개의 무게가 0.96 kg이므로 주사위 1개의 무게는 0.96의 $\frac{1}{10}$인 0.096 kg입니다.

③ 위 ①과 ②의 무게의 차 구하기
(각도기 1개와 주사위 1개의 무게의 차)
$=0.32-0.096=\mathbf{0.224(kg)}$

4 ① 현주와 상민이 사이의 거리와 은영이와 현주 사이의 거리 각각 구하기

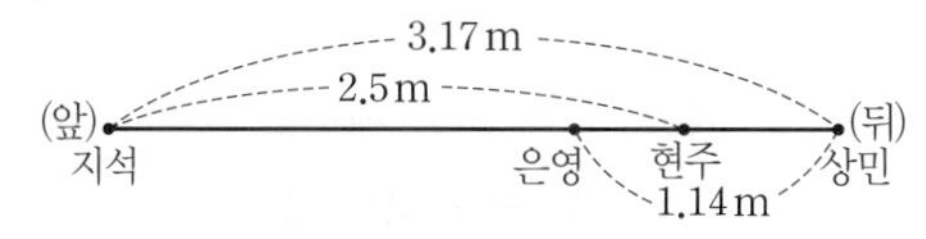

(현주와 상민이 사이의 거리)
$=3.17-2.5=0.67(m)$
(은영이와 현주 사이의 거리)
$=1.14-0.67=0.47(m)$

② 현주와 상민이 사이의 거리와 은영이와 현주 사이의 거리의 차 구하기
(현주와 상민이 사이의 거리와 은영이와 현주 사이의 거리의 차)$=0.67-0.47=\mathbf{0.2(m)}$

주의 네 사람의 위치를 그림으로 나타낼 때 상민이는 은영이보다 1.14 m 뒤에 있고, 현주와 상민이 사이의 거리는 0.67 m이므로 은영이가 현주보다 앞에 있게 됩니다.

5 ① 세 사람의 몸무게의 합 구하기
(가은)+(동준)=73.2
(동준)+(소영)=65.3
+ (가은)+(소영)=67.9
(가은)+(동준)+(동준)+(소영)+(가은)+(소영)
=206.4
206.4=103.2+103.2이므로
(가은)+(동준)+(소영)=103.2 kg입니다.

② 세 사람의 몸무게 각각 구하기
(가은)$=103.2-65.3=37.9(kg)$
(동준)$=103.2-67.9=35.3(kg)$
(소영)$=103.2-73.2=30(kg)$

③ 가장 무거운 사람의 몸무게 구하기
$37.9>35.3>30$이므로 가장 무거운 사람은 가은이로 **37.9 kg**입니다.

6

수 카드 5, 1, 7, ★에는 1부터 9까지의 수 중 서로 다른 수가 적혀 있습니다. 이 수 카드를 한 번씩 모두 사용하여 만들 수 있는 소수 중에서 가장 큰 소수 두 자리 수와 가장 작은 소수 세 자리 수의 차는 73.953입니다. ★**에 알맞은 수를 모두 더하면 얼마**인지 구해 보세요.
└□.□□□ └□□.□□

① 4개의 수 중에서 가장 큰 수와 가장 작은 수 각각 구하기
가장 큰 소수 두 자리 수를 ㉠㉡.㉢㉣이라 하면 가장 작은 소수 세 자리 수는 ㉣.㉢㉡㉠입니다.
• ㉠㉡.㉢㉣−㉣.㉢㉡㉠=73.953이므로 가장 큰 수인 ㉠=7입니다.

```
  7 ㉡.㉢ 1
−   1.㉢㉡ 7
-----------
  7 3.9 5 3
```

• 5, 1, 7, ★은 서로 다른 수이고 4개의 수 중에서 가장 작은 수는 1이므로 ㉣=1입니다.

② 4개의 수 중에서 두 번째로 큰 수 구하기
소수 둘째 자리 계산에서 10+1−1−㉡=5,
㉡=5이므로 4개의 수 중에서 두 번째로 큰 수는 5입니다.

③ ★에 알맞은 수를 모두 더하면 얼마인지 구하기
㉢=★이 되고 ★은 1보다 크고 5보다 작은 수가 될 수 있으므로 ★에 알맞은 수는 2, 3, 4입니다.
└7>5>★>1
➔ 2+3+4=**9**

상위권 TEST
066~067쪽

01	1000배	02	5.56
03	농구공, 0.2 kg	04	33.7 cm
05	0.2	06	3.91 m
07	4.175	08	6.45, 2.97
09	6.68	10	0.9 kg
11	3.68 km	12	2.12 kg

01 ① ㉠과 ㉡이 나타내는 수 각각 구하기
• ㉠은 일의 자리 숫자이므로 3을 나타냅니다.
• ㉡은 소수 셋째 자리 숫자이므로 0.003을 나타냅니다.

② ㉠이 나타내는 수는 ㉡이 나타내는 수의 몇 배인지 구하기
3은 0.003의 1000배이므로 ㉠이 나타내는 수는 ㉡이 나타내는 수의 **1000배**입니다.

02 ① 가장 큰 수와 가장 작은 수 각각 구하기
$7.2>5.8>4.16$이므로 가장 큰 수는 7.2이고, 가장 작은 수는 4.16입니다.

② 가장 큰 수와 가장 작은 수의 합에서 나머지 수를 뺀 값 구하기
(가장 큰 수)+(가장 작은 수)−(나머지 수)
$=7.2+4.16-5.8=11.36-5.8=\mathbf{5.56}$

03 ❶ 650 g을 kg 단위로 나타내기
650 g=0.65 kg
❷ 어느 공이 몇 kg 더 무거운지 구하기
0.45<0.65이므로 **농구공**이
0.65−0.45=**0.2 (kg)** 더 무겁습니다.

04 ❶ 변 ㄴㄷ, 변 ㄱㄷ의 길이 각각 구하기
(변 ㄴㄷ)=7.5+4.8=12.3 (cm)
(변 ㄱㄷ)=12.3+1.6=13.9 (cm)
❷ 삼각형 ㄱㄴㄷ의 세 변의 길이의 합 구하기
(삼각형 ㄱㄴㄷ의 세 변의 길이의 합)
=7.5+12.3+13.9=19.8+13.9=**33.7 (cm)**

05 ❶ 어떤 수 구하기
(어떤 수의 10배인 수)=63.85−1.68=62.17
어떤 수는 62.17의 $\frac{1}{10}$이므로 6.217입니다.
❷ 어떤 수의 소수 첫째 자리 숫자가 나타내는 수 구하기
6.217의 소수 첫째 자리 숫자는 2이고, **0.2**를 나타냅니다.

06 ❶ 색 테이프 3장의 길이의 합과 겹쳐진 부분의 길이의 합 각각 구하기
(색 테이프 3장의 길이의 합)
=1.57+1.57+1.57=4.71 (m)
(겹쳐진 부분의 길이의 합)=0.4+0.4=0.8 (m)
❷ 이어 붙인 색 테이프의 전체 길이 구하기
(이어 붙인 색 테이프의 전체 길이)
=4.71−0.8=**3.91 (m)**

07 ❶ 알 수 있는 숫자부터 차례로 구하기
• 4보다 크고 5보다 작으므로 일의 자리 숫자는 4입니다.
• 소수 둘째 자리 숫자는 7이고, 소수 셋째 자리 숫자는 5이므로 소수 세 자리 수는 4.□75입니다.
• 4+□+7+5=17, □+16=17, □=1
❷ 조건을 모두 만족하는 소수 세 자리 수 구하기
따라서 조건을 모두 만족하는 소수 세 자리 수는 **4.175**입니다.

08 ❶ 만들 수 있는 가장 큰 수와 두 번째로 작은 수 각각 구하기
5보다 작은 소수 두 자리 수: 1.□□, 4.□□
• 가장 큰 수: 4.71
• 가장 작은 수: 1.47 → 두 번째로 작은 수: 1.74
❷ 위 ❶에서 만든 두 수의 합과 차 각각 구하기
• 합: 4.71+1.74=**6.45**
• 차: 4.71−1.74=**2.97**

09 ❶ 어떤 수 구하기
어떤 수를 □라 하면 □+1.49=4.83이므로
□=4.83−1.49=3.34입니다.
❷ 바르게 계산한 값과 잘못 계산한 값의 합 구하기
(바른 계산)=3.34−1.49=1.85
➜ 1.85+4.83=**6.68**

10 ❶ 양초 3개의 무게 구하기
(양초 3개의 무게)=6.3−4.5=1.8 (kg)
❷ 빈 상자의 무게 구하기
(양초 6개의 무게)=1.8+1.8=3.6 (kg)
➜ (빈 상자의 무게)=4.5−3.6=**0.9 (kg)**

11 ❶ 정미가 1시간 동안 달리는 거리 구하기
15분+15분+15분+15분=60분=1시간
(정미가 1시간 동안 달리는 거리)
=5.2+5.2+5.2+5.2=20.8 (km)
❷ 승현이가 1시간 동안 달리는 거리 구하기
30분+30분=60분=1시간
(승현이가 1시간 동안 달리는 거리)
=8.56+8.56=17.12 (km)
❸ 1시간 후 두 사람 사이의 거리 구하기
(1시간 후 두 사람 사이의 거리)
=20.8−17.12=**3.68 (km)**

12 ❶ 멜론, 수박, 참외의 무게의 합 구하기
(멜론)+(수박)=3.96
(수박)+(참외)=3.2
+ (참외)+(멜론)=1.84
(멜론)+(수박)+(수박)+(참외)+(참외)+(멜론)
=9
9=4.5+4.5이므로
(멜론)+(수박)+(참외)=4.5 kg입니다.
❷ 수박과 참외의 무게 각각 구하기
(수박)=4.5−1.84=2.66 (kg)
(참외)=4.5−3.96=0.54 (kg)
❸ 수박의 무게와 참외의 무게의 차 구하기
(수박의 무게와 참외의 무게의 차)
=2.66−0.54=**2.12 (kg)**

4 사각형

개념 넓히기 071쪽

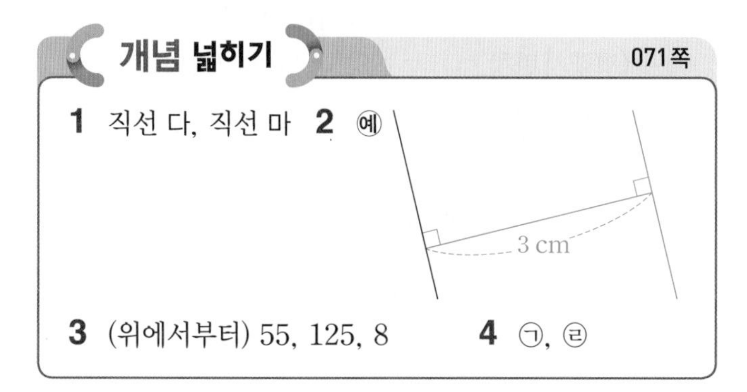

1 직선 다, 직선 마 **2** 예

3 (위에서부터) 55, 125, 8 **4** ㉠, ㉣

STEP 1 응용 공략하기 072~077쪽

01 7개 **02** 55°

03 예 ❶ 평행사변형은 마주 보는 두 각의 크기가 같으므로 (각 ㄴㄷㄹ)=(각 ㄴㄱㄹ)=115°입니다. ▸2점
❷ 삼각형 ㄹㄴㄷ에서
(각 ㄹㄴㄷ)=180°−35°−115°
=30°입니다. ▸3점 / 30°

04 4쌍 **05** 9 cm **06** 50 cm

07 45° **08** 65° **09** 24 cm

10 115°

11 예 ❶ 평행사변형의 짧은 변을 □cm라 하면 긴 변은 (□+□+□) cm이므로
□+□+□+□+□+□+□+□=40,
□×8=40, □=5입니다.
(마름모의 한 변)=5×3=15(cm) ▸3점
❷ (마름모의 네 변의 길이의 합)
=15×4=60(cm) ▸2점 / 60 cm

12 14개 **13** 55° **14** 64 cm

15 82° **16** 22 cm

17 예 ❶ 평행선과 한 직선이 만날 때 생기는 각 중에서 반대 위치에 있는 각의 크기는 같으므로
(각 ㅁㅂㄴ)=(각 ㄹㅁㅂ)=52°입니다. ▸2점
❷ (각 ㅈㅅㄴ)=180°−70°=110°
사각형 ㅅㄴㅂㅈ에서
(각 ㅅㅈㅂ)=360°−110° −90°−52°=108°
입니다. ▸2점
❸ (각 ㅇㅈㅂ)=180°−108°=72° ▸1점 / 72°

18 30°

01 • 변 ㄴㄷ과 만나서 이루는 각이 직각인 선분: 4개
• 변 ㄱㄷ과 만나서 이루는 각이 직각인 선분: 3개
➜ (수선의 개수의 합)=4+3=**7(개)**

02 직선 나와 직선 다가 만나서 이루는 각은 직각(90°)이고, 직선 위의 한 점을 꼭짓점으로 하는 각의 크기는 180°입니다.
➜ ㉠=180°−90°−35°=**55°**

03

채점 기준		
	❶ 각 ㄴㄷㄹ의 크기 구하기	2점
	❷ 각 ㄹㄴㄷ의 크기 구하기	3점

04 ➜ 완성한 모양에서 평행선을 찾으면 모두 **4쌍**입니다.

05 • 가장 먼 평행선 사이의 거리는 변 ㄱㅂ과 변 ㄹㅁ 사이의 거리이므로 4+9=13(cm)입니다.
• 가장 가까운 평행선 사이의 거리는 변 ㄱㅂ과 변 ㄷㄴ 사이의 거리이므로 4 cm입니다.
➜ (두 평행선 사이의 거리의 차)
=13−4=**9(cm)**

06 (방패연의 네 변의 길이의 합)
=40+60+40+60=200(cm)
마름모는 네 변의 길이가 모두 같습니다.
➜ (가오리연의 한 변)=200÷4=**50(cm)**

07 평행선과 한 직선이 만날 때 생기는 각 중에서 같은 위치에 있는 각의 크기는 같으므로 ㉠+80°=125°입니다.
➜ ㉠=125°−80°=**45°**

08

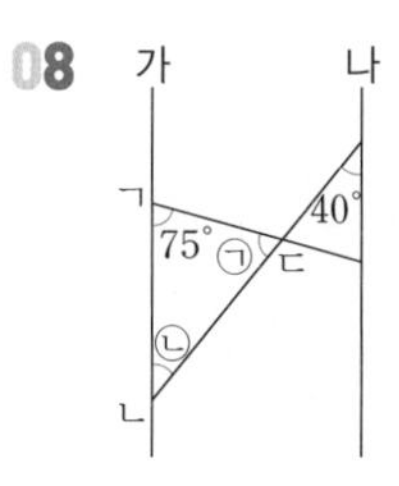

평행선과 한 직선이 만날 때 생기는 각 중에서 반대 위치에 있는 각의 크기는 같으므로 ㉡=40°입니다.
따라서 삼각형 ㄱㄴㄷ에서
㉠=180°−75°−40°=**65°**입니다.

09 사각형 ㄱㄴㄷㅁ은 평행사변형이므로
(선분 ㅁㄷ)=(선분 ㄱㄴ)=7 cm입니다.
삼각형 ㅁㄷㄹ은 이등변삼각형이므로
(선분 ㅁㄹ)=(선분 ㅁㄷ)=7 cm입니다.
(선분 ㄱㅁ)=12−7=5(cm)
➜ (사각형 ㄱㄴㄷㅁ의 네 변의 길이의 합)
=7+5+7+5=**24(cm)**

10 평행사변형에서 이웃한 두 각의 크기의 합은 180°이고, 마주 보는 두 각의 크기는 같습니다.
(각 ㄴㄱㄹ)=(각 ㄴㄷㄹ)=180°−50°=130°
(각 ㄴㄷㅁ)=(각 ㅁㄷㄹ)이므로
(각 ㄴㄷㅁ)=130°÷2=65°입니다.
→ (각 ㄱㅁㄷ)=360°−130°−50°−65°=**115°**

11

채점 기준		
	❶ 마름모의 한 변의 길이 구하기	3점
	❷ 마름모의 네 변의 길이의 합 구하기	2점

12
• 도형 1개짜리:
①, ②, ⑦, ⑧ (4개)
• 도형 2개짜리:
①+②, ⑦+⑧ (2개)
• 도형 4개짜리: ①+②+④+⑤, ①+②+④+③, ③+④+⑤+⑥, ⑤+⑥+⑦+⑧, ③+⑥+⑦+⑧ (5개)
• 도형 6개짜리: ①+②+③+④+⑤+⑥, ③+④+⑤+⑥+⑦+⑧ (2개)
• 도형 8개짜리:
①+②+③+④+⑤+⑥+⑦+⑧ (1개)
→ 4+2+5+2+1=**14(개)**

13
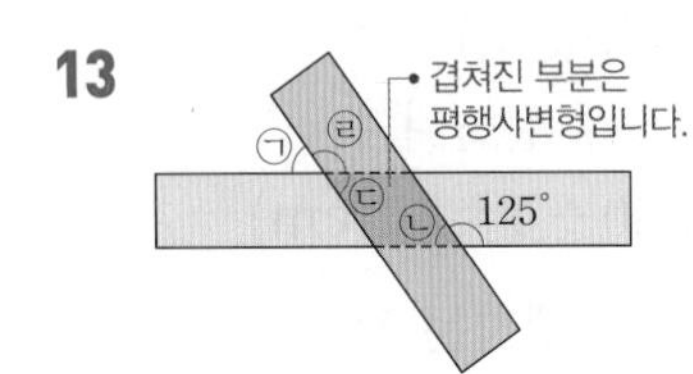

㉡=180°−125°=55°
평행사변형에서 마주 보는 두 각의 크기는 같으므로
㉢=㉡=55°입니다.
㉣=180°−55°=125° → ㉠=180°−125°=**55°**

선행 개념 [중1] 맞꼭지각
• 맞꼭지각: 두 직선이 한 점에서 만날 때 생기는 각 중에서 서로 마주 보는 두 각
• 맞꼭지각의 크기는 서로 같습니다.
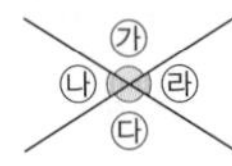

㉮=㉰, ㉯=㉱

풀이 ㉡=180°−125°=55°이고, ㉢=㉡입니다.
㉠과 ㉢은 맞꼭지각이므로 두 각의 크기는 같습니다.
→ ㉠=㉢=55°

14 평행사변형에서 마주 보는 두 변의 길이는 같으므로
(변 ㄱㄴ)=(변 ㄹㄷ)=16 cm입니다.
평행선과 한 직선이 만날 때 생기는 각 중에서 반대 위치에 있는 각의 크기는 같으므로
(각 ㄱㄹㄴ)=(각 ㄹㄴㄷ)=25°,
(각 ㄴㄹㄷ)=(각 ㄱㄴㄹ)=25°입니다.
삼각형 ㄱㄴㄹ과 삼각형 ㄷㄴㄹ은 이등변삼각형이므로 (변 ㄱㄹ)=(변 ㄱㄴ)=16 cm,
(변 ㄴㄷ)=(변 ㄷㄹ)=16 cm입니다.
→ (평행사변형 ㄱㄴㄷㄹ의 네 변의 길이의 합)
=16×4=**64(cm)**

15
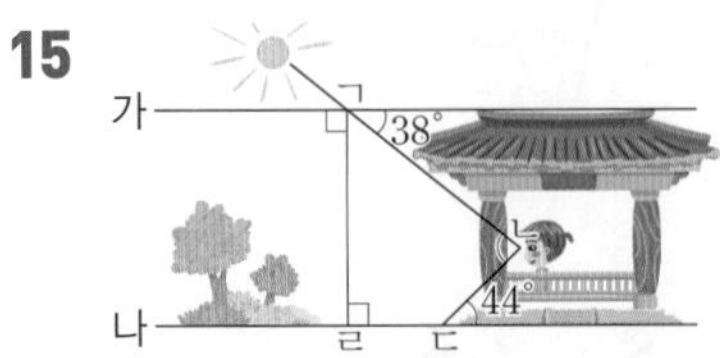

점 ㄱ에서 직선 나에 수선을 긋습니다.
(각 ㄹㄱㄴ)
=90°−38°=52°
(각 ㄹㄷㄴ)=180°−44°=136°
→ (각 ㄱㄴㄷ)=360°−52°−90°−136°=**82°**

다른 풀이 점 ㄴ을 지나고 직선 가, 직선 나와 평행한 직선을 긋습니다.
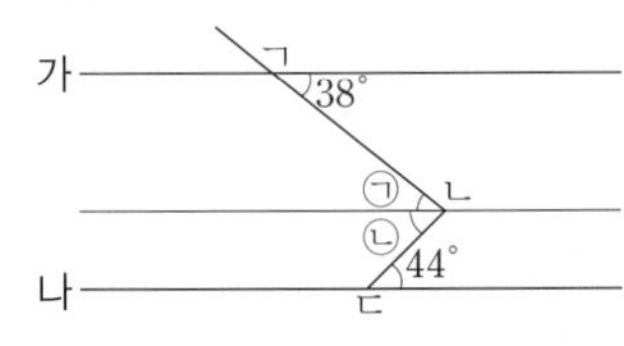

평행선과 한 직선이 만날 때 생기는 각 중에서 반대 위치에 있는 각의 크기는 같습니다.
→ (각 ㄱㄴㄷ)=㉠+㉡=38°+44°=**82°**

16 • (각 ㄴㄱㅁ)=180°−90°−45°=45°이므로 삼각형 ㄱㄴㅁ은 이등변삼각형입니다.
(선분 ㄴㅁ)=(변 ㄱㄴ)=8 cm
• (각 ㄹㅁㄷ)=180°−45°−90°=45°이므로 삼각형 ㄹㅁㄷ은 이등변삼각형입니다.
(선분 ㅁㄷ)=(변 ㄹㄷ)=14 cm
→ (평행선 사이의 거리)=(선분 ㄴㅁ)+(선분 ㅁㄷ)
=8+14=**22(cm)**

17

채점 기준		
	❶ 각 ㅁㅂㄴ의 크기 구하기	2점
	❷ 각 ㅅㅈㅂ의 크기 구하기	2점
	❸ 각 ㅇㅈㅂ의 크기 구하기	1점

18 마름모에서 이웃한 두 각의 크기의 합은 180°이므로
(각 ㄴㄷㅂ)=180°−100°=80°입니다.
접힌 부분과 접히기 전 부분의 각도는 같으므로
(각 ㄴㅂㄷ)=(각 ㄴㅂㅁ)=65°입니다.
삼각형 ㄴㄷㅂ에서
(각 ㄷㄴㅂ)=180°−80°−65°=35°이고, 접힌 부분과 접히기 전 부분의 각도는 같으므로
(각 ㅁㄴㅂ)=(각 ㄷㄴㅂ)=35°입니다.
→ (각 ㄱㄴㄷ)=(각 ㄱㄹㄷ)=100°이므로
(각 ㄱㄴㅁ)=100°−35°−35°=**30°**입니다.

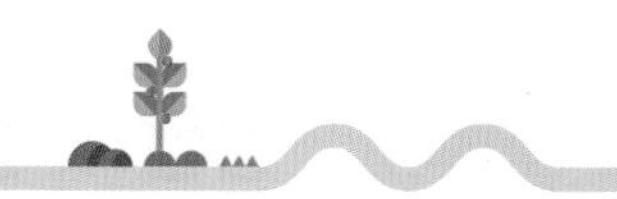

STEP 2 심화 해결하기 078~083쪽

01 15° **02** 2개

03 예 ❶ 평행사변형에서 마주 보는 두 변의 길이는 같으므로 (변 ㄴㄷ)=(변 ㄱㄹ)=9 cm이고, (변 ㄷㅁ)=16−9=7(cm)입니다. ▸2점
❷ 삼각형 ㄹㄷㅁ은 이등변삼각형이므로 (변 ㄷㄹ)=(변 ㄷㅁ)=7 cm입니다. ▸2점
❸ (삼각형 ㄹㄷㅁ의 세 변의 길이의 합)
=7+7+12=26(cm) ▸1점 / 26 cm

04 125° **05** 195° **06** 48°
07 52 cm **08** 135° **09** 23 cm
10 64 cm

11 예 ❶ (각 ㅂㅇㅅ)=180°−114°=66° ▸1점
❷ 평행선과 한 직선이 만날 때 생기는 각 중에서 반대 위치에 있는 각의 크기는 같으므로 (각 ㅁㅂㅇ)=(각 ㅂㅇㄹ)=114°이고, (각 ㅁㅅㅇ)=114°÷2=57°입니다. ▸2점
❸ 사각형 ㅁㅂㅇㅅ에서 (각 ㅂㅁㅅ)=360°−114°−66°−57°=123° 입니다. ▸2점 / 123°

12 9 cm **13** 12개 **14** 42°

15 예 ❶ 마름모에서 이웃한 두 각의 크기의 합은 180°이므로 (각 ㄹㄷㄴ)=180°−110°=70°입니다. ▸1점
❷ 정삼각형의 한 각의 크기는 60°이므로 (각 ㄴㄷㅁ)=70°+60°=130°입니다. ▸2점
❸ (변 ㄴㄷ)=(변 ㄹㄷ)=(변 ㄷㅁ)이므로 삼각형 ㅁㄴㄷ은 이등변삼각형입니다.
(각 ㅁㄴㄷ)+(각 ㄴㅁㄷ)=180°−130°=50°
➜ (각 ㅁㄴㄷ)=(각 ㄴㅁㄷ)
=50°÷2=25° ▸2점 / 25°

16 120° **17** 69° **18** 85°

01 ❶ ㉠과 ㉡의 각도 각각 구하기
직선 가와 직선 나가 만나서 이루는 각은 직각입니다. (• 90°)
㉠=90°−25°=65°, ㉡=90°−40°=50°
❷ ㉠과 ㉡의 각도의 차 구하기
㉠−㉡=65°−50°=**15°**

02 ❶ 수선, 평행선이 있는 알파벳 각각 알아보기
• 수선이 있는 알파벳: T, H, E, T
• 평행선이 있는 알파벳: M, H, E, M
❷ 수선도 있고 평행선도 있는 알파벳의 개수 구하기
따라서 H, E로 모두 **2개**입니다.

03

채점 기준		
	❶ 변 ㄷㅁ의 길이 구하기	2점
	❷ 변 ㄷㄹ의 길이 구하기	2점
	❸ 삼각형 ㄹㄷㅁ의 세 변의 길이의 합 구하기	1점

04 ❶ 각 ㄱㄹㄷ과 각 ㄷㄹㅂ의 크기 각각 구하기
• 평행사변형에서 이웃한 두 각의 크기의 합은 180°이므로 (각 ㄱㄹㄷ)=180°−120°=60°입니다.
• 마름모에서 이웃한 두 각의 크기의 합은 180°이므로 (각 ㄷㄹㅂ)=180°−115°=65°입니다.
❷ 각 ㄱㄹㅂ의 크기 구하기
(각 ㄱㄹㅂ)=60°+65°=**125°**

05 ❶ ㉠과 ㉡의 각도 각각 구하기
• 평행선과 한 직선이 만날 때 생기는 각 중에서 같은 위치에 있는 각의 크기는 같으므로 ㉠=85°입니다.
• 평행선과 한 직선이 만날 때 생기는 각 중에서 반대 위치에 있는 각의 크기는 같으므로 ㉡=110°입니다.
❷ ㉠과 ㉡의 각도의 합 구하기
㉠+㉡=85°+110°=**195°**

06 ❶ 각 ㄷㄹㅂ과 각 ㄷㄹㅅ의 크기 각각 구하기
(각 ㄷㄹㄱ)=(각 ㄷㄹㄴ)=90° —• 선분 ㄷㄹ과 선분 ㄱㄴ은 서로 수직입니다.
(각 ㄷㄹㅂ)=90°÷3=30°
(각 ㄷㄹㅅ)=90°÷5=18°
❷ 각 ㅂㄹㅅ의 크기 구하기
(각 ㅂㄹㅅ)=30°+18°=**48°**

07 ❶ 마름모의 한 변의 길이 구하기
(빨간색 선의 길이)=(마름모의 한 변)×6
(마름모의 한 변)=78÷6=13(cm)
❷ 마름모 한 개의 네 변의 길이의 합 구하기
(마름모 한 개의 네 변의 길이의 합)
=13×4=**52(cm)**

08 ❶ ㉡과 ㉢의 각도 각각 구하기

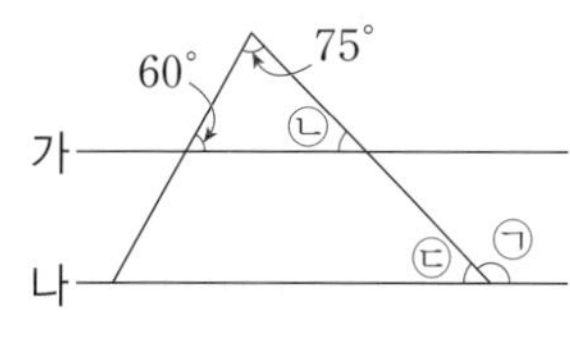

㉡=180°−75°−60°
=45°
㉢=㉡=45°
• 평행선과 한 직선이 만날 때 생기는 각 중에서 같은 위치에 있는 각의 크기는 같습니다.
❷ ㉠의 각도 구하기
㉠=180°−45°=**135°**

진도북 4단원

09 레벨UP 공략

평행선이 여러 개일 때 가장 먼(가까운) 평행선 사이의 거리를 구하려면?

가장 먼 평행선 사이의 거리	→	평행선 사이에 그은 수직인 선분의 길이가 가장 긴 것
가장 가까운 평행선 사이의 거리	→	평행선 사이에 그은 수직인 선분의 길이가 가장 짧은 것

❶ **정사각형 가, 나의 한 변의 길이 각각 구하기**

(정사각형 나의 한 변)$=5+3=8$(cm)

(정사각형 가의 한 변)$=8+2=10$(cm)

❷ **가장 먼 평행선 사이의 거리 구하기**

가장 먼 평행선 사이의 거리는 정사각형 가, 나, 다의 한 변의 길이의 합과 같습니다.

→ (가장 먼 평행선 사이의 거리)

$=10+8+5=$ **23(cm)**

10 ❶ **도형을 둘러싼 각각의 변의 길이 구하기**

• 평행사변형은 마주 보는 두 변의 길이가 같습니다.

(변 ㄱㄹ)+(변 ㅂㅁ)$=46-14-14=18$(cm)

(변 ㄱㄹ)=(변 ㅂㅁ)$=18\div2=9$(cm)

• 마름모는 네 변의 길이가 모두 같습니다.

(변 ㄱㄴ)=(변 ㄴㄷ)=(변 ㄷㄹ)=(변 ㄱㄹ)

$=9$ cm

❷ **도형을 둘러싼 굵은 선의 길이 구하기**

(도형을 둘러싼 굵은 선의 길이)

$=9+9+9+14+9+14=$ **64(cm)**

11

채점 기준		
	❶ 각 ㅂㅇㅅ의 크기 구하기	1점
	❷ 각 ㅁㅂㅇ, 각 ㅁㅅㅇ의 크기 각각 구하기	2점
	❸ 각 ㅂㅁㅅ의 크기 구하기	2점

12 ❶ **변 ㄱㅁ의 길이 구하기**

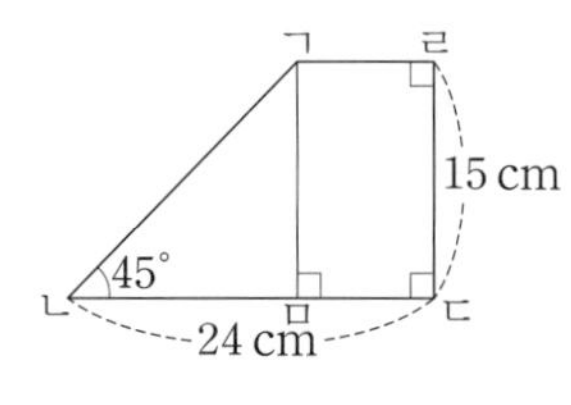

점 ㄱ에서 변 ㄴㄷ에 수선을 그으면 사각형 ㄱㅁㄷㄹ은 직사각형이고, 직사각형은 마주 보는 두 변의 길이가 같습니다.

(변 ㄱㅁ)=(변 ㄹㄷ)$=15$ cm

❷ **변 ㄴㅁ의 길이 구하기**

(각 ㄴㄱㅁ)$=180^\circ-45^\circ-90^\circ=45^\circ$이므로 삼각형 ㄱㄴㅁ은 이등변삼각형입니다.

(변 ㄴㅁ)=(변 ㄱㅁ)$=15$ cm

❸ **변 ㄱㄹ의 길이 구하기**

(변 ㄱㄹ)=(변 ㅁㄷ)$=24-15=$ **9(cm)**

13 ❶ **마름모가 아닌 사다리꼴이 될 수 있는 경우 알아보기**

마름모는 사다리꼴이므로 마름모가 아닌 사다리꼴을 찾아봅니다.

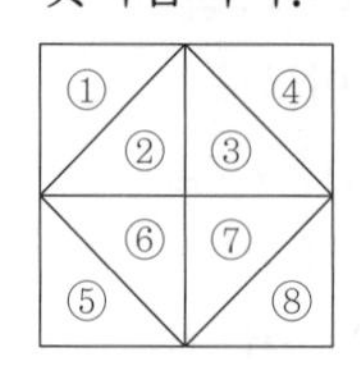

• 도형 3개짜리: ①+②+③, ②+③+④, ⑤+⑥+⑦, ⑥+⑦+⑧, ①+②+⑥, ②+⑥+⑤, ④+③+⑦, ③+⑦+⑧ (8개)

• 도형 4개짜리: ①+②+③+④, ⑤+⑥+⑦+⑧, ①+②+⑥+⑤, ④+③+⑦+⑧ (4개)

❷ **크고 작은 사다리꼴과 마름모의 개수의 차 구하기**

크고 작은 사다리꼴과 마름모의 개수의 차는 마름모가 아닌 사다리꼴의 개수와 같습니다.

→ $8+4=$ **12(개)**

참고 사다리꼴과 마름모를 각각 찾아 개수의 차를 구할 수도 있지만 사다리꼴 중에서 마름모인 경우는 중복되므로 마름모가 아닌 사다리꼴의 경우만 알아보는 것이 편리합니다.

14 ❶ **㉠의 각도 구하기**

㉠+㉡$=90^\circ$, ㉡−㉠$=6^\circ$이므로 ㉡$=6^\circ+$㉠에서 ㉠$+6^\circ+$㉠$=90^\circ$입니다.

㉠+㉠$=84^\circ$, ㉠$\times2=84^\circ$, ㉠$=84^\circ\div2=42^\circ$

❷ **㉢의 각도 구하기**

평행선과 한 직선이 만날 때 생기는 각 중 같은 위치에 있는 각의 크기는 같으므로 ㉢=㉠$=$ **42°**입니다.

15

채점 기준		
	❶ 각 ㄹㄷㄴ의 크기 구하기	1점
	❷ 각 ㄴㄷㅁ의 크기 구하기	2점
	❸ 각 ㅁㄴㄷ의 크기 구하기	2점

16 ❶ **㉡, ㉢, ㉣, ㉤의 각도 각각 구하기**

각각의 꺾인점을 지나고 직선 가, 직선 나와 평행한 직선 3개를 긋습니다.

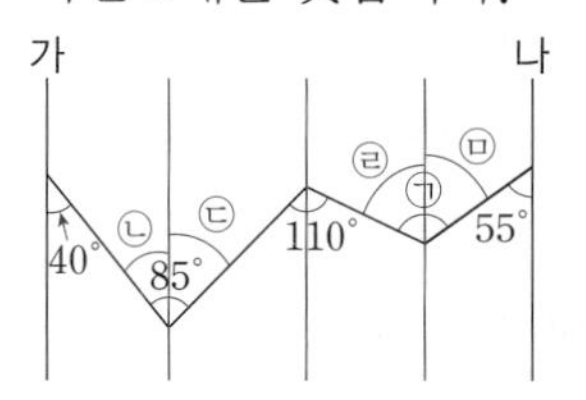

평행선과 한 직선이 만날 때 생기는 각 중 반대 위치에 있는 각의 크기는 같습니다.

㉡$=40^\circ$

㉢$=85^\circ-40^\circ=45^\circ$

㉣$=110^\circ-45^\circ=65^\circ$, ㉤$=55^\circ$

❷ **㉠의 각도 구하기**

㉠=㉣+㉤$=65^\circ+55^\circ=$ **120°**

17 ❶ **㉡의 각도 구하기**

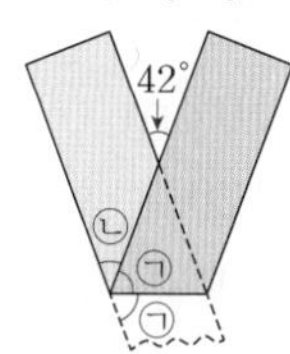

평행선과 한 직선이 만날 때 생기는 각 중에서 같은 위치에 있는 각의 크기는 같으므로 ㉡$=42°$입니다.

❷ **㉠의 각도 구하기**

접힌 부분과 접히기 전 부분의 각도는 같고, 직선 위의 한 점을 꼭짓점으로 하는 각의 크기는 $180°$이므로 $42°+$㉠$+$㉠$=180°$입니다.

→ ㉠$+$㉠$=138°$, ㉠$\times 2=138°$,
㉠$=138° \div 2=$**69°**

18 ❶ **각 ㄱㄴㅁ의 크기 구하기**

(각 ㄱㅁㄴ)$=90°$이고, 삼각형 ㄱㄴㅁ에서
(각 ㄱㄴㅁ)$=180°-40°-90°=50°$입니다.

❷ **각 ㄴㄷㄹ의 크기 구하기**

직선 위의 한 점을 꼭짓점으로 하는 각의 크기는 $180°$이므로 (각 ㄹㄴㄷ)$=180°-80°-50°=50°$입니다.
삼각형 ㄹㄴㄷ에서
(각 ㄴㄷㄹ)$=180°-35°-50°=95°$입니다.

❸ **㉠의 각도 구하기**

㉠$=180°-95°=$**85°**

STEP 3 최상위 도전하기 084~085쪽

1 125°
2 16 cm
3 120°
4 42°
5 50°
6 60°

1 ❶ **㉡과 ㉢의 각도 각각 구하기**

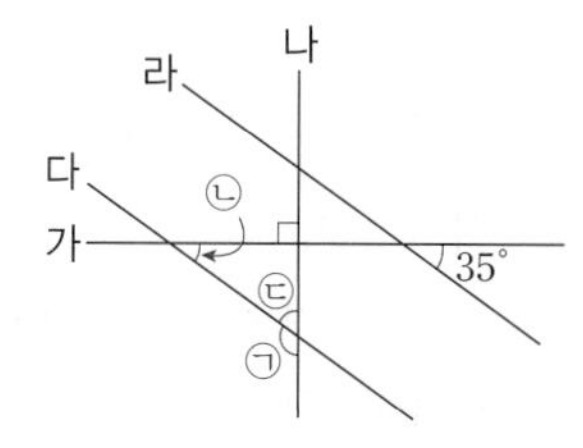

평행한 두 직선 다와 라가 직선 가와 만날 때 생기는 각 중에서 같은 위치에 있는 각의 크기는 같으므로 ㉡$=35°$입니다.

직선 가와 직선 나는 서로 수직이므로
㉢$=180°-35°-90°=55°$입니다.

❷ **㉠의 각도 구하기**

㉠$=180°-55°=$**125°**

2 ❶ **직선 가와 직선 나 사이의 거리 구하기**

직선 가와 직선 나 사이의 거리를 □cm라 하면
직선 나와 직선 다 사이의 거리는
$(□\times 3)$ cm$=(□+□+□)$ cm,
직선 다와 직선 라 사이의 거리는
$(□\times 4)$ cm$=(□+□+□+□)$ cm입니다.
$□+□+□+□+□+□+□+□=32$
$□\times 8=32$, $□=4$

❷ **직선 가와 직선 다 사이의 거리 구하기**

(직선 가와 직선 다 사이의 거리)
$=$(직선 가와 직선 라 사이의 거리)
$-$(직선 다와 직선 라 사이의 거리)
$=32-16=$**16 (cm)**

3 ❶ **㉢과 ㉣의 각도 각각 구하기**

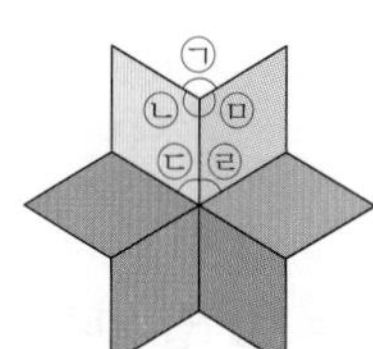

가운데의 한 점에서 만나는 6개의 각의 크기는 모두 같으므로
㉢$=$㉣$=360° \div 6=60°$입니다.

❷ **㉡과 ㉤의 각도 각각 구하기**

마름모에서 이웃한 두 각의 크기의 합은 $180°$이므로
㉡$=$㉤$=180°-60°=120°$입니다.

❸ **㉠의 각도 구하기**

㉠$=360°-120°-120°=$**120°**

4 ❶ **각 ㅇㅅㅊ과 각 ㅂㅅㅊ의 크기 각각 구하기**

점 ㅅ을 지나고 직선 ㄱㄴ과 평행한 직선 ㅊㅋ을 긋습니다.

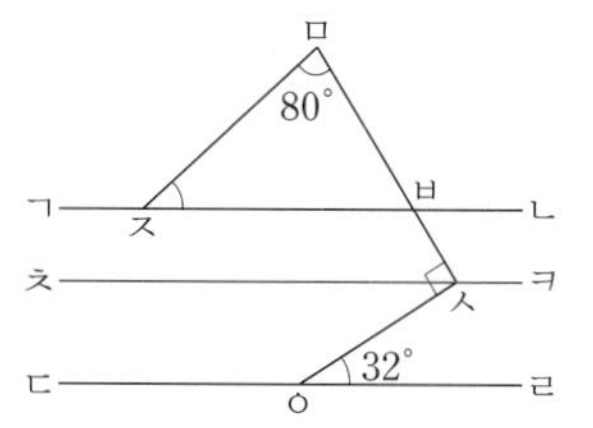

평행선과 한 직선이 만날 때 생기는 각 중에서 반대 위치에 있는 각의 크기는 같으므로
(각 ㅇㅅㅊ)$=$(각 ㅅㅇㄹ)$=32°$,
(각 ㅂㅅㅊ)$=90°-32°=58°$입니다.

❷ **각 ㅁㅂㅈ의 크기 구하기**

평행선과 한 직선이 만날 때 생기는 각 중에서 같은 위치에 있는 각의 크기는 같으므로
(각 ㅁㅂㅈ)$=$(각 ㅂㅅㅊ)$=58°$입니다.

❸ 각 ㅁㅈㅂ의 크기 구하기

삼각형 ㅁㅈㅂ에서

(각 ㅁㅈㅂ)$=180^\circ-80^\circ-58^\circ=$**42°**입니다.

5 ❶ 각 ㄱㄴㅁ과 각 ㄱㅁㄴ의 크기 각각 구하기

삼각형 ㄱㄴㅁ은 이등변삼각형이므로

(각 ㄱㄴㅁ)+(각 ㄱㅁㄴ)$=180^\circ-28^\circ=152^\circ$,

(각 ㄱㄴㅁ)=(각 ㄱㅁㄴ)$=150^\circ\div2=76^\circ$입니다.

❷ 각 ㅂㅁㄷ과 각 ㄴㄷㄹ의 크기 각각 구하기

(각 ㄱㅁㄷ)$=180^\circ-76^\circ=104^\circ$이고, 각 ㅂㅁㄷ의 크기를 □라 하면 각 ㄱㅁㅂ의 크기는 □×3이므로

□+□+□+□$=104^\circ$, □×4$=104^\circ$,

□$=104^\circ\div4=26^\circ$입니다.

평행사변형에서 이웃한 두 각의 크기의 합은 180°입니다.

(각 ㄴㄷㄹ)$=180^\circ-76^\circ=104^\circ$

❸ 각 ㅁㅂㄷ의 크기 구하기

삼각형 ㅂㅁㄷ에서

(각 ㅁㅂㄷ)$=180^\circ-26^\circ-104^\circ=$**50°**입니다.

6 직선 가와 직선 나는 서로 평행합니다. ㉠의 각도를 구해 보세요.

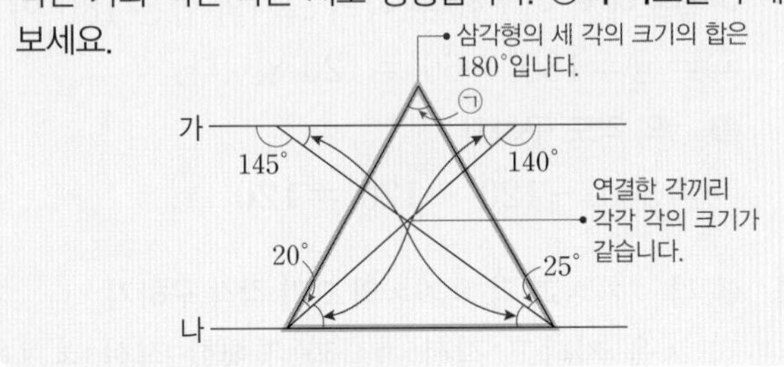

❶ ㉡과 ㉢의 각도 각각 구하기

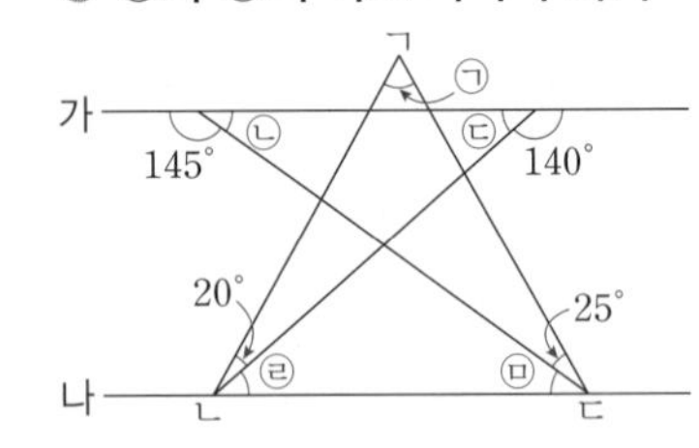

$㉡=180^\circ-145^\circ=35^\circ$

$㉢=180^\circ-140^\circ=40^\circ$

❷ ㉣과 ㉤의 각도 각각 구하기

평행선과 한 직선이 만날 때 생기는 각 중에서 반대 위치에 있는 각의 크기는 같습니다.

$㉣=㉢=40^\circ$, $㉤=㉡=35^\circ$

❸ ㉠의 각도 구하기

삼각형 ㄱㄴㄷ에서

$㉠+20^\circ+40^\circ+25^\circ+35^\circ=180^\circ$,

$㉠+120^\circ=180^\circ$, $㉠=$**60°**입니다.

상위권 TEST

086~087쪽

01 가, 마	**02** 4개	**03** 10 cm
04 75°	**05** 8 cm	**06** 120°
07 118°	**08** 66 cm	**09** 80°
10 116°	**11** 80°	**12** 27°

01 ❶ 수선, 평행선이 있는 도형 각각 알아보기

- 수선이 있는 도형: 가, 마
- 평행선이 있는 도형: 가, 나, 라, 마

❷ 수선도 있고 평행선도 있는 도형 찾기

수선도 있고 평행선도 있는 도형: **가, 마**

02 ❶ 사다리꼴과 평행사변형의 개수 각각 구하기

- 사다리꼴: 가, 나, 다, 라, 마, 바, 사(7개)
- 평행사변형: 다, 라, 사(3개)

❷ 위 ❶에서 구한 두 도형의 개수의 차 구하기

사다리꼴은 평행사변형보다

$7-3=$**4(개)** 더 많습니다.

03 ❶ 평행사변형과 마름모의 네 변의 길이의 합 각각 구하기

- 평행사변형: $6+4+6+4=20$(cm)
- 마름모: $5\times4=20$(cm)

❷ 두 도형을 만들고 남은 철사의 길이 구하기

(두 도형을 만들고 남은 철사의 길이)

$=50-20-20=$**10(cm)**

04 ❶ ㉠과 ㉡의 각도의 합 구하기

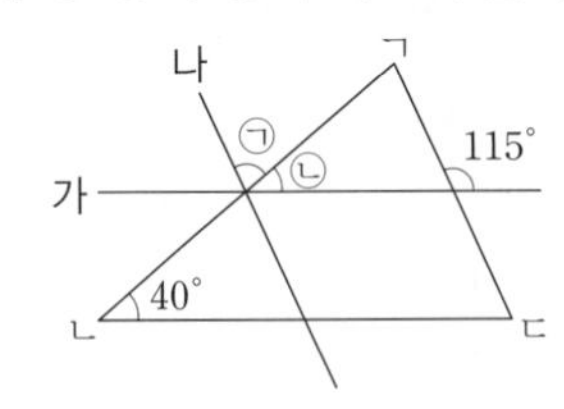

평행선과 한 직선이 만날 때 생기는 각 중에서 같은 위치에 있는 각의 크기는 같으므로 $㉡=40^\circ$이고, $㉠+㉡=115^\circ$입니다.

❷ ㉠의 각도 구하기

$㉠+40^\circ=115^\circ$, $㉠=115^\circ-40^\circ=$**75°**

05 ❶ 변 ㄱㅁ과 변 ㄴㅁ의 길이 각각 구하기

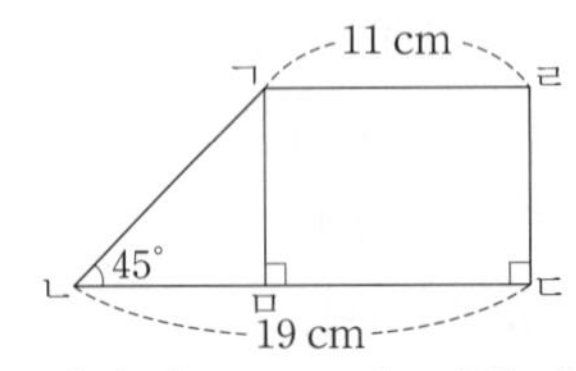

점 ㄱ에서 변 ㄴㄷ에 수선을 긋습니다.

(각 ㄴㄱㅁ)

$=180^\circ-90^\circ-45^\circ=45^\circ$

삼각형 ㄱㄴㅁ은 이등변삼각형이므로

(변 ㄱㅁ)=(변 ㄴㅁ)$=19-11=8$(cm)입니다.

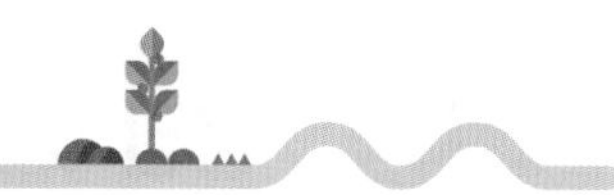

❷ 평행선 사이의 거리 구하기

(평행선 사이의 거리)=(변 ㄱㅁ)=**8 cm**

06 ❶ 각 ㄹㄷㅁ과 각 ㄴㄷㄹ의 크기 각각 구하기

(각 ㄹㄷㅁ)=(정삼각형의 한 각의 크기)=$60°$

직선 위의 한 점을 꼭짓점으로 하는 각의 크기는 $180°$이므로 (각 ㄴㄷㄹ)=$180°-60°=120°$입니다.

❷ 각 ㄴㄱㄹ의 크기 구하기

평행사변형에서 마주 보는 두 각의 크기는 같으므로 (각 ㄴㄱㄹ)=(각 ㄴㄷㄹ)=**$120°$**입니다.

07 ❶ 각 ㄱㄹㄷ과 각 ㄱㄴㄷ의 크기 각각 구하기

평행사변형에서 이웃한 두 각의 크기의 합은 $180°$이고, 마주 보는 두 각의 크기는 같습니다.

(각 ㄱㄹㄷ)=(각 ㄱㄴㄷ)=$180°-56°=124°$

❷ 각 ㄱㄹㅁ의 크기 구하기

(각 ㄱㄹㅁ)=(각 ㅁㄹㄷ)이므로

(각 ㄱㄹㅁ)=$124°\div2=62°$입니다.

❸ 각 ㄴㅁㄹ의 크기 구하기

(각 ㄴㅁㄹ)=$360°-56°-124°-62°=$**$118°$**

08 ❶ 가장 작은 정삼각형의 한 변의 길이 구하기

(가장 작은 정삼각형의 한 변)

$=24\div4=6$(cm)

❷ 가장 큰 사다리꼴의 각 변의 길이 구하기

가장 큰 사다리꼴은 오른쪽과 같습니다.

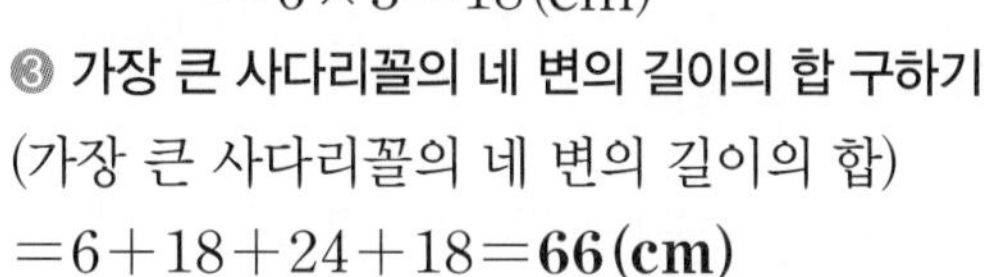

(변 ㄱㄹ)=6 cm

(변 ㄱㄴ)=(변 ㄷㄹ)

$=6\times3=18$(cm)

❸ 가장 큰 사다리꼴의 네 변의 길이의 합 구하기

(가장 큰 사다리꼴의 네 변의 길이의 합)

$=6+18+24+18=$**66 (cm)**

09 ❶ 각 ㄴㄱㄹ과 각 ㄴㄷㄹ의 크기 각각 구하기

점 ㄱ에서 직선 나에 수선을 긋습니다.

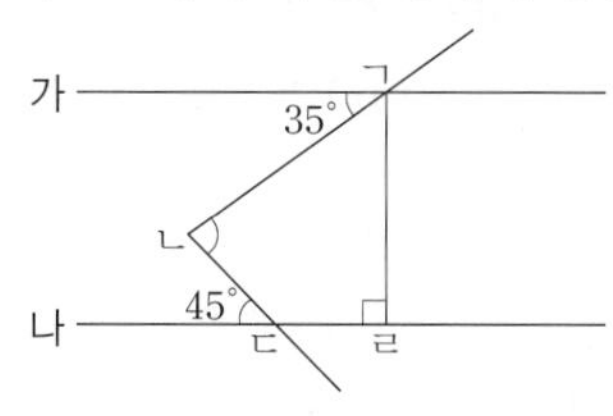

(각 ㄴㄱㄹ)

$=90°-35°$

$=55°$

(각 ㄴㄷㄹ)

$=180°-45°=135°$

❷ 각 ㄱㄴㄷ의 크기 구하기

(각 ㄱㄴㄷ)=$360°-55°-135°-90°=$**$80°$**

10 ❶ 각 ㄹㄴㄷ과 각 ㄹㄴㅂ의 크기 각각 구하기

평행선과 한 직선이 만날 때 생기는 각 중에서 반대 위치에 있는 각의 크기는 같고, 접힌 부분과 접히기 전 부분의 각도는 같습니다.

(각 ㄹㄴㄷ)=(각 ㅁㄹㄴ)=$32°$

(각 ㄹㄴㅂ)=(각 ㄹㄴㄷ)=$32°$

❷ 각 ㅂㄴㄷ과 각 ㅂㅁㄹ의 크기 각각 구하기

(각 ㅂㄴㄷ)=$32°+32°=64°$

평행선과 한 직선이 만날 때 생기는 각 중에서 같은 위치에 있는 각의 크기는 같으므로

(각 ㅂㅁㄹ)=(각 ㅂㄴㄷ)=$64°$입니다.

❸ 각 ㄱㅁㅂ의 크기 구하기

(각 ㄱㅁㅂ)=$180°-64°=$**$116°$**

11 ❶ 각 ㄹㄷㅁ의 크기 구하기

(각 ㄱㅁㄹ)=$90°$

삼각형 ㄹㅁㄷ에서

(각 ㄹㄷㅁ)=$180°-35°-90°=55°$입니다.

❷ 각 ㄱㄷㄴ과 각 ㄱㄴㄷ의 크기 각각 구하기

직선 위의 한 점을 꼭짓점으로 하는 각의 크기는 $180°$이므로

(각 ㄱㄷㄴ)=$180°-55°-70°=55°$입니다.

삼각형 ㄱㄴㄷ에서

(각 ㄱㄴㄷ)=$180°-25°-55°=100°$입니다.

❸ ㉠의 각도 구하기

㉠$=180°-100°=$**$80°$**

12 ❶ 각 ㄴㅁㅂ의 크기 구하기

삼각형 ㅁㄴㅂ은 이등변삼각형이므로

(각 ㄴㅁㅂ)+(각 ㄴㅂㅁ)=$180°-50°=130°$,

(각 ㄴㅁㅂ)=$130°\div2=65°$입니다.

❷ 각 ㄱㅁㅅ과 각 ㄴㄱㄹ의 크기 각각 구하기

(각 ㄱㅁㅂ)=$180°-65°=115°$이고,

각 ㄱㅁㅅ의 크기를 □라 하면

각 ㅂㅁㅅ의 크기는 □×4이므로

□+□+□+□+□=$115°$,

□×5=$115°$, □=$115°\div5=23°$입니다.

마름모에서 이웃한 두 각의 크기의 합은 $180°$이므로

(각 ㄴㄱㄹ)=$180°-50°=130°$입니다.

❸ 각 ㄱㅅㅁ의 크기 구하기

삼각형 ㄱㅁㅅ에서

(각 ㄱㅅㅁ)=$180°-130°-23°=$**$27°$**입니다.

5 꺾은선그래프

개념 넓히기 091쪽

1 7 ℃ **2** 오후 1시와 오후 2시 사이

3 스피드 스케이팅 500 m 최고 기록

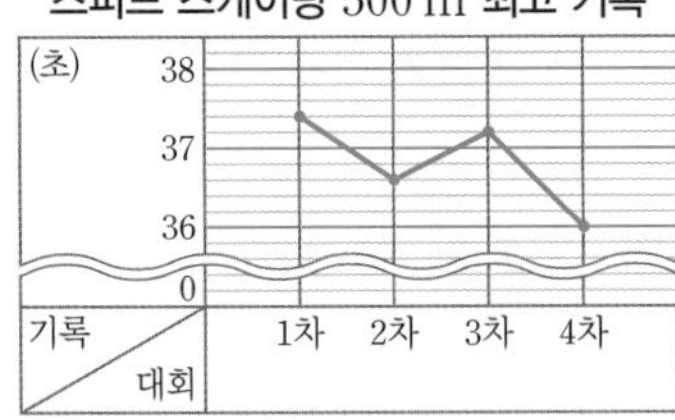

STEP 1 응용 공략하기 092~097쪽

01 1월 **02** 8일 **03** 52개

04 124, 130 / 나무의 높이

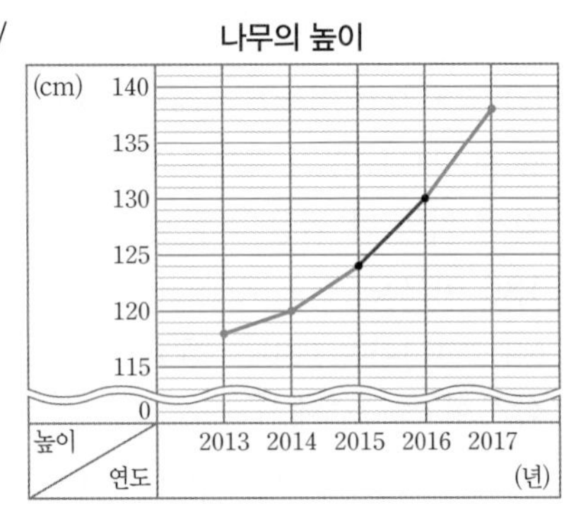

05 예 127 cm쯤

06 예 ❶ 2013년~2014년에 2 cm, 2014년~2015년에 4 cm, 2015년~2016년에 6 cm, 2016년~2017년에 8 cm 높아졌으므로 2018년 6월에는 10 cm 더 높아질 것 같습니다. ▸3점

❷ 따라서 2018년 6월에 나무의 높이를 잰다면 $138+10=148$ (cm)쯤 될 것이라고 예상합니다. ▸2점 / 예 148 cm쯤

07 2017년, 1 ppm

08 예 ❶ 훌라후프를 돌린 횟수가 수요일은 28회이고, 목요일은 40회입니다.

(수요일과 목요일의 훌라후프를 돌린 횟수의 차)

$=40-28=12$(회) ▸3점

❷ 따라서 세로 눈금 한 칸의 크기를 4회로 하여 다시 그리면 세로 눈금 칸 수의 차는

$12\div4=3$(칸)이 됩니다. ▸2점 / 3칸

09 서진, 1.2 kg **10** 71 kg

11 240 m **12** 30

13 예 ❶ 지호의 저축액이 전달에 비해 가장 많이 늘어난 달은 선이 오른쪽 위로 가장 많이 기울어진 때이므로 3월입니다. ▸2점

❷ 나리의 2월 저축액은 5000원, 3월 저축액은 9000원입니다. 따라서 나리의 저축액은 전달에 비해 $9000-5000=4000$(원) 더 늘었습니다.

▸3점 / 4000원

14 입장객 수

(명) 500, 400, 300, 200, 0 / 입장객 수, 요일 / 월 화 수 목 금 (요일)

15 520명 **16** 2017년, 700개

01 영하로 내려간 날수가 가장 많았던 때는 점이 가장 높게 찍힌 때이므로 **1월**입니다.

02 (세로 눈금 한 칸의 크기)$=10\div5=2$(일)

11월: 6일, 12월: 14일

→ (11월과 12월에 영하로 내려간 날수의 차)

$=14-6=$**8(일)**

03 2000년: 8개, 2004년: 9개, 2008년: 13개, 2012년: 13개, 2016년: 9개

→ $8+9+13+13+9=$**52(개)**

05 2015년 6월의 높이는 124 cm이고, 2016년 6월의 높이는 130 cm이므로 124 cm와 130 cm의 중간은 127 cm입니다.

→ 2015년 12월에 나무의 높이는 **127 cm쯤**이라고 예상할 수 있습니다.

06

채점 기준		
	❶ 2018년 6월의 나무의 높이의 변화량 구하기	3점
	❷ 2018년 6월의 나무의 높이 예상하기	2점

07 두 강의 BOD의 차가 가장 큰 때는 두 꺾은선 사이의 간격이 가장 큰 때이므로 **2017년**입니다.

→ (2017년 한강과 영산강의 BOD의 차)

$=\underset{영산강}{1.9}-\underset{한강}{0.9}=$**1 (ppm)**

다른 풀이 두 꺾은선 사이의 간격이 가장 큰 때는 **2017년**이고, 이때의 세로 눈금 칸 수의 차는 10칸입니다. 0.1이 10개인 수는 1이므로 두 강의 BOD의 차는 **1 ppm**입니다.

08

채점 기준	❶ 수요일과 목요일의 훌라후프를 돌린 횟수의 차 구하기	3점
	❷ 세로 눈금 한 칸의 크기를 4회로 하여 다시 그릴 때 세로 눈금 칸 수의 차 구하기	2점

09 • 서진: $36.3-35.1=1.2$(kg)
• 희정: $36.1-35.2=0.9$(kg) (세로 눈금 한 칸의 크기) $=0.1$ kg
→ $1.2>0.9$이므로 몸무게가 더 많이 늘어난 사람은 **서진**이고, 늘어난 몸무게는 **1.2 kg**입니다.

10 희정이가 서진이보다 0.2 kg 더 무거운 때는 7월입니다. (희정이를 나타내는 꺾은선이 서진이를 나타내는 꺾은선보다 2칸 더 위에 있을 때입니다.)
→ (7월의 희정이와 서진이의 몸무게의 합)
$=35.6+35.4=$**71 (kg)** (희정, 서진)

11 (세로 눈금 한 칸의 크기)$=100\div5=20$(m)

시간(초)	10	20	30	40	50
거리(m)	40	80	120	160	200

+40 +40 +40 +40

10초마다 40 m씩 달립니다.
→ $200+40=$**240 (m)**

선행 개념 [중1] 정비례
• **정비례**: 두 변수(변하는 값을 나타내는 문자) x, y에서 x의 값이 2배, 3배, 4배……로 변함에 따라 y의 값도 2배, 3배, 4배……로 변하는 관계
• y가 x에 정비례하면 x와 y 사이의 관계는 $y=a\times x$(단, a는 0이 아님)로 나타낼 수 있습니다.
참고 [문제 11]에서 달린 시간과 달린 거리와의 관계는 정비례 관계입니다.
(1초 동안 달린 거리)$=40\div10=4$(m)
→ (달린 거리)$=4\times$(달린 시간)

12 (세로 눈금 칸 수의 합)
$=4+8+5+12+9=38$(칸)
(세로 눈금 한 칸의 크기)$=76\div38=2$(mm)
㉠$=2\times5=10$(mm), ㉡$=2\times10=20$(mm)
→ ㉠+㉡$=10+20=$**30**

13

채점 기준	❶ 지호의 저축액이 전달에 비해 가장 많이 늘어난 때 찾기	2점
	❷ 위 ❶의 경우에 나리의 저축액이 전달에 비해 얼마나 더 늘었는지 구하기	3점

14 (월요일, 화요일, 수요일의 입장객 수의 합)
$=280+380+320=980$(명)
(목요일, 금요일의 입장객 수의 합)
$=1800-980=820$(명)
목요일의 입장객 수를 □명이라 하면 금요일의 입장객 수는 (□$+20$)명입니다.
□+□$+20=820$, □+□$=800$, □$=400$ (□$\times2=800$, □$=800\div2=400$)
따라서 목요일의 입장객 400명, 금요일의 입장객 $400+20=420$(명)에 각각 점을 찍고 선분으로 잇습니다.

15 입장객 수의 변화가 가장 큰 때는 선이 가장 많이 기울어진 때이므로 월요일과 화요일 사이입니다.
(월요일과 화요일의 입장객 수의 변화량)
$=380-280=100$(명)
→ (토요일의 입장객 수)$=420+100=$**520(명)**

16 (왼쪽 그래프의 세로 눈금 한 칸의 크기)
$=1000\div5=200$(개)
(오른쪽 그래프의 세로 눈금 한 칸의 크기)
$=500\div5=100$(개)

연도(년)	2014	2015	2016	2017
장난감 생산량(개)	3800	3400	4200	4600
장난감 판매량(개)	3300	3000	3600	3900
팔고 남은 장난감의 개수(개)	500	400	600	700

$700>600>500>400$
→ 팔고 남은 장난감이 가장 많은 때는 **2017년**이고, 그 개수는 **700개**입니다.

STEP 2 심화 해결하기 098~103쪽

01 4병

02 예 ❶ 생수 판매량은 1일에 12병, 2일에 16병, 3일에 22병, 4일에 26병, 5일에 14병입니다.
(전체 생수 판매량)
$=12+16+22+26+14=90$(병) ▸3점
❷ (생수를 판매한 금액의 합)
$=800\times90=72000$(원) ▸2점 / 72000원

03 화요일, 2 ℃ **04** 예 3 ℃쯤

05

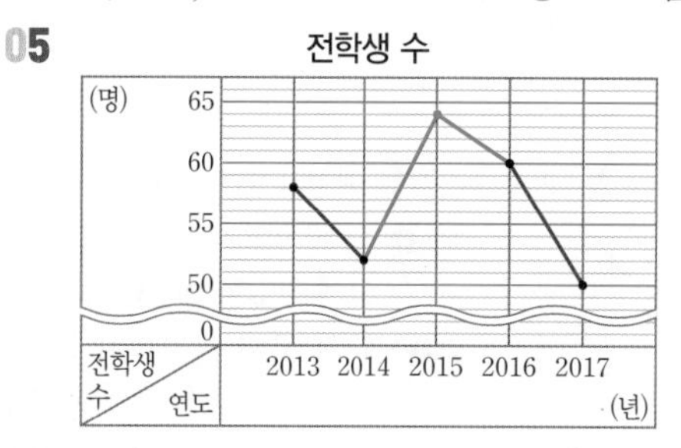

06 2명 **07** 4번

08 예 ❶ ((가) 그래프의 세로 눈금 한 칸의 크기)
$=10\div5=2$(회)
(가) 그래프에서 1일과 2일의 윗몸일으키기 횟수의 차는 $20-16=4$(회)입니다. ▸3점
❷ (나) 그래프에서 1일과 2일의 세로 눈금 칸 수의 차는 4칸입니다.
→ ((나) 그래프의 세로 눈금 한 칸의 크기)
$=4\div4=1$(회) ▸2점 / 1회

09 6 mm **10** 1650 Wh
11 채원, 3점 **12** 5시간 20분
13 1400개 **14** ㉮ 회사, 800개

15 예 ❶ 세 마을의 인구가 가장 많았던 때와 가장 적었던 때의 인구의 차를 각각 구합니다.
사랑 마을: $3900-2400=1500$(명)
행복 마을: $3300-2100=1200$(명)
소망 마을: $2800-1200=1600$(명) ▸3점
❷ 따라서 $1600>1500>1200$이므로 인구가 가장 많았던 때와 가장 적었던 때의 인구의 차가 가장 큰 마을은 소망 마을입니다. ▸2점 / 소망 마을

16 2시간 15분

01 ❶ **판매량이 가장 많았던 때와 두 번째로 많았던 때의 생수 판매량 각각 구하기**
점이 가장 높게 찍힌 때는 4일로 26병이고, 점이 두 번째로 높게 찍힌 때는 3일로 22병입니다.
❷ **위 ❶의 경우의 생수 판매량의 차 구하기**
(생수 판매량의 차)$=26-22=$ **4(병)**

02

채점 기준		
	❶ 전체 생수 판매량 구하기	3점
	❷ 생수를 판매한 금액의 합 구하기	2점

03 ❶ **일교차가 가장 작은 때 구하기** ─ 두 꺾은선 사이의 간격이 가장 작은 때입니다.
일교차가 가장 작은 때는 **화요일**입니다.
❷ **위 ❶의 경우의 일교차 구하기**
(화요일의 일교차)$=8-6=$ **2(℃)**
(8: 최고 기온, 6: 최저 기온)

04 레벨UP 공략

꺾은선그래프를 보고 중간값을 예상하려면?

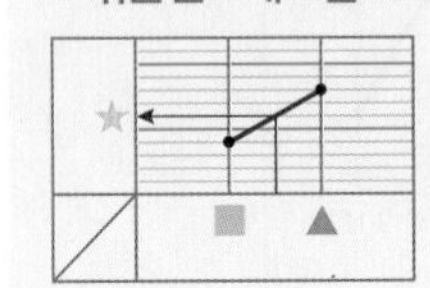

방법❶ 두 항목의 수량을 각각 읽고 그 중간값을 예상합니다.
방법❷ 두 항목의 중간점이 가리키는 세로 눈금을 읽어서 중간값을 예상합니다.

❶ **오후 1시의 기온과 수온 각각 예상하기**
- 낮 12시의 기온 11 ℃와 오후 2시의 기온 13 ℃의 중간은 12 ℃이므로 오후 1시의 기온은 12 ℃쯤입니다.
- 낮 12시의 수온 14 ℃와 오후 2시의 수온 16 ℃의 중간은 15 ℃이므로 오후 1시의 수온은 15 ℃쯤입니다.

❷ **오후 1시의 기온과 수온의 차 예상하기**
$15-12=3$(℃)이므로 오후 1시의 기온과 수온의 차는 **3 ℃쯤**입니다.

05 ❶ **2015년의 전학생 수 구하기**
2013년: 58명, 2014년: 52명, 2016년: 60명, 2017년: 50명
→ 2015년: $284-58-52-60-50=64$(명)
❷ **꺾은선그래프 완성하기**
2015년의 전학생 수 64명에 점을 찍고 선분으로 잇습니다.

06 ❶ **전학생 수가 가장 많은 때와 가장 적은 때의 전학생 수의 차 구하기**
전학생 수가 가장 많은 때는 2015년으로 64명이고, 가장 적은 때는 2017년으로 50명입니다.
(전학생 수의 차)$=64-50=14$(명)
❷ **다시 그린 꺾은선그래프의 세로 눈금 한 칸의 크기 구하기**
(세로 눈금 한 칸의 크기)$=14\div7=$ **2(명)**

07 ❶ **예삐와 초롱이의 무게가 같았던 때 구하기**
예삐와 초롱이의 무게가 같았던 때는 두 꺾은선이 만나는 때이므로 8월, 9월과 10월 사이, 10월과 11월 사이, 11월과 12월 사이입니다.
❷ **위 ❶의 경우의 횟수 구하기**
예삐와 초롱이의 무게가 같았던 때는 모두 **4번**입니다.
주의 점이 찍힌 곳에서 만나는 경우만 생각하여 8월로 1번이라고 답하지 않도록 주의합니다.

08 레벨UP 공략

세로 눈금 한 칸의 크기를 바꾸어 나타낸 꺾은선그래프에서 바꾼 세로 눈금 한 칸의 크기를 구하려면?
(바꾼 그래프의 세로 눈금 한 칸의 크기)
=(두 항목의 수량의 차)
÷(바꾼 그래프에서 두 항목의 세로 눈금 칸 수의 차)

채점 기준		
	❶ (가) 그래프에서 1일과 2일의 윗몸일으키기 횟수의 차 구하기	3점
	❷ (나) 그래프의 세로 눈금 한 칸의 크기 구하기	2점

09 ❶ **적설량이 가장 적은 때 찾기**

적설량이 가장 적은 때는 선이 가장 적게 기울어진 때이므로 오후 2시와 오후 3시 사이입니다.

❷ **위 ❶의 경우의 적설량 구하기**

• 오후 2시의 누적 적설량: 21 mm
• 오후 3시의 누적 적설량: 27 mm
(세로 눈금 한 칸의 크기) $=15\div5=3$(mm)

→ $27-21=$**6(mm)**

10 ❶ **TV 사용 시간이 가장 많은 때의 전기 소비량 구하기**

TV 사용 시간이 가장 많은 때는 점이 가장 높게 찍힌 때이므로 금요일로 9시간입니다.

(금요일의 전기 소비량) $=150\times9=1350$(Wh)

❷ **TV 사용 시간이 가장 적은 때의 전기 소비량 구하기**

TV 사용 시간이 가장 적은 때는 점이 가장 낮게 찍힌 때이므로 수요일로 2시간입니다.

(수요일의 전기 소비량) $=150\times2=300$(Wh)

❸ **위 ❶과 ❷의 전기 소비량의 합 구하기**

(전기 소비량의 합) $=1350+300=$**1650(Wh)**

다른 풀이 TV 사용 시간이 가장 많은 때는 점이 가장 높게 찍힌 금요일(9시간), TV 사용 시간이 가장 적은 때는 점이 가장 낮게 찍힌 수요일(2시간)입니다.

(TV 사용 시간의 합) $=9+2=11$(시간)

→ (전기 소비량의 합) $=150\times11=$**1650(Wh)**

11 ❶ **승엽이와 채원이의 수학 점수의 합 각각 구하기**

• 승엽: $82+75+80+86+88=411$(점)
• 채원: $832-411=421$(점)

❷ **채원이의 5월 수학 점수 구하기**

(채원이의 5월 수학 점수)
$=421-78-85-89-86=83$(점)

❸ **5월의 수학 점수는 누가 몇 점 더 높은지 구하기**

5월의 수학 점수는 승엽이가 80점, 채원이가 83점이므로 **채원**이가 $83-80=$**3(점)** 더 높습니다.

12 ❶ **동지의 낮의 길이와 밤의 길이 각각 구하기**

1시간=60분이므로

(세로 눈금 한 칸의 크기) $=60\div6=10$(분)입니다.

• 세로 눈금이 6칸씩 되어 있습니다.

동지는 낮의 길이가 가장 짧은 날이므로 점이 가장 낮게 찍힌 날은 목요일입니다.

(동지의 낮의 길이)=9시간 20분

(동지의 밤의 길이)=24시간−9시간 20분
=14시간 40분

❷ **동지의 낮의 길이와 밤의 길이의 차 구하기**

(동지의 낮의 길이와 밤의 길이의 차)
=14시간 40분−9시간 20분=**5시간 20분**

13 ❶ **㉮ 회사의 3월 생산량과 ㉯ 회사의 3월 생산량 각각 구하기**

(세로 눈금 한 칸의 크기) $=1000\div5=200$(개)

(㉮ 회사의 3월 생산량)=(㉯ 회사의 5월 생산량)
=4200개

(㉯ 회사의 3월 생산량)=(㉮ 회사의 4월 생산량)
=3400개

❷ **두 회사의 가방 생산량의 차가 가장 큰 때의 생산량을 각각 구하기**

두 꺾은선 사이의 간격이 가장 큰 때는 2월입니다.

• 2월의 ㉮ 회사의 생산량: 4600개
• 2월의 ㉯ 회사의 생산량: 3200개

❸ **위 ❷의 경우의 생산량의 차 구하기**

(생산량의 차) $=4600-3200=$**1400(개)**

14 ❶ **㉮ 회사와 ㉯ 회사의 가방 생산량의 합 각각 구하기**

월	1월	2월	3월	4월	5월	6월	합계
㉮ 회사(개)	3600	4600	4200	3400	4000	5200	25000
㉯ 회사(개)	4400	3200	3400	4200	4200	4800	24200

❷ **가방 생산량의 합은 어느 회사가 몇 개 더 많은지 구하기**

㉮ 회사가 $25000-24200=$**800(개)** 더 많습니다.

15

채점 기준		
	❶ 세 마을의 인구가 가장 많았던 때와 가장 적었던 때의 인구의 차를 각각 구하기	3점
	❷ 인구가 가장 많았던 때와 가장 적었던 때의 인구의 차가 가장 큰 마을 구하기	2점

16 ❶ **택시와 버스가 180 km를 가는 데 걸리는 시간 각각 구하기**

(세로 눈금 한 칸의 크기) $=30\div5=6$(km)

• 택시: 15분 동안 30 km를 달리므로 180 km를 가려면 $180\div30=6$, $15\times6=90$(분)이 걸립니다.
• 버스: 15분 동안 12 km를 달리므로 180 km를 가려면 $180\div12=15$, $15\times15=225$(분)이 걸립니다.

❷ **택시는 버스보다 몇 시간 몇 분 먼저 도착하는지 구하기**

$225-90=135$(분)이므로 택시는 버스보다 135분=**2시간 15분** 먼저 도착합니다.

진도북 5단원

STEP 3 최상위 도전하기 104~105쪽

1 37.4 ℃ 2 150 mL 3 20억 원
4 누적 방문자 수 5 2400000원

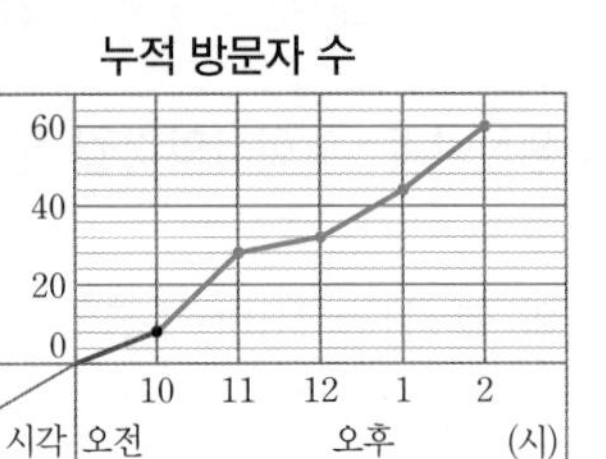

1 ❶ 4시와 6시의 체온의 차 구하기

- 4시의 체온: 36.8 ℃
- 6시의 체온: 37.1 ℃

(4시와 6시의 체온의 차)=37.1−36.8=0.3(℃)

❷ 5시의 체온 구하기

(4시와 5시의 체온의 차)=0.3+0.3=0.6(℃)

→ (5시의 체온)=36.8+0.6=**37.4(℃)**

참고 6시의 체온은 4시의 체온보다 0.3 ℃ 높으므로 5시의 체온은 0.3+0.3=0.6 (℃) 높습니다.
(0.3 ℃의 2배)

2 ❶ 기계 ㉮에서 참기름 600 mL를 만들 때 걸리는 시간 구하기

시간이 5분 지날 때마다 참기름은 기계 ㉮에서 100 mL씩, 기계 ㉯에서 25 mL씩 나옵니다.
기계 ㉮에서 참기름 600 mL를 만들 때 걸리는 시간은 20+5+5=30(분)입니다.

❷ 기계 ㉯에서 위 ❶의 시간 동안 만드는 참기름의 양 구하기

(기계 ㉯에서 30분 동안 만드는 참기름의 양)
=100+25+25=**150(mL)**

3 ❶ 전년에 비해 관광객 수는 늘었지만 관광 수입액은 줄어든 때 구하기

전년에 비해 관광객 수가 늘어난 때는 2014년과 2016년이고, 이 중에서 전년에 비해 관광 수입액이 줄어든 때는 2016년입니다.

❷ 위 ❶에서 구한 때와 전년의 관광 수입액의 차 구하기

(관광 수입액을 나타내는 그래프의 세로 눈금 한 칸의 크기)=50÷5=10(억 원)

- 2015년의 관광 수입액: 380억 원
- 2016년의 관광 수입액: 360억 원

→ (관광 수입액의 차)=380−360=**20(억 원)**

4 ❶ ㉠과 ㉡에 알맞은 수 각각 구하기

오전 9시부터 오후 2시까지 방문자 수의 합은 60명이고, ㉡=㉠×3=㉠+㉠+㉠입니다.

- 8+20+㉠+㉠+㉠+㉠+16=60,
  ㉠×4=16, ㉠=4
- ㉡=4×3=12

❷ 누적 방문자 수 각각 구하기

시각	오전 10시	오전 11시	낮 12시	오후 1시	오후 2시
누적 방문자 수(명)	8	8+20 =28	28+4 =32	32+12 =44	44+16 =60

❸ 꺾은선그래프 완성하기 → (세로 눈금 한 칸의 크기)=20÷5=4(명)

오전 11시(28명), 낮 12시(32명), 오후 1시(44명), 오후 2시(60명)의 누적 방문자 수에 맞게 점을 찍고 선분으로 잇습니다.

5 어느 영화관에서 4개의 영화 ㉮, ㉯, ㉰, ㉱를 상영하고 있습니다. 왼쪽은 월요일부터 금요일까지 영화별 누적 관람객 수를 나타낸 막대그래프이고, 오른쪽은 ㉰ 영화의 요일별 관람객 수를 나타낸 꺾은선그래프입니다. 금요일의 관람료는 10000원일 때 **㉰ 영화의 금요일 관람료는 모두 얼마**일까요? (금요일의 관람료)×(㉰ 영화의 금요일 관람객 수)

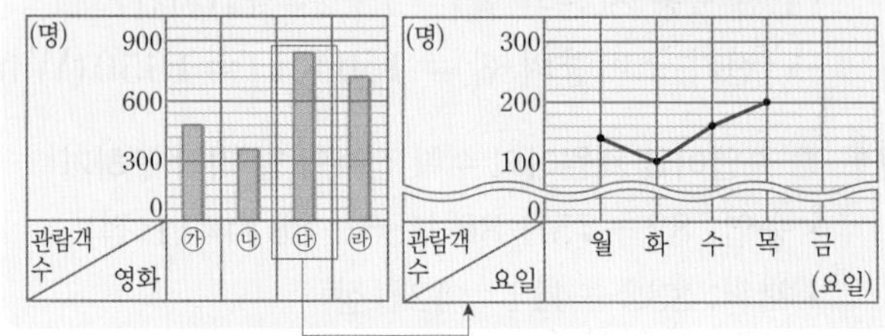

(왼쪽 그래프에서 ㉰ 영화의 누적 관람객 수)
=(오른쪽 그래프에서 요일별 관람객 수의 합)

❶ ㉰ 영화의 누적 관람객 수 구하기

(왼쪽 그래프의 세로 눈금 한 칸의 크기)
=300÷5=60(명)
(㉰ 영화의 누적 관람객 수)=840명

❷ ㉰ 영화의 금요일 관람객 수 구하기

(오른쪽 그래프의 세로 눈금 한 칸의 크기)
=100÷5=20(명)
(㉰ 영화의 금요일 관람객 수)
=840−140(월)−100(화)−160(수)−200(목)
=240(명)

❸ ㉰ 영화의 금요일 관람료의 합 구하기

(㉰ 영화의 금요일 관람료의 합)
=10000×240=**2400000(원)**

상위권 TEST

106~107쪽

01 102권　**02** 목요일, 20권
03 6칸　**04** 희정, 1 cm
05 2번　**06** 6월, 0.3 cm
07 2500, 5000
08

줄넘기 횟수

(회) 400, 300, 200, 0
횟수 / 날짜: 11, 12, 13, 14, 15 (일)
— 혜미　— 서준

09 640회　**10** 예 2 L쯤
11 8억 원

03 ❶ **동화책 판매량이 가장 많은 때와 가장 적은 때의 동화책 판매량의 차 구하기**

- 동화책 판매량이 가장 많은 때: 화요일, 32권
- 동화책 판매량이 가장 적은 때: 목요일, 8권

(동화책 판매량의 차)$=32-8=24$(권)

❷ **세로 눈금 칸 수의 차 구하기**

세로 눈금 한 칸의 크기를 4권으로 하여 다시 그리면 세로 눈금 칸 수의 차는 $24\div4=$**6(칸)**이 됩니다.

04 ❶ **민수와 희정이의 키의 변화량 각각 구하기**

- 민수: $135-134.1=0.9$(cm)
- 희정: $135.2-134.2=1$(cm)

❷ **키가 더 많이 큰 사람은 누구이고, 커진 키는 몇 cm인지 구하기**

$0.9<1$이므로 키가 더 많이 큰 사람은 **희정**이고, 커진 키는 **1 cm**입니다.

06 ❶ **두 사람의 키의 차가 가장 큰 때 구하기**

두 꺾은선 사이의 간격이 가장 큰 때는 **6월**입니다.

❷ **위 ❶의 경우의 키의 차 구하기**

(두 사람의 키의 차)$=\underset{\text{민수}}{\underline{134.8}}-\underset{\text{희정}}{\underline{134.5}}=$**0.3(cm)**

07 ❶ **세로 눈금 한 칸의 크기 구하기**

(세로 눈금 칸 수의 합)$=3+5+4+8+10=30$(칸)
(세로 눈금 한 칸의 크기)$=15000\div30=500$(kg)

❷ **㉠과 ㉡에 알맞은 수 각각 구하기**

㉠$=500\times5=2500$(kg) → ㉠$=$**2500**
㉡$=500\times10=5000$(kg) → ㉡$=$**5000**

08 ❶ **혜미와 서준이의 줄넘기 횟수의 합 각각 구하기**

- 혜미: $220+300+280+340+380=1520$(회)
- 서준: $3000-1520=1480$(회)

❷ **서준이의 13일 줄넘기 횟수 구하기**

(서준이의 13일 줄넘기 횟수)
$=1480-260-220-340-300=360$(회)

❸ **꺾은선그래프 완성하기**

서준이의 13일 줄넘기 횟수 360회에 점을 찍고 선분으로 잇습니다.

09 ❶ **혜미의 줄넘기 횟수가 서준이의 줄넘기 횟수보다 80회 적을 때 구하기**

혜미의 줄넘기 횟수가 서준이의 줄넘기 횟수보다 80회 적을 때는 혜미의 꺾은선이 서준이의 꺾은선보다 4칸 아래에 있을 때이므로 13일입니다.

❷ **위 ❶의 경우의 줄넘기 횟수의 합 구하기**

두 사람의 줄넘기 횟수의 합: $\underset{\text{혜미}}{\underline{280}}+\underset{\text{서준}}{\underline{360}}=$**640(회)**

10 ❶ **㉮와 ㉯ 자동차가 2시간 30분 동안 달린 거리를 각각 예상하기**

- ㉮ 자동차: 2시간 동안 달린 거리는 80 km이고, 3시간 동안 달린 거리는 160 km이므로 2시간 30분 동안 달린 거리는 120 km쯤입니다.
- ㉯ 자동차: 2시간 동안 달린 거리는 120 km이고, 3시간 동안 달린 거리는 240 km이므로 2시간 30분 동안 달린 거리는 180 km쯤입니다.

❷ **2시간 30분 후 두 자동차가 사용한 휘발유 양의 차 예상하기**

- ㉮ 자동차: $120\div12=10$(L)
- ㉯ 자동차: $180\div15=12$(L)

→ $12-10=2$(L)이므로 사용한 휘발유 양의 차는 **2 L쯤**입니다.

11 ❶ **전달에 비해 입장객 수는 줄었지만 매출액은 늘어난 달 구하기**

전달에 비해 입장객 수가 줄어든 달은 8월과 10월이고, 이 중 전달에 비해 매출액이 늘어난 달은 8월입니다.

❷ **위 ❶에서 구한 때와 전달의 매출액의 차 구하기**

(매출액을 나타내는 그래프의 세로 눈금 한 칸의 크기)
$=10\div5=2$(억 원)
7월의 매출액: 88억 원, 8월의 매출액: 96억 원
→ (매출액의 차)$=96-88=$**8(억 원)**

6 다각형

개념 넓히기 111쪽

1 (1) 오각형 (2) 칠각형 **2** 40 cm
3 다, 라 **4** 예 

STEP 1 응용 공략하기 112~117쪽

01 4 **02** 6 cm

03 예 ❶ 평행사변형은 한 대각선이 다른 대각선을 똑같이 둘로 나눕니다.
(선분 ㄱㄷ)$=6\times2=12$(cm)
(선분 ㄴㄹ)$=8\times2=16$(cm) ▸4점
❷ (선분 ㄱㄷ과 선분 ㄴㄹ의 길이의 합)
$=12+16=28$(cm) ▸1점 / 28 cm

04 36개 **05** 예 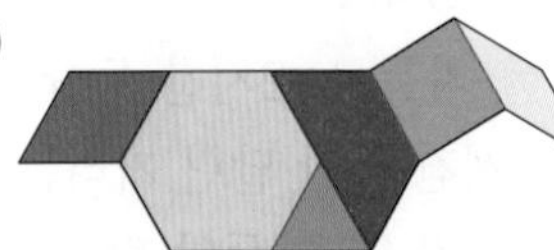

06 정삼각형(또는 삼각형), 평행사변형(또는 사각형)
07 5개, 25 cm **08** 135°
09 정십이각형

10 예 ❶ (정구각형의 모든 각의 크기의 합)
$=180°\times7=1260°$
(정구각형의 한 각의 크기)
$=1260°\div9=140°$ ▸3점
❷ ㉠$=180°-140°=40°$ ▸2점 / 40°

11 십일각형 **12** 50개
13 26° **14** 48 cm

15 예 ❶ (정팔각형의 모든 각의 크기의 합)
$=180°\times6=1080°$ ▸2점
❷ 원의 중심 ㅇ과 정팔각형의 꼭짓점을 이은 것이므로 삼각형 8개는 모두 크기가 같은 이등변삼각형입니다.
따라서 ㉠=㉡이므로
㉠+㉡$=1080°\div8=135°$입니다. ▸3점 / 135°

16 36° **17** 30°
18 15°

01 • 오각형은 각이 5개입니다. → ㉠=5
• 구각형은 변이 9개입니다. → ㉡=9
➔ ㉡−㉠$=9-5=$**4**

02 변이 8개인 정다각형은 정팔각형이고, 정팔각형은 변의 길이가 모두 같습니다.
➔ (정팔각형의 한 변)$=48\div8=$**6(cm)**

03

채점 기준		
	❶ 선분 ㄱㄷ과 선분 ㄴㄹ의 길이 각각 구하기	4점
	❷ 선분 ㄱㄷ과 선분 ㄴㄹ의 길이의 합 구하기	1점

04

	육각형	구각형
한 꼭짓점에서 그을 수 있는 대각선의 수(개)	$6-3=3$	$9-3=6$
대각선의 수(개)	$3\times6=18$ → $18\div2=9$	$6\times9=54$ → $54\div2=27$

➔ (육각형과 구각형의 대각선의 수의 합)
$=9+27=$**36(개)**

05 가장 큰 모양 조각부터 놓은 후 비어 있는 곳에 나머지 모양 조각을 놓습니다.

06

따라서 모양을 채울 수 있는 다각형의 이름은 **정삼각형(또는 삼각형), 평행사변형(또는 사각형)**입니다.

07 2 m=200 cm
(정오각형 한 개의 모든 변의 길이의 합)
$=7\times5=35$(cm)
➔ $200\div35=5\cdots25$이므로 정오각형을 **5개**까지 만들 수 있고, 남는 철사의 길이는 **25 cm**입니다.

08 정팔각형은 삼각형 6개로 나눠지므로 정팔각형의 모든 각의 크기의 합은 $180°\times6=1080°$입니다.
➔ (정팔각형의 한 각의 크기)$=1080°\div8=$**135°**

09 승훈이가 그린 정다각형은 정육각형입니다.
(정육각형의 모든 변의 길이의 합)
$=14\times6=84$(cm)
(민정이가 그린 정다각형의 변의 수)
$=84\div7=12$(개)
➔ 변이 12개인 정다각형의 이름은 **정십이각형**입니다.

10

채점 기준		
	❶ 정구각형의 한 각의 크기 구하기	3점
	❷ ㉠의 각도 구하기	2점

■	7	8	9	10	11
▲	4	5	6	7	8
▲×■	28	40	54	70	88

11 그은 대각선이 44개이므로 각각의 꼭짓점에서 한 번 씩 그을 수 있는 대각선은 모두 $44\times2=88$(개)입니다. 그린 다각형의 꼭짓점의 수를 ■개, 한 꼭짓점에서 그을 수 있는 대각선의 수를 ▲개라 하면
▲=■−3이고 ▲×■=88입니다.
차가 3인 두 수 중에서 곱이 88인 두 수는 8과 11이므로 ■=11입니다.
➔ 준석이가 그린 다각형의 이름은 **십일각형**입니다.

12 직각삼각형 모양 조각 2개를 사용하여 오른쪽과 같이 한 변이 2 cm인 작은 정삼각형을 만들 수 있습니다.

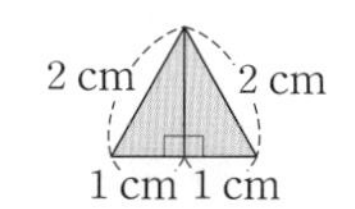

작은 정삼각형으로 한 변이 10 cm인 큰 정삼각형을 채우려면 작은 정삼각형이 25개 필요합니다.
➔ (필요한 모양 조각의 개수)$=25\times2=$**50(개)**

13 직사각형은 두 대각선의 길이가 같고 한 대각선이 다른 대각선을 똑같이 둘로 나누므로
(선분 ㅇㄱ)=(선분 ㅇㄴ)에서 삼각형 ㄱㄴㅇ은 이등변삼각형입니다.
(각 ㄱㄴㅇ)+(각 ㄴㄱㅇ)$=180°-52°=128°$
(각 ㄱㄴㅇ)=(각 ㄴㄱㅇ)$=128°\div2=64°$
➔ 삼각형 ㄱㄴㄹ에서
(각 ㄱㄹㄴ)$=180°-90°-64°=$**26°**입니다.

14

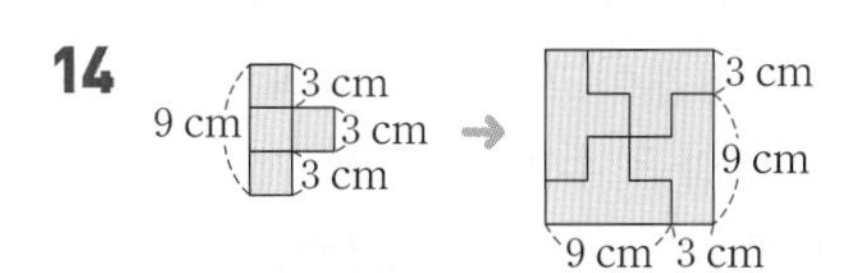

(정사각형의 한 변)$=9+3=12$(cm)
➔ (정사각형의 네 변의 길이의 합)
$=12\times4=$**48(cm)**

15

채점 기준	❶ 정팔각형의 모든 각의 크기의 합 구하기	2점
	❷ ㉠과 ㉡의 각도의 합 구하기	3점

16 정오각형은 삼각형 3개로 나눠집니다.
(정오각형의 모든 각의 크기의 합)
$=180°\times3=540°$
(각 ㄴㄱㅁ)=(정오각형의 한 각의 크기)
$=540°\div5=108°$
삼각형 ㄱㄴㄷ은 (변 ㄴㄱ)=(변 ㄴㄷ)이므로 이등변삼각형입니다.
(각 ㄴㄱㄷ)+(각 ㄴㄷㄱ)$=180°-108=72°$
(각 ㄴㄱㄷ)=(각 ㄴㄷㄱ)$=72°\div2=36°$
같은 방법으로 (각 ㅁㄱㄹ)$=36°$입니다.
➔ (각 ㄷㄱㄹ)$=108°-36°-36°=$**36°**

17 사각형 ㄱㄷㅁㄹ은 평행사변형이므로
(각 ㄹㄱㄷ)=(각 ㄷㅁㄹ)$=60°$입니다.
마름모의 두 대각선은 수직으로 만나므로
(각 ㄱㅂㄹ)$=90°$입니다.
삼각형 ㄱㅂㄹ에서
(각 ㄱㄹㅂ)$=180°-60°-90°=30°$입니다.
사각형 ㄱㄴㄷㄹ은 마름모이므로 (변 ㄱㄴ)=(변 ㄱㄹ)이고, 삼각형 ㄱㄴㄹ은 이등변삼각형입니다.
➔ (각 ㄱㄴㄹ)=(각 ㄱㄹㄴ)=**30°**

18 • (정오각형의 모든 각의 크기의 합)
$=180°\times3=540°$
(각 ㄱㅈㅊ)=(정오각형의 한 각의 크기)
$=540°\div5=108°$
삼각형 ㄱㅊㅈ에서
(각 ㄱㅊㅈ)$=180°-27°-108°=45°$입니다.
• (각 ㅈㅊㅁ)$=180°-45°=135°$,
(각 ㄹㅊㅁ)$=180°-135°=45°$입니다.
• (정육각형의 모든 각의 크기의 합)
$=180°\times4=720°$
(각 ㅊㄹㅁ)=(정육각형의 한 각의 크기)
$=720°\div6=120°$
➔ 삼각형 ㅊㄹㅁ에서
(각 ㄹㅁㅊ)$=180°-45°-120°=$**15°**입니다.

STEP 2 심화 해결하기 118~123쪽

01 25개 **02** 정이십각형
03 예 ❶ 정사각형은 두 대각선의 길이가 같고 한 대각선이 다른 대각선을 똑같이 둘로 나누므로 (선분 ㅇㄱ)=(선분 ㅇㄴ)에서 삼각형 ㄱㄴㅇ은 이등변삼각형입니다. 정사각형은 두 대각선이 서로 수직으로 만나므로 (각 ㄱㅇㄴ)$=90°$입니다. ▸3점
❷ (각 ㄱㄴㅇ)+(각 ㄴㄱㅇ)$=180°-90°=90°$
➔ (각 ㄱㄴㅇ)=(각 ㄴㄱㅇ)
$=90°\div2=45°$ ▸2점 / 45°
04 36 cm **05** 칠각형, 14개
06 15 cm **07** 24개 **08** 8 cm
09 120° **10** 81° **11** 32 cm

진도북 6단원

12 예 ❶ (정다각형 ㉮의 모든 변의 길이의 합)
−(정다각형 ㉯의 모든 변의 길이의 합)
$=63-35=28$(cm)
변의 개수의 차가 4개이므로 정다각형 ㉯의 한 변은 $28\div4=7$(cm)입니다. ▸3점
❷ (정다각형 ㉯의 변의 수)$=35\div7=5$(개)이므로 정다각형 ㉯의 이름은 정오각형입니다. ▸2점
/ 정오각형

13 10개 **14** 2 cm

15 예 ❶ 정다각형이 삼각형 □개로 나눠진다고 하면 $180°\times□=1440°$, $□=1440°\div180°=8$입니다. 삼각형 8개로 나눠지는 정다각형은 정십각형입니다. ▸3점
❷ (정십각형의 모든 변의 길이의 합)
$=9\times10=90$(cm) ▸2점 / 90 cm

16 72° **17** 28 cm

18 456 cm

01 ❶ ㉠, ㉡, ㉢에 알맞은 수 각각 구하기
㉠ 팔각형의 변은 8개입니다.
㉡ 육각형의 꼭짓점은 6개입니다.
㉢ 십일각형의 각은 11개입니다.
❷ ㉠+㉡+㉢의 값 구하기
㉠+㉡+㉢$=8+6+11=$**25(개)**

02 ❶ 정다각형의 변의 수 구하기
(정다각형의 변의 수)$=240\div12=20$(개)
❷ 정다각형의 이름 알아보기
변이 20개인 정다각형의 이름은 **정이십각형**입니다.

03

채점 기준		
	❶ 정사각형의 대각선의 성질 알아보기	3점
	❷ 각 ㄱㄴㅇ의 크기 구하기	2점

04 ❶ 변 ㄱㄹ의 길이 구하기
직사각형은 마주 보는 두 변의 길이가 같으므로
(변 ㄱㄹ)=(변 ㄴㄷ)=16 cm입니다.
❷ 선분 ㄱㅁ과 선분 ㅁㄹ의 길이 각각 구하기
직사각형은 두 대각선의 길이가 같고 한 대각선이 다른 대각선을 똑같이 둘로 나누므로
(선분 ㄱㅁ)=(선분 ㅁㄹ)$=20\div2=10$(cm)입니다.
❸ 삼각형 ㄱㅁㄹ의 세 변의 길이의 합 구하기
(삼각형 ㄱㅁㄹ의 세 변의 길이의 합)
$=16+10+10=$**36 (cm)**

05 ❶ 계급이 가장 높은 다각형의 이름 알아보기
변의 수가 가는 3개, 나는 4개, 다는 5개, 라는 6개, 마는 7개입니다. 계급이 가장 높은 다각형은 마이고 변이 7개이므로 **칠각형**입니다.
❷ 위 ❶의 다각형의 대각선의 수 구하기
(칠각형의 한 꼭짓점에서 그을 수 있는 대각선의 수)
$=7-3=4$(개)
➔ 칠각형의 대각선의 수:
$4\times7=28$(개) → $28\div2=$**14(개)**

06 ❶ 정다각형 가의 모든 변의 길이의 합 구하기
(정다각형 가의 모든 변의 길이의 합)$=8\times5=40$(cm)
❷ 정다각형 나와 다의 한 변의 길이의 합 구하기
(정다각형 나의 한 변)$=40\div4=10$(cm)
(정다각형 다의 한 변)$=40\div8=5$(cm)
➔ $10+5=$**15 (cm)**

07 ❶ 점 ㄱ을 꼭짓점으로 하는 이등변삼각형의 개수 구하기
점 ㄱ을 꼭짓점으로 하는 이등변삼각형은 오른쪽 그림과 같이 삼각형 ㄱㄴㅇ, 삼각형 ㄱㄷㅅ, 삼각형 ㄱㄹㅂ으로 3개입니다.

❷ 정팔각형의 꼭짓점 중에서 3개의 점을 이어 만들 수 있는 이등변삼각형의 개수 구하기
정팔각형의 꼭짓점은 8개이고, 각각의 꼭짓점마다 이등변삼각형을 3개씩 만들 수 있습니다.
➔ (이등변삼각형의 개수)$=3\times8=$**24(개)**

08 ❶ 각 ㄱㄹㅇ의 크기 구하기
마름모는 두 대각선이 서로 수직으로 만나므로
(각 ㄴㅇㄱ)$=90°$이고, 삼각형 ㄱㄴㅇ에서
(각 ㄱㄴㅇ)$=180°-30°-90°=60°$입니다.
(변 ㄱㄴ)=(변 ㄱㄹ)에서 삼각형 ㄱㄴㄹ은 이등변삼각형이므로 (각 ㄱㄹㅇ)=(각 ㄱㄴㅇ)$=60°$입니다.
❷ 삼각형 ㄱㄴㄹ의 종류 알아보기
(각 ㄴㄱㄹ)$=180°-60°-60°=60°$이므로 삼각형 ㄱㄴㄹ은 정삼각형입니다.
❸ 변 ㄱㄴ의 길이 구하기
마름모는 한 대각선이 다른 대각선을 똑같이 둘로 나누므로 (선분 ㄹㅇ)=(선분 ㄴㅇ)=4 cm,
(선분 ㄴㄹ)$=4+4=8$(cm)입니다.
➔ (변 ㄱㄴ)=(선분 ㄴㄹ)=**8 cm**

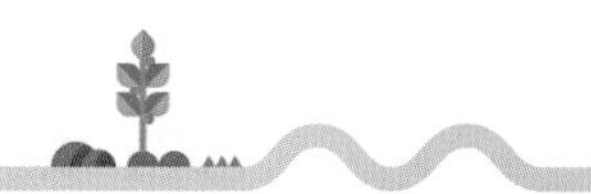

09 ❶ ㉡과 ㉢의 각도 각각 구하기

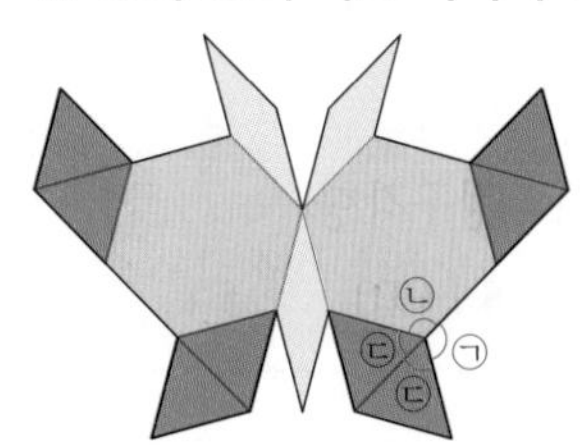

• 정육각형은 삼각형 4개로 나눠집니다.
(정육각형의 모든 각의 크기의 합)
$=180^\circ \times 4=720^\circ$

㉡$=$(정육각형의 한 각의 크기)$=720^\circ \div 6=120^\circ$

• ㉢$=$(정삼각형의 한 각의 크기)$=60^\circ$

❷ ㉠의 각도 구하기

㉠$=360^\circ-120^\circ-60^\circ-60^\circ=$**$120^\circ$**

10 레벨UP 공략

다각형의 한 변을 길게 늘였을 때 바깥쪽의 각도를 구하려면?

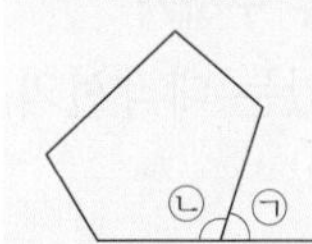

직선 위의 한 점을 꼭짓점으로 하는 각의 크기는 180°입니다.
→ ㉠$=180^\circ-$㉡

❶ ㉡, ㉢, ㉣의 각도 각각 구하기

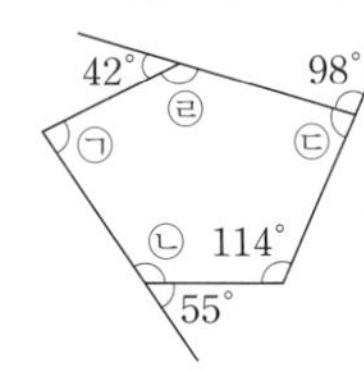

㉡$=180^\circ-55^\circ=125^\circ$
㉢$=180^\circ-98^\circ=82^\circ$
㉣$=180^\circ-42^\circ=138^\circ$

❷ ㉠의 각도 구하기

오각형은 삼각형 3개로 나눠집니다.

(오각형의 모든 각의 크기의 합)$=180^\circ \times 3=540^\circ$
㉠$+125^\circ+114^\circ+82^\circ+138^\circ=540^\circ$
→ ㉠$+459^\circ=540^\circ$, ㉠$=$**81°**

11 ❶ 만든 정사각형의 한 변의 길이 구하기

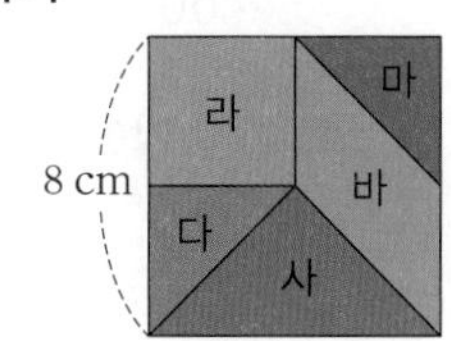

정사각형은 한 대각선이 다른 대각선을 똑같이 둘로 나누므로 대각선을 이루고 있는 다, 라의 한 변의 길이의 합은 $16 \div 2=8$(cm)입니다.
(만든 정사각형의 한 변)$=8$(cm)

❷ 만든 정사각형의 네 변의 길이의 합 구하기

만든 정사각형의 네 변의 길이의 합: $8 \times 4=$**32(cm)**

12

채점 기준	❶ 정다각형 ㉯의 한 변의 길이 구하기	3점
	❷ 정다각형 ㉯의 이름 알아보기	2점

13 ❶ 다각형의 꼭짓점의 수 구하기

선분으로만 둘러싸인 도형은 다각형이고, 대각선이 35개이므로 각각의 꼭짓점에서 한 번씩 그을 수 있는 대각선은 모두 $35 \times 2=70$(개)입니다.

다각형의 꼭짓점의 수를 ■개, 한 꼭짓점에서 그을 수 있는 대각선의 수를 ▲개라 하면 ▲$=$■-3이고 ▲$\times$■$=70$입니다. 차가 3인 두 수 중에서 곱이 70인 두 수는 7과 10이므로 ■$=10$입니다.

❷ 필요한 빨대의 개수 구하기

주어진 조건을 모두 만족하는 도형은 십각형이고, 십각형의 변은 10개이므로 필요한 빨대는 모두 **10개**입니다.

14 ❶ 직사각형을 채울 수 있는 방법 알아보기

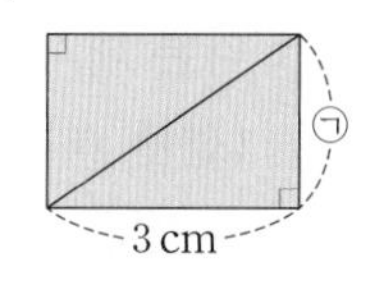

직각삼각형 모양 조각 2개를 사용하여 오른쪽과 같이 가로가 3 cm이고 세로가 ㉠인 직사각형을 만들 수 있습니다.

만든 직사각형 모양 조각 $240 \div 2=120$(개)를 가로로 $30 \div 3=10$(개) 놓을 수 있으므로 세로로 $120 \div 10=12$(개) 놓아야 합니다.

❷ ㉠의 길이 구하기

㉠$=24 \div 12=$**2(cm)**

15

채점 기준	❶ 정다각형의 이름 알아보기	3점
	❷ 정다각형의 모든 변의 길이의 합 구하기	2점

중요 정■각형에서
• (한 꼭짓점에서 그을 수 있는 대각선의 수)$=$(■-3)개
• (나눠지는 삼각형의 수)$=$(■-2)개

16 레벨UP 공략

정■각형의 한 각의 크기를 구하려면?
정■각형은 삼각형 (■-2)개로 나눠집니다.

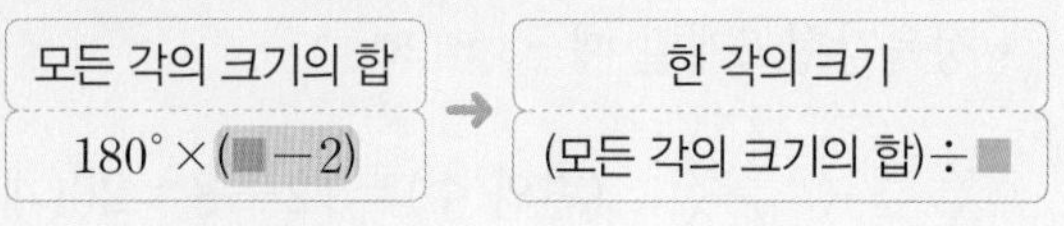

모든 각의 크기의 합	→	한 각의 크기
$180^\circ \times$(■-2)		(모든 각의 크기의 합)$\div$■

❶ 정오각형의 한 각의 크기 구하기

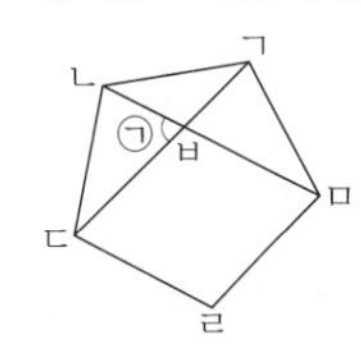

(정오각형의 모든 각의 크기의 합)
$=180^\circ \times 3=540^\circ$
(각 ㄱㄴㄷ)
$=$(정오각형의 한 각의 크기)
$=540^\circ \div 5=108^\circ$

❷ 각 ㄴㄷㄱ과 각 ㄱㄴㅁ의 크기 각각 구하기

(변 ㄴㄱ)$=$(변 ㄴㄷ)이므로 삼각형 ㄴㄷㄱ은 이등변삼각형입니다.
(각 ㄴㄷㄱ)$+$(각 ㄴㄱㄷ)$=180^\circ-108^\circ=72^\circ$
(각 ㄴㄷㄱ)$=$(각 ㄴㄱㄷ)$=72^\circ \div 2=36^\circ$

진도북 6단원

같은 방법으로 삼각형 ㄱㄴㅁ은 이등변삼각형이므로
(각 ㄱㄴㅁ)=(각 ㄱㅁㄴ)=36°입니다.

❸ ㉠의 각도 구하기
(각 ㄷㄴㅁ)=$108^\circ-36^\circ=72^\circ$
➔ 삼각형 ㄴㄷㅂ에서
㉠=$180^\circ-36^\circ-72^\circ=$**$72^\circ$**입니다.

17 ❶ 선분 ㅇㄹ과 선분 ㅇㄷ의 길이 각각 구하기
(각 ㄹㅇㄷ)=$180^\circ-120^\circ=60^\circ$
직사각형은 두 대각선의 길이가 같고, 한 대각선이 다른 대각선을 똑같이 둘로 나누므로
(선분 ㅇㄹ)=(선분 ㅇㄷ)=$14\div2=7$(cm)입니다.
❷ 선분 ㄹㄷ의 길이 구하기
삼각형 ㄹㅇㄷ은 이등변삼각형이므로
(각 ㅇㄹㄷ)+(각 ㅇㄷㄹ)=$180^\circ-60^\circ=120^\circ$,
(각 ㅇㄹㄷ)=(각 ㅇㄷㄹ)=$120^\circ\div2=60^\circ$입니다.
삼각형 ㄹㅇㄷ은 정삼각형이므로
(선분 ㄹㄷ)=(선분 ㅇㄹ)=(선분 ㅇㄷ)=7 cm입니다.
❸ 사각형 ㄹㄷㅂㅁ의 네 변의 길이의 합 구하기
(사각형 ㄹㄷㅂㅁ의 네 변의 길이의 합)
=$7\times4=$**28(cm)**

18 ❶ 정육각형을 늘어놓은 규칙 찾기
정육각형을 3개씩 늘려가며 규칙을 찾아 변의 수를 세어 봅니다.
• 정육각형 3개일 때

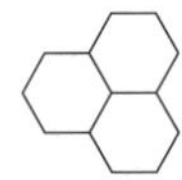

(변의 수)=12개

• 정육각형 6개일 때 → 3개씩 2번

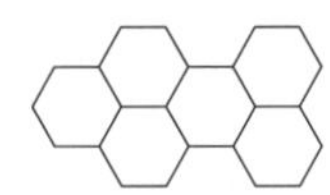

(변의 수)=12+8=20(개)

• 정육각형 9개일 때 → 3개씩 3번

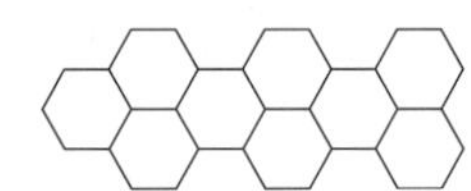

(변의 수)=12+8+8 (2번)
=28(개)

❷ 정육각형을 27개 이어 붙여 만든 도형의 모든 변의 길이의 합 구하기
정육각형을 27개 이어 붙였으므로 $27\div3=9$에서 3개씩 9번 이어 붙인 것입니다.
(이어 붙인 도형의 변의 수)
=12+8+8+8+8+8+8+8+8=76(개) (8번)
➔ $6\times76=$**456(cm)**

STEP 3 최상위 도전하기 124~125쪽

1	20개	**2**	360°
3	7개	**4**	정구각형
5	66°	**6**	44 cm

1 ❶ 다각형을 늘어놓는 규칙 찾기
팔각형, 사각형, 육각형을 반복하여 늘어놓는 규칙입니다.
❷ 10째에 놓이는 다각형의 이름 알아보기
$10\div3=3\cdots1$이므로 10째에 놓여지는 다각형은 팔각형입니다.
❸ 10째에 놓이는 다각형의 대각선의 수 구하기
(팔각형의 한 꼭짓점에서 그을 수 있는 대각선의 수)
=8−3=5(개)
➔ 팔각형의 대각선의 수:
$5\times8=40$(개) → $40\div2=$**20(개)**

2 ❶ 정육각형의 한 각의 크기 구하기
정육각형은 삼각형 4개로 나눠집니다.
(정육각형의 모든 각의 크기의 합)
=$180^\circ\times4=720^\circ$
(정육각형의 한 각의 크기)=$720^\circ\div6=120^\circ$
❷ ㉠, ㉡, ㉢, ㉣, ㉤, ㉥의 각도의 합 구하기
㉠=㉡=㉢=㉣=㉤=㉥=$180^\circ-120^\circ=60^\circ$
➔ (㉠, ㉡, ㉢, ㉣, ㉤, ㉥의 각도의 합)
=$60^\circ\times6=$**360°**

3 ❶ 가장 많이 사용할 때의 모양 조각의 개수 구하기

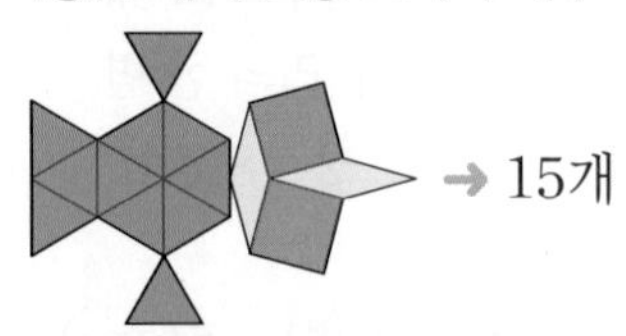

➔ 15개

❷ 가장 적게 사용할 때의 모양 조각의 개수 구하기

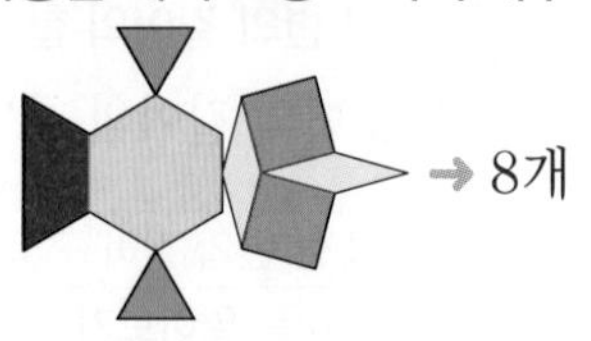

➔ 8개

❸ 위 ❶과 ❷의 개수의 차 구하기
(모양 조각의 개수의 차)
=15−8=**7(개)**

참고 조각을 가장 많이 사용하려면 작은 조각부터 사용하고, 조각을 가장 적게 사용하려면 큰 조각부터 사용합니다.

4 ❶ **정다각형의 한 각의 크기 구하기**

(정다각형의 한 각의 크기)$=180^\circ-40^\circ=140^\circ$

❷ **각 ㄴㅇㄷ의 크기 구하기**

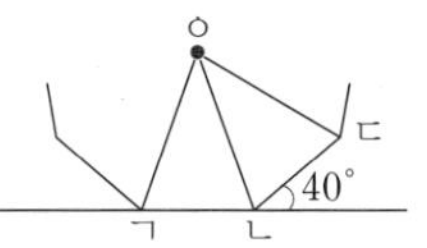

오른쪽 그림과 같이 정다각형의 중심 ㅇ에서 점 ㄱ, 점 ㄴ, 점 ㄷ에 각각 선분을 그으면 삼각형 ㅇㄱㄴ, 삼각형 ㅇㄴㄷ은 모양과 크기가 같은 이등변삼각형입니다.

(각 ㅇㄴㄱ)=(각 ㅇㄴㄷ)$=140^\circ\div2=70^\circ$

(각 ㄴㅇㄷ)$=180^\circ-70^\circ-70^\circ=40^\circ$

❸ **정다각형의 이름 알아보기**

$360^\circ\div40^\circ=9$이므로 변이 9개인 정다각형의 이름은 **정구각형**입니다.

5 ❶ **각 ㅇㅅㅂ의 크기 구하기**

(정오각형의 모든 각의 크기의 합)

$=180^\circ\times3=540^\circ$

(각 ㅇㅅㄷ)=(정오각형의 한 각의 크기)

$=540^\circ\div5=108^\circ$

(각 ㄷㅅㅁ)$=90^\circ$, (각 ㅁㅅㅂ)$=60^\circ$

(각 ㅇㅅㅂ)$=360^\circ-108^\circ-90^\circ-60^\circ=102^\circ$

❷ **각 ㅅㅇㅈ과 각 ㅅㅂㅈ의 크기 각각 구하기**

(각 ㅅㅇㅈ)$=180^\circ-108^\circ=72^\circ$

(각 ㅅㅂㅈ)$=180^\circ-60^\circ=120^\circ$

❸ **각 ㅇㅈㅂ의 크기 구하기**

사각형 ㅇㅅㅂㅈ에서

(각 ㅇㅈㅂ)$=360^\circ-72^\circ-102^\circ-120^\circ=$**$66^\circ$**

6 두 대각선의 길이의 합이 28 cm이고, 차가 4 cm인 마름모 모양의 종이가 있습니다. 이 종이의 두 대각선을 따라 잘랐을 때 만들어지는 4개의 조각을 이어 붙여서 직사각형을 만들려고 합니다. 만들 수 있는 직사각형 중 **네 변의 길이의 합이 가장 긴 직사각형의 네 변의 길이의 합은 몇 cm**인지 구해 보세요. (단, 두 대각선의 길이는 자연수입니다.)

- 합이 28이고, 차가 4인 두 수를 찾습니다.
- 크기가 같은 4개의 삼각형

❶ **마름모의 두 대각선의 길이를 각각 똑같이 둘로 나누었을 때의 길이 구하기**

합이 28이고, 차가 4인 두 수는 12와 16이므로 마름모의 두 대각선은 12 cm와 16 cm입니다.

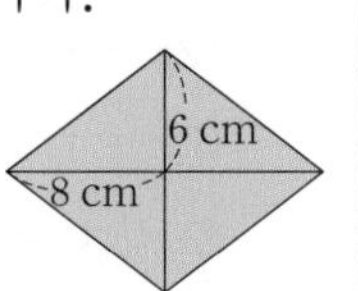

마름모는 한 대각선이 다른 대각선을 똑같이 둘로 나누므로 두 대각선의 길이를 각각 똑같이 둘로 나누면 $12\div2=6$(cm), $16\div2=8$(cm)입니다.

합이 28이 되도록 표를 만든 후 차가 4가 되는 경우를 찾습니다.

한 수	10	11	12
다른 수	18	17	16
차	8	6	4

❷ **직사각형을 만들 수 있는 경우 알아보기**

마름모의 두 대각선을 따라 자른 후 이어 붙여서 직사각형을 만드는 방법은 다음과 같이 2가지가 있습니다.

방법 ❶

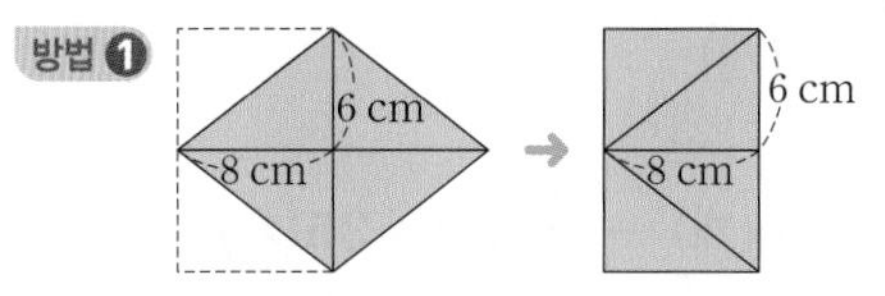

네 변의 길이의 합: $8+6+6+8+6+6=40$(cm)

방법 ❷

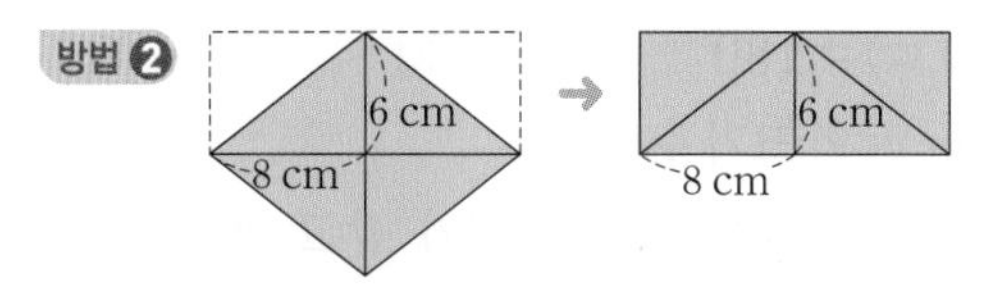

네 변의 길이의 합: $8+8+6+8+8+6=44$(cm)

❸ **네 변의 길이의 합이 가장 긴 직사각형의 네 변의 길이의 합 구하기**

$40<44$이므로 네 변의 길이의 합이 가장 긴 직사각형의 네 변의 길이의 합은 **44 cm**입니다.

상위권 TEST

126~127쪽

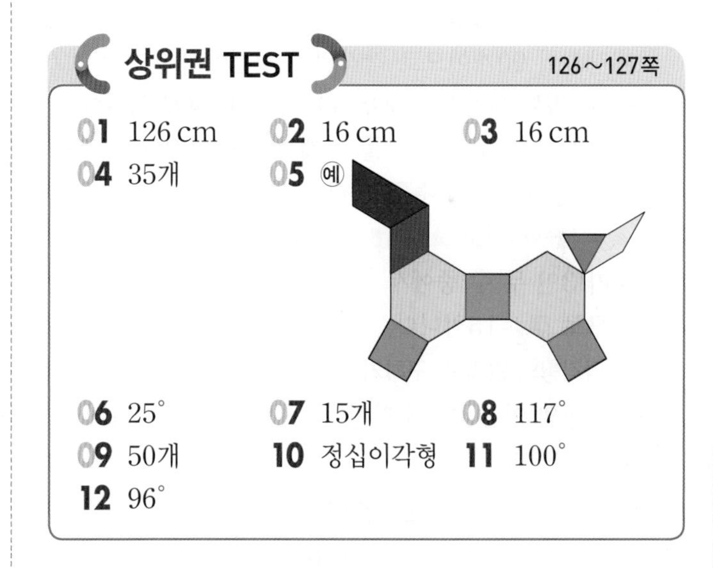

01 126 cm **02** 16 cm **03** 16 cm
04 35개 **05** 예
06 25° **07** 15개 **08** 117°
09 50개 **10** 정십이각형 **11** 100°
12 96°

01 ❶ **정다각형의 이름 알아보기**

변이 9개인 정다각형의 이름은 정구각형입니다.

❷ **정다각형의 모든 변의 길이의 합 구하기**

정구각형의 모든 변의 길이의 합: $14\times9=$**126(cm)**

02 ❶ **선분 ㄱㄷ과 선분 ㄴㄹ의 길이 각각 구하기**

정사각형은 두 대각선의 길이가 같고, 한 대각선이 다른 대각선을 똑같이 둘로 나눕니다.

(선분 ㄱㄷ)=(선분 ㄴㄹ)$=4\times2=8$(cm)

❷ **선분 ㄱㄷ과 선분 ㄴㄹ의 길이의 합 구하기**

(선분 ㄱㄷ)+(선분 ㄴㄹ)$=8+8=$**16(cm)**

진도북 6단원

04 ❶ 다각형의 이름 알아보기
변이 10개인 다각형의 이름은 십각형입니다.
❷ 다각형의 대각선의 수 구하기
(십각형의 한 꼭짓점에서 그을 수 있는 대각선의 수)
$=10-3=7$(개)
➜ 십각형의 대각선의 수:
$7\times10=70$(개) → $70\div2=$ **35(개)**

06 ❶ 각 ㄴㅇㄷ의 크기 구하기
(각 ㄴㅇㄷ)$=180^\circ-50^\circ=130^\circ$
❷ 각 ㅇㄴㄷ의 크기 구하기
직사각형은 두 대각선의 길이가 같고 한 대각선이 다른 대각선을 똑같이 둘로 나누므로
(선분 ㅇㄴ)=(선분 ㅇㄷ)이고,
삼각형 ㅇㄴㄷ은 이등변삼각형입니다.
(각 ㅇㄴㄷ)+(각 ㅇㄷㄴ)$=180^\circ-130^\circ=50^\circ$
➜ (각 ㅇㄴㄷ)=(각 ㅇㄷㄴ)
$=50^\circ\div2=$ **25°**

07 ❶ 다각형의 꼭짓점의 수 구하기
대각선이 90개이므로 각각의 꼭짓점에서 한 번씩 그을 수 있는 대각선은 모두 $90\times2=180$(개)입니다.
다각형의 꼭짓점의 수를 ■개, 한 꼭짓점에서 그을 수 있는 대각선의 수를 ▲개라 하면
▲=■−3이고 ▲×■=180입니다.
차가 3인 두 수 중에서 곱이 180인 두 수는 12와 15이므로 ■=15입니다.
❷ 다각형의 변의 수 구하기
다각형의 이름은 십오각형이고, 십오각형의 변은 **15개**입니다.

08 ❶ ㉡, ㉢, ㉣, ㉤의 각도 각각 구하기
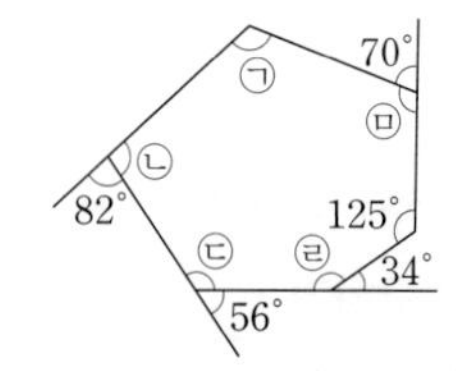

㉡$=180^\circ-82^\circ=98^\circ$
㉢$=180^\circ-56^\circ=124^\circ$
㉣$=180^\circ-34^\circ=146^\circ$
㉤$=180^\circ-70^\circ=110^\circ$
❷ 육각형의 모든 각의 크기의 합 구하기
육각형은 삼각형 4개로 나눠집니다.
(육각형의 모든 각의 크기의 합)$=180^\circ\times4=720^\circ$
❸ ㉠의 각도 구하기
㉠$+98^\circ+124^\circ+146^\circ+125^\circ+110^\circ=720^\circ$
㉠$+603^\circ=720^\circ$
➜ ㉠= **117°**

09 ❶ 한 변이 6 cm인 정사각형을 만드는 방법 알아보기
모양 조각 2개를 사용하여 오른쪽과 같이 한 변이 6 cm인 정사각형을 만들 수 있습니다.
6 cm
6 cm
❷ 한 변이 30 cm인 정사각형을 만들기 위해 필요한 모양 조각의 개수 구하기
(한 변에 놓이는 정사각형의 개수)$=30\div6=5$(개)
➜ (필요한 모양 조각의 개수)$=5\times5\times2=$ **50(개)**

10 ❶ 정다각형 ㉮의 한 변의 길이 구하기
(정다각형 ㉮의 모든 변의 길이의 합)
−(정다각형 ㉯의 모든 변의 길이의 합)
$=84-63=21$(cm)
(정다각형 ㉮의 한 변)$=21\div3=7$(cm)
❷ 정다각형 ㉮의 이름 알아보기
(정다각형 ㉮의 변의 수)$=84\div7=12$(개)이므로
정다각형 ㉮의 이름은 **정십이각형**입니다.

11 ❶ 정구각형의 한 각의 크기 구하기
(정구각형의 모든 각의 크기의 합)$=180^\circ\times7=1260^\circ$
(정구각형의 한 각의 크기)$=1260^\circ\div9=140^\circ$
❷ 각 ㄴㄱㄷ과 각 ㅈㄱㅇ의 크기 각각 구하기
삼각형 ㄱㄴㄷ은 (변 ㄴㄱ)=(변 ㄴㄷ)이므로 이등변삼각형입니다.
(각 ㄴㄱㄷ)+(각 ㄴㄷㄱ)$=180^\circ-140^\circ=40^\circ$
(각 ㄴㄱㄷ)=(각 ㄴㄷㄱ)$=40^\circ\div2=20^\circ$
같은 방법으로 삼각형 ㅈㄱㅇ은 이등변삼각형이므로
(각 ㅈㄱㅇ)=(각 ㅈㅇㄱ)$=20^\circ$입니다.
❸ 각 ㄷㄱㅇ의 크기 구하기
(각 ㄷㄱㅇ)$=140^\circ-20^\circ-20^\circ=$ **100°**

12 ❶ 각 ㄷㄹㅁ의 크기 구하기
(정오각형의 모든 각의 크기의 합)$=180^\circ\times3=540^\circ$
(정오각형의 한 각의 크기)$=540^\circ\div5=108^\circ$
(정육각형의 모든 각의 크기의 합)$=180^\circ\times4=720^\circ$
(정육각형의 한 각의 크기)$=720^\circ\div6=120^\circ$
(각 ㄷㄹㅁ)$=360^\circ-108^\circ-120^\circ=132^\circ$
❷ 각 ㄹㄷㅊ과 각 ㄹㅁㅊ의 크기 각각 구하기
(각 ㄹㄷㅊ)$=180^\circ-108^\circ=72^\circ$
(각 ㄹㅁㅊ)$=180^\circ-120^\circ=60^\circ$
❸ 각 ㄷㅊㅁ의 크기 구하기
(각 ㄷㅊㅁ)$=360^\circ-132^\circ-72^\circ-60^\circ=$ **96°**

정답 및 풀이

경시대회 예상 문제

1회 1. 분수의 덧셈과 뺄셈 01~02쪽

1 $\frac{7}{9}$, $1\frac{2}{9}(=\frac{11}{9})$ 2 $\frac{8}{14}$

3 ㉡ 4 $\frac{4}{11}$ 5 $9\frac{8}{10}$

6 예 ❶ $7\frac{1}{8}-2\frac{\square}{8}=4\frac{5}{8}$라 하면
$2\frac{\square}{8}=7\frac{1}{8}-4\frac{5}{8}=6\frac{9}{8}-4\frac{5}{8}=2\frac{4}{8}$이므로
□=4입니다. ▸3점
❷ 따라서 □<4이므로 □ 안에 들어갈 수 있는 자연수 중에서 가장 큰 수는 3입니다. ▸2점 / 3

7 $\frac{2}{8}$, $\frac{5}{8}$ 또는 $\frac{5}{8}$, $\frac{2}{8}$

8 예 ❶ 8보다 작은 자연수 중에서 차가 1이고 합이 가장 큰 두 수는 6과 7입니다. $5\frac{7}{8}-2\frac{6}{8}=3\frac{1}{8}$이므로 ㉮=7, ㉯=6입니다. ▸4점
❷ 따라서 ㉮+㉯=7+6=13입니다. ▸1점 / 13

9 $2\frac{7}{10}$ 10 $3\frac{7}{9}$ m 11 $26\frac{6}{8}$ cm

12 4시간 30분

1 $\frac{2}{9}+\frac{5}{9}=\mathbf{\frac{7}{9}}$, $\frac{7}{9}+\frac{4}{9}=\mathbf{\frac{11}{9}}=\mathbf{1\frac{2}{9}}$

5 $3\frac{7}{10}+4\frac{6}{10}=8\frac{3}{10}$ → $\square=8\frac{3}{10}+1\frac{5}{10}=\mathbf{9\frac{8}{10}}$

6

채점 기준		
	❶ $7\frac{1}{8}-2\frac{\square}{8}=4\frac{5}{8}$일 때 □ 안에 알맞은 수 구하기	3점
	❷ □ 안에 들어갈 수 있는 자연수 중에서 가장 큰 수 구하기	2점

7 분모가 8이므로 큰 진분수를 $\frac{㉠}{8}$, 작은 진분수를 $\frac{㉡}{8}$이라 하면 $\frac{㉠}{8}+\frac{㉡}{8}=\frac{7}{8}$, $\frac{㉠}{8}-\frac{㉡}{8}=\frac{3}{8}$이므로
㉠+㉡=7, ㉠−㉡=3입니다.
└• 두 식을 더합니다.
• ㉠+㉠=10, ㉠=5
• 5+㉡=7, ㉡=2
→ 두 진분수는 $\mathbf{\frac{5}{8}}$, $\mathbf{\frac{2}{8}}$입니다.

8

채점 기준		
	❶ ㉮와 ㉯에 알맞은 수 각각 구하기	4점
	❷ ㉮+㉯가 가장 클 때의 값 구하기	1점

10 • 직사각형 가: $8+11=19$(m)
• 직사각형 나: $8\frac{4}{9}+6\frac{7}{9}=14\frac{11}{9}=15\frac{2}{9}$(m)
→ $19-15\frac{2}{9}=18\frac{9}{9}-15\frac{2}{9}=\mathbf{3\frac{7}{9}}$**(m)**

11 (색 테이프 3장의 길이의 합)
$=10\frac{4}{8}+10\frac{4}{8}+10\frac{4}{8}=30\frac{12}{8}=31\frac{4}{8}$(cm)
(겹쳐진 부분의 길이의 합)$=2\frac{3}{8}+2\frac{3}{8}=4\frac{6}{8}$(cm)
→ $31\frac{4}{8}-4\frac{6}{8}=30\frac{12}{8}-4\frac{6}{8}=\mathbf{26\frac{6}{8}}$**(cm)**

12 (밤의 길이)
$=24-9\frac{45}{60}=23\frac{60}{60}-9\frac{45}{60}=14\frac{15}{60}$(시간)
(밤의 길이와 낮의 길이의 차)
$=14\frac{15}{60}-9\frac{45}{60}=13\frac{75}{60}-9\frac{45}{60}=4\frac{30}{60}$(시간)
→ **4시간 30분**

2회 1. 분수의 덧셈과 뺄셈 03~04쪽

1 $\frac{7}{11}$, $\frac{4}{11}$ 2 ㉡

3 예 $\frac{2}{9}$는 $\frac{1}{9}$이 2개, $\frac{5}{9}$는 $\frac{1}{9}$이 5개입니다. 따라서 $\frac{2}{9}+\frac{5}{9}$는 $\frac{1}{9}$이 7개이므로 $\frac{7}{9}$입니다. ▸5점

4 2개, $\frac{1}{7}$ kg 5 $\frac{1}{8}$ 6 $9\frac{3}{5}$ cm

7 3, 4, 5, 6 8 78쪽 9 $3\frac{3}{6}$ 10 $7\frac{2}{7}$

11 예 ❶ 어떤 수를 □라 하면 $\square-1\frac{7}{8}=4\frac{2}{8}$이므로
$\square=4\frac{2}{8}+1\frac{7}{8}=5\frac{9}{8}=6\frac{1}{8}$입니다. ▸3점
❷ (바른 계산)$=6\frac{1}{8}+1\frac{7}{8}=7\frac{8}{8}=8$ ▸2점 / 8

12 $57\frac{9}{23}$

2 ㉠ $\frac{10}{13}$ ㉡ $\frac{6}{13}$ ㉢ $\frac{12}{13}$

→ 계산 결과가 $\frac{9}{13}$보다 작은 것은 ㉡입니다.

3

채점 기준	분수의 덧셈 방법을 바르게 설명하기	5점

4 $2\frac{5}{7}-1\frac{2}{7}=1\frac{3}{7}$, $1\frac{3}{7}-1\frac{2}{7}=\frac{1}{7}$이므로 만들 수 있는 케이크는 모두 **2개**이고, 남는 설탕은 $\mathbf{\frac{1}{7}}$**kg**입니다.

6 (직사각형의 네 변의 길이의 합)
$=3\frac{1}{5}+1\frac{3}{5}+3\frac{1}{5}+1\frac{3}{5}=8\frac{8}{5}=\mathbf{9\frac{3}{5}}$**(cm)**

7 $\frac{5}{5}<\frac{3+\square}{5}<\frac{10}{5}$, $5<3+\square<10$
→ □ 안에 들어갈 수 있는 수는 **3, 4, 5, 6**입니다.

8 남은 위인전의 쪽수는 전체의 $1-\frac{11}{13}=\frac{2}{13}$이고,
전체의 $\frac{2}{13}$가 12쪽이므로 전체의 $\frac{1}{13}$은 6쪽입니다.
→ (위인전의 전체 쪽수)$=6\times13=$**78(쪽)**

9
- $\frac{1}{6}$인 조각 4개의 합: $\frac{1}{6}+\frac{1}{6}+\frac{1}{6}+\frac{1}{6}=\frac{4}{6}$
- $\frac{2}{6}$인 조각 4개의 합: $\frac{2}{6}+\frac{2}{6}+\frac{2}{6}+\frac{2}{6}=\frac{8}{6}$
- $\frac{3}{6}$인 조각 3개의 합: $\frac{3}{6}+\frac{3}{6}+\frac{3}{6}=\frac{9}{6}$

→ $\frac{4}{6}+\frac{8}{6}+\frac{9}{6}=\frac{21}{6}=\mathbf{3\frac{3}{6}}$

10 가장 큰 대분수: $9\frac{6}{7}$, 가장 작은 대분수: $2\frac{4}{7}$
→ $9\frac{6}{7}-2\frac{4}{7}=\mathbf{7\frac{2}{7}}$
• 분모가 될 수 있는 수는 수 카드가 2장 있는 7입니다.

11

채점 기준	❶ 어떤 수 구하기	3점
	❷ 바르게 계산하기	2점

12 (자연수 부분의 합)$=1+2+3+\cdots\cdots+9+10=55$
(분수 부분의 합)
$=\frac{10}{23}+\frac{9}{23}+\frac{8}{23}+\cdots\cdots+\frac{2}{23}+\frac{1}{23}=2\frac{9}{23}$
→ (늘어놓은 분수들의 합)$=55+2\frac{9}{23}=\mathbf{57\frac{9}{23}}$

3회 2. 삼각형 05~06쪽

1 ㉢ **2** 21 cm
3 예 ❶ (나머지 한 각의 크기)
$=180°-20°-60°=100°$ ▸3점
❷ 따라서 한 각이 둔각인 삼각형이므로 둔각삼각형입니다. ▸2점 / 둔각삼각형
4 이등변삼각형, 예각삼각형
5 16 cm **6** 80° **7** 6개
8 예 ❶ 삼각형 ㄹㄴㄷ은 이등변삼각형이므로
(각 ㄹㄴㄷ)+(각 ㄹㄷㄴ)$=180°-100°=80°$,
(각 ㄹㄴㄷ)$=80°\div2=40°$입니다. ▸3점
❷ (각 ㄱㄴㄷ)=(정삼각형의 한 각의 크기)$=60°$
㉠$=60°-40°=20°$ ▸2점 / 20°
9 7 cm와 9 cm, 8 cm와 8 cm
10 72 cm **11** 72° **12** 750 m

3

채점 기준	❶ 나머지 한 각의 크기 구하기	3점
	❷ 어떤 삼각형인지 구하기	2점

4 (나머지 한 각의 크기)$=180°-40°-70°=70°$
→ 두 각의 크기가 같으므로 **이등변삼각형**이고, 세 각이 모두 예각이므로 **예각삼각형**입니다.

5 (정사각형 가의 네 변의 길이의 합)
$=12\times4=48$(cm)
→ (정삼각형 나의 한 변)$=48\div3=$**16(cm)**

6

두 변의 길이가 같으므로 이등변삼각형입니다.
㉠+㉡$=180°-20°=160°$
→ ㉠=㉡$=160°\div2=$**80°**

7

- 도형 1개짜리: ②, ③(2개)
- 도형 2개짜리: ②+④, ③+⑥(2개)
- 도형 3개짜리: ②+④+⑤, ③+⑤+⑥(2개)

→ $2+2+2=$**6(개)**

8

채점 기준	❶ 각 ㄹㄴㄷ의 크기 구하기	3점
	❷ ㉠의 각도 구하기	2점

9 • 길이가 같은 두 변이 7 cm인 경우:
$7+7+\square=23$, $14+\square=23$ → $\square=9$

• 길이가 같은 두 변이 7 cm가 아닌 경우:
$7+\square+\square=23$, $\square+\square=16$ → $\square=8$
→ **7 cm와 9 cm, 8 cm와 8 cm**

10 선분 ㄹㄴ의 길이를 □cm라 하면 선분 ㄱㄹ의 길이는 (□+□) cm입니다.
$\square+\square+\square=27$, $\square\times3=27$, $\square=9$
(선분 ㄱㄹ)=(선분 ㄷㅁ)$=9\times2=18$(cm)
→ $27+18+9+18=$**72(cm)**

11 • (각 ㄴㄱㄷ)+(각 ㄴㄷㄱ)$=180^\circ-38^\circ=142^\circ$
(각 ㄴㄷㄱ)$=142^\circ\div2=71^\circ$
• (각 ㅁㄷㄹ)+(각 ㄷㅁㄹ)$=180^\circ-106^\circ=74^\circ$
(각 ㅁㄷㄹ)$=74^\circ\div2=37^\circ$
→ (각 ㄱㄷㅁ)$=180^\circ-71^\circ-37^\circ=$**72°**

12 • 삼각형 ㄱㄴㄷ은 이등변삼각형이므로
(각 ㄴㄱㄷ)+(각 ㄴㄷㄱ)$=180^\circ-60^\circ=120^\circ$,
(각 ㄴㄱㄷ)=(각 ㄴㄷㄱ)$=120^\circ\div2=60^\circ$입니다.
삼각형 ㄱㄴㄷ은 정삼각형이므로
(변 ㄱㄷ)=260 m입니다.
• 삼각형 ㄷㄹㅁ에서
(각 ㄷㅁㄹ)$=180^\circ-74^\circ-53^\circ=53^\circ$입니다.
삼각형 ㄷㄹㅁ은 이등변삼각형이므로
(변 ㄷㄹ)=490 m입니다.
→ $260+490=$**750(m)**

4회 2. 삼각형 07~08쪽

1 3개 **2** ㉢
3 예 ❶ (각 ㄱㄴㄷ)+(각 ㄱㄷㄴ)
$=180^\circ-120^\circ=60^\circ$ ▸3점
❷ (각 ㄱㄷㄴ)$=60^\circ\div2=30^\circ$ ▸2점 / 30°
4 ㉢ **5** 9 cm
6 60°, 예각삼각형 **7** 94°, 36°
8 20 cm
9 예 ❶ (각 ㄱㄷㄴ)=(정삼각형의 한 각의 크기)
$=60^\circ$
(각 ㄱㄷㄹ)$=180^\circ-60^\circ=120^\circ$ ▸2점
❷ 삼각형 ㄱㄷㄹ은 이등변삼각형이므로
(각 ㄷㄱㄹ)+(각 ㄷㄹㄱ)$=180^\circ-120^\circ=60^\circ$,
(각 ㄷㄱㄹ)$=60^\circ\div2=30^\circ$입니다. ▸3점 / 30°
10 11 cm **11** 28° **12** 45°

3

채점 기준		
	❶ 각 ㄱㄴㄷ과 각 ㄱㄷㄴ의 크기의 합 구하기	3점
	❷ 각 ㄱㄷㄴ의 크기 구하기	2점

4 • 두 각의 크기가 같으므로 ㉠ 이등변삼각형입니다.
• (나머지 한 각의 크기)$=180^\circ-60^\circ-60^\circ=60^\circ$
세 각의 크기가 모두 같으므로 ㉡ 정삼각형입니다.
• 세 각이 모두 예각이므로 ㉣ 예각삼각형입니다.
→ 삼각형의 이름으로 알맞지 않은 것은 ㉢ 둔각삼각형입니다.

6 (나머지 한 각의 크기)$=180^\circ-80^\circ-40^\circ=$**60°**
→ 세 각이 80°, 40°, 60°로 모두 예각이므로 **예각삼각형**입니다.

7 (나머지 두 각의 크기의 합)$=180^\circ-50^\circ=130^\circ$
130°가 되는 두 각은 94°와 36°, 53°와 77°입니다.
→ 한 각이 둔각이어야 하므로 나머지 두 각이 될 수 있는 각도는 **94°, 36°**입니다.

9

채점 기준		
	❶ 각 ㄱㄷㄹ의 크기 구하기	2점
	❷ 각 ㄷㄱㄹ의 크기 구하기	3점

10 이등변삼각형의 긴 변을 □cm라 하면 짧은 변은 (□−4) cm입니다.
• 길이가 같은 두 변이 긴 변인 경우:
$\square+\square+\square-4=25$, $\square+\square+\square=29$가 되는 자연수는 없습니다.
• 길이가 같은 두 변이 짧은 변인 경우:
$\square+\square-4+\square-4=25$, $\square+\square+\square=33$,
$\square=11$
→ 이등변삼각형의 긴 변은 **11 cm**입니다.

11 (각 ㄱㄷㄹ)$=360^\circ-76^\circ-90^\circ-90^\circ=104^\circ$
(각 ㄴㄷㄱ)$=180^\circ-104^\circ=76^\circ$
삼각형 ㄱㄴㄷ은 이등변삼각형이므로
(각 ㄴㄱㄷ)=(각 ㄴㄷㄱ)$=76^\circ$입니다.
→ (각 ㄱㄴㄷ)$=180^\circ-76^\circ-76^\circ=$**28°**

12 (각 ㄱㄴㅁ)$=90^\circ-60^\circ=30^\circ$
(변 ㄱㄴ)=(변 ㄴㄷ)=(변 ㄴㅁ)이므로 삼각형 ㄱㄴㅁ은 이등변삼각형입니다.
(각 ㄴㄱㅁ)+(각 ㄴㅁㄱ)$=180^\circ-30^\circ=150^\circ$
(각 ㄴㅁㄱ)$=150^\circ\div2=75^\circ$
→ (각 ㅂㅁㄷ)$=180^\circ-75^\circ-60^\circ=$**45°**

5회 3. 소수의 덧셈과 뺄셈 09~10쪽

1 138, 0.138 **2** ㉢, ㉣
3 1.27, 0.69 **4** ㉠, ㉣
5 23.67
6 예 ❶ (사용한 밀가루의 양)
$=2.38+1.25=3.63(\text{kg})$ ▸2점
❷ (지금 남아 있는 밀가루의 양)
$=6-3.63=2.37(\text{kg})$ ▸3점 / 2.37 kg
7 1.92 GB **8** 3.789
9 예 ❶ 준호가 말한 소수는 3.5입니다. ▸2점
❷ 연아가 말한 소수는 47.1의 $\frac{1}{10}$이므로 4.71입니다. ▸2점
❸ (두 소수의 합)$=3.5+4.71=8.21$ ▸1점 / 8.21
10 20 **11** 20.64 m
12 0.96 m

2 ㉠ $0.2+0.6=0.8$ ㉡ $0.6+0.3=0.9$
㉢ $0.4+0.7=1.1$ ㉣ $0.8+0.7=1.5$
→ 계산 결과가 1보다 큰 것은 ㉢, ㉣입니다.

3 가장 큰 수: 0.98, 가장 작은 수: 0.29
→ • 합: $0.98+0.29=\mathbf{1.27}$
• 차: $0.98-0.29=\mathbf{0.69}$

4 ㉠ 2.7 ㉡ 27 ㉢ 0.27 ㉣ 2.7
→ 2.7과 같은 수는 ㉠, ㉣입니다.

5 $\frac{1}{10}=0.1$, $\frac{1}{100}=0.01$
1이 23개이면 23, 0.1이 5개이면 0.5, 0.01이 17개이면 0.17이므로 **23.67**입니다.

6

채점 기준		
	❶ 사용한 밀가루의 양 구하기	2점
	❷ 지금 남아 있는 밀가루의 양 구하기	3점

7 (USB 메모리에 담은 파일의 용량의 합)
$=1.38+0.9+0.75+0.05=3.08(\text{GB})$
→ $5-3.08=\mathbf{1.92(GB)}$

8 3.7보다 크고 4보다 작은 소수 세 자리 수이므로 3.㉠㉡㉢에서 ㉠은 7, 8, 9 중 하나입니다.
㉢>㉡>㉠이므로 ㉠=7, ㉡=8, ㉢=9입니다.
→ **3.789**

9

채점 기준		
	❶ 준호가 말한 소수 구하기	2점
	❷ 연아가 말한 소수 구하기	2점
	❸ 두 소수의 합 구하기	1점

10 • ㉢+6=15 → ㉢=9
• 1+5+㉡=14, 6+㉡=14 → ㉡=8
• 1+㉠+7=11, ㉠+8=11 → ㉠=3
→ ㉠+㉡+㉢=3+8+9=**20**

11 • ㉮ 끈: 1.7 m $\xrightarrow[\text{2번}]{\text{10배씩}}$ 170 m $\xrightarrow[\text{3번}]{\frac{1}{10}\text{씩}}$ 0.17 m
• ㉯ 끈: 2.081 m $\xrightarrow[\text{3번}]{\text{10배씩}}$ 2081 m $\xrightarrow[\text{2번}]{\frac{1}{10}\text{씩}}$ 20.81 m
→ $20.81-0.17=\mathbf{20.64(m)}$

12
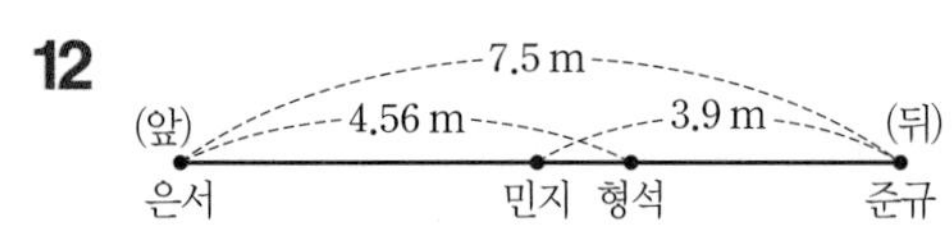

→ (형석이와 민지 사이의 거리)
$=4.56+3.9-7.5=8.46-7.5=\mathbf{0.96(m)}$

6회 3. 소수의 덧셈과 뺄셈 11~12쪽

1 6.01
2 ❶
$$\begin{array}{r} 0.94 \\ +0.5 \\ \hline 1.44 \end{array}$$
▸3점
예 ❷ 소수점의 자리를 잘못 맞추고 계산하였습니다. ▸2점
3 정수 **4** 100배
5 1.7 km **6** 18.27, 0.97
7 6.276 **8** 2
9 0.027 m **10** 108.9
11 예 ❶ 어떤 수를 □라 하면 □$-3.16=6.48$이므로 □$=6.48+3.16=9.64$입니다. ▸3점
❷ (바른 계산)$=9.64+3.16=12.8$ ▸2점
/ 12.8
12 4.367

2

채점 기준		
	❶ 바르게 계산하기	3점
	❷ 계산이 잘못된 이유 쓰기	2점

4 ㉠이 나타내는 수: 7, ㉡이 나타내는 수: 0.07
→ 7은 0.07의 100배이므로 ㉠이 나타내는 수는 ㉡이 나타내는 수의 **100배**입니다.

6 ㉮ 1이 7개이면 7, 0.1이 16개이면 1.6, 0.01이 5개이면 0.05이므로 8.65입니다.
㉯ 1이 9개이면 9, 0.1이 5개이면 0.5, 0.01이 12개이면 0.12이므로 9.62입니다.
→ • 합: $8.65+9.62=$ **18.27**
• 차: $9.62-8.65=$ **0.97**

7 (수직선: 6.27, ㉠, 6.28)

6.27과 6.28 사이의 크기는 0.01이고, 0.01을 10등분 하면 작은 눈금 한 칸의 크기는 0.001입니다.
→ ㉠이 나타내는 수는 6.27에서 0.001씩 6번 뛰어 센 수이므로 **6.276**입니다.

8 $14.3-●=4.98$이라 하면
$●=14.3-4.98=9.32$입니다.
9.□7<9.32에서 소수 둘째 자리 수를 비교하면 7>2이므로 □<3이어야 합니다.
→ □ 안에 들어갈 수 있는 가장 큰 수는 **2**입니다.

9 • 첫 번째: 27 m의 $\frac{1}{10}$ → 2.7 m
• 두 번째: 2.7 m의 $\frac{1}{10}$ → 0.27 m
• 세 번째: 0.27 m의 $\frac{1}{10}$ → **0.027 m**

10 9>5>3>1이므로 가장 큰 소수 두 자리 수는 95.31, 가장 작은 소수 두 자리 수는 13.59입니다.
→ $95.31+13.59=$ **108.9**

11

채점 기준		
	❶ 어떤 수 구하기	3점
	❷ 바르게 계산하기	2점

12 • 4보다 크고 5보다 작은 소수 세 자리 수이므로 4.□□□입니다.
• 일의 자리 숫자와 소수 첫째 자리 숫자의 합이 7이므로 소수 첫째 자리 숫자는 $7-4=3$입니다.
• 소수 둘째 자리 숫자는 소수 첫째 자리 숫자의 2배이므로 $3\times2=6$입니다.
• 소수 4.36□를 100배 하면 436.□이므로 □=7입니다. → **4.367**

7회 4. 사각형 13~14쪽

1 3쌍 **2** 56 cm
3 마름모, 사다리꼴, 평행사변형에 ○표
4 11 cm
5 예 ❶ $㉡=180°-90°-75°=15°$
$㉠=180°-15°=165°$ ▸4점
❷ $㉠-㉡=165°-15°=150°$ ▸1점 / 150°
6 ⊟ **7** 75° **8** 65°
9 예 ❶ 변 ㄱㄴ의 길이를 □cm라 하면
16+□+16+□=54, □+□=22, □=11입니다.
(변 ㄷㄹ)=(변 ㄹㅁ)=(변 ㅁㅂ)=11 cm ▸4점
❷ (빨간색 선의 길이)
$=16+11+16+11+11+11$
$=76$(cm) ▸1점 / 76 cm
10 113° **11** 11° **12** 84°

2 마름모는 네 변의 길이가 모두 같습니다.
→ $14\times4=$ **56 (cm)**

3 자른 종이를 펼쳤을 때 만들어지는 도형은 네 변의 길이가 모두 같은 사각형이므로 **마름모**입니다. 마름모는 **사다리꼴**, **평행사변형**이라고 할 수 있습니다.

4 (가장 먼 평행선 사이의 거리)
$=3+8=$ **11 (cm)**

5

채점 기준		
	❶ ㉠과 ㉡의 각도 각각 구하기	4점
	❷ ㉠과 ㉡의 각도의 차 구하기	1점

6 □(2쌍), ⊟(3쌍), ⊥(0쌍), ⊧(1쌍)
→ 서로 평행한 선분이 가장 많은 것은 ⊟입니다.

7 평행선과 한 직선이 만날 때 생기는 각 중에서 반대 위치의 각의 크기는 같고, 직선 위의 한 점을 꼭짓점으로 하는 각의 크기는 180°이므로
$65°+㉠+40°=180°$입니다.
→ $㉠=180°-65°-40°=$ **75°**

8 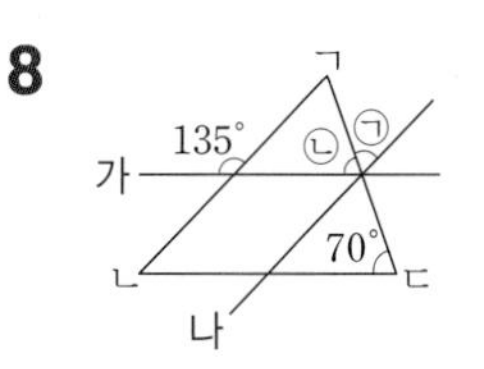

평행선과 한 직선이 만날 때 생기는 각 중에서 같은 위치의 각의 크기는 같습니다.
$㉡=70°$, $㉠+70°=135°$
→ $㉠=135°-70°=$ **65°**

9

채점 기준	❶ 빨간색 선의 각 변의 길이 구하기	4점
	❷ 빨간색 선의 길이 구하기	1점

10 평행선과 한 직선이 만날 때 생기는 각 중에서 같은 위치의 각의 크기는 같으므로 ㉡=46°입니다.

㉢+㉣=180°−46°=134°

㉢=㉣=134°÷2=67°

→ ㉠=360°−90°−90°−67°=**113°**

11 마름모에서 이웃한 두 각의 크기의 합은 180°이므로 (각 ㄷㅂㅁ)=180°−112°=68°입니다.

(각 ㄱㅂㅁ)=90°+68°=158°

(변 ㄱㅂ)=(변 ㅁㅂ)이므로 삼각형 ㅂㄱㅁ은 이등변 삼각형입니다.

(각 ㅂㄱㅁ)+(각 ㅂㅁㄱ)=180°−158°=22°

→ (각 ㅂㅁㄱ)=22°÷2=**11°**

12 평행사변형에서 이웃한 두 각의 크기의 합은 180°이므로 (각 ㄱㄴㄷ)=180°−107°=73°입니다.

접는 부분과 접히기 전 부분의 각도는 같으므로 (각 ㄴㅂㅅ)=(각 ㅁㅂㅅ)=59°입니다.

(각 ㄴㅅㅂ)=(각 ㅂㅅㅁ)=180°−73°−59°=48°

→ (각 ㅁㅅㄷ)=180°−48°−48°=**84°**

8회 4. 사각형 15~16쪽

1 2개 2 65°

3 예 도형은 직사각형입니다. 직사각형은 마주 보는 두 쌍의 변이 서로 평행하므로 사다리꼴이기도 하고 평행사변형이기도 합니다. ▸5점

4 14 cm 5 68 cm

6 56 cm 7 30°

8 예 ❶ 30°+90°+㉡=180°이므로 ㉡=60°이고, 15°+90°+㉠=180°이므로 ㉠=75°입니다. ▸4점

❷ ㉠−㉡=75°−60°=15° ▸1점 / 15°

9 65° 10 22°

11 16 cm 12 75°

3

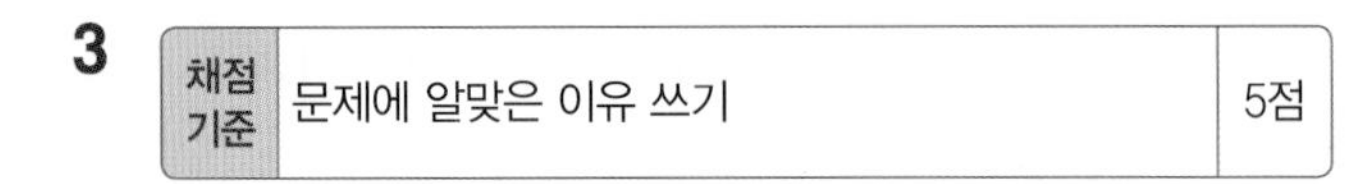

채점 기준	문제에 알맞은 이유 쓰기	5점

5

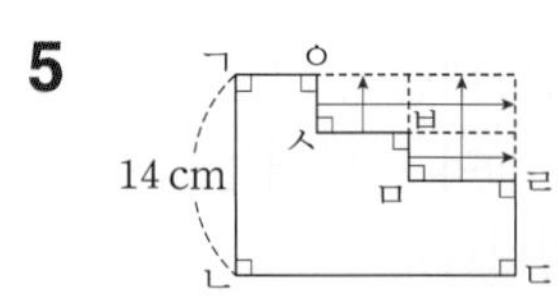

변 ㄱㄴ과 변 ㄹㄷ 사이의 거리가 20 cm이므로 (변 ㄴㄷ)=20 cm입니다.

→ 20+14+20+14=**68 (cm)**

6 정사각형, 정삼각형, 마름모는 각 변의 길이가 모두 같으므로 굵은 선의 길이는 정사각형의 한 변의 길이의 7배입니다. → 8×7=**56 (cm)**

7

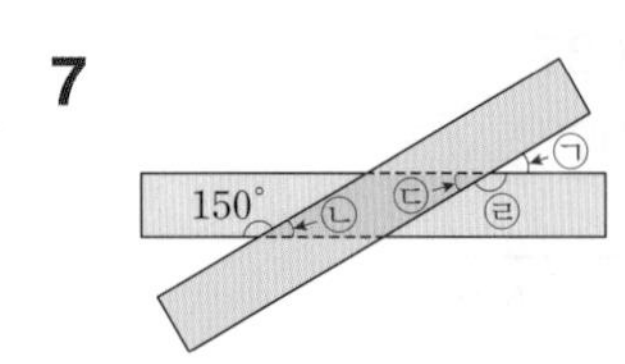

㉡=180°−150°=30°

직사각형은 마주 보는 두 쌍의 변이 서로 평행하므로 겹쳐진 부분은 평행사변형입니다.

㉢=㉡=30°, ㉣=180°−30°=150°

→ ㉠=180°−150°=**30°**

8

채점 기준	❶ ㉠과 ㉡의 각도 각각 구하기	4점
	❷ ㉠과 ㉡의 각도의 차 구하기	1점

9

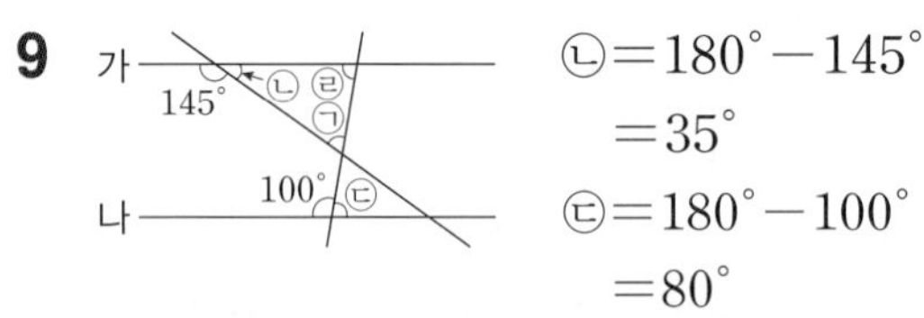

㉡=180°−145°=35°

㉢=180°−100°=80°

평행선과 한 직선이 만날 때 생기는 각 중에서 반대 위치의 각의 크기는 같으므로 ㉣=㉢=80°입니다.

→ ㉠=180°−35°−80°=**65°**

10 점 ㄴ을 지나고 직선 가, 직선 나와 평행한 직선을 긋습니다.

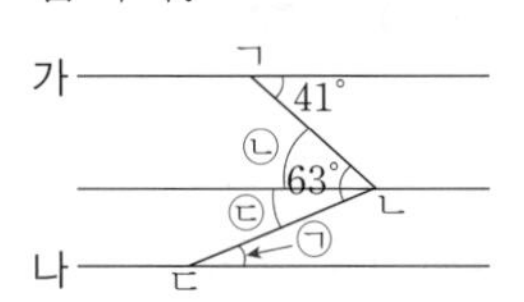

평행선과 한 직선이 만날 때 생기는 각 중에서 반대 위치의 각의 크기는 같습니다.

㉡=41°, ㉢=63°−41°=22° → ㉠=㉢=**22°**

11 직선 가와 직선 나 사이의 거리를 □cm라 하면 직선 나와 직선 다 사이의 거리는 (□×2) cm, 직선 다와 직선 라 사이의 거리는 (□×4) cm입니다.

□+□+□+□+□+□+□=28,

□×7=28, □=4 → 4×4=**16 (cm)**

12 평행선과 한 직선이 만날 때 생기는 각 중에서 반대 위치의 각의 크기는 같으므로

(각 ㅅㅇㄷ)=(각 ㄱㅅㅇ)=82°입니다.

(각 ㅈㅂㄷ)=180°−67°=113°

→ (각 ㅇㅈㅂ)=360°−82°−90°−113°=**75°**

9회 5. 꺾은선그래프 17~18쪽

1 6월과 8월 사이 **2** ㉮ 9 cm쯤

3 ㉮ ❶ (6월과 8월의 식물의 키의 차)
$=14-10=4$(cm) ▸3점
❷ 따라서 세로 눈금 한 칸의 크기를 2 cm로 하여 다시 그리면 세로 눈금 칸 수의 차는 $4\div2=2$(칸)이 됩니다. ▸2점 / 2칸

4 260개 **5** 3040개 **6** ㉯ 새싹

7 120000원 **8** 44권 **9** ㉮ 128마리쯤

10

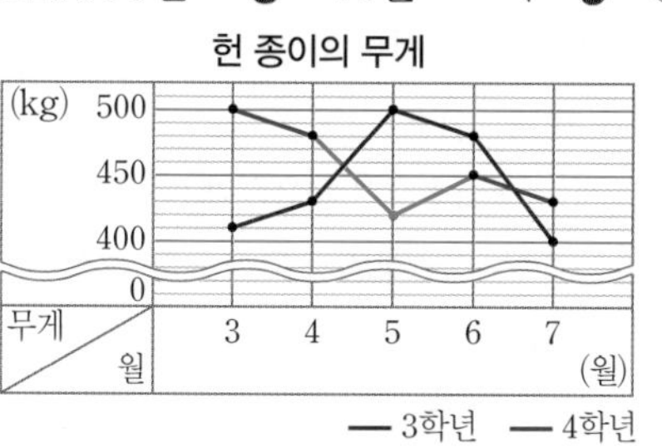

11 3학년, 80 kg **12** 16칸

3

채점 기준		
	❶ 6월과 8월의 식물의 키의 차 구하기	3점
	❷ 세로 눈금 한 칸의 크기를 2 cm로 하여 다시 그릴 때 세로 눈금 칸 수의 차 구하기	2점

4 • 판매량이 가장 많은 때: 7월(780개)
• 판매량이 가장 적은 때: 3월(520개)
→ $780-520=$ **260(개)**

5 (아이스크림 판매량의 합)
$=520+540+580+620+780=$ **3040(개)**

6 (㉮ 새싹이 자란 키)$=4.6-1.8=2.8$(cm)
(㉯ 새싹이 자란 키)$=4.5-1=3.5$(cm)
→ $2.8<3.5$이므로 더 많이 자란 새싹은 ㉯ **새싹**입니다.

7 (공책 판매량)$=48+44+32+34+42=200$(권)
→ (공책을 판매한 금액의 합)
$=600\times200=$ **120000(원)**

8 공책 판매량의 변화가 가장 적은 때는 수요일과 목요일 사이입니다.
(수요일과 목요일의 공책 판매량의 차)
$=34-32=2$(권)
→ (토요일의 공책 판매량)$=42+2=$ **44(권)**

9 미생물의 수가 2마리, 4마리, 8마리, 16마리, 32마리로 1시간마다 2배로 늘어납니다.
오후 6시: $32\times2=64$(마리)
→ $64\times2=128$(마리)이므로 오후 7시에 미생물은 **128마리쯤** 될 것이라고 예상할 수 있습니다.

12 3학년은 헌 종이를 가장 많이 모은 달과 가장 적게 모은 달의 세로 눈금 칸 수가 10칸이고, 다시 그린 꺾은선그래프에서는 20칸으로 2배가 됩니다.
4학년은 헌 종이를 가장 많이 모은 달과 가장 적게 모은 달의 세로 눈금 칸 수가 8칸이므로 다시 그린 꺾은선그래프에서는 $8\times2=$ **16(칸)**이 됩니다.

10회 5. 꺾은선그래프 19~20쪽

1 82 mm **2** 58 mm

3 1 kg

4 123, 126 /

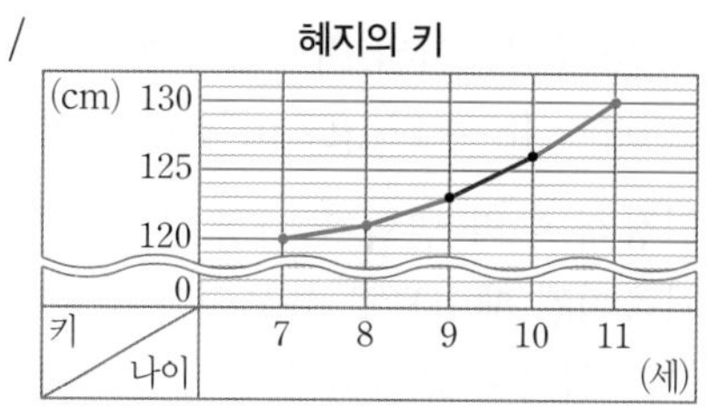

5 11세, 4 cm

6 ㉮ ❶ 7세~8세에 1 cm, 8세~9세에 2 cm, 9세~10세에 3 cm, 10세~11세에 4 cm 자랐으므로 12세 12월에는 5 cm 더 자랐을 것 같습니다. ▸3점
❷ 따라서 12세 12월에 키를 잰다면
$130+5=135$(cm)쯤 될 것이라고 예상합니다.
▸2점 / ㉮ 135 cm쯤

7 4 $\mu g/m^3$

8

입장객 수
(명) 500, 400, 300, 0
입장객 수 / 요일: 월 화 수 목 금 (요일)

9 600명 **10** 7600대

11 2800대 **12** ㉮ 2 L쯤

3 ((가) 그래프의 세로 눈금 한 칸의 크기)
$=10\div5=2$(kg)
((가) 그래프에서 2학년과 3학년의 몸무게의 차)
$=30-28=2$(kg)
(나) 그래프에서 2학년과 3학년의 세로 눈금 칸 수의 차는 2칸입니다.
→ ((나) 그래프의 세로 눈금 한 칸의 크기)
$=2\div2=$**1(kg)**

5 혜지의 키가 전년에 비해 가장 많이 자란 때는 선이 가장 많이 기울어진 때이므로 **11세**입니다.
10세: 126 cm, 11세: 130 cm
→ 전년에 비해 키가 $130-126=$**4(cm)** 더 자랐습니다.

6

채점 기준		
	❶ 12세 12월의 키의 변화량 구하기	3점
	❷ 12세 12월의 키 예상하기	2점

7 오존 농도가 전달에 비해 가장 많이 늘어난 달은 선이 오른쪽 위로 가장 많이 기울어진 때이므로 2017년 1월입니다.
→ 2017년 1월의 미세먼지 농도는 전달에 비해 $52-48=$**4(μg/m³)** 더 늘어났습니다.

9 입장객 수의 변화가 가장 많은 때는 선이 가장 많이 기울어진 때이므로 화요일과 수요일 사이입니다.
(화요일과 수요일의 입장객 수의 변화량)
$=480-340=140$(명)
→ (토요일의 입장객 수)$=460+140=$**600(명)**

10 (㉮ 공장의 생산량)
$=5600+4400+4800+7600+6800$
$=29200$(대)
(㉯ 공장의 생산량)$=29200+6000=35200$(대)
(㉯ 공장의 5, 6, 8, 9월 생산량의 합)
$=7200+6800+6400+7200=27600$(대)
→ (㉯ 공장의 7월 생산량)
$=35200-27600=$**7600(대)**

12 • 2시간 30분 동안 ㉮ 자동차가 간 거리: 180 km쯤
㉮ 자동차가 사용한 휘발유의 양: $180\div15=12$(L)
• 2시간 30분 동안 ㉯ 자동차가 간 거리: 120 km쯤
㉯ 자동차가 사용한 휘발유의 양: $120\div12=10$(L)
→ $12-10=2$ (L)이므로 사용한 휘발유 양의 차는 **2 L쯤**입니다.

11회 6. 다각형 21~22쪽

1 26개 **2** 정십이각형
3 ❶ 나 ▶2점
예 ❷ 삼각형의 모든 꼭짓점은 이웃하고 있으므로 대각선을 그을 수 없습니다. ▶3점
4 42 cm **5** 12개 **6** 정팔각형
7 108 cm **8** 60°
9 예 ❶ (정다각형의 변의 수)$=117\div13=9$(개)
변이 9개인 정다각형은 정구각형입니다. ▶2점
❷ 정구각형의 한 꼭짓점에서 그을 수 있는 대각선은 $9-3=6$(개)입니다.
$6\times9=54$(개) → $54\div2=27$(개)이므로 정구각형의 대각선은 모두 27개입니다. ▶3점 / 27개
10 11개 **11** 108° **12** 9개

3

채점 기준		
	❶ 대각선을 그을 수 없는 도형의 기호 쓰기	2점
	❷ 대각선을 그을 수 없는 이유 쓰기	3점

6 1 m$=$100 cm
(사용한 철사의 길이)$=100-20=80$(cm)
(정다각형의 변의 수)$=80\div10=8$(개)
→ 변이 8개인 정다각형의 이름은 **정팔각형**입니다.

8 (정육각형의 모든 각의 크기의 합)
$=180^\circ\times4=720^\circ$
(정육각형의 한 각의 크기)$=720^\circ\div6=120^\circ$
→ ㉠$=180^\circ-120^\circ=$**60°**

9

채점 기준		
	❶ 정다각형의 이름 알아보기	2점
	❷ 정다각형의 대각선의 수 구하기	3점

11 (정오각형의 모든 각의 크기의 합)
$=180^\circ\times3=540^\circ$
(각 ㄱㄴㄷ)$=$(정오각형의 한 각의 크기)
$=540^\circ\div5=108^\circ$
삼각형 ㄱㄴㄷ은 이등변삼각형이므로
(각 ㄴㄱㄷ)$+$(각 ㄴㄷㄱ)$=180^\circ-108^\circ=72^\circ$,
(각 ㄴㄷㄱ)$=72^\circ\div2=36^\circ$입니다.
같은 방법으로 삼각형 ㄴㄷㄹ은 이등변삼각형이므로
(각 ㄷㄴㄹ)$=36^\circ$입니다.
→ 삼각형 ㄴㄷㅂ에서
(각 ㄴㅂㄷ)$=180^\circ-36^\circ-36^\circ=$**108°**입니다.

12 • 가장 많이 사용할 때 • 가장 적게 사용할 때

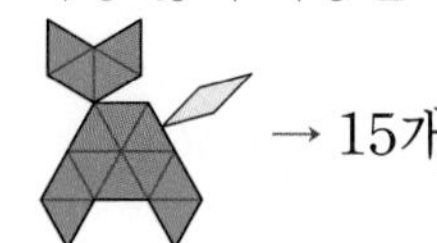

→ 15−6=**9(개)**

12회 6. 다각형 23~24쪽

1 48 cm
2 예 네 변의 길이가 모두 같지만 네 각의 크기가 모두 같지는 않으므로 정다각형이 아닙니다. ▸5점
3 정구각형
4 예 ❶ (정다각형 가의 모든 변의 길이의 합)
=10×8=80(cm) ▸2점
❷ (정다각형 나의 한 변)
=80÷5=16(cm) ▸3점 / 16 cm

5	9개	**6**	5개	**7**	74 cm
8	19°	**9**	십이각형	**10**	56 cm
11	148°	**12**	12°		

2

채점 기준	도형이 정다각형이 아닌 이유 쓰기	5점

3 (정다각형의 변의 수)=63÷7=9(개)
→ 변이 9개인 정다각형의 이름은 **정구각형**입니다.

4

채점 기준	❶ 정다각형 가의 모든 변의 길이의 합 구하기	2점
	❷ 정다각형 나의 한 변의 길이 구하기	3점

5 • (오각형의 한 꼭짓점에서 그을 수 있는 대각선의 수)
=5−3=2(개)
오각형의 대각선의 수:
2×5=10(개) → 10÷2=5(개)
• (칠각형의 한 꼭짓점에서 그을 수 있는 대각선의 수)
=7−3=4(개)
칠각형의 대각선의 수:
4×7=28(개) → 28÷2=14(개)
→ 14−5=**9(개)**

6

모양 조각을 가장 적게 사용하려면 나 모양 조각은 **5개** 필요합니다.

7 2 m=200 cm
(정구각형의 모든 변의 길이의 합)
=7×9=63(cm)
(정구각형 2개의 모든 변의 길이의 합)
=63×2=126(cm)
→ (남은 철사의 길이)=200−126=**74 (cm)**

8 직사각형은 두 대각선의 길이가 같고, 한 대각선이 다른 대각선을 똑같이 둘로 나누므로
(선분 ㅇㄹ)=(선분 ㅇㄷ)에서 삼각형 ㄹㅇㄷ은 이등변삼각형입니다.
(각 ㅇㄹㄷ)+(각 ㅇㄷㄹ)=180°−38°=142°
(각 ㅇㄷㄹ)=142°÷2=71°
→ (각 ㄹㄱㄷ)=180°−90°−71°=**19°**

9 그은 대각선이 54개이므로 각각의 꼭짓점에서 한 번씩 그을 수 있는 대각선은 모두 54×2=108(개)입니다. 다각형의 꼭짓점의 수를 ■개, 한 꼭짓점에서 그을 수 있는 대각선의 수를 ▲개라 하면 ▲=■−3이고, ▲×■=108입니다.
곱이 108인 두 수 중에서 차가 3인 두 수는 9와 12이므로 ■=12입니다.
→ 변이 12개인 다각형의 이름은 **십이각형**입니다.

10 (직사각형의 가로)
=4+8=12(cm)
(직사각형의 세로)
=8+8=16(cm)
→ 12+16+12+16=**56 (cm)**

11

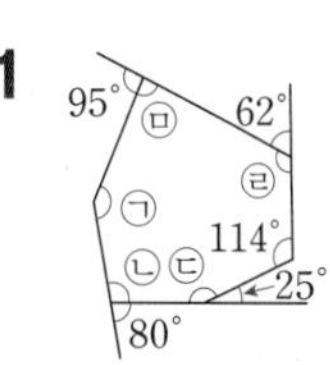

㉡=180°−80°=100°
㉢=180°−25°=155°
㉣=180°−62°=118°
㉤=180°−95°=85°
(육각형의 모든 각의 크기의 합)=180°×4=720°
㉠+100°+155°+114°+118°+85°=720°
→ ㉠+572°=720°, ㉠=**148°**

12 (정오각형의 모든 각의 크기의 합)=180°×3=540°
(정오각형의 한 각의 크기)=540°÷5=108°
(정육각형의 모든 각의 크기의 합)=180°×4=720°
(정육각형의 한 각의 크기)=720°÷6=120°
→ ㉠=360°−120°−108°−120°=**12°**

실전! 경시대회 모의고사

1회 25~28쪽

1 $\frac{11}{15}$ **2** 정민
3 ㉢ **4** 18 cm **5** ㉠, ㉢, ㉣
6 예 ❶ (정다각형의 변의 수)$=96\div8=12$(개) ▸3점
❷ 변이 12개인 정다각형의 이름은 정십이각형입니다. ▸2점 / 정십이각형
7 18 cm **8** 260명 **9** 1720명
10 47개 **11** 0.2 m **12** $1\frac{2}{4}$박
13 3.15 m **14** 66 mm **15** 45°
16 예 ❶ $2\frac{4}{9}$의 자연수 부분과 분자를 바꾸면 $4\frac{2}{9}$입니다. 어떤 수를 □라 하면 $□-4\frac{2}{9}=3\frac{7}{9}$, $□=3\frac{7}{9}+4\frac{2}{9}=8$입니다. ▸3점
❷ (바른 계산)$=8-2\frac{4}{9}=7\frac{9}{9}-2\frac{4}{9}=5\frac{5}{9}$ ▸2점
/ $5\frac{5}{9}$
17 68°
18 예 ❶ (4일 동안 빨라지는 시간)
$=1\frac{1}{6}+1\frac{1}{6}+1\frac{1}{6}+1\frac{1}{6}=4\frac{4}{6}$(분)
$4\frac{4}{6}$분$=4\frac{40}{60}$분$=4$분 40초 ▸3점
❷ (시계가 가리키는 시각)
$=$오전 10시 4분 40초 ▸2점
/ 오전 10시 4분 40초
19 180° **20** 13.1 km

4 (변 ㄱㅇ과 변 ㅁㅂ 사이의 거리)
$=$(변 ㄱㄴ)$+$(변 ㄷㄹ)$+$(변 ㅅㅂ)
$=5+7+6=$**18(cm)**

6

채점 기준		
	❶ 정다각형의 변의 수 구하기	3점
	❷ 정다각형의 이름 알아보기	2점

7 (정삼각형 가의 세 변의 길이의 합)
$=24\times3=72$(cm) → $72\div4=$**18(cm)**

8 • 가장 많은 때: 토요일(380명)
• 가장 적은 때: 월요일(120명)
→ (관람객 수의 차)$=380-120=$**260(명)**

9 (일주일 동안 관람객 수의 합)
$=120+160+280+180+320+380+280$
$=$**1720(명)**

10 • (팔각형의 한 꼭짓점에서 그을 수 있는 대각선의 수)
$=8-3=5$(개)
팔각형의 대각선의 수: $5\times8=40$(개)
→ $40\div2=20$(개)
• (구각형의 한 꼭짓점에서 그을 수 있는 대각선의 수)
$=9-3=6$(개)
구각형의 대각선의 수: $6\times9=54$(개)
→ $54\div2=27$(개)
→ (대각선의 수의 합)$=20+27=$**47(개)**

11 (사용한 철사의 길이)$=0.8+0.8+1.2$
$=1.6+1.2=2.8$(m)
→ (남은 철사의 길이)$=3-2.8=$**0.2(m)**

12 ♩$+$♩$+$♪$=1+1+\frac{2}{4}=2\frac{2}{4}$(박)
→ ㉠$=4-2\frac{2}{4}=3\frac{4}{4}-2\frac{2}{4}=$**$1\frac{2}{4}$(박)**

13 (연서의 기록)$=2.81-0.52=2.29$(m)
→ (철호의 기록)$=2.29+0.86=$**3.15(m)**

14 (1분 동안 줄어든 양초의 길이)$=54-51=3$(mm)
(5분 동안 줄어든 양초의 길이)$=3\times5=15$(mm)
→ (처음 양초의 길이)$=51+15=$**66(mm)**

16

채점 기준		
	❶ 어떤 수 구하기	3점
	❷ 바르게 계산하기	2점

17
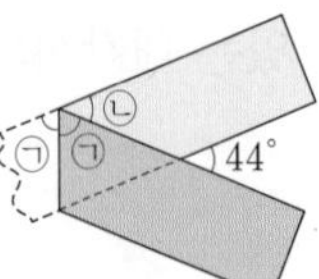

평행선과 한 직선이 만날 때 생기는 각 중에서 같은 위치의 각의 크기는 같으므로 ㉡$=44°$입니다.
㉠$+$㉠$+44°=180°$
㉠$+$㉠$=136°$, ㉠$\times2=136°$
→ ㉠$=136°\div2=$**68°**

18

채점 기준		
	❶ 4일 동안 빨라지는 시간 구하기	3점
	❷ 시계가 가리키는 시각 구하기	2점

19 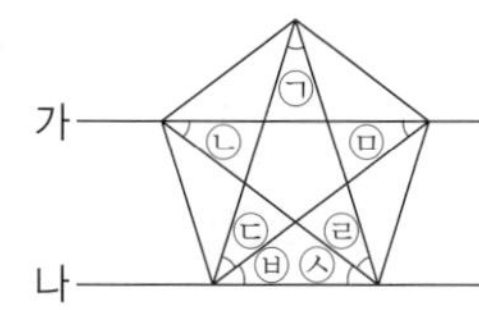

평행선과 한 직선이 만날 때 생기는 각 중에서 반대 위치의 각의 크기는 같으므로 ㉡=㉦, ㉤=㉥입니다.

㉠, ㉡, ㉢, ㉣, ㉤의 각도의 합은 ㉠, ㉢, ㉥, ㉦, ㉣의 각도의 합과 같고, ㉠+㉢+㉥+㉦+㉣=180° 입니다.

→ ㉠+㉡+㉢+㉣+㉤=**180°**

20 • 30분+30분=60분=1시간
(㉮ 자동차가 1시간 동안 달리는 거리)
=39.25+39.25=78.5(km)
• 20분+20분+20분=60분=1시간
(㉯ 자동차가 1시간 동안 달리는 거리)
=27.8+27.8+27.8=83.4(km)
→ (1시간 후 두 자동차 사이의 거리)
=175−78.5−83.4=**13.1(km)**

2회 29~32쪽

1 ㉡ **2** 정십각형

3 예 ❶ $5-1\frac{8}{13}=4\frac{13}{13}-1\frac{8}{13}=3\frac{5}{13}$

→ ㉠$=3\frac{5}{13}$ ▸2점

❷ $3\frac{5}{13}+$㉡$=9\frac{3}{13}$

→ ㉡$=9\frac{3}{13}-3\frac{5}{13}=8\frac{16}{13}-3\frac{5}{13}=5\frac{11}{13}$ ▸3점

/ $5\frac{11}{13}$

4 2.35 m

5 360, 330, 260, 270, 380

6 800000원 **7** 60 cm

8 예 ❶ 삼각형 ㄴㄷㄹ은 이등변삼각형이므로
(각 ㄴㄹㄷ)=(각 ㄴㄷㄹ)=40°입니다.
(각 ㄷㄴㄹ)=180°−40°−40°=100° ▸3점
❷ (각 ㄱㄴㄹ)=180°−100°=80°
삼각형 ㄱㄴㄹ은 이등변삼각형이므로
(각 ㄴㄱㄹ)=80°입니다. ▸2점 / 80°

9 6 cm **10** 0.21 km

11 $\frac{5}{9}$, $\frac{3}{9}$ 또는 $\frac{3}{9}$, $\frac{5}{9}$

12 79° **13** 3

14 예 ❶ 어떤 수를 □라 하면 $□-\frac{7}{6}=3\frac{5}{6}$이므로

$□=3\frac{5}{6}+\frac{7}{6}=3+\frac{12}{6}=3+2=5$입니다. ▸3점

❷ $5-1\frac{3}{8}=4\frac{8}{8}-1\frac{3}{8}=3\frac{5}{8}$ ▸2점 / $3\frac{5}{8}$

15 4일 **16** 106° **17** 11개

18 149° **19** 5억 원 **20** 60°

3

채점 기준	❶ ㉠에 알맞은 수 구하기	2점
	❷ ㉡에 알맞은 수 구하기	3점

7 정사각형은 두 대각선의 길이가 같고, 한 대각선이 다른 대각선을 똑같이 둘로 나눕니다.
(한 대각선의 길이)=15×2=30(cm)
→ (두 대각선의 길이의 합)
=30+30=**60(cm)**

8

채점 기준	❶ 각 ㄷㄴㄹ의 크기 구하기	3점
	❷ 각 ㄴㄱㄹ의 크기 구하기	2점

9 (변 ㄴㄷ과 변 ㅁㄹ 사이의 거리)
=22−7−9=**6(cm)**

10 1 km 280 m=1.28 km
1.49>1.4>1.28
→ 1.49−1.28=**0.21(km)**

11 큰 진분수를 $\frac{㉠}{9}$, 작은 진분수를 $\frac{㉡}{9}$이라 하면

$\frac{㉠}{9}+\frac{㉡}{9}=\frac{8}{9}$, $\frac{㉠}{9}-\frac{㉡}{9}=\frac{2}{9}$이므로

㉠+㉡=8, ㉠−㉡=2입니다. → 두 식을 더합니다.

• ㉠+㉠=10, ㉠=5
• 5+㉡=8, ㉡=3
→ $\mathbf{\frac{5}{9}}$, $\mathbf{\frac{3}{9}}$

12 평행선과 한 직선이 만날 때 생기는 각 중 반대 위치의 각의 크기는 같으므로 (각 ㄱㄷㄴ)=43°입니다.
→ (각 ㄱㄴㄷ)=180°−58°−43°=**79°**

13 11.24−★=3.79라 하면
★=11.24−3.79=7.45입니다.
7.□8<7.45에서 소수 둘째 자리 수를 비교하면 8>5이므로 □<4입니다.
→ □ 안에 들어갈 수 있는 가장 큰 수는 **3**입니다.

14

채점 기준	❶ 어떤 수 구하기	3점
	❷ 어떤 수에서 $1\frac{3}{8}$을 뺀 값 구하기	2점

15 형과 동생이 2일 동안 하는 일의 양: $\frac{5}{16}+\frac{3}{16}=\frac{8}{16}$

전체 일의 양을 1이라 하면 $\frac{8}{16}+\frac{8}{16}=\frac{16}{16}=1$이므로 **4일** 만에 일을 끝낼 수 있습니다.

16 접힌 부분과 접히기 전 부분의 각도는 같으므로 ㉢$=37°$입니다.
직사각형은 평행사변형이므로 ㉡$=37°+37°=74°$입니다.
→ ㉠$=180°-74°=$**106°**

17 • 가장 많이 사용할 때 • 가장 적게 사용할 때

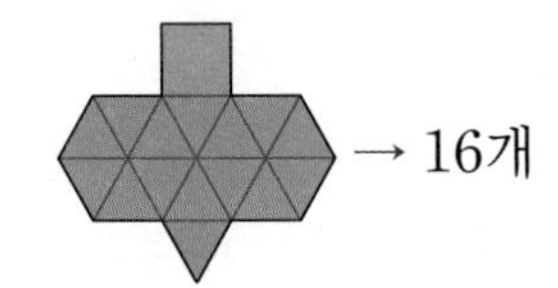
→ 16개

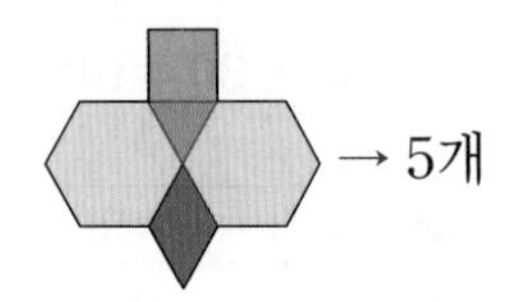
→ 5개

→ (모양 조각의 개수의 차)$=16-5=$**11(개)**

18 • 삼각형 ㄱㄴㄷ은 이등변삼각형이므로
(각 ㄴㄷㄱ)=(각 ㄴㄱㄷ)$=31°$입니다.
(각 ㄱㄴㄷ)$=180°-31°-31°=118°$
(각 ㄱㄴㅁ)$=118°-33°=85°$
• 삼각형 ㅁㄴㄷ에서
(각 ㄴㅁㄷ)$=180°-33°-31°=116°$입니다.
(각 ㄹㅁㄷ)$=180°-116°=64°$
→ (각 ㄱㄴㅁ)+(각 ㄹㅁㄷ)$=85°+64°=$**149°**

19 전달에 비해 입장객 수가 줄어든 달은 4월과 6월이고, 이 중 전달에 비해 매출액이 늘어난 달은 6월입니다. → (매출액의 차)$=\underset{6월}{18}-\underset{5월}{13}=$**5(억 원)**

20 (정육각형의 여섯 각의 크기의 합)
$=180°\times4=720°$
(정육각형의 한 각의 크기)
$=720°\div6=120°$
접힌 부분은 두 변의 길이가 같으므로 이등변삼각형이고 ㉡+㉢$=180°-120°=60°$,
㉡=㉢$=60°\div2=30°$입니다.
㉡=㉣$=30°$ → 접힌 부분과 접히기 전 부분의 각도는 같습니다.
→ ㉠$=120°-30°-30°=$**60°**

3회 33~36쪽

1 $1(=\frac{17}{17})$ 2 1010 3 109.72 m
4 14 cm 5 14개
6 예 ❶ 1이 47개이면 47, 0.1이 1개이면 0.1, 0.01이 15개이면 0.15이므로 소수 두 자리 수는 47.25입니다. ▸3점
❷ 47.25의 10배인 수는 472.5입니다. ▸2점
/ 472.5
7 137° 8 50대
9 ㉮ 회사, 30대 10 24 cm
11 예 ❶ 차가 가장 크려면 가장 큰 수에서 가장 작은 수를 빼야 합니다.
$\frac{13}{11}=1\frac{2}{11}$ → $3\frac{2}{11}>1\frac{4}{11}>\frac{13}{11}$ ▸3점
❷ $3\frac{2}{11}-\frac{13}{11}=3\frac{2}{11}-1\frac{2}{11}=2$ ▸2점 / 2
12 14 cm 13 4.309
14 8.7 cm 15 6개
16 예 ❶ 삼각형 ㅅㄷㅂ은 정삼각형이므로
(각 ㅅㅂㅁ)$=60°+90°=150°$입니다. ▸3점
❷ 삼각형 ㅂㅅㅁ은 이등변삼각형입니다.
(각 ㅂㅅㅁ)+(각 ㅂㅁㅅ)$=180°-150°=30°$
→ (각 ㅂㅅㅁ)$=30°\div2=15°$ ▸2점 / 15°
17 120° 18 65°
19 오후 7시 51분 36초 20 1시간

3 (달린 거리)$=27.43+27.43+27.43+27.43$
$=$**109.72(m)**

6

채점 기준	❶ 문제에 알맞은 소수 두 자리 수 구하기	3점
	❷ 위 ❶의 10배인 수 구하기	2점

7 평행선이 한 직선과 만날 때 생기는 각 중에서 같은 위치의 각의 크기는 같으므로 ㉡$=52°$입니다.
→ ㉠$=52°+85°=$**137°**

8 판매량의 차가 가장 큰 때는 2015년입니다.
• 2015년의 ㉮ 회사 판매량: 2460대
• 2015년의 ㉯ 회사 판매량: 2410대
→ $2460-2410=$**50(대)**

9 • ㉮ 회사: $2430+2460+2470+2500=9860$(대)
• ㉯ 회사: $2420+2410+2460+2540=9830$(대)
→ **㉮ 회사**가 $9860-9830=$**30(대)** 더 많습니다.

11

채점 기준		
	❶ 분수의 크기 비교하기	3점
	❷ 차가 가장 큰 뺄셈식의 값 구하기	2점

12 (각 ㄱㄹㄴ)=(각 ㄱㄴㄹ)$=60°$ → 삼각형 ㄱㄴㄹ은 이등변삼각형입니다.
(각 ㄴㄱㄹ)$=180°-60°-60°=60°$이므로
삼각형 ㄱㄴㄹ은 정삼각형입니다.
(선분 ㄹㅇ)=(선분 ㄴㅇ)$=7$ cm
(선분 ㄴㄹ)$=7+7=14$(cm)
(마름모는 한 대각선이 다른 대각선을 똑같이 둘로 나눕니다.)
→ (변 ㄱㄴ)=**14 cm**

13 4.3보다 크고 4.5보다 작은 소수 세 자리 수이므로 4.3□□ 또는 4.4□□입니다.
• 소수 둘째 자리 숫자에 어떤 수를 곱해도 항상 0이므로 소수 둘째 자리 숫자는 0입니다.
• 4.30□ 또는 4.40□에서 $3\times3=9$, $4\times3=12$이므로 소수 첫째 자리 숫자는 3, 소수 셋째 자리 숫자는 9입니다. → **4.309**

14 (A4용지의 짧은 변)$=10.5+10.5=21$(cm)
(A4용지의 긴 변)$=14.85+14.85=29.7$(cm)
→ $29.7-21=$**8.7 (cm)**

15

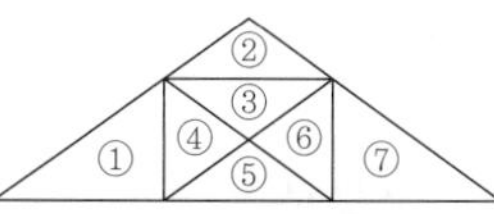

• 삼각형 1개짜리: ②, ③, ⑤ (3개)
• 삼각형 3개짜리: ①+④+⑤, ⑤+⑥+⑦ (2개)
• 삼각형 7개짜리:
①+②+③+④+⑤+⑥+⑦ (1개)
→ $3+2+1=$**6(개)**

16

채점 기준		
	❶ 각 ㅅㅂㅁ의 크기 구하기	3점
	❷ 각 ㅂㅅㅁ의 크기 구하기	2점

17 (정육각형의 모든 각의 크기의 합)
$=180°\times4=720°$
(정육각형의 한 각의 크기)$=720°\div6=120°$
(각 ㄱㄴㅂ)+(각 ㄱㅂㄴ)$=180°-120°=60°$
(각 ㄱㄴㅂ)$=60°\div2=30°$
(각 ㄴㄱㄷ)$=30°$ → 같은 방법으로 삼각형 ㄱㄴㄷ도 이등변삼각형입니다.
→ (각 ㄱㅅㄴ)$=180°-30°-30°=$**120°**

18 각각의 꺾인점을 지나고 직선 가, 직선 나와 평행한 직선 2개를 긋습니다.

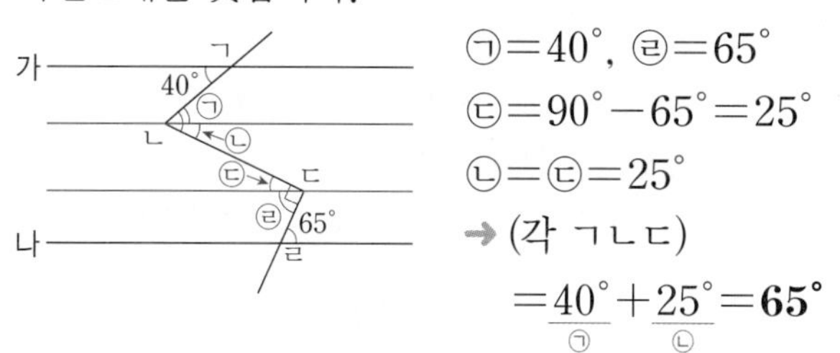

㉠$=40°$, ㉣$=65°$
㉢$=90°-65°=25°$
㉡=㉢$=25°$
→ (각 ㄱㄴㄷ)
$=\underset{㉠}{40°}+\underset{㉡}{25°}=$**65°**

19 (6시간이 지났을 때의 시각)
=오후 2시+6시간=오후 8시
(6시간 동안 늦어지는 시간)
$=1\frac{2}{5}+1\frac{2}{5}+1\frac{2}{5}+1\frac{2}{5}+1\frac{2}{5}+1\frac{2}{5}=8\frac{2}{5}$(분)
$8\frac{2}{5}$분$=8\frac{24}{60}$분=8분 24초
→ 오후 8시−8분 24초=**오후 7시 51분 36초**

20 • 자동차: 30분 동안 70 km를 달리므로 210 km를 가려면 $210\div70=3$, $30\times3=90$(분)이 걸립니다.
→ 90분=1시간 30분
• 기차: 30분에 42 km를 달리므로 210 km를 가려면 $210\div42=5$, $30\times5=150$(분)이 걸립니다.
→ 150분=2시간 30분
따라서 자동차는 기차보다
2시간 30분−1시간 30분=**1시간** 먼저 도착합니다.

4회 37~40쪽

1 42 cm
2 예 ❶ 692 mL=0.692 L ▸3점
❷ 0.725>0.692이므로 준혁이가 우유를 더 많이 마셨습니다. ▸2점 / 준혁
3 12 cm **4** 0.77 **5** 예 61 cm쯤
6 $\frac{3}{8}$ L **7** 3칸 **8** 정십이각형
9 27 cm **10** 25개
11 예 ❶ 자연수 부분이 0인 경우는 0.358, 0.385, 0.538, 0.583, 0.835, 0.853이고, 자연수 부분이 3인 경우는 3.058, 3.085, 3.508입니다. ▸4점
❷ 따라서 3.52보다 작은 소수는 모두 $6+3=9$(개)입니다. ▸1점 / 9개
12 13 **13** 35° **14** 80°
15 15분 **16** 140° **17** 60°

18 예 ❶ (주스병 4개의 무게)
$=10.62-7.42=3.2(\text{kg})$ ▸ 2점
❷ (주스병 12개의 무게)
$=3.2+3.2+3.2=9.6(\text{kg})$ ▸ 2점
❸ (빈 상자의 무게)
$=10.62-9.6=1.02(\text{kg})$ ▸ 1점 / 1.02 kg

19 82° **20** $17\frac{9}{10}$ cm

2

채점 기준		
	❶ 단위를 같은 형태로 나타내기	3점
	❷ 누가 우유를 더 많이 마셨는지 구하기	2점

6 • $3\frac{1}{8}-1\frac{3}{8}=2\frac{9}{8}-1\frac{3}{8}=1\frac{6}{8}$
• $1\frac{6}{8}-1\frac{3}{8}=\frac{3}{8}$
(식빵을 2개까지 만들 수 있습니다.)
→ 남는 우유는 $\mathbf{\frac{3}{8}}$ **L**입니다.

7 (화요일과 수요일의 윗몸일으키기를 한 횟수의 차)
$=24-12=12$(회)
→ (세로 눈금 칸 수의 차)$=12\div4=$**3(칸)**

9 빨간색 선의 길이는 정삼각형의 한 변의 길이의 7배입니다.
(정삼각형의 한 변)$=63\div7=9$(cm)
→ $9\times3=$**27 (cm)**

11

채점 기준		
	❶ 3.52보다 작은 소수 세 자리 수를 모두 만들기	4점
	❷ 위 ❶에서 만든 소수의 개수 구하기	1점

12 • ㉠$+10-4=8$, ㉠$+6=8$ → ㉠$=2$
• $5-1+10-$㉡$=7$, $14-$㉡$=7$ → ㉡$=7$
• ㉢$=6-1-1=4$
→ ㉠+㉡+㉢$=2+7+4=$**13**

13 평행선과 한 직선이 만날 때 생기는 각 중에서 반대 위치의 각의 크기는 같으므로
(각 ㅁㄷㄹ)=(각 ㄱㅁㄷ)$=65^\circ$입니다.
(각 ㄷㄴㄹ)$=180^\circ-100^\circ=80^\circ$
→ (각 ㄴㄹㄷ)$=180^\circ-80^\circ-65^\circ=$**35°**

14 (각 ㄴㄱㄷ)=(정삼각형의 한 각의 크기)$=60^\circ$
(각 ㄹㄱㄷ)$=110^\circ-60^\circ=50^\circ$
삼각형 ㄱㄷㄹ은 이등변삼각형이므로
(각 ㄹㄷㄱ)=(각 ㄹㄱㄷ)$=50^\circ$입니다.
→ (각 ㄱㄹㄷ)$=180^\circ-50^\circ-50^\circ=$**80°**

15 물의 온도는 1분에 $16-10=6$(℃)씩 올라갑니다.
(물이 끓기 시작할 때까지 올라가야 하는 온도)
$=100-10=90$(℃) → $90\div6=$**15(분)**

16 대각선이 27개이므로 각각의 꼭짓점에서 한 번씩 그을 수 있는 대각선은 모두 $27\times2=54$(개)입니다.
정다각형의 꼭짓점의 수를 ■개, 한 꼭짓점에서 그을 수 있는 대각선의 수를 ▲개라 하면 ▲=■-3이고, ▲×■$=54$입니다. 차가 3인 두 수 중에서 곱이 54인 두 수는 6과 9이므로 ■$=9$입니다.
(정구각형의 모든 각의 크기의 합)
$=180^\circ\times7=1260^\circ$ → $1260^\circ\div9=$**140°**

17

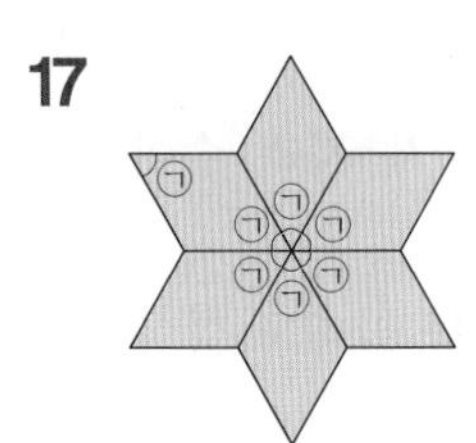

마름모는 마주 보는 두 각의 크기가 같으므로 도형의 중심에 ㉠과 크기가 같은 각이 6개 모여 있습니다.
→ ㉠$=360^\circ\div6=$**60°**

18

채점 기준		
	❶ 주스병 4개의 무게 구하기	2점
	❷ 주스병 12개의 무게 구하기	2점
	❸ 빈 상자의 무게 구하기	1점

19

(각 ㄱㅂㅁ)=(각 ㄴㄱㅂ)$=49^\circ$
(각 ㄱㅂㄴ)$=90^\circ-49^\circ=41^\circ$
입사각과 반사각의 크기는 같으므로
(각 ㄱㅂㄴ)=(각 ㄴㅂㄷ)$=41^\circ$입니다.
선분 ㄴㅂ과 선분 ㄷㅅ은 서로 평행하므로
(각 ㅂㄷㅅ)=(각 ㄴㅂㄷ)$=41^\circ$이고,
(각 ㅂㄷㅅ)=(각 ㅇㄷㅅ)$=41^\circ$입니다.
→ ㉠$=41^\circ+41^\circ=$**82°**

20 (20분 동안 탄 양초의 길이)
$=26-23\frac{3}{10}=25\frac{10}{10}-23\frac{3}{10}=2\frac{7}{10}$(cm)
(1시간 동안 탄 양초의 길이)
$=2\frac{7}{10}+2\frac{7}{10}+2\frac{7}{10}=8\frac{1}{10}$(cm)
→ $26-8\frac{1}{10}=25\frac{10}{10}-8\frac{1}{10}=\mathbf{17\frac{9}{10}}$**(cm)**

참고 $23\frac{3}{10}$ cm$=23.3$ cm로 나타내어 남은 양초의 길이를 17.9 cm로 답해도 정답으로 인정합니다.

동아출판

바른 국어 독해의 빠른시작

초등부터 빠작

바른 독해의 빠른시작 빠작!

비문학 독해·문학 독해 영역별로 깊이 있게

지문 독해·지문 분석·어휘 학습 3단계로 체계적인 독해 훈련

다양한 배경지식·어휘 응용 학습

비문학 독해 1~6단계 **문학 독해** 1~6단계

큐브 수학 심화

정답 및 풀이 4·2

개념부터 응용문제 학습까지 딱 1권으로 완료!

개념만 하기에는 너무 쉽거나 부족할 것 같은데 그렇다고 심화를 하기엔 두 권을 풀어내는 게 역부족이다 싶을 때 정말 딱 괜찮은 책! 개념부터 약간의 응용까지 건드려줘서 아이도 한 권이라 부담이 덜하고 엄마 입장에서도 너무 어렵지 않은 문제를 고루 만날 수 있다는 게 가장 큰 장점이에요. 개념부터 응용까지 폭넓게 다루는 교재는 큐브수학 개념응용밖에 없어요.

닉네임
좋***

다양한 난이도 문제로 수학 자신감 UP!

세분화된 개념으로 개념을 꽉 잡을 수 있고, 문제는 간단한 기본문제부터 응용문제까지 난이도와 유형이 다양하게 구성되어 있어 단조롭지 않더라고요. 서술형 문제도 꼼꼼히 살펴보았는데 역시 짧은 서술형 문제부터 좀 더 사고를 요하는 긴 문장의 문제까지 갖춰져 있어서 지루하지 않았어요. **제대로 개념을 이해하면서, 시간이 걸리더라도 다양한 문제를 마주하고 익힐 수 있는 책이에요.**

닉네임
유*

개념응용

서술형 문제 집중 훈련이 필요할 땐! 큐브수학 실력

서술형 코너는 연습→단계→실전의 3단계 학습으로 구성되어 있어요. 저는 이 부분이 가장 좋았어요. '연습'은 풀이 과정을 자연스럽게 익히면서 스스로 풀 수 있을만큼 쉽게 느껴졌고, '단계'는 연습의 복습, '실전'은 혼자 푸는 건데도 두 번의 연습으로 완벽하게 풀 수 있어 **서술형 문제를 내 것으로 만든다는 느낌이 강하게 들었습니다. 답안 쓰기 훈련을 완벽하게 할 수 있어요.**

닉네임
삼**

반복 학습으로 모든 유형을 제대로 익히기!

다양한 유형 문제가 있고, **문제마다 유형-확인-강화 순으로 반복 학습이 가능해요. 유사 유형의 문제를 반복적으로 풀어 볼 수 있으니 실력 향상에 도움이 많이 됩니다.** 또 서술형도 3단계 학습으로 답안 쓰기 훈련이 정말 잘 됩니다. 그리고 해설지도 문제에 따라 약점 포인트, 정답률까지 나와 있어서 참고하기 너무 편하게 되어 있더라고요.

닉네임
슈****

상위권 도전 첫 교재로 강력 추천!

개념과 유형 문제집까지 다 끝냈는데 심화를 안 풀고 넘어갈 수는 없잖아요? 심화 문제집도 아이에게 맞는 난이도를 선택하는 것이 무엇보다 중요한데요. **군더더기 없고 깔끔한 문제 구성과 적절하게 나누어진 난이도 덕분에 심화 시작 교재로 강력 추천합니다.**

닉네임
블***